상상 그 이상

모두의 새롭고 유익한 즐거움이
비상의 즐거움이기에

아무도 해보지 못한 콘텐츠를 만들어
학교에 새로운 활기를 불어넣고

전에 없던 플랫폼을 창조하여
배움이 더 즐거워지는 자기주도학습 환경을
실현해왔습니다

이제, 비상은
더 많은 이들의 행복한 경험과
성장에 기여하기 위해

글로벌 교육 문화 환경의
상상 그 이상을 실현해 나갑니다

상상을 실현하는 교육 문화 기업 비상

핵심만 빠르게~ 단기간에
내신 공부의 힘을 키운다

내공의 힘

한국사

핵심만 빠르게~ 단기간에
내신 공부의 힘을 키운다

구성과 특징

STRUCTURE

내신 개념 정리

IV. 대한민국의 발전

01 8·15 광복과 통일 정부 수립을 위한 노력

A 냉전 체제

1. 제2차 세계 대전

2. 냉전 체제의 형성과 심화

(1) 냉전 체제의 형성: 미국 중심의 자본주의 진영과 소련 중심의 공산주의 진영의 대립

| 미국 중심의 자본주의 진영 | 트루먼 독트린 발표, 유럽 부흥 계획(마셜 계획) 추진, 북대서양 조약 기구(NATO) 설립 |
| 소련 중심의 공산주의 진영 | 코민포름(공산당 정보국)과 공산당 경제 상호 원조 회의(COMECON) 조직, 바르샤바 조약 기구(WTO) 설립 |

(2) 냉전 체제의 심화: 베를린 봉쇄(→ 독일 분단), 6·25 전쟁, 쿠바 미사일 위기, 베트남 전쟁

3. 동아시아의 변화

| 중국 | 국민당과 공산당의 내전 → 마오쩌둥의 공산당 승리, 중화 인민 공화국 수립 선포(1949) |
| 일본 | 샌프란시스코 강화 조약 체결(1951)로 주권 회복 |

B 광복과 정부 수립 논의

1. 8·15 광복 우리 민족의 끈질긴 독립운동 전개, 연합국의 독립 약속(카이로 선언, 포츠담 선언) → 일본의 항복, 연합국의 승리 → 광복(1945. 8. 15.)

2. 미·소 군정과 국토 분단 소련군의 한반도 북부 지역 점령 → 미국이 38도선을 기준으로 분할 점령 제안 → 소련의 수용 → 분단(38도선 이북에 소련군, 이남에 미군 주둔)

| 미 군정의 정책 | 군정청 설치 후 남한 지역 직접 통치, 조선 인민 공화국과 대한민국 임시 정부 등 불인정, 조선 총독부로부터 일하였던 관료와 경찰 기용(기존의 행정 체제 활용) |
| 소 군정의 정책 | 인민 위원회의 행정권 인정 후 북한 지역 간접 통치, 사회주의 세력의 정권 장악 지원 |

★ 3. 조선 건국 준비 위원회

조직	광복 직후 여운형, 안재홍 등이 조선 건국 동맹을 중심으로 좌우익 세력을 모아 조직
활동	전국에 145개 지부 조직, 치안대 설치(질서 유지)
해체	좌익 세력의 위원회 주도권 장악으로 일부 우익 세력 이탈 → 중앙 조직을 정부 형태로 개편, 각 지부를 인민 위원회로 교체, 조선 인민 공화국 수립 선포 → 미 군정 불인정

조선 건국 준비 위원회 강령(1945)
· 우리는 완전한 독립 국가의 건설을 기함
· 우리는 전 민족의 정치적·경제적·사회적 기본 요구를 실현할 수 있는 민주주의적 정권의 수립을 기함
· 우리는 일시적 과도기에 있어 국내 질서를 자주적으로 유지하며 대중 생활의 확보를 기함

4. 광복 후 남한의 여러 정치 세력

| 우익 | · 송진우, 김성수를 중심으로 한국 민주당 결성 · 이승만 귀국 → 독립 촉성 중앙 협의회 조직 · 한국 독립당(김구, 대한민국 임시 정부 세력)의 활동 |
| 좌익 | 박헌영 등이 남조선 노동당(남로당) 결성 |

★ 5. 모스크바 3국 외상 회의와 미소 공동 위원회

(1) 모스크바 3국 외상 회의

| 개최 | 미국, 영국, 소련의 외무 장관이 모스크바에 모여 제2차 세계 대전의 전후 처리 문제 논의(1945. 12.) |
| 결의 내용 | 한반도에 민주주의 임시 정부의 수립, 미소 공동 위원회 개최, 최고 5년간 신탁 통치 실시 등 |

(2) 우리 민족의 반응

① 우익 세력: 김구, 이승만, 한국 민주당 등 신탁 통치 반대 운동 전개

② 좌익 세력: 조선 공산당 등 신탁 통치 반대 → 모스크바 3국 외상 회의 결정의 본질이 민주주의 임시 정부 수립에 있다고 보고 총체적 지지로 입장을 바꿈

(3) 제차 미소 공동 위원회(1946. 3.) 임시 정부 수립에 관한 협의에 참여할 단체의 범위를 두고 미국과 소련의 의견 대립(미국은 모든 단체의 참여 주장, 소련은 모스크바 3국 외상 회의 결정에 찬성하는 단체만 참여 주장) → 협상 결렬 및 무기한 휴회

(4) 이승만의 정읍 발언(1946. 6.): 남한만의 단독 정부 수립 주장

시험에 자주 나오는 주제를 선별하여 교과 내용을 정리하였습니다. 한눈에 들어오는 표, 흐름도, 자료 등으로 단원의 핵심 개념을 효율적으로 학습할 수 있습니다.

단계적 문제 풀이

1단계 개념 짚어 보기

정답과 해설 7쪽

2. 무신 정권의 수립과 전개

(1) 무신 정권 수립: 무신에 대한 차별을 이유로 정중부·이의방 등이 무신 정변(1170)을 일으킴 → 중방을 통해 정책 결정, 집권자의 잦은 교체로 사회 혼란, 백성 수탈 심화

(2) 최씨 무신 정권 수립: 최충헌(교정도감 설치, 사병 집단인 도방 확대) → 최우(정방·서방 설치, 야별초 조직)

(3) 농민과 천민의 봉기: 정부의 지방 통제력 약화, 무신 정권의 수탈 → 망이·망소이의 난(공주 명학소), 김사미·효심의 난, 만적의 난(신분 해방 운동)

3. 몽골의 침략과 무신 정권의 몰락

| 몽골의 침략 | 몽골 사신의 피살 → 몽골의 고려 침략 → 몽골과의 강화, 최우의 강화도 천도, 몽골의 재침략 → 처인성 전투, 충주성 전투 → 최씨 정권 몰락, 몽골과 개경 환도 |
| 삼별초 항전 | 몽골과의 강화 반대, 강화에서 진도·제주도로 이동하며 항전 → 고려와 몽골의 연합군에게 진압됨 |

D 원의 내정 간섭과 새로운 정치 세력의 성장

★ 1. 원의 내정 간섭과 공민왕의 개혁

원의 내정 간섭	· 정세 독립국 지위 유지, 원의 부마국이 됨(왕호와 관제 격하), 고려에 몽골풍 유행, 몽골에 고려양 전파 · 영토 상실: 쌍성총관부(화주), 동녕부(서경), 탐라총관부(제주도) 설치 · 일본 원정 동원: 인력과 물자 동원, 정동행성 설치(내부 가치 파괴, 내정 간섭) · 자원 요구: 특산물(금·인삼 등) 및 공녀의 환곡 요구
권문세족의 성장	친원적 성향, 주로 음서로 관직 진출, 고위 관직 독점(도평의사사 장악), 막대한 농장과 노비 소유
공민왕의 내정 개혁	· 반원 자주 정책: 기철 등 친원파 숙청, 정동행성 폐지, 고려의 관제 복식 회복, 쌍성총관부 공격(철령 이북 지역 수복), 몽골풍 금지 · 왕권 강화 정책: 정방 폐지(인사권 장악), 신돈 등용(전민변정도감 설치) · 결과: 홍건적과 왜구의 침략으로 정세 불안, 권문세족의 반발 → 신돈 제거, 공민왕 시해로 실패

2. 신진 사대부의 성장과 고려의 멸망

(1) 새로운 세력의 성장

| 신진 사대부 | 지방 향리의 자제, 주로 과거 출신 → 공민왕 때 과거로 정계 진출, 성리학 수용, 권문세족 비판 |
| 신흥 무인 세력 | 14세기 후반에 홍건적과 왜구를 격퇴하는 과정에서 성장(이성계 등) |

(2) 고려 멸망: 요동 정벌 추진 → 이성계의 위화도 회군(1388) → 과전법 시행(1391) → 조선 건국(1392)

01 다음 빈칸에 ( )을 쓰시오.

(1) 태조 왕건은 ( ) 수도에 올라와 살게 하는 ( )을 중시하였다.

(2) 태조 왕건은 ( )을 시행하였다.

02 고려의 중앙 정치 기구와 그 역할을 옳게 연결하시오.

(1) 삼사 · · ⊙ 왕명 전달
(2) 중추원 · · ⓒ 최고 중앙 관서
(3) 어사대 · · ⓒ 법률·제도 제정
(4) 식목도감 · · ② 관리의 비리 감찰
(5) 중서문하성 · · ⑩ 화폐와 곡식의 출납

03 다음 괄호 안의 내용 중 알맞은 말에 ○표를 하시오.

(1) 고려는 (5도, 양계)에 안찰사를 파견하였다.

(2) 고려는 중앙군으로 국왕의 친위 부대인 (2군, 6위)을/를 두었다.

(3) 고려는 시험을 통해 유교적 소양과 실무 능력을 갖춘 인재를 선발하기 위한 (과거제, 음서제)를 실시하였다.

04 다음 설명이 맞으면 ○표, 틀리면 ×표를 하시오.

(1) 윤관은 별무반을 이끌고 여진을 정벌하였다. ( )

(2) 서희는 거란과 회담하여 강동 6주를 획득하였다. ( )

(3) 대표적 문벌인 이자겸은 서경 천도 운동을 추진하였다. ( )

(4) 무신 정권 초기에는 집사부를 중심으로 국정을 운영하였다. ( )

(5) 최충헌은 정권을 장악한 후 교정도감을 설치하여 도방을 확대하였다. ( )

05 다음은 공민왕의 개혁 정책을 정리한 표이다. ⊙~②에 들어갈 내용을 각각 쓰시오.

정책	내용
반원 자주 정책	· 일본 원정 이후 내정 간섭 기구로 쓰이던 (⊙) 폐지 · (ⓒ) 공격하여 철령 이북 지역 수복
왕권 강화 정책	· 교과와 과거제 정비 과정에서 성장한 (ⓒ) 등용 · 신돈을 등용하여 (②) 설치

1단계 개념 짚어 보기

단원의 핵심 개념을 잘 이해했는지 단답형 문제를 통해 꼼꼼하게 체크할 수 있습니다.

2단계 내신 다지기

A 1910년

출제가능성 90%

01 다음 강령을 ... 단체에 대한 설명으로 옳은 것은?

... 박용만이 조직하였다.
② 공화국 수립을 목표로 하여 조직되었다.
③ 일제가 조작한 105인 사건으로 해체되었다.
④ 재중ㆍ...을 중심으로 평안도, 황해도 등지에서 활동하였다.
⑤ 대성 학교, 오산 학교 등을 설립하여 민족 교육을 실시하였다.

02 다음에서 설명하는 이념을 쓰시오.

• 나라를 되찾아 임금을 다시 세우겠다는 주장으로, 대한 제국의 회복을 추구하는 독립운동의 이념이다.
• 임병찬이 조직한 독립 의군부는 이것을 추구하는 대표적 ...

04 (가)~(바) 지역에서 전개된 독립운동에 대한 설명으로 옳지 않은 것은?

① (가) - 신규식 등이 대동단결 선언을 발표하였다.
② (나) - 이상설 등이 서전서숙과 명동 학교를 세웠다.
③ (다) - 대종교 신자 중 일부가 중광단이라는 무장 독립 단체를 만들었다.
④ (라) - 이상설과 이동휘를 정ㆍ부통령으로 하는 대한 광복군 정부가 조직되었다.
⑤ (바) - 대한인 국민회가 독립운동 자금을 모아 만주와 연해주의 독립운동을 지원하였다.

B 3ㆍ1 운동

◆ 2단계 내신 다지기

교과서를 철저히 분석하여 학교 시험에 출제될 가능성이 높은 문제로만 구성하였습니다. 핵심 자료를 활용한 다양한 문제로 실전 감각을 키울 수 있습니다.

3단계 등급 올리기

정답과 해설 기록

01 다음 가상 대화의 된 배경이 된 사실로 가장 적절한 것은?

① 청군이 갑신정변을 진압하였다.
② 청과 일본이 톈진 조약을 체결하였다.
③ 조청 상민 수륙 무역 장정이 체결되었다.
④ 대한 제국이 청과 통상 조약을 체결하였다.
⑤ 청의 알선으로 조미 수호 통상 조약이 체결되었...

한국사 신문

기록물, 유네스코 세계 기록 유산에 등재

서술형 문제

04 다음과 같...
류 진출 고...

◆ 3단계 등급 올리기

내신 1등급 달성에 도움을 주는 통합형 문제와 서술형 문제를 구성하였습니다. 고난도 문제를 통해 사고력과 응용력을 향상시킬 수 있습니다.

내공 점검

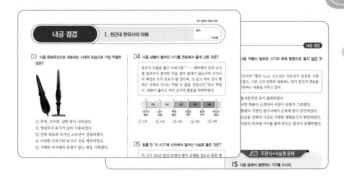

내공 점검 Ⅰ. 전근대 한국사의 이해

01 다음 문화유산으로 대표되는 시대의 모습으로 가장 적절한 것은?

① 무예, 고구려, 삼한 등이 나타난다.
② 빗살무늬 토기가 널리 사용되었다.
③ 민족 최초의 국가인 고조선이 성립하였다.
④ 다양한 간석기와 토기가 처음 제작되었다.
⑤ 지배와 피지배의 관계가 없는 평등 사회였다.

04 다음 상황이 벌어진 시기를 연표에서 옳게 고른 것?

05 밑줄 친 '이 시기'에 신라에서 일어난 사실로 옳은 것은?

이 시기 150년 동안 20명의 왕이 교체될 정도로 왕위 쟁...

15 다음 글에서 설명하는 기구를 쓰시오.

▶ 대단원별로 시험 대비 실전 문제를 구성하였습니다. 중간ㆍ기말 고사 직전에 자신의 실력을 최종 점검할 수 있습니다.

내공과 내 교과서 단원 비교하기

차례

CONTENTS

I 전근대 한국사의 이해

II 근대 국민 국가 수립 운동

III 일제 식민지 지배와 민족 운동의 전개

IV 대한민국의 발전

내공 점검

고대 국가의 지배 체제

A 선사 시대와 국가의 출현

1. 선사 문화의 전개

구분	구석기 시대	신석기 시대
시기	약 70만 년 전 시작	약 1만 년 전 시작
도구	주먹도끼 등 뗀석기	간석기, 토기(빗살무늬 토기 등)
주거	이동 생활(동굴, 바위 그늘 등에 거주)	정착 생활(움집 등에 거주)
경제	채집, 사냥	농경과 목축 시작
사회	지배와 피지배의 관계가 발생하지 않은 평등 사회	

● 청동기는 주로 무기나 제사용 도구로 사용되었고, 농기구로는 반달돌칼 등의 석기가 주로 사용되었다.

★ 2. 청동기 문화를 바탕으로 성립한 고조선

(1) 청동기 시대의 사회 변화: 생산력이 발달하며 마을의 규모가 커짐, 계급이 발생하고 군장이 등장, 고인돌 제작 → 우리 민족 최초의 국가인 고조선 성립

(2) 고조선의 성립과 발전

● '단군'은 제사장, '왕검'은 정치적 우두머리를 뜻하는 말로, 고조선이 제정일치 사회였음을 알 수 있다.

건국	정치적으로 우월한 환웅 집단이 여러 세력과 결합하여 성립, 단군 왕검이 건국
변천	기원전 4세기경 '왕' 칭호 사용, 중국의 연과 겨룰 만큼 성장 → 기원전 2세기경 위만이 집권 → 철기 문화의 본격적 수용, 중계 무역으로 번성 → 한의 침략으로 멸망 → 한 군현 설치
정치	기원전 3세기경 부왕에서 준왕으로 왕위 세습, 왕 아래 상·대부·장군 등의 관직 설치
사회	8조의 법 제정(계급 사회, 개인의 노동력과 사유 재산 중시) → 한 군현 설치 이후 법 조항이 60여 조로 증가

● 토착민의 반발에 부딪혔으며, 이후 세력이 약화되다가 고구려의 공격을 받고 축출되었다.

3. 여러 나라의 성장

(1) 성장 배경: 철기 문화의 발달 → 농업 생산력의 증가 → 집단 간 전쟁 확대, 고조선 멸망 이후 한반도 전역에 여러 나라가 성장

(2) 부여의 성장: 만주 쑹화강 유역, 연맹 왕국 형성(왕호 사용, 왕 아래 가·사자 등의 통치 세력이 존재, 왕 아래 제가들이 사출도 통치) → 5세기 말 고구려에 흡수

● 마가, 우가, 저가, 구가가 사출도를 다스렸다.

(3) 옥저와 동예, 삼한의 성립

옥저	함경도 동해안 지역, 민며느리제, 가족 공동 무덤 제작	군장(읍군, 삼로)이 다스림, 고구려의 압력을 받음
동예	강원도 북부 동해안 지역, 책화, 족외혼	
삼한	• 소국 연합: 한반도 남부에 마한, 변한, 진한으로 이루어짐 • 특징: 군장(신지, 읍차)이 통치, 천군이 소도에서 종교 의례를 주관(제정 분리), 벼농사 발달(철제 농기구 이용, 저수지 축조), 많은 철 생산(변한)	

● 다른 부족이 영역을 침범하면 소나 말로 변상하게 하였다.

● 낙랑군과 왜로 철을 수출하였다.

(4) 삼국과 가야의 성립

고구려	주몽이 압록강 유역의 졸본 지방에 건국, 5부족 연맹 왕국, 지배층인 왕과 여러 가들은 사자·조의·선인 등의 관리를 거느림, 서옥제, 제가 회의 개최
백제	온조가 건국(부여·고구려의 이주민과 한강 유역의 토착민이 결합), 하남 위례성에 도읍 → 마한의 소국들을 제압하면서 성장, 정사암 회의 개최
신라	6부 연맹에 기초하여 진한의 소국들을 복속하며 성장, 4세기 전반까지 박·석·김씨가 왕위 배출, 왕호 변화(거서간 → 차차웅 → 이사금), 화백 회의 개최
가야	• 변한 지역에 여러 소국 등장 → 연맹 왕국으로 발전, 풍부한 철을 바탕으로 성장 백제와 신라의 압력을 받았다. • 금관가야(김해)에서 대가야(고령)로 주도권 이동, 중앙 집권 국가로 성장하지 못하고 신라에 의해 멸망

● 신라의 요청으로 군대를 보낸 광개토 대왕의 공격을 받아 금관가야가 쇠퇴하였다.

B 중앙 집권적 고대 국가로 발전한 삼국

1. 중앙 집권적 고대 국가의 특징

정복 활동, 왕권 강화(왕위 세습권 확립, 족장이 귀족으로 편입), 체제 정비(중앙 및 지방 조직 정비, 관리의 복색과 관등 제정), 율령 정비, 불교 수용

● 고구려는 대대로 이하 10여 관등, 백제는 좌평 이하 16관등, 신라는 이벌찬 이하 17관등으로 정비되었다. 신라는 골품제라는 신분제와 연계하여 운영되었다.

2. 고구려의 성장과 발전

1~2세기	태조왕	정복 활동 활발 → 옥저 정복, 요동(랴오둥) 진출
	고국천왕	진대법 실시, 5부의 지배 세력을 중앙 귀족으로 편입
4세기	미천왕	낙랑군 축출 → 대동강 유역 확보
	소수림왕	불교 수용, 태학 설립, 율령 반포
5세기	광개토 대왕	요동과 만주 남부 일대 장악, 백제 공격, 신라에 침입한 왜 격퇴, 금관가야 공격(한반도 남부까지 영향력 확대)
	장수왕	남진 정책 → 평양 천도, 한강 유역 장악

● 흉년·춘궁기에 곡식을 빌려주고 수확 후 갚게 하였다.

3. 백제의 성장과 발전

● 고구려의 고국원왕을 전사시켰다.

3세기	고이왕	한강 유역 장악, 6좌평을 비롯한 관등과 공복을 제정, 통치 조직 정비
4세기	근초고왕	마한 정복, 왕위의 부자 상속 안정, 고구려의 평양을 공격, 중국의 동진 및 왜와 교역
5세기		나제 동맹 체결, 웅진 천도(475)
6세기	무령왕	22담로에 왕족 파견, 중국 남조와 교류
	성왕	사비 천도, '남부여'로 국호 변경, 왜에 불교 전파, 한강 하류 지역의 일시적 회복

● 성왕은 신라 진흥왕의 공격으로 관산성에서 전사하였다.

★ 4. 신라의 성장과 발전

광개토 대왕릉비, 호우명 그릇
등을 통해 알 수 있다.

4세기	내물왕	김씨의 왕위 계승 확립, '마립간' 칭호 사용, 광개토 대왕의 도움으로 왜구 격퇴(고구려의 간섭 초래)
6세기	지증왕	'신라' 국호·'왕' 칭호 사용, 우산국 정복
	법흥왕	불교 공인, 율령 반포, 병부 및 상대등 설치, '건원' 연호 사용, 17관등제 정비, 금관가야 정복
	진흥왕	화랑도를 국가적 조직으로 개편, 영토 확장(한강 유역 장악, 대가야 정복, 함경도 진출 → 단양 신라 적성비·서울 북한산 신라 진흥왕 순수비 건립)

C 통일 신라와 발해의 성립과 발전

1. 고구려의 대외 항쟁

(1) 6세기 말~7세기 동아시아 정세: 고구려, 백제, 돌궐, 왜 ↔ 수·당, 신라

(2) 고구려와 수·당의 전쟁: 고구려가 수의 침입 격퇴(살수 대첩, 612) → 고구려가 당의 침입 격퇴(안시성 싸움, 645)

고구려가 수·당의 침략을 막아 낸 것은 중국의
한반도 침략을 저지하였다는 점에서 의미가 있다.

2. 신라의 삼국 통일

(1) 신라와 당의 연합: 백제의 신라 공격, 당의 고구려 정복 실패 → 나당 동맹 체결(648)

(2) 백제와 고구려의 멸망과 부흥 운동

백제	• 멸망: 황산벌에서 계백의 결사대가 신라군에 패배 → 나당 연합군이 사비 함락(660) • 부흥 운동: 복신·도침(주류성), 흑치상지(임존성) 주도 → 실패
고구려	• 멸망: 연개소문 사후 권력 다툼(국력 약화) → 나당 연합군이 평양 함락(668) • 부흥 운동: 검모잠·안승(한성) 주도 → 실패

(3) 나당 전쟁: 당의 한반도 지배 야심 → 신라의 고구려 부흥 운동 지원, 사비에 주둔한 당군 격파 → 매소성·기벌포 싸움 승리 → 신라의 삼국 통일 완성(676)

당은 백제의 옛 땅에 웅진
도독부, 신라 땅에는 계림
도독부, 고구려 멸망 후에는
안동 도호부를 설치하였다.

(4) 삼국 통일의 의의와 한계

① 의의: 역사상 최초의 통일로 민족 문화의 기틀 마련

② 한계: 외세인 당을 끌어들이고 대동강 이남 지역만 확보

★ 3. 통일 신라의 발전

(1) 신라의 왕권 강화

이후 무열왕 직계 후손이 왕위를 계승하였다.

무열왕	최초의 진골 출신 왕, 통일 전쟁 과정에서 왕권 강화
문무왕	삼국 통일 완성, 민생 안정 노력
신문왕	진골 귀족 숙청(김흠돌의 난 진압) → 왕권 강화

(2) 통치 체제 정비

왕의 직속 기구로 기밀 사무를 관장하면서 왕명을 수행하였다.

중앙 통치 체제	• 집사부 중심 운영(장관인 시중의 권한 강화 → 상대등 권한 약화), 집사부 이하 13부가 행정 업무 분담, 감찰 기구 설치(사정부, 외사정 등) • 국학 설립(유학 교육, 인재 양성), 6두품 세력이 중앙 행정의 실무 담당(왕의 정치적 조언자 역할)
지방 통치 제도	• 조직: 9주(주 아래 군·현 설치) 5소경(군사·행정 요충지에 설치, 수도의 편재성 보완, 고구려·백제 유민 정착), 향·부곡 설치(특수 행정 구역) 지방 세력을 일정 기간 수도에 와서 머무르게 한 제도이다. • 운영: 상수리 제도 실시(지방 세력 견제), 군현에 지방관 파견, 촌(말단 행정 구역)은 촌주가 지방관의 통제를 받아 통치, 세금 수취를 위한 신라 촌락 문서 작성(촌락 내 인구, 토지 종류와 면적, 가축의 수, 과실나무의 수 등 기록)
군사 제도	9서당(중앙군, 옛 고구려·백제·말갈인 포용) 10정(지방군)을 중심으로 정비 3년 마다 촌주가 직접 작성하였다.
관료제	• 신문왕 때 녹읍(수조권과 노동력 징발 가능) 폐지, 관료전(수조권만 인정) 지급 → 귀족 세력 약화 • 골품이 정치적·사회적 지위 규정 및 일상생활 제한(가옥의 규모, 수레 등), 3두품 이하에서 골품의 구분이 사라짐

(3) 신라 말 지배 체제의 동요

① 왕위 쟁탈전 심화: 8세기 후반 진골 귀족 간의 권력 다툼으로 사회 혼란 → 상대등의 권력 강화, 왕권 약화, 6두품의 반신라화

진골의 관직 독점과 골품제에 따른 관직
승진의 한계에 불만이 있었기 때문이다.

② 후삼국의 성립: 신라 말 사회 혼란(중앙 정치 문란, 귀족들의 농민 수탈) → 지방에서 호족이 성장, 농민 봉기의 확산 → 후백제·후고구려의 성립

장군, 성주 등을 지칭하며
성장한 지방 세력이다.

4. 발해의 발전

(1) 발해의 성장과 멸망

발해는 일본에 보낸 국서에
고려 또는 고려 국왕이라는
명칭을 사용하였다.

건국(698)	고구려 장군 출신 대조영이 지린성의 동모산에서 건국 → 남북국의 형세 형성, 고구려 계승 의식 표방	
발전	무왕	연호 '인안' 사용, 당의 산둥 지방 공격, 돌궐·일본과 친교를 맺고 당과 신라 견제
	문왕	연호 '대흥' 사용, 당·신라와 친선 관계 형성, 중앙 통치 체제 정비, 수도인 상경성 건설
	선왕	최대 영토 확보(옛 고구려 땅 대부분 차지, 말갈 대부분 복속, 요동과 연해주까지 진출) → 이후 발해가 '해동성국'이라 불림 바다 동쪽의 큰 나라라는 뜻이다.
멸망(926)	10세기 초 지배층의 권력 다툼으로 국력 쇠퇴 → 거란의 공격으로 멸망	

(2) 발해의 통치 체제 정비

6부의 명칭에 유교 이념을 반영하였고,
정당성 아래 6부를 둘로 나누어 관할
하게 하였다.

중앙	3성 6부제(당의 제도 모방, 명칭과 운영 방식의 독자성), 정당성 중심 운영(장관인 대내상이 국정 총괄)
지방	5경 15부 62주(관리 파견), 말단 촌락은 말갈 수령의 도움을 받아 다스림

정답과 해설 2쪽

01 다음 설명이 맞으면 ○표, 틀리면 ×표를 하시오.

(1) 청동기 시대에 농경과 목축이 처음 시작되었다.
( )

(2) 옥저와 동예는 읍군, 삼로라고 불리는 군장이 다스렸다.
( )

(3) 신석기 시대에 계급이 발생하고 지배자가 등장하였다.
( )

(4) 고조선은 단군왕검이라는 제정일치의 지배자가 통치하였다.
( )

(5) 구석기 시대 사람들은 이동 생활을 하며 동굴, 바위 그늘에서 생활하였다.
( )

02 다음은 고구려의 발전 과정을 나타낸 것이다. 빈칸에 들어갈 왕을 쓰시오.

고국천왕	( )	광개토 대왕
5부의 지배 세력을 중앙 귀족으로 편입	불교 수용, 태학 설립, 율령 반포	신라에 침입한 왜 격퇴

03 백제 근초고왕의 업적만을 〈보기〉에서 있는 대로 골라 기호를 쓰시오.

> **보기**
> ㄱ. 공복 제정
> ㄴ. 마한 정복
> ㄷ. 사비 천도
> ㄹ. 국호 '남부여' 변경
> ㅁ. 고구려의 평양 공격
> ㅂ. 22담로에 왕족 파견

04 다음 괄호 안의 내용 중 알맞은 말에 ○표를 하시오.

(1) 신라는 통일 이후 왕의 직속 기구로 (집사부, 상대등)을/를 두었다.

(2) 신라 신문왕은 왕권 강화를 위해 관리들의 (녹읍, 관료전)을 폐지하였다.

(3) 통일 신라에서는 촌주를 수도에 와서 머물게 하는 (골품제, 상수리 제도)를 운영하였다.

05 발해의 왕과 그 업적을 옳게 연결하시오.

(1) 무왕 •　　　　• ㉠ 상경성 건설

(2) 문왕 •　　　　• ㉡ 최대 영토 확보

(3) 선왕 •　　　　• ㉢ 당의 산둥 지방 공격

A 선사 시대와 국가의 출현

01 (가), (나)의 도구가 처음 사용된 시기의 생활 모습으로 옳은 것을 〈보기〉에서 고른 것은?

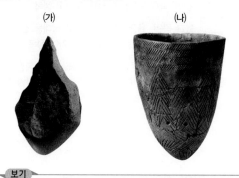

(가)　　　　　(나)

> **보기**
> ㄱ. (가) – 농경과 목축을 처음 시작하였다.
> ㄴ. (가) – 지배와 피지배의 관계가 발생하지 않았다.
> ㄷ. (나) – 거대한 고인돌을 만들었다.
> ㄹ. (나) – 움집을 짓고 정착 생활을 하였다.

① ㄱ, ㄴ　　② ㄱ, ㄷ　　③ ㄴ, ㄷ
④ ㄴ, ㄹ　　⑤ ㄷ, ㄹ

출제가능성 90%

02 지도와 같은 문화 범위를 가진 나라에 대한 설명으로 옳지 않은 것은?

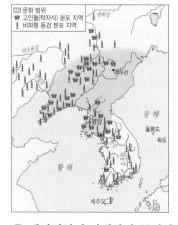

① 제정일치의 지배자가 통치하였다.

② 왕 아래 상·대부·장군 등의 관직을 두었다.

③ 60여 개의 법 조항을 갖추고 백성을 통치하였다.

④ 중국의 한 왕조와 대립하는 과정에서 멸망하였다.

⑤ 위만이 집권하면서 철기 문화를 본격적으로 수용하였다.

03 (가)에 들어갈 답변으로 가장 적절한 것은?

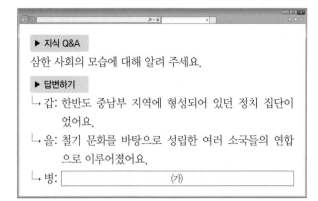

▶ 지식 Q&A

삼한 사회의 모습에 대해 알려 주세요.

▶ 답변하기

└ 갑: 한반도 중남부 지역에 형성되어 있던 정치 집단이 었어요.

└ 을: 철기 문화를 바탕으로 성립한 여러 소국들의 연합 으로 이루어졌어요.

└ 병: (가)

① 불교를 수용하였어요.

② 서옥제의 풍습이 있었어요.

③ 5세기 말 고구려에 흡수되었어요.

④ 가축의 이름으로 관직명을 정하였어요.

⑤ 천군이 소도에서 종교 의례를 주관하였어요.

B 중앙 집권적 고대 국가로 발전한 삼국

05 (가), (나)에 들어갈 왕의 공통적인 업적으로 옳은 것은?

- •   (가)   즉위 2년 …… (북조의) 전진왕 부견이 사신과 승려 순도를 시켜 불상과 경문을 보내왔다.   – 「삼국유사」

- •   (나)   7년(520) …… 모든 관리의 공복을 만들어 붉은색과 자주색으로 위계를 정하였다. …… 19년(532) 금관국의 왕 김구해가 …… 나라의 재산과 보물을 가지고 와 항복하였다. 왕이 예로써 그들을 대우하고 높은 관등을 주었다.   – 「삼국사기」

① 수도를 옮겨 왕권을 강화하였다.

② 교육 기관으로 태학을 설립하였다.

③ 한강 유역을 차지하여 영토를 팽창하였다.

④ 5부의 지배 세력을 중앙 귀족으로 편입시켰다.

⑤ 율령을 반포하여 중앙 집권적 통치 기준을 마련하였다.

✦출제가능성 90%

04 지도는 철기 문화를 배경으로 성장한 나라들을 표시한 것이다. (가)~(마)에 대한 설명으로 옳은 것은?

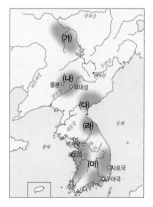

① (가) – 왕 아래에 가(加)·사자 등이 있었다.

② (나) – 낙랑군과 왜로 철을 많이 수출하였다.

③ (다) – 가야 연맹이 성장하였다.

④ (라) – 귀족 회의로 화백 회의를 두었다.

⑤ (마) – 읍군, 삼로라는 군장이 통치하였다.

06 (가) 왕 시기 삼국의 정치 상황에 대한 설명으로 옳은 것은?

충주 고구려비를 통해   (가)   시기에 고구려가 남한강 유역으로 진출하여 한반도 중부 지역까지 영토를 확장하였음을 알 수 있습니다.

① 고구려가 낙랑군을 축출하였다.

② 고구려가 금관가야를 공격하였다.

③ 고구려가 수도를 평양으로 옮겼다.

④ 백제가 고구려의 평양성을 공격하였다.

⑤ 신라는 왕호를 중국식인 '왕'으로 바꾸었다.

07 지도와 같은 형세가 이루어진 시기 백제에서 있었던 일로 옳은 것은?

① 마한을 정복하였다.
② 대가야를 정복하였다.
③ 진대법을 실시하였다.
④ 북한산에 순수비를 건립하였다.
⑤ 김씨의 왕위 세습권이 확립되었다.

08 다음 회의체를 운영한 나라에 대한 설명으로 옳은 것은?

> 연노부·절노부·순노부·관노부·계루부의 다섯 집단
> 이 있었다. …… 대가들도 사자·조의·선인을 두었는데
> …… 범죄자가 있으면 제가들이 모여 회의하여 사형에
> 처하고 그 처자는 노비로 삼는다.   - 「삼국지」, 「위서 동이전」

① 지방에 22담로를 설치하였다.
② 왕호를 마립간으로 칭하였다.
③ 남부여로 국호를 변경하였다.
④ 부족장이 사출도를 통치하였다.
⑤ 태학을 설립하여 인재를 양성하였다.

09 밑줄 친 '이 왕'의 재위 시기의 사실로 옳지 않은 것은?

> 이 왕은 이찬 철부를 상대등으로 삼아 나라의 일을 총괄
> 하게 하였다. 상대등이라는 관직은 이때 처음 생겼으니,
> 지금의 재상과 같다.

① 공복을 제정하였다.
② 병부를 설치하였다.
③ 불교를 공인하였다.
④ 금관가야를 정복하였다.
⑤ 국호를 신라로 정하였다.

10 도표에 나타난 제도에 대한 설명으로 옳은 것을 〈보기〉에서 고른 것은?

등급	관등명	골품				복색
		진골	6두품	5두품	4두품	
1	이벌찬					자색
2	이 찬					
3	잡 찬					
4	파진찬					
5	대아찬					
6	아 찬					비색
7	일길찬					
8	사 찬					
9	급벌찬					
10	대나마					청색
11	나 마					
12	대 사					황색
13	사 지					
14	길 사					
15	대 오					
16	소 오					
17	조 위					

보기

> ㄱ. 왕권을 약화하는 계기가 되었다.
> ㄴ. 개인의 일상생활에도 영향을 주었다.
> ㄷ. 골품 간에는 신분 이동이 자유로웠다.
> ㄹ. 골품에 따라 정치 활동의 범위가 결정되었다.

① ㄱ, ㄴ   ② ㄱ, ㄷ   ③ ㄴ, ㄷ
④ ㄴ, ㄹ   ⑤ ㄷ, ㄹ

11 가야 연맹의 중심 세력이 (가)에서 (나)로 변화한 이유에 대한 설명으로 옳은 것은?

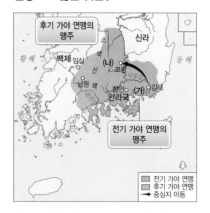

① 백제가 웅진으로 천도하였다.
② 신라 지증왕이 우산국을 정복하였다.
③ 신라 법흥왕이 (가) 세력을 멸망시켰다.
④ 신라 진흥왕의 공격으로 (나)가 멸망하였다.
⑤ (가) 세력이 고구려 광개토 대왕의 공격에 타격을 입었다.

C 통일 신라와 발해의 성립과 발전

12 (가)에 들어갈 연구 주제로 가장 적절한 것은?

> **수행 평가 보고서**
> 제목: 수·당 세력을 막아낸 고구려
> • 주제 1: 수의 침략과 살수 대첩의 전개
> • 주제 2:   (가)

① 관산성 전투의 결과
② 매소성 전투의 영향
③ 안시성 전투의 승리 요인
④ 황산벌 전투로 인한 결과
⑤ 기벌포 싸움의 승리 요인

출제가능성 90%

13 (가)에 들어갈 답변으로 적절하지 않은 것은?

통일 이후 신라의 통치 체제에 대해 알고 있니?
사정부, 외사정 등의 감찰 기구를 두었어.
(가)

① 상대등의 권한이 강화되었어.
② 왕의 직속 기구로 집사부를 두었어.
③ 국학을 설립하여 인재를 양성하였어.
④ 6두품은 왕의 정치적 조언자로 성장하였어.
⑤ 옛 고구려, 백제인과 말갈인을 중앙군으로 편성하였어.

주관식

14 밑줄 친 '이 문서'를 쓰시오.

> 이 문서는 1933년 일본의 도다이사 쇼소인(정창원)에서 발견되었다. 이 문서에는 서원경 부근의 촌을 비롯한 4개 촌의 이름과 소속 현, 토지의 종류와 면적, 인구와 가구, 소와 말의 수, 뽕나무·잣나무·가래나무의 수 등이 기록되어 있다.

15 지도의 행정 구역을 갖춘 나라에 대한 설명으로 옳은 것은?

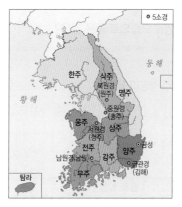

① 족외혼의 풍습이 있었다.
② 상수리 제도를 시행하였다.
③ 귀족 회의로 정사암 회의를 두었다.
④ 복신과 도침이 부흥 운동을 전개하였다.
⑤ 정당성의 장관인 대내상이 국정을 총괄하였다.

16 (가), (나)에 대한 설명으로 옳은 것을 〈보기〉에서 고른 것은?

> 신문왕은 문무 (가) 관료전을 지급하였다. 이후 내외관의 (나) 녹읍을 혁파하고, 매년 조(租)를 내렸다.

보기
ㄱ. (가) – 왕권 약화에 영향을 주었다.
ㄴ. (가) – 관리들은 조세만 수취할 수 있었다.
ㄷ. (나) – 귀족들의 경제 기반이 크게 강화되었다.
ㄹ. (나) – 귀족들의 백성에 대한 지배력이 약화되었다.

① ㄱ, ㄴ ② ㄱ, ㄷ ③ ㄴ, ㄷ
④ ㄴ, ㄹ ⑤ ㄷ, ㄹ

17 (가) 왕조에 대한 설명으로 옳지 않은 것은?

> 고구려 멸망 이후 당은 고구려 옛 땅을 지배하려고 하였으나, 대조영이 고구려 유민과 말갈인을 이끌고 (가) 을/를 건국하며 이에 저항하였다.

① 무왕 때 산둥 지방을 공격하였다.
② 5경 15부 62주로 지방을 통치하였다.
③ 나당 연합군의 공격으로 멸망하였다.
④ 문왕은 신라와 친선 관계를 유지하였다.
⑤ 당의 제도를 변형한 3성 6부제를 실시하였다.

01 밑줄 친 '이 시기'의 생활 모습으로 옳은 것은?

> **문화유산 조사 보고서**
> ### 공주 석장리 유적
> ○학년 ○반 ○모둠
> 1. 분류: 사적 제334호
> 2. 소재지: 충청남도 공주시 석장리동
> 3. 조사 내용
>
> | 유적 정보 | 출토 유물 |
> | --- | --- |
> | 이 유적은 1964년부터 발굴·조사하였다. 조사 결과 이 시기의 대표적인 유물인 주먹도끼, 긁개 등 뗀석기가 출토되었다. | |

① 비파형 동검을 제작하였다.
② 우리민족 최초의 국가가 성립하였다.
③ 반달돌칼을 이용하여 농사를 지었다.
④ 빗살무늬 토기를 제작하여 사용하였다.
⑤ 이동 생활을 하면서 동굴이나 바위 그늘에 거주하였다.

02 (가) 나라에 대한 설명으로 옳은 것은?

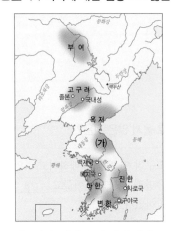

① 제가 회의를 운영하였다.
② 책화라는 풍습이 있었다.
③ 5부족 연맹체로 발전하였다.
④ 낙랑, 왜 등으로 철을 수출하였다.
⑤ 위만이 집권하며 중계 무역이 발달하였다.

★최고난도
03 (가), (나) 시기 사이에 있었던 사실로 옳은 것은?

> (가) 백제 근초고왕과 태자가 이끄는 정예군 3만이 평양성에서 고구려군과 충돌하였다. 이 전투에서 고구려 고국원왕이 전사하였다.
> (나) 백제 성왕은 사비로 수도를 옮기고, 중앙 관청을 22부로 설치하는 등 정치 기구를 정비하였다. 성왕의 이 같은 노력에 힘입어 한강 유역을 일시적으로 되찾을 수 있었다.

① 태조왕이 옥저를 정복하였다.
② 고이왕이 공복을 제정하였다.
③ 황산벌에서 계백이 패배하였다.
④ 고국천왕이 진대법을 실시하였다.
⑤ 무령왕이 22담로에 왕족을 파견하였다.

2017 수능 응용
04 (가)에 들어갈 사건에 대한 설명으로 옳은 것은?

> ### 〈자료로 정리한 삼국 통일 과정〉
>
> | 과정 | 문헌 자료 |
> | --- | --- |
> | 나당 동맹 | 진덕 여왕이 김춘추를 당에 보내어 군대를 보내 줄 것을 요청하니 당 태종이 이를 허락하였다. |
> | 백제 멸망 | 나당 연합군이 사비성을 함락하자, 피신하였던 의자왕이 항복하였다. |
> | 고구려 멸망 | 신라군이 당군과 합세하여 평양성을 에워싸니, 보장왕이 항복하였다. |
> | (가) | 사찬 시득이 거느린 수군이 기벌포에서 설인귀가 이끄는 군대와 싸워 이겼다. |

① 김흠돌의 난을 진압하였다.
② 신라가 고구려의 부흥 운동을 지원하였다.
③ 한강 하류 지역을 일시적으로 회복하였다.
④ 가야 연맹의 주도권이 대가야로 넘어가게 되었다.
⑤ 연개소문이 당나라에 강경책을 펼친 것이 원인이 되어 일어났다.

05 (가)에 들어갈 내용으로 가장 적절한 것은?

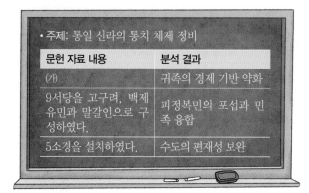

문헌 자료 내용	분석 결과
(가)	귀족의 경제 기반 약화
9서당을 고구려, 백제 유민과 말갈인으로 구성하였다.	피정복민의 포섭과 민족 융합
5소경을 설치하였다.	수도의 편재성 보완

• 주제: 통일 신라의 통치 체제 정비

① 녹읍을 폐지하였다.
② 단양 적성비를 건립하였다.
③ 신라 촌락 문서를 작성하였다.
④ 국학을 설립하여 유학을 교육하였다.
⑤ 촌주를 일정기간 수도에 머무르게 하였다.

06 밑줄 친 '이 나라'에 대한 설명으로 옳은 것을 〈보기〉에서 고른 것은?

• 이 나라는 영주(營州)에서 동으로 2천 리 밖에 위치하며, 남쪽은 신라와 맞닿았다. 동쪽은 바다에 닿고 서쪽은 거란과 접하였다.
• 이 나라의 왕들이 학생들을 자주 파견하여 고금의 제도를 배우고 익히게 하더니, 드디어 해동성국이 되었다.
─ 「신당서」

보기

ㄱ. 대내상이 국정을 총괄하였다.
ㄴ. 문왕 때 상경성을 건설하였다.
ㄷ. 신라에 침입한 왜를 격퇴하였다.
ㄹ. 낙랑군을 축출하여 대동강 유역을 확보하였다.

① ㄱ, ㄴ   ② ㄱ, ㄷ   ③ ㄴ, ㄷ
④ ㄴ, ㄹ   ⑤ ㄷ, ㄹ

✿ 서술형문제

07 다음을 읽고 물음에 답하시오.

사람을 죽인 자는 즉시 죽이고, 남에게 상처를 입힌 자는 곡식으로 갚는다. 도둑질한 자는 노비로 삼는다. 이를 용서받고자 하는 자는 한 사람마다 50만 전을 내야 한다. …… 여자들은 모두 정숙하여 음란하고 편벽된 짓을 하지 않았다.
─ 「한서」

(1) 위 법 조항이 있었던 나라를 쓰시오.

(2) 제시된 자료를 통해 추론할 수 있는 (1) 사회의 모습을 서술하시오.

08 다음을 읽고 물음에 답하시오.

(가) 포항 냉수리 신라비는 6세기 초에 세워졌다. 왕과 6명의 유력자가 진이마촌에서 일어난 재산 분쟁을 의논하여 처리한 뒤 의결 사항을 공동으로 선포하였다.
(나) 단양 신라 적성비는 6세기 중반 이 왕이 세운 비석이다. 영토 확장에 공을 세운 인물을 왕이 직접 포상하겠다는 내용을 밝히고 있다.

(1) 밑줄 친 '이 왕'을 쓰시오.

(2) (가), (나)를 비교하여 신라 왕권의 변화 양상을 서술하시오.

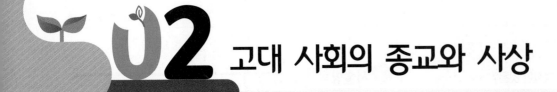

02 고대 사회의 종교와 사상

A 국가의 성장과 천신 신앙

1. 선사 시대의 원시 신앙

(1) **구석기 시대**: 사냥의 성공과 다산을 기원하는 예술품 제작 (풍만한 여인상, 동굴 벽의 소와 사슴 그림 등)

(2) **신석기 시대**: 농경 생활의 시작으로 자연 현상을 중시 → 원시 신앙 발달

애니미즘	자연 현상이나 자연물에 정령이 있다고 믿음
토테미즘	특정한 동식물을 숭배함
샤머니즘	무당의 주술적인 힘을 믿음

2. 국가의 출현과 천신 신앙의 등장

(1) **천신 신앙의 등장** ●─ 하늘 자체를 신격화하거나 하늘에 있는 초인적인 신을 믿는 신앙이다.

① **역할**: 초기 국가의 지배층이 자신의 기원을 천신과 연결 → 지배층의 통치 정당화에 이용

② 건국 이야기와 제천 행사에 나타난 천신 신앙

건국 이야기	고조선	• 천신 신앙: 천신의 아들 환웅이 웅녀와 혼인하여 단군왕검을 낳음 ●─ 널리 인간을 이롭게 한다는 뜻이다. • 사회 모습: 청동기 시대의 농경 문화, 홍익인간 정신, 계급 사회, 토테미즘 등이 반영
	고구려	천제의 아들 해모수와 강의 신 하백의 딸 유화 사이에서 낳은 알에서 시조인 주몽 탄생
	신라, 가야	박혁거세(신라), 김수로(가야)가 하늘에 원천을 둔 알에서 태어남
제천 행사		동예(무천), 삼한(5·10월에 제사), 부여(영고), 고구려 (동맹) ●─ 삼한에서는 모내기와 추수철에 맞춰 5월과 10월에 하늘에 제사를 지냈다.

(2) **천손 의식과 독자적 천하관의 형성**

① **사당 건립**: 시조를 모시는 사당 건립, 왕이 제사 주관

② **천손 의식**: 천신 사상을 통해 왕실의 정통성 확립, 중국과 대등함을 표방

③ **독자적 천하관**: 광개토 대왕 시기에 자국 중심의 국제 질서 형성 → 광개토 대왕릉비에 '영락'이라는 독자적 연호를 사용하고 백제, 신라를 속국으로 여겼음이 기록되어 있다.

B 불교와 도교, 풍수지리설의 수용

★ 1. 불교

(1) **삼국 시대**: 중앙 집권 국가로 발전하는 과정에서 수용

① **수용과 공인**: 왕실과 귀족 중심의 수용 → 고구려는 4세기 소수림왕 때 수용, 백제는 4세기 침류왕 때 수용, 신라는 6세기 법흥왕 때 이차돈의 순교로 불교 공인

② **특징**

왕권 강화	왕즉불 사상, 신라의 불교식 왕명, 업설 전생에서 지은 행위의 결과를 ●─ 현세에서 받는다는 주장으로 신분 질서 정당화에 활용되었다.
호국 불교	고구려(평양에 9개의 사찰 건설), 백제(미륵사 건설), 신라 (황룡사·분황사 등 건설)에서 사찰 등 건립

> **왕권 강화를 위한 신라 왕실의 불교식 왕명 사용**
> (신라) 진평왕이 왕위에 올랐다. 이름은 백정(석가모니의 아버지 이름)이며, 진흥왕의 태자 동륜의 아들이다. …… 왕비는 김씨 마야 부인(석가모니 어머니 이름)이다. 왕은 태어날 때부터 …… 사리에 통달하였다. – 『삼국사기』

(2) **통일 신라**

① **특징**: 교리에 대한 학문적·철학적 이해 심화, 불교문화 융성(경주 불국사·경주 석굴암 건립), 불교의 대중화

② **대표 사상가** 누구나 '나무아미타불'을 외면 서방 정토 ●─ (극락세계)에 갈 수 있다고 가르쳤다.

원효	일심 사상·화쟁 사상 주장(종파 간 대립 완화), 아미타 신앙 전파 (불교 대중화에 기여)
의상	신라(해동) 화엄종 개창, 화엄 사상 정립(『화엄일승법계도』로 교리 체계화), 부석사 건립, 관음 신앙 전파
원측	당의 법상종 발전에 기여함 ●─ 자비로 중생을 괴로움에서 구제하고 왕생의 길로 인도하는 관세음보살을 믿는 신앙이다.
혜초	인도를 순례하고 『왕오천축국전』 저술

③ **신라 말 선종의 유행**

배경	교종의 세속화·보수화 → 교종이 신라 말 사회 혼란에 역할을 다하지 못함
특징	참선 수행을 통한 개인의 깨달음 중시, 실천적 경향
영향	• 지방에서 독자적 세력을 형성하던 호족들의 호응을 얻음 • 9산선문으로 대표되는 사찰을 중심으로 성장 ●─ 신라 말에서 고려 초 지방 호족 세력과 연결되어 세워진 9개의 대표적인 선종 사원이다. • 지방 문화 발달에 영향 → 승탑과 탑비 유행 • 새로운 사회 건설에 필요한 사상적 바탕이 됨

(3) **발해**: 왕실과 귀족 중심으로 발달, 상경성에 많은 사찰 건립, 불교식 왕명 사용(문왕), 정효 공주 묘 주변에 사찰을 건립, 고구려 불교의 영향(석등, 이불 병좌상) ●─ 발해는 고구려 문화의 기반 위에 당의 문화를 받아들이며 불교문화를 발전시켰다.

★ 2. 도교

(1) **수용**: 삼국 시대 중국으로부터 전래, 귀족 사회를 중심으로 유행 ●─ 삼국 시대의 도교는 체계적인 교단을 갖추지 못하였다.

(2) **사상적 특징**: 신선 사상을 바탕으로 산천 숭배, 민간 신앙 등과 결합 → 불로장생, 현세 구복 추구

(3) **문화**: 고분 벽화의 신선 그림과 사신도(고구려), 산수무늬 벽돌과 백제 금동 대향로

(4) **영향**: 연개소문의 도교 장려 정책(고구려), 화랑이 산천을 순례하며 심신을 수련(신라) ●─ 고구려에서는 연개소문이 불교와 연결된 귀족 세력을 견제하기 위해 국왕에게 도교의 융성을 건의하였다.

3. 풍수지리설

(1) **의미**: 산, 하천, 땅이 이루는 형세가 인간 생활에 영향을 미친다는 이론 — ● 예언적인 도참사상과 결합하여 자연환경이 국가와 사람의 운명에 영향을 준다는 믿음으로 확대되었다.

(2) **수용**: 신라 말 도선 등의 선종 승려들이 체계적인 이론으로 수용

(3) **영향**: 수도인 금성 중심의 지리적 인식을 탈피, 호족의 세력 확대에 이용 → 지방 세력이 성장하는 데 영향을 줌

C 유학의 발달

1. 삼국 시대

(1) **수용**: 중국과 교류하며 유학 수용 ● 통치 체제를 정비하는 과정에서 행정 실무를 담당할 관료가 필요하였기 때문이다.

(2) **유학의 발달**: 국가 주도로 교육 기관 설립 → 유학적 소양을 갖춘 인재 양성(충·효·신 등의 도덕규범을 장려)

고구려	소수림왕 때 수도에 태학 설립(유교 경전과 역사서 교육), 지방에 경당을 둠(한학, 무술 교육)
백제	오경박사를 둠(유학 교육 담당)
신라	임신서기석에 젊은이들이 유교 경전을 공부하였음이 나타남

(3) **역사서의 편찬**: 국력을 드러내고, 왕실의 권위를 높임 ● 삼국 시대 역사책은 모두 전해지지 않는다.

고구려	『유기』 100권 편찬, 이문진의 『신집』 편찬(영양왕 시기)
백제	고흥의 『서기』 저술(근초고왕 시기)
신라	거칠부의 『국사』 편찬(진흥왕 시기)

★ 2. 통일 신라와 발해

(1) **통일 신라**: 유학의 정치 이념화, 유교 진흥 정책 전개

① **교육 기관**: 신문왕 때 국학을 설립 → 체계적인 유학 교육 실시

② **독서삼품과**: 원성왕 때 유교 경전의 이해 수준을 평가하여 — ● 상품, 중품, 하품으로 등급을 나누어 평가하였다. 관리를 선발 → 진골 귀족의 반발로 제대로 시행되지 못함, 유학을 보급하는 데 기여

③ **대표 유학자** — ● 당에서 외국인을 상대로 실시한 과거 시험이다.

6두품	• 유학자: 강수(외교 문서 작성에 능함), 설총(이두 정리), 최치원(당의 빈공과 급제, 『계원필경』 저술, 개혁안 10여 조 건의) • 특징: 6두품 출신 유학생들은 당에서 귀국한 후 골품제 사회 비판, 새로운 정치 이념 제시
진골	김대문(『화랑세기』, 『고승전』 저술)

(2) **발해**: 유교 이념을 중시하여 6부의 명칭에 유교 덕목 반영

① **문적원**: 유교 서적 관리

② **주자감**: 귀족의 자제에게 유교 경전 교육

01 다음 설명이 맞으면 ○표, 틀리면 ×표를 하시오.

(1) 샤머니즘은 특정한 동식물을 숭배하는 것이다. (　　)

(2) 청동기 시대에 애니미즘과 토테미즘이 처음 발생하였다. (　　)

(3) 삼한에서는 모내기와 추수철에 맞춰 5월과 10월에 제사를 지냈다. (　　)

(4) 구석기인들은 사냥의 성공이나 다산을 기원하며 예술품을 만들었다. (　　)

(5) 초기 국가의 지배 계급은 천신 신앙을 이용하여 통치의 정당성을 확보하였다. (　　)

02 다음 괄호 안의 내용 중 알맞은 말에 ○표를 하시오.

(1) 삼국은 (도교, 불교)를 수용하여 왕권 강화의 이념으로 삼았다.

(2) 원효는 아미타 신앙을 전파하여 불교의 (귀족화, 대중화)에 기여하였다.

(3) (의상, 혜초)은/는 신라의 화엄종을 개창하고 화엄 사상을 정립하였다.

(4) 발해 석등과 이불 병좌상을 통해 발해 불교가 (고구려, 백제) 불교의 영향을 받았음을 알 수 있다.

03 다음 설명에 해당하는 사상으로 옳은 것을 〈보기〉에서 골라 기호를 쓰시오.

> **보기**
> ㄱ. 선종　　　ㄴ. 도교　　　ㄷ. 풍수지리설

(1) 불로장생과 현세 구복을 추구하였다. (　　)

(2) 불교 종파 중 하나로 참선 수행을 통한 깨달음을 강조하였다. (　　)

(3) 산, 하천, 땅이 이루는 형세가 인간 생활에 영향을 미친다고 보았다. (　　)

04 다음 빈칸에 들어갈 내용을 쓰시오.

(1) 백제는 유학 지식에 밝은 (　　　　)를 두어 유학 교육을 담당하게 하였다.

(2) 발해에서는 유학 교육 기관으로 (　　　　)을 설치하여 귀족 자제에게 유교 경전을 가르쳤다.

(3) 통일 신라는 유교 경전의 이해 수준을 3등급으로 평가하여 관리를 선발하는 (　　　　)를 마련하였다.

A 국가의 성장과 천신 신앙

01 (가) 시기에 대한 설명으로 옳은 것은?

> (가) 시대에는 사람들이 자연에 대한 관심을 가지고 자연 현상이나 특정 동물, 영혼 등을 숭배하면서 애니미즘, 토테미즘, 샤머니즘 등의 원시 신앙이 등장하였다. 또한 천문, 기상 변화와 관련된 태양은 대표적인 숭배의 대상이 되었다.

① 사냥의 성공을 기원하는 예술품을 처음 남겼다.
② 농경이 시작되며 자연 현상을 중시하게 되었다.
③ 천신 신앙을 통해 지배층의 통치를 정당화하였다.
④ 제사장인 천군이 5월과 10월에 제천 행사를 열었다.
⑤ 하늘에 있는 초인적인 신을 믿는 신앙이 등장하였다.

출제가능성 90%
02 다음 자료를 통해 알 수 있는 내용으로 적절하지 <u>않은</u> 것은?

> 옛날에 환인과 그의 아들 환웅이 있었는데, …… 널리 인간을 이롭게 할 만하므로 …… 환인은 무리 3천을 이끌고 태백산 꼭대기에 있는 신단수 아래에 내려가 풍백, 우사, 운사를 거느리고 곡식, 생명, 형벌 등 인간에게 필요한 360여 가지를 주관하며 사람들을 다스렸다. 그때 곰과 호랑이가 환웅에게 사람이 되기를 빌었다. …… 곰은 삼칠일 동안 금기를 지켜 여자의 몸이 될 수 있었다. …… 환웅이 웅녀와 혼인하여 아이를 낳았으니 이름을 단군왕검이라고 하였다. — 「삼국유사」

① 천신 신앙이 반영되어 있다.
② 홍익인간의 이념이 드러나 있다.
③ 제정일치 사회였음을 알 수 있다.
④ 12월에 영고라는 제천 행사를 열었음을 알 수 있다.
⑤ 두 집단 간에 통합이 이루어졌음을 유추할 수 있다.

03 (가)에 들어갈 내용으로 가장 적절한 것은?

> **수행 평가 보고서**
> 1. 주제: (가)
> 2. 조사 내용
>   – 고구려의 주몽이 천제의 아들 해모수와 강의 신 하백의 딸 유화 사이에서 탄생하였다.
>   – 신라의 박혁거세와 가야의 김수로 모두 하늘의 후손으로 묘사되었다.
>   – 동예, 삼한, 부여, 고구려 등에서 제천 행사를 개최하였다.

① 불교의 사회 통합력
② 호국 불교의 발달 원인
③ 초기 국가의 천신 신앙
④ 산수무늬 벽돌에 드러난 고대 신앙
⑤ 고분 벽화에 그려진 사신도의 의미

04 교사의 질문에 대한 학생의 답변으로 가장 적절한 것은?

> 시조 추모왕이 나라를 세웠는데 …… 17세손에 이르러 국강상광개토경평안호태왕이 18세에 왕위에 올라 칭호를 영락 대왕이라 하였다. (대왕의) 은혜로운 혜택이 하늘까지 미쳤고 용맹함과 위엄이 사방의 바다에 떨쳤다.

이 글은 광개토 대왕릉비에 새겨진 내용입니다. 이를 통해 알 수 있는 고구려의 사회 모습에 대해 발표해 볼까요?

① 독자적인 연호를 사용하였어요.
② 유학 교육 기관이 설립되었어요.
③ 중국으로부터 불교를 수용하였어요.
④ 도교의 전래로 불로장생을 추구하였어요.
⑤ 시조인 박혁거세를 모시는 사당을 만들었어요.

B 불교와 도교, 풍수지리설의 수용

05 다음 자료를 통해 알 수 있는 신라 불교의 특징으로 옳은 것을 〈보기〉에서 고른 것은?

> (신라) 진평왕이 왕위에 올랐다. 이름은 백정(석가모니의 아버지 이름)이며, 진흥왕의 태자 동륜의 아들이다. …… 왕비는 김씨 마야 부인(석가모니 어머니 이름)이다. 왕은 태어날 때부터 …… 사리에 통달하였다.
> – 「삼국사기」

> **보기**
> ㄱ. 불교식 왕명을 사용하였다.
> ㄴ. 태학을 설립하여 역사서를 가르쳤다.
> ㄷ. 왕즉불 사상을 통해 왕실의 권위를 높였다.
> ㄹ. 교리보다 참선을 강조하는 종파가 유행하였다.

① ㄱ, ㄴ   ② ㄱ, ㄷ   ③ ㄴ, ㄷ
④ ㄴ, ㄹ   ⑤ ㄷ, ㄹ

06 다음 자료를 통해 알 수 있는 삼국의 모습으로 옳은 것은?

> 신인이 자장에게 말하길 "황룡사의 호법룡은 나의 맏아들이오. 범왕의 명을 받고 그 절을 보호하고 있소이다. 고국에 돌아가 절 안에 9층탑을 세우시오. 그러면 이웃 나라들이 항복할 것이오."
> – 「삼국유사」

① 불교가 대중화되었다.
② 6두품 유학생들이 활약하였다.
③ 승탑과 탑비가 많이 제작되었다.
④ 호국적 성격의 불교가 발달하였다.
⑤ 불로장생을 추구하는 도교가 발달하였다.

 주관식

07 다음 주장을 펼친 인물을 쓰시오.

> 모든 경계가 무한하지만, 다 일심 안에 들어가는 것이다. 부처의 지혜는 모양을 떠나 마음의 원천으로 돌아가고, 지혜와 일심은 완전히 같아서 둘이 아니다.
> – 「무량수경종요」

출제가능성 90%

08 다음과 같이 주장한 인물에 대한 설명으로 옳은 것은?

> 하나 가운데 일체의 만물이 다 들어 있고, 만물 속에는 하나가 자리 잡고 있으니, 하나가 곧 일체의 만물이고, 만물은 곧 하나에 귀속되어 있는 것이다. 한 작은 티끌 속에서 시방(十方)이 있는 것이요, 한 찰나가 곧 영원이다.

① 역사서 국사를 편찬하였다.
② 당의 법상종 발전에 기여하였다.
③ 화쟁을 통해 종파 간 대립을 완화하였다.
④ 9산선문으로 대표되는 사찰을 건립하였다.
⑤ 부석사를 건립하고 관음 신앙을 전파하였다.

09 밑줄 친 '이 종파'에 대한 설명으로 옳은 것을 〈보기〉에서 고른 것은?

> 이 종파는 불교 종파 중 하나로 경전에 의존하지 않고 자기 안에 존재하는 불성을 깨치는 것을 강조하였다.

> **보기**
> ㄱ. 교리와 계율을 통한 수행을 강조하였다.
> ㄴ. 지방의 호족 세력에게 큰 호응을 얻었다.
> ㄷ. 승탑과 탑비가 유행하는 데 영향을 주었다.
> ㄹ. 백제 미륵사와 신라 분황사 건설에 영향을 주었다.

① ㄱ, ㄴ   ② ㄱ, ㄷ   ③ ㄴ, ㄷ
④ ㄴ, ㄹ   ⑤ ㄷ, ㄹ

10 다음 유물을 남긴 왕조에 대한 설명으로 옳지 않은 것은?

① 고구려 불교의 영향을 많이 받았다.
② 상경성에는 많은 사찰이 건립되었다.
③ 왕실과 귀족을 중심으로 불교가 유행하였다.
④ 이차돈의 순교를 계기로 불교가 공인되었다.
⑤ 문왕을 높여 부른 칭호에 불교 관념이 반영되었다.

출제가능성 90%

11 다음 문화재에 공통적으로 반영된 사상에 대한 설명으로 옳은 것을 〈보기〉에서 고른 것은?

보기

ㄱ. 불로장생과 현세 구복을 추구하였다.
ㄴ. 초기에 귀족 사회를 중심으로 수용되었다.
ㄷ. 중앙 집권화 과정에서 왕권을 강화하는 데 쓰였다.
ㄹ. 도선과 같은 승려에 의해 더욱 체계적으로 수용되었다.

① ㄱ, ㄴ   ② ㄱ, ㄷ   ③ ㄴ, ㄷ
④ ㄴ, ㄹ   ⑤ ㄷ, ㄹ

12 밑줄 친 '이 사상'에 대한 설명으로 옳은 것은?

신라 말에 유행한 이 사상은 산, 하천, 땅 등 산세나 지형적 요인이 인간의 길흉화복에 영향을 끼친다는 것을 강조하였다.

① 백제의 산수무늬 벽돌에 영향을 주었다.
② 통일 이후 신라의 정치 이념으로 자리잡았다.
③ 종파 간 대립 완화를 위해 원효가 제시하였다.
④ 고구려의 연개소문이 불교 세력 비판에 활용하였다.
⑤ 금성 중심의 지리 인식을 탈피하는 데 영향을 주었다.

C 유학의 발달

 주관식

13 (가)에 들어갈 교육 기관을 쓰시오.

고구려는 소수림왕 때 수도에 ⬜ (가) ⬜ 을/를 세워 유교 경전과 역사서를 가르쳤으며, 지방에는 경당을 두어 한학과 무술을 가르쳤다.

출제가능성 90%

14 다음 자료에 나타난 사상에 대한 설명으로 옳은 것은?

임신년 6월 16일에 두 사람이 함께 맹세하고 기록한다. …… 신미년 7월 22일에 맹세하였다. 「시경」, 「상서」, 「예기」, 「춘추좌씨전」을 3년 안에 차례로 습득하기를 맹세하였다.

① 사찰의 터를 잡을 때 활용하였다.
② 충·효·신 등의 도덕규범을 장려하였다.
③ 화엄종과 법상종을 중심으로 발달하였다.
④ 왕즉불 사상을 기반으로 왕권을 강화하였다.
⑤ 신선 사상을 바탕으로 민간 신앙과 결합하였다.

15 (가) 제도에 대한 설명으로 옳은 것을 〈보기〉에서 고른 것은?

처음으로 ⬜ (가) ⬜ 을/를 제정하여 관직을 주었다. 「춘추좌씨전」·「예기」·「문선」을 읽어서 그 뜻에 능통하고, 이와 동시에 「논어」와 「효경」에 밝은 자를 상품(上品)으로 하고, ……   － 「삼국사기」

보기

ㄱ. 신문왕 때부터 실시하였다.
ㄴ. 진골 귀족들이 반대하였다.
ㄷ. 유교 경전의 이해 수준을 평가하였다.
ㄹ. 외국인을 상대로 실시한 과거 시험이었다.

① ㄱ, ㄴ   ② ㄱ, ㄷ   ③ ㄴ, ㄷ
④ ㄴ, ㄹ   ⑤ ㄷ, ㄹ

16 (가), (나)에 대한 설명으로 옳지 않은 것은?

유학 진흥 정책으로 신라에서는 (가) 6두품 출신의 뛰어난 학자들이 많이 배출되었다. 또한 발해 역시 (나) 유학 교육을 위한 기관을 설립하여 귀족의 자제들을 교육하였다.

① (가) － 설총은 이두를 정리하였다.
② (가) － 최치원은 당의 빈공과에 급제하였다.
③ (가) － 신라 말 호족과 연계하여 활동하였다.
④ (나) － 유학 교육을 위해 국학을 설립하였다.
⑤ (나) － 유교 서적 관리를 위해 문적원을 설치하였다.

01 다음 자료에 공통적으로 나타난 사상에 대한 설명으로 옳은 것은?

> • (삼한은) 귀신을 믿기 때문에 국읍(國邑)에 각각 한 사람씩 천신(天神)에 대한 제사를 주관하게 하는데, 이를 천군(天君)이라 부른다. ― 「삼국지」 위서 동이전
> • 하백(물의 신)의 손자이며 일월(日月)의 아들인 추모성왕이 북부여에서 나셨으니, 이 나라 이 고을이 가장 성스러움을 천하 사람이 알지니 ……. ― 「모두루묘지문」

① 지방 세력의 성장에 영향을 주었다.
② 불로장생과 현세 구복을 강조하였다.
③ 지배자들의 권위 강화에 이용되었다.
④ 왕즉불 사상을 통해 왕권 강화에 이용되었다.
⑤ 전생에 지은 행위의 결과를 현세에 받는다고 보았다.

2019 수능 응용

03 밑줄 친 '이 나라'에 대한 설명으로 옳은 것을 〈보기〉에서 고른 것은?

> **해동성국 문화유산 특별전**
> 우리 박물관에서는 고구려 계승 의식을 표방하며 강성함을 자랑했던 이 나라의 문화유산을 모아 특별 전시회를 개최합니다. 중국 지린성 훈춘에서 출토된 이불 병좌상을 비롯하여 수준 높은 유물들이 전시될 예정이오니 많은 관람을 바랍니다.
> • 기간: 20○○년 11월 ○○일~○○일
> • 장소: △△ 박물관 특별 전시실

> **보기**
> ㄱ. 영고라는 제천 행사를 열었다.
> ㄴ. 유학 교육을 위해 주자감을 운영하였다.
> ㄷ. 경주 불국사 등의 불교 문화재를 남겼다.
> ㄹ. 고구려 불교를 계승하고 당의 문화를 수용하였다.

① ㄱ, ㄴ ② ㄱ, ㄷ ③ ㄴ, ㄷ
④ ㄴ, ㄹ ⑤ ㄷ, ㄹ

★★★ 최고난도

02 교사의 질문에 대한 학생의 답변으로 가장 적절한 것은?

(가) 인물에 대해 말해 볼까요?

> (가) 은/는 무애라 이름 붙인 박으로 만든 도구를 가지고 수많은 마을에서 노래하고 춤추며 교화하고 다녔으니, 가난한 사람들과 산골에 사는 아는 것이 없는 자들까지도 모두 다 부처의 이름을 알게 되었고 '나무아미타불'을 부르게 되었다. ― 「삼국유사」

① 계원필경을 저술하였어요.
② 왕오천축국전을 저술하였어요.
③ 9산선문을 주도하며 선종을 확장하였어요.
④ 아미타 신앙을 통해 불교를 대중화하였어요.
⑤ 신라 화엄종을 개창하여 많은 제자를 양성하였어요.

🌱 **서술형 문제**

04 다음을 읽고 물음에 답하시오.

> (가) 교리와 계율을 중시하는 교종과 달리 참선 수행을 통해 깨달음을 얻으려는 불교이다.
> (나) 산, 하천, 땅이 이루는 형세가 인간 생활에 영향을 미친다는 이론이다.

(1) (가), (나)에 해당하는 사상을 쓰시오.

(2) 신라 말에 (가), (나) 사상이 공통적으로 끼친 영향을 그 이유와 함께 서술하시오.

03 고려의 통치 체제와 국제 질서의 변동

A 후삼국의 통일과 통치 체제의 정비

1. 후삼국의 분열과 고려의 통일

(1) 후삼국의 성립

후백제	견훤이 완산주(전주)에 도읍하여 건국(900)
후고구려	궁예가 송악(개성)에 도읍하여 건국(901) → 철원 천도, 국호를 '태봉'으로 개칭 → 궁예의 호족 탄압 및 미륵 자처

(2) 고려의 건국(918): 호족들이 궁예 축출, 왕건을 왕으로 추대 → 국호 '고려' 회복, 연호 '천수' 사용, 송악으로 천도

(3) 후삼국의 통일: 왕건의 호족 포용 → 신라와 화친 정책, 후백제와의 경쟁에서 우위 확보, 후백제 내분 발생 → 견훤이 고려에 투항, 신라 항복(935) → 고려의 후백제군 격퇴, 후삼국 통일(936)

★ 2. 왕권 강화와 체제 안정을 위한 노력

중앙의 고위 관료를 출신 지역의 사심관으로 임명하여 그 지역을 통제하도록 한 제도이다.

태조	• 호족 포섭 정책: 유력 호족과의 혼인, 성(姓) 하사, 사심관 제도, 기인 제도 ┈ 지방 호족의 자제를 개경에 거주하게 하는 제도로 지방 세력을 견제하기 위한 성격이 있다. • 북진 정책: 서경 중시(고구려 계승 의식 표방) • 민족 통합 정책: 발해 유민 포용, 신라·후백제 인물 등용 • 민생 안정 정책: 호족의 지나친 세금 수취 금지
광종	노비안검법 실시(→ 호족과 공신들의 경제력 약화), 과거제 실시, 관리의 공복 제정, 황제 칭호 및 독자적 연호 사용
경종	전시과 제도 실시
성종	• 유교 정치 실시: 최승로의 '시무 28조' 수용, 불교 행사 억제, 국자감 설치 • 통치 체제 정비: 2성 6부제, 12목에 지방관 파견, 향리제 정비

3. 통치 체제의 구조와 운영

(1) 중앙 정치 제도 ┈ 당의 3성 6부와 송의 중추원, 삼사 제도를 고려의 실정에 맞게 적용하였다.

2성 6부	• 2성: 중서문하성(최고 중앙 관서, 문하시중이 국정 총괄, 재신과 낭사로 구성), 상서성(6부 관리, 정책 집행) • 6부(이·병·호·형·예·공부): 국정 실무 담당
중추원	군사 기밀과 왕명 전달
어사대	관리의 비리 감찰 및 풍속 교정, 어사대 관원은 중서문하성의 낭사와 함께 대간으로 불림(→ 왕권 견제, 관리 감시)
삼사	화폐와 곡식의 출납 등 회계 담당
회의 기구	도병마사(국방 문제 논의), 식목도감(법률과 제도 제정)

┈ 중서문하성의 재신과 중추원의 추신(추밀)이 회의를 열어 정책을 결정하였다.

(2) 지방 행정 제도와 군사 제도

지방 행정	• 5도: 일반 행정 구역(안찰사 파견), 주현(지방관 주재)이 속현(지방관 부재) 지배, 특수 행정 구역(향·부곡·소) 설치, 향리가 지방 행정 담당 • 양계: 군사 행정 구역(병마사 파견), 진 설치
군사	• 중앙군: 2군(국왕 친위 부대), 6위(수도 경비, 국경 방어) • 지방군: 주현군(5도 주둔), 주진군(양계 주둔, 상비군)

(3) 관리 등용 제도와 교육 제도 ┈ 무과는 거의 실시되지 않았다.

관리 등용 제도	• 과거 제도: 양인 이상이면 응시 가능(문과인 제술과와 명경과, 잡과 등 실시) • 음서: 공신이나 5품 이상 고위 관리 자손 대상, 과거 시험 없이 관직 부여
교육 제도	개경에 국자감(국학), 지방에 향교 설립 → 관리 양성과 유학 교육 진흥 목적

┈ 유학 교육과 기술 교육을 같이 하였다.

B 고려 전기의 대외 관계

1. 다원적 국제 질서와 독자적 천하관 구축

고려 전기 활발한 교류를 전개하며 송으로부터 선진 문물을 수용하였다.

(1) 고려 전기 동아시아 정세: 고려, 거란, 송 사이에 세력 균형이 이루어짐 → 국가의 안정과 실리를 추구

(2) 고려의 독자적 천하관: 황제국 체제 지향('황제'·'천자' 칭호 사용), 해동 천하 인식 ┈ 고려가 동북아시아 속 하나의 국제적 중심이라고 여겼다.

★ 2. 거란 및 여진과의 전쟁

(1) 거란의 침입

1차 침입	서희의 외교 담판(993) → 강동 6주 확보
2차 침입	강조의 정변을 구실로 침입(1010) → 양규 등 항전
3차 침입	강감찬이 귀주에서 거란군 격파(귀주 대첩, 1019)
결과	고려·송·요의 세력 균형 유지, 나성·천리장성 축조

(2) 여진과의 충돌: 12세기 초 세력을 강화한 여진이 동북쪽 국경 침략 → 별무반 편성 후 여진 정벌(윤관) → 동북 9성 축조(여진의 요구와 방어의 어려움으로 반환) ┈ 윤관의 건의로 기병을 포함하여 만들어졌다.

(3) 여진의 성장: 여진의 금 건국(1115) → 고려에 군신 관계 요구 → 이자겸 등 집권 세력이 금의 요구 수용

C 무신 정권의 성립과 몽골의 침략

1. 문벌의 성립과 동요

(1) 문벌의 형성: 여러 대에 걸쳐 고위 관리를 배출한 가문이 문벌 형성(혼인 관계로 결속 강화, 음서·공음전의 혜택)

(2) 문벌 사회의 동요 ┈ 왕실이나 다른 문벌과 중첩된 혼인 관계를 맺었다.

이자겸의 난 (1126)	• 배경: 대표적 문벌 이자겸이 외척으로 권력 독점 • 전개: 왕(인종)과 측근 세력의 이자겸 공격 → 이자겸과 척준경의 반란 → 척준경이 이자겸 제거, 실패 • 영향: 국왕의 권위 실추, 문벌 사회 분열
묘청의 서경 천도 운동 (1135)	• 배경: 인종의 개혁 추진 ┈ 풍수지리설을 앞세워 주장하였다. • 전개: 묘청이 황제 칭호·연호 사용·서경 천도·금 정벌 주장 → 서경 천도 좌절 → 김부식 등 개경 세력 반발 → 묘청·정지상 등이 서경에서 난을 일으킴 → 김부식이 이끄는 관군에게 진압됨

★ 표시는 시험 전에 확인해 주세요.

2. 무신 정권의 수립과 전개

(1) **무신 정권 수립**: 무신에 대한 차별을 이유로 정중부·이의방 등이 무신 정변(1170)을 일으킴 → 중방을 통해 정책 결정, 집권자의 잦은 교체로 사회 혼란, 백성 수탈 심화

(2) **최씨 무신 정권 수립**: 최충헌(교정도감 설치, 사병 집단인 도방 확대) → 최우(정방·서방 설치, 야별초 조직)

(3) **농민과 천민의 봉기**: 정부의 지방 통제력 약화, 무신 정권의 수탈 → 망이·망소이의 난(공주 명학소), 김사미·효심의 난, 만적의 난(신분 해방 운동)

└─ 사노비인 만적은 누구나 공경대부가 될 수 있다고 주장하며 봉기를 계획하였으나 사전에 발각되어 실패하였다.

3. 몽골의 침략과 무신 정권의 몰락

몽골의 침략	몽골 사신의 피살 → 몽골의 고려 침략 → 몽골과 강화, 최우의 강화 천도 → 몽골의 재침략 → 처인성 전투, 충주성 전투 → 최씨 정권 몰락, 몽골과 강화 → 개경 환도
삼별초 항전	몽골과의 강화 반대, 강화에서 진도·제주도로 이동하며 항전 → 고려와 몽골의 연합군에게 진압됨

└─ 부곡민 등 하층민을 중심으로 항전하였다.

D 원의 내정 간섭과 새로운 정치 세력의 성장

★ 1. 원의 내정 간섭과 공민왕의 개혁

원의 내정 간섭	• 정세: 독립국 지위 유지, 원의 부마국이 됨(호칭과 관제 격하), 고려에 몽골풍 유행, 몽골에 고려양 전파 • 영토 상실: 쌍성총관부(화주), 동녕부(서경), 탐라총관부(제주도) 설치 • 일본 원정 동원: 인력과 물자 동원, 정동행성 설치(다루가치 파견, 내정 간섭) • 공물 요구: 특산물(금·인삼 등) 및 공녀와 환관 요구
권문세족의 성장	친원적 성향, 주로 음서로 관직 진출, 고유 관직 독점(도평의사사 장악), 막대한 농장과 노비 소유
공민왕의 내정 개혁	• 반원 자주 정책: 기철 등 친원파 숙청, 정동행성 폐지, 고려의 관제·복식 회복, 쌍성총관부 공격(철령 이북 지역 수복), 몽골풍 금지 • 왕권 강화: 정방 폐지(인사권 회복), 교육과 과거제 정비(신진 사대부 등용), 신돈 등용(전민변정도감 설치) • 결과: 홍건적과 왜구의 침략으로 정세 불안, 권문세족의 반발 → 신돈 제거, 공민왕 시해로 실패

└─ 권문세족이 불법으로 차지한 토지를 본래 주인에게 돌려주고, 강제로 노비가 된 사람을 양민으로 해방하였다.

2. 신진 사대부의 성장과 고려의 멸망

(1) 새로운 세력의 성장

신진 사대부	지방 향리의 자제, 중소 지주 출신 → 공민왕 때 과거로 정계 진출, 성리학 수용, 권문세족 비판
신흥 무인 세력	14세기 후반에 홍건적과 왜구를 격퇴하는 과정에서 성장(이성계 등)

(2) **고려 멸망**: 요동 정벌 추진 → 이성계의 위화도 회군(1388) → 과전법 시행(1391) → 조선 건국(1392)

1단계 개념 짚어 보기

🌱 정답과 해설 7쪽

01 다음 빈칸에 들어갈 내용을 쓰시오.

(1) 태조 왕건은 북진 정책을 표방하며 (　　　　) 지역을 중시하였다.

(2) 태조 왕건은 호족의 자제를 수도에 올라와 살게 하는 (　　　　)를 실시하였다.

(3) 광종은 불법적으로 노비가 된 사람을 조사하여 평민으로 회복시켜 주는 (　　　　)을 시행하였다.

02 고려의 중앙 정치 기구와 그 역할을 옳게 연결하시오.

(1) 삼사　　　　•　　•　㉠ 왕명 전달

(2) 중추원　　　•　　•　㉡ 최고 중앙 관서

(3) 어사대　　　•　　•　㉢ 법률·제도 제정

(4) 식목도감　•　　•　㉣ 관리의 비리 감찰

(5) 중서문하성•　　•　㉤ 화폐와 곡식의 출납

03 다음 괄호 안의 내용 중 알맞은 말에 ○표를 하시오.

(1) 고려는 (5도, 양계)에 안찰사를 파견하였다.

(2) 고려는 중앙군으로 국왕의 친위 부대인 (2군, 6위)을/를 두었다.

(3) 고려는 시험을 통해 유교적 소양과 실무 능력을 갖춘 인재를 선발하기 위한 (과거제, 음서제)를 실시하였다.

04 다음 설명이 맞으면 ○표, 틀리면 ✕표를 하시오.

(1) 윤관은 별무반을 이끌고 여진을 정벌하였다. (　　　)

(2) 서희는 거란과 회담하여 강동 6주를 획득하였다. (　　　)

(3) 대표적 문벌인 이자겸은 서경 천도 운동을 추진하였다. (　　　)

(4) 무신 정권 초기에는 집사부를 중심으로 국정을 운영하였다. (　　　)

(5) 최충헌은 정권을 장악한 후 교정도감을 설치하고 도방을 확대하였다. (　　　)

05 다음은 공민왕의 개혁 정책을 정리한 표이다. ㉠~㉣에 들어갈 내용을 각각 쓰시오.

정책	내용
반원 자주 정책	• 일본 원정 이후 내정 간섭 기구로 쓰이던 (㉠　　　) 폐지 • (㉡　　　)를 공격하여 철령 이북 지역 수복
왕권 강화 정책	• 교육과 과거제 정비 과정에서 성장한 (㉢　　　) 등용 • 신돈을 등용하여 (㉣　　　) 설치

A 후삼국의 통일과 통치 체제의 정비

01 지도는 10세기 초 한반도 정세를 나타낸 것이다. (가)~(다) 왕조에 대한 설명으로 옳은 것은?

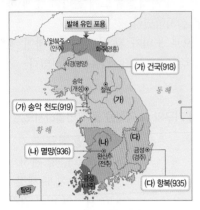

① (가) – 견훤이 건국하였다.
② (가) – (다)에 우호적인 정책을 취하였다.
③ (나) – (다)에 의해 멸망하였다.
④ (나) – 연호를 '천수'로 하였다.
⑤ (다) – 후삼국을 통일하였다.

02 (가) 왕의 재위 기간에 있었던 사실로 옳은 것은?

> **(가) 의 훈요 10조**
>
> 1조 불교의 힘으로 나라를 세웠으므로, 사찰을 세우고 주지를 파견하여 불도를 닦도록 하라.
> 5조 서경은 우리나라 땅 형세의 근본이 되니, 백 일 이상 머물러 왕실의 안녕을 이루도록 하라.

① 과거제를 시행하였다.
② 주자감을 설립하였다.
③ 전민변정도감을 설치하였다.
④ 국호를 태봉으로 개칭하였다.
⑤ 사심관 제도로 호족을 통제하였다.

03 (가)에 들어갈 정책으로 옳은 것은?

> 수행 평가 보고서
> **제목: 광종의 정책**
> • 배경: 태조 사후 왕권 다툼으로 인한 불안
> • 목적: 왕권 강화
> • 정책: 관리의 공복 제정, _____(가)_____

① 불교 행사 억제
② 노비안검법 실시
③ 전시과 제도 실시
④ 기인 제도의 첫 시행
⑤ 경순왕을 사심관으로 임명

출제가능성 90%
04 다음 주장을 수용한 정책으로 옳은 것은?

> 7조 국왕이 백성을 다스림은 집집마다 가서 돌보고 날마다 이를 살피는 것이 아닙니다. 수령을 나누어 보냄으로써 백성의 이익과 손해를 살피게 하는 것입니다. …… 청컨대 외관을 두소서.

① 12목을 설치하였다.
② 교정도감을 설치하였다.
③ 독서삼품과를 실시하였다.
④ 상수리 제도를 실시하였다.
⑤ 폐지된 팔관회를 다시 개최하였다.

05 (가)에 들어갈 답변으로 적절하지 않은 것은?

고려의 중앙 정치 기구에 대해 알고 있니?

(가)

① 중추원은 왕명 출납을 담당하였어.
② 최고 중앙 관서로 중서문하성을 두었어.
③ 사정부는 관리를 감찰하는 역할을 하였어.
④ 삼사는 곡식의 출납 등 회계를 담당하였어.
⑤ 도병마사와 식목도감은 합의제 회의 기구였어.

06 지도는 고려의 지방 행정 구역을 나타낸 것이다. (가), (나)의 공통점에 대한 설명으로 옳은 것은?

① 진이 설치되었다.
② 2군 6위를 두었다.
③ 12목을 설치하였다.
④ 안찰사가 파견되었다.
⑤ 주현군이 주둔하였다.

07 (가)에 들어갈 내용으로 옳지 않은 것은?

고려의 과거 제도에 대해 조사한 내용을 발표해 볼까요?

제술과, 명경과, 잡과 등이 있었습니다.

(가)

① 광종 때부터 실시되었습니다.
② 무과는 거의 실시되지 않았습니다.
③ 잡과에서는 기술관을 선발하였습니다.
④ 양인 신분 이상이면 응시할 수 있었습니다.
⑤ 5품 이상 관리의 자손은 시험 없이 관직을 받았습니다.

08 밑줄 친 '이 학교'를 쓰시오.

> 이 학교는 고려의 최고 교육 기관으로 성종이 관리 양성을 위해 설립하였고, 유학 이외에 율학, 서학, 산학 등의 기술 교육도 실시하였다.

B 고려 전기의 대외 관계

출제가능성 90%

09 밑줄 친 '결과'에 대한 설명으로 옳은 것은?

> **한국사 신문**　　　　　　　　993. ○○. ○○
>
> ### 거란, 고려를 침략하다
>
> 고려가 친송 정책을 추진하고, 거란의 옛 영토를 차지하고 있다는 이유로 거란이 침략하였습니다. 서희 장군이 소손녕과 만나 협상을 진행한다고 하니 그 결과를 기다려 봐야겠습니다.

① 거란이 발해를 침략하였다.
② 고려가 별무반을 결성하였다.
③ 고려가 강동 6주를 획득하였다.
④ 고려가 동북 9성을 반환하기로 하였다.
⑤ 강감찬이 귀주에서 거란군을 격파하였다.

10 다음 민족과 고려의 관계에 대한 설명으로 옳은 것은?

> 10세기 초 고려 국경 부근에 부족 단위로 흩어져 생활하였으나, 12세기에 이르러 완옌부를 중심으로 강성해져 고려의 국경 지대를 침범하였다.

① 고려가 별무반을 편성하여 정벌하였다.
② 고려가 천리장성을 축조하는 계기가 되었다.
③ 고려를 침략하여 황룡사 9층 목탑을 불태웠다.
④ 원을 건국하여 고려에 사대 관계를 요구하였다.
⑤ 귀주 대첩에서 고려에 패배하여 세력이 약화되었다.

C 무신 정권의 성립과 몽골의 침략

11 밑줄 친 '이 인물'이 속한 세력에 대한 설명으로 옳은 것은?

> 경원 이씨 가문인 이 인물은 자신의 둘째 딸을 예종의 왕비로, 셋째와 넷째 딸을 인종의 왕비로 시집보내 왕의 외척으로서 권력을 장악하였다.

① 권문세족을 비판하며 성장하였다.
② 6두품 지식인과 사회 개혁을 추구하였다.
③ 몽골어에 능통하며 친원적인 성향이 강하였다.
④ 여러 대에 걸쳐 고위 관리를 배출한 가문이 많았다.
⑤ 지방 세력으로 성장하며 스스로를 장군으로 칭하였다.

12 다음과 같이 주장한 인물에 대한 설명으로 옳은 것은?

> 서경 임원역의 땅을 보니 이는 음양가가 말하는 대화세
> (大華勢)라서 궁궐을 세우고 여기로 옮겨 지내면 천하를
> 합병할 수 있을 것이요, 금이 스스로 항복할 것이며, 36
> 국이 다 신하가 될 것입니다.

① 신돈을 등용하였다.
② 황제 칭호와 연호 사용을 주장하였다.
③ 신분제인 골품제의 한계를 비판하였다.
④ 중방을 통해 중요한 정책을 결정하였다.
⑤ 부하인 척준경과 함께 난을 일으켰다가 진압되었다.

출제가능성 90%

13 다음은 무신 정권 변천에 관한 표이다. (가) 인물 시기에 대한 설명으로 옳은 것을 〈보기〉에서 고른 것은?

보기
ㄱ. 만적이 신분 해방 운동을 시도하였다.
ㄴ. 교정도감에서 중요 정책이 결정되었다.
ㄷ. 중방을 설치하여 인사권을 행사하였다.
ㄹ. 무신에 대한 차별로 인해 정변이 발생하였다.

① ㄱ, ㄴ   ② ㄱ, ㄷ   ③ ㄴ, ㄷ
④ ㄴ, ㄹ   ⑤ ㄷ, ㄹ

14 고려와 (가)의 항쟁 과정에 대한 설명으로 옳은 것은?

> 충주 부사 우종주가 매번 문서를 처리하는 과정에서 판
> 관 유홍익과 서로 생각이 달랐는데 [(가)] 이/가 쳐
> 들어온다는 말을 듣고, 성 지킬 일을 의논하였다. ……
> 우종주와 유홍익은 양반 별초 등과 함께 성을 버리고 다
> 도주하고, 오직 노비군과 잡류 별초만이 힘을 합하여 이
> 를 격퇴하였다.

① 서희가 소손녕과 회담하였다.
② 신흥 무인 세력이 성장하였다.
③ 고려가 쌍성총관부를 공격하였다.
④ 문벌이 새로운 지배층으로 성장하였다.
⑤ 최우 정권은 강화로 천도하여 항쟁하였다.

D 원의 내정 간섭과 새로운 정치 세력의 성장

15 (가) 시기 고려에 대한 설명으로 옳은 것은?

[(가)] 시기 관제와 왕실 용어의 변화		
변화 전		**변화 후**
폐하	→	전하
태자	→	세자
중서문하성 상서성	→	첨의부
중추원	→	밀직사
도병마사	→	도평의사사

① 삼별초가 몽골에 항쟁하였다.
② 최승로의 시무 28조를 수용하였다.
③ 다루가치가 파견되어 내정 간섭을 받았다.
④ 금에 대한 사대 문제를 두고 정쟁을 벌였다.
⑤ 서경 세력이 천도를 주장하며 난을 일으켰다.

16 (가) 지역을 회복한 왕의 업적으로 옳은 것은?

① 정방을 설치하였다.
② 과전법을 실시하였다.
③ 정동행성을 폐지하였다.
④ 김흠돌의 난을 진압하였다.
⑤ 12목을 설치하고 지방관을 파견하였다.

17 밑줄 친 '이 세력'을 쓰시오.

> 이 세력은 공민왕 때 과거를 통해 정계에 진출하였고,
> 우왕 때 독립적인 정치 세력을 형성하였다. 이들은 도덕
> 적 삶을 중시한 성리학을 이론적 근거로 권문세족을 비
> 판하였다.

3단계 등급 올리기

01 (가)에 들어갈 내용으로 가장 적절한 것은?

> 한국사 다큐멘터리 기획안
> ### 고려의 개혁 군주, ○○
> • 기획 의도: 태조가 사망한 이후 호족의 힘이 강해 혼란한 상황 속에서 ○○이/가 왕권을 강화해 간 과정을 입체적으로 조명한다.
> • 회차별 방송 내용
> – 제1회: 황제를 칭하고, 독자적인 연호를 제정하다.
> – 제2회: (가)

① 관료전을 지급하다.

② 교정도감을 설치하다.

③ 과거 제도를 실시하다.

④ 12목에 지방관을 파견하다.

⑤ 금에 대한 사대를 수용하다.

★★★ 최고난도

02 (가)에 들어갈 내용으로 옳은 것은?

> ### 시간 순으로 정리한 고려의 대외 관계
> 강조의 구실로 거란 황제가 직접 고려를 침입하였다. 개경이 함락되어 현종이 나주로 피난하였지만, 고려군의 반격으로 거란군은 소득 없이 물러났다.
>
> ↓
>
> (가)
>
> ↓
>
> 금이 고려에 군신 관계를 요구하자, 당시 고려의 집권자였던 이자겸은 이를 수용하였다.

① 무신 정권이 수립되었다.

② 강감찬이 귀주에서 거란군을 격파하였다.

③ 삼별초가 고려와 몽골 연합군에게 진압되었다.

④ 신라가 항복해 오자 경순왕을 사심관으로 삼았다.

⑤ 금 정벌을 주장하면서 서경 천도 운동이 일어났다.

2019 평가원 응용

03 다음 상황이 나타난 고려 시기의 모습으로 옳은 것을 〈보기〉에서 고른 것은?

> 고려 사람들은 딸을 낳으면 바로 숨기고, 드러날까 근심하여 이웃이라도 그 딸을 보지 못하게 한다고 합니다. 원에서 사신이 오면 놀라서 얼굴빛이 달라지며, '무엇 때문에 왔을까? 공녀로 데려가려는 것이 아닐까?' 하고 두려워합니다. 군인과 관리는 집집마다 수색하다가 혹시라도 딸을 숨긴 사람을 찾으면, 이웃과 친족까지 잡아다 괴롭히고 딸이 나타난 뒤에야 그만둡니다.

> **보기**
> ㄱ. 원의 부마국이 되었다.
> ㄴ. 동북 9성을 여진에게 돌려주었다.
> ㄷ. 권문세족이 도평의사사를 장악하였다.
> ㄹ. 이자겸과 척준경이 반란을 일으켰으나 실패하였다.

① ㄱ, ㄴ   ② ㄱ, ㄷ   ③ ㄴ, ㄷ

④ ㄴ, ㄹ   ⑤ ㄷ, ㄹ

🌱 서술형 문제

04 다음을 읽고 물음에 답하시오.

> 신돈이 ……   (가)   을/를 둘 것을 청원하고 스스로 판사가 되어 각처에 알리는 포고문을 붙였다. "부유하고 힘 있는 자들이 백성이 대대로 농사지어 오던 땅을 거의 다 빼앗아 버렸다. …… 이제 도감을 설치하여 이를 바로잡고 ……." 명령이 나오자 권세가 중 다수가 빼앗은 토지와 백성을 그 주인에게 돌려주니 전국에서 기뻐하였다.

(1) (가)에 들어갈 말을 쓰시오.

(2) 신돈이 (가)를 설치한 목적을 서술하시오.

04 고려의 사회와 사상

A 고려의 사회

★ 1. 고려의 신분 구성

(1) 신분의 구분과 특징

양인	문무 양반	• 구성: 왕족, 문반, 무반 • 특징: 중앙의 고위 관리, 문벌 형성(여러 대에 걸쳐 고위 관료를 배출한 가문으로 형성) 〔특수 지역 향리는 과거 응시나 승진에 한계가 있었다.〕
	중간 계층	• 구성: 서리(관청의 말단 행정 담당), 남반(궁중 실무 담당), 향리(지방 행정 실무 담당, 상급 향리는 호장·부호장이 되어 지방 행정 장악 및 지방군 통솔), 하급 장교 등 • 특징: 직역의 대가로 토지를 받음, 신분 세습
	평민	• 군현민: 군현에 거주하는 일반 백성(대부분이 농민인 백정, 상인, 수공업자 등), 과거 응시 가능 • 향·부곡·소의 거주민: 일반 군현민에 비해 차별받음(이주 금지, 교육과 과거 응시 제한, 일반 군현민보다 많은 조세와 역 부담, 일반 군현의 양민과 결혼 금지 등)
천인	천민	대다수가 노비(매매·증여·상속의 대상, 신분 세습, 역의 의무 없음) → 공노비(입역 노비, 외거 노비)와 사노비(솔거 노비, 외거 노비)로 구분

(2) 신분의 유동성 〔• 고려 백정은 직역 없이 농사짓던 양인 농민층을 말한다.〕 〔• 관청이나 주인에게 신공을 바쳤다.〕

① 개방적 사회: 신라의 골품제에 비해 개방적임

② 신분 상승 가능: 과거나 군공을 통해 신분 상승(백정 → 하급 관리, 하급 관리 → 고위 관리), 정호에 빈자리가 생기면 백정 중에 선발하여 직역과 토지 부여, 노비가 양인이 되기도 함 〔• 특정 직역을 부담하는 대가로 국가로부터 일정 단위의 토지인 전정을 받았다.〕

2. 고려 사회의 모습

(1) 지역의 자율성에 기반한 사회 운영 〔• 향리의 우두머리를 지칭한다.〕

군현의 운영	• 운영: 지역민은 촌에 소속, 몇 개의 촌이 모여 군현을 이룸, 호장을 중심으로 하는 향리 집단이 향촌 운영 • 군사: 자체적으로 지방군 보유, 상급 향리가 지방군 지휘 • 문화: 각 지역의 독자적 문화와 신앙 보유
지역 간 위상의 차이	• 향·부곡·소: 특수 행정 구역, 일반 군현에 비해 차별받음(공과에 따라 승격이나 강등 가능) 〔• 이름 앞에 출신지를 표기하게 한 제도이다.〕 • 본관제의 시행: 소속 지역을 확인하고 떠나지 못하게 함 → 일반 군현민과 특수 지역 거주민의 사회적 지위 다름
사회 공동체	향도: 초기에는 매향 등 불교 신앙 활동 → 후기에는 마을 제사·상장례 등 공동체 생활 주도

(2) 사회 시책: 의창(흉년 시에 빈민 구제), 상평창(물가 안정 활동), 동·서 대비원(환자 치료·빈민 구제), 제위보(빈민 구제 기금 마련)

(3) 가족 제도 〔• 일정 범위 내의 친족이 동일한 관청에 함께 근무하지 못하게 한 제도이다.〕

① 가족·친족 관계: 상속, 음서제, 상피제, 상복 제도 등에서 부계와 모계를 동등하게 취급, 친족 용어도 아버지 쪽과 어머니 쪽을 구분하지 않음

〔• 여성의 사회 진출에는 제한이 있었다.〕

② 여성의 지위: 여성과 남성의 지위가 비교적 수평적(여성도 호주 가능, 출생 순으로 호적 기재, 여성의 이혼과 재혼 가능, 남녀 균분 상속, 일반적인 사위의 처가살이)

> **고려 시대 여성의 지위(남녀 균분 상속)**
>
> 손변이 경상도 안찰사가 되었을 때, 한 고을에 남매가 서로 소송을 벌였다. …… 손변이 남매에게 "자식에 대한 부모의 마음은 같은데, 어찌 혼인한 딸에게는 후하고 어미도 없는 어린 아들에게는 박하겠는가? 생각해 보건대, 너희 아버지는 아들이 의지할 사람은 누나뿐이고, 만일 유산을 둘이 똑같이 나누어 준다면 누나가 동생을 홀대하고 제대로 키워 주지 않을까 걱정하신 것이다. …… 남매는 이 말을 듣고 느끼고 깨달은 바가 있어 서로 마주 보며 울었고, 손변은 마침내 재산을 똑같이 나누어 주었다. 　- 『고려사』

B 고려의 종교와 사상

1. 토착 신앙, 도교, 풍수지리설의 유행

토착 신앙	• 특징: 동명성왕·태조 왕건을 신으로 섬김, 국왕을 용의 후손으로 여겨 신성시함 • 서경·개경: 팔관회 개최(하늘의 신령과 산·강·용을 섬김) • 지방: 산신과 수신을 위한 축제, 고을 위인을 수호신으로 섬김
도교	주로 귀족과 왕실에서 믿음(귀족은 신선술에 관심, 왕실에서는 도교 사원을 세우고 초제를 열어 국왕의 장수를 빔) → 독자적인 교리 체계와 교단을 갖추지 못함
풍수 지리설	• 특징: 예언 사상과 결합하여 유행 • 영향: 송악 길지설, 서경 길지설 등(→ 북진 정책, 묘청의 서경 천도 운동에 이용), 한양의 남경 승격에 영향

2. 유교의 발달

(1) 유교 사상의 발달

전기	특징	새로운 국가 건설과 사회 개혁을 추구 → 정치 이념화, 자주적·주체적
	발달	• 태조: 6두품 출신 유학자 등용, 유교 민본 사상 중시 • 광종: 과거제 실시(유학 지식을 갖춘 인재 등용) • 성종: 국자감과 향교 설치, 유교 정치의 확립(최승로의 시무 28조 수용) • 예종: 유교 경전을 토론하는 경연 시행
중기	특징	사회 개혁보다 지배 체제의 안정 추구 → 보수화
	발달	• 최충: 9재 학당 설립, 고려 유학 발전 • 김부식: 이자겸의 난 진압, 금의 사대 요구 수용(현실 안정의 추구)
후기	특징	충렬왕 때 안향이 성리학을 본격적으로 소개
	발달	• 신진 사대부들이 개혁 사상으로 성리학 수용 → 권문세족의 불법 행위 등 비판 • 『소학』, 『주자가례』 보급 → 유교적 생활 규범 확산

(2) 교육 기관 ▶ 충선왕 때 국학, 충렬왕 때 성균관으로 개칭하였다. 공민왕 때부터는 순수 유학 교육 기관으로 개편되었다.

관학	• 국자감(개경): 유학부(국자학·태학·사문학)와 기술학부(서학·산학·율학) 설치, 성리학 수용 이후 성균관으로 개칭 • 향교: 지방에 설치, 지방 관리와 서민 자제의 교육 담당 • 관학 진흥책: 예종 때 국학 7재 설치, 장학 재단(양현고) 설립
사학	최충의 9재 학당 등 사학 12도 융성 → 관학 쇠퇴

★ 3. 역사서의 편찬

전기	• 『왕조 실록』 → 거란 침입으로 소실 ▶ 사마천의 『사기』의 서술 방식으로 본기(제왕), 세가(제후), 열전(인물), 지(주제), 표(연표)로 구성되어 있다. • 『7대 실록』 간행 → 전하지 않음
중기	김부식의 『삼국사기』 편찬(기전체, 유교적 합리주의 사관 반영)
후기	• 자주적 역사의식 강화: 무신 정변과 몽골 침입 이후 자주 의식을 강조한 역사서가 편찬 → 각훈의 『해동고승전』, 이규보의 『동명왕편』(고구려 계승 의식 표방), 이승휴의 『제왕운기』 및 일연의 『삼국유사』(단군을 민족의 시조로 서술) • 성리학적 유교 사관 대두: 이제현의 『사략』(정통성과 대의명분 강조) ▶ 불교사 중심으로 고조선부터 후삼국의 역사를 정리하였다.

『삼국사기』와 『동명왕편』의 역사 인식의 차이
• 가을 9월에 동명성왕이 돌아가시니 그때 나이가 마흔 살이었다. 용산에 장사 지내고 동명성왕이라 불렀다. ─ 『삼국사기』
• 가을 9월에 동명성왕이 하늘에 오르고 내려오지 않으니 이때 나이가 마흔 살이었다. 태자가 동명성왕이 남긴 옥 채찍을 대신 용산에 장사 지냈다. ▶ 동명성왕의 신화적 행적을 칭송하였다. ─ 『동명왕편』

4. 불교의 발달 ▶ 고려는 불교를 이용하여 사상적 통합을 꾀하였다.

(1) 불교의 융성과 변화: 국가의 지원을 받아 발달
① 불교 정책: 사찰 건립, 불교 행사 거행, 승록사 설치(태조), 국사·왕사 제도 및 승과 실시(광종)
② 고려 불교의 전개

전기	의천: 교종 통합(화엄종 중심), 해동 천태종 창시(선종 포섭 시도), 교관겸수 제시 ▶ 불교 개혁 운동의 일종이다.
무신 정권기	• 지눌: 송광사에서 수선사 결사 조직, 선종 중심의 교종 포섭 시도, 돈오점수와 정혜쌍수 주장 • 혜심: 유불 일치설 주장 → 성리학 수용의 토대 마련
원 간섭기	• 특징: 개혁 성향 약화, 세속화 심화(사원의 고리대 운영, 토지·노비 차지) → 신진 사대부의 비판을 받음 • 새로운 종파: 원에서 임제종 유입(보우, 혜근 등)

(2) 대장경 조판과 불교 예술의 발달
① 대장경 조판: 불교 경전을 집대성한 대장경 조판, 거란의 침입 때 초조대장경 간행(몽골의 침입으로 소실), 몽골의 침입 때 팔만대장경 간행 ▶ 외세의 침략을 부처의 힘으로 물리치려는 염원을 담아 제작하였다.
② 불교 예술: 불화 제작, 불상·사원 건축 등 발달(안동 봉정사 극락전, 영주 부석사 무량수전 등)

01 다음 설명에 해당하는 신분을 〈보기〉에서 골라 기호를 쓰시오.

> **보기**
> ㄱ. 문벌   ㄴ. 정호   ㄷ. 백정   ㄹ. 노비

(1) 직역 없이 농사짓던 양인 농민층   (   )
(2) 재산으로 간주되고 역 부담의 의무가 없던 신분
                                          (   )
(3) 여러 대에 걸쳐 고위 관료를 배출한 가문으로 형성
                                          (   )
(4) 특정 직역을 부담하는 대가로 국가로부터 일정 단위의 토지를 받은 사람들   (   )

02 고려 시대 사회 모습에 대한 설명이 맞으면 ○표, 틀리면 ×표를 하시오.

(1) 어머니 쪽 조상으로는 음서를 받을 수 없었다. (   )
(2) 흉년 시 빈민을 구제하기 위한 의창과 같은 기구가 있었다.   (   )
(3) 향·부곡·소 등 특수 지역은 일반 군현과 동등하게 대우받았다.   (   )
(4) 본관제를 시행하여 주민들이 그 거주 지역을 떠나지 못하게 하였다.   (   )

03 서경 길지설을 바탕으로 한 고려의 북진 정책이나 묘청의 서경 천도 운동에 영향을 준 사상은?

04 다음 괄호 안의 내용 중 알맞은 말에 ○표를 하시오.

(1) 고려 중기 유교는 전기에 비해 (보수적, 자주적) 성향을 띠었다.
(2) 신진 사대부는 개혁 사상으로 (도교, 성리학)을/를 수용하였다.
(3) (김부식, 이규보)은/는 유교적 합리주의 사관이 반영된 『삼국사기』를 편찬하였다.

05 다음 인물과 그 업적을 옳게 연결하시오.

(1) 의천 •　　　　　　• ㉠ 천태종 창시
(2) 일연 •　　　　　　• ㉡ 삼국유사 저술
(3) 지눌 •　　　　　　• ㉢ 유불 일치설 주장
(4) 혜심 •　　　　　　• ㉣ 수선사 결사를 조직

A 고려의 사회

01 (가), (나) 신분에 대한 설명으로 옳은 것을 〈보기〉에서 고른 것은?

> (가) 고려 지배층의 최상위에 존재한 신분으로 문반과 무반으로 구성되었고, 문반은 정부의 문신직을, 무반은 2군 6위의 장군직 등에 복무하였다.
> (나) 지방 행정의 실무를 담당하였고, 국가로부터 토지를 지급받았다.

보기
> ㄱ. (가) – 골품제의 특권 속에 성장하였다.
> ㄴ. (가) – 비슷한 가문과 혼인하여 세력을 유지하였다.
> ㄷ. (나) – 신분 세습이 불가능하였다.
> ㄹ. (나) – 과거를 통해서 중앙 관직에 진출할 수 있었다.

① ㄱ, ㄴ   ② ㄱ, ㄷ   ③ ㄴ, ㄷ
④ ㄴ, ㄹ   ⑤ ㄷ, ㄹ

02 (가) 신분에 대한 설명으로 옳은 것은?

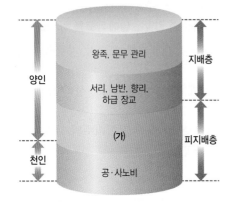

① 문벌을 형성하였다.
② 주인집과 따로 살며 신공을 바쳤다.
③ 조세, 공납, 역 등의 의무가 있었다.
④ 호장, 부호장 등의 직위로 구분되었다.
⑤ 재산처럼 취급되어 매매와 상속의 대상이 되었다.

출제가능성90%
03 (가)에 들어갈 신분에 대한 설명으로 옳은 것을 〈보기〉에서 고른 것은?

> 각 역(驛)의 ___(가)___ 을/를 나누어 6과(科)로 하였다. …… 1과는 정(丁) 75, 2과는 정 60, 3과는 정 45, 4과는 정 30, 5과는 정 12, 6과는 정 7이다. …… 토지가 있으나 ___(가)___ 의 수가 부족하면 그 역의 백정 자제 중 지원하는 자로 충당한다. – 『고려사』

보기
> ㄱ. 토지를 받고 직역을 담당하였다.
> ㄴ. 군공을 세워 무관이 될 수 있었다.
> ㄷ. 일반 군현의 양민과 결혼이 금지되었다.
> ㄹ. 대부분 농민으로 조세와 역을 부담하였다.

① ㄱ, ㄴ   ② ㄱ, ㄷ   ③ ㄴ, ㄷ
④ ㄴ, ㄹ   ⑤ ㄷ, ㄹ

04 밑줄 친 두 지역 거주민의 공통점에 대한 설명으로 옳지 않은 것은?

> • 고종 42년(1255)에 다인철소의 주민들이 몽골군을 방어하는 데 공을 세웠으므로, 소를 익안현(翼安縣)으로 승격시켰다. – 『고려사』
> • 유청신은 장흥부 고이부곡 사람이다. 법도에 부곡리는 공이 있어도 5품을 넘을 수 없었다. …… 몽골어를 익혀 원에 사신으로 가서 잘 응대하였다. …… 고이부곡을 속현(고흥현)으로 승격하였다. – 『고려사』

① 신분상 양인이었다.
② 과거에 응시할 수 없었다.
③ 거주지 이동이 제한되었다.
④ 특수 행정 구역의 주민에 속하였다.
⑤ 일반 군현민과 동등한 조세와 역을 부담하였다.

05 (가)에 들어갈 답변으로 적절하지 <u>않은</u> 것은?

고려 시대에 농민 생활을 안정시키기 위해 추진한 사회 시책에 대해 알고 있니?

(가)

① 빈민 구제를 위해 의창을 설치하였어.
② 물가 조절을 위해 상평창을 설치하였어.
③ 환자 치료를 위해 동·서 대비원을 두었어.
④ 춘궁기에 곡식을 빌려주는 진대법을 실시하였어.
⑤ 기금의 이자로 빈민을 구제하는 제위보를 운용하였어.

06 밑줄 친 '공동체 조직'의 명칭을 쓰시오.

이 <u>공동체 조직</u>은 고려 전기에는 군현을 아우르는 규모로 사원 조성, 매향 등 불교 신앙 활동을 하였다. 고려 후기에는 규모가 축소되어 마을 제사나 상장례 등 공동체 생활을 주도하였다.

07 다음 자료를 통해 추론한 고려 사회의 모습으로 가장 적절한 것은?

손변이 경상도 안찰사가 되었을 때, 한 고을에 남매가 서로 소송을 벌였다. …… 손변이 남매에게 "자식에 대한 부모의 마음은 같은데, 어찌 혼인한 딸에게는 후하고 어미도 없는 어린 아들에게는 박하겠는가? …… 남매는 이 말을 듣고 느끼고 깨달은 바가 있어 서로 마주 보며 울었고, 손변은 마침내 재산을 똑같이 나누어 주었다.
― 『고려사』

① 여성은 호주가 될 수 없었을 것이다.
② 상피제는 모계에만 적용되었을 것이다.
③ 여성의 재가가 허용되지 않았을 것이다.
④ 호적에는 성별 순서로 등재되었을 것이다.
⑤ 남녀에게 재산이 균등하게 상속되었을 것이다.

B 고려의 종교와 사상

08 (가) 사상에 대한 설명으로 옳은 것은?

문화재 소개 카드

• 문화재명: 은제 도금 타출 신선무늬 향합
• 설명: 신선으로 보이는 노인과 동자 두 명의 모습을 부조한 문화재로, 고려의 ___(가)___ 사상이 반영되어 있다.

① 동명성왕을 신으로 모셨다.
② 독자적인 교단을 갖추지 못하였다.
③ 묘청의 서경 천도 운동에 영향을 주었다.
④ 최승로에 의해 정치사상으로 확립되었다.
⑤ 신진 사대부가 개혁 사상으로 수용하였다.

09 밑줄 친 '이 사상'의 영향을 받은 사건으로 옳은 것은?

신라 말부터 유행한 <u>이 사상</u>은 땅의 형세와 모양이 국가의 운명이나 개인의 삶에 영향을 준다는 이론이다.

① 성종이 12목을 설치하였다.
② 한양이 남경으로 승격되었다.
③ 최충이 9재 학당을 설립하였다.
④ 국자감을 성균관으로 개칭하였다.
⑤ 광종이 국사와 왕사 제도를 실시하였다.

10 (가) 사상의 영향에 대한 설명으로 옳은 것은?

한국사 스피드 퀴즈

(가)

최승로의 시무 28조를 통해 정치 이념으로 수용된 사상이야.

① 국자감이 세워졌다.
② 북진 정책이 추진되었다.
③ 초조대장경이 간행되었다.
④ 팔관회가 성대히 치러졌다.
⑤ 송악 길지설이 제기되었다.

11 (가), (나) 역사서에 대한 설명으로 옳은 것은?

> (가) 가을 9월에 동명성왕이 돌아가시니 그때 나이가
> 마흔 살이었다. 용산에 장사 지내고 동명성왕이
> 라 불렀다.
> (나) 가을 9월에 동명성왕이 하늘에 오르고 내려오지
> 않으니 이때 나이가 마흔 살이었다. 태자가 동명
> 성왕이 남긴 옥 채찍을 대신 용산에 장사 지냈다.

① (가) – 일연이 저술하였다.
② (가) – 유교적 합리주의에 따라 서술되었다.
③ (나) – 이승휴가 저술하였다.
④ (나) – 선·교 일치 사상을 담고 있다.
⑤ (나) – 사마천의 사기와 같은 서술 방식을 취하고 있다.

12 교사의 질문에 대한 학생의 답변으로 가장 적절한 것은?

(가) 사상에 대해 말해 볼까요?

(가)
• 고려 말 원으로부터 수용한 학문
• 『소학』, 『주자가례』 보급으로 확산
• 원에서 활동한 지식인들에 의해 수용

① 삼국사기 서술에 영향을 주었어요.
② 왕실 초제를 개최하여 제사를 지냈어요.
③ 승록사를 설치하여 연구를 지원하였어요.
④ 신선술과 불로장생을 목표로 연구되었어요.
⑤ 신진 사대부 세력이 사회 개혁 사상으로 수용하였어요.

주관식

13 (가), (나)에 들어갈 말을 각각 쓰시오.

> ┌─(가)─┐은/는 왕자 출신으로 승려가 되었다. 그는
> 불교계의 갈등을 해결하기 위해 교종과 선종을 통합하
> 고자 하였다. 그는 화엄종을 중심으로 교종을 통합하
> 고, 천태종을 개창하여 교종의 입장에서 선종을 통합하
> 였다. 그리고 수행 방법으로 이론의 연마와 실천을 같이
> 강조하는 ┌─(나)─┐을/를 제시하였다.

14 다음 주장을 펼친 인물에 대한 설명으로 옳은 것을 〈보기〉에서 고른 것은?

> 하루는 같이 공부하는 사람 10여 인과 더불어 약속하였
> 다. 명예와 이익을 버리고 산림에 은둔하여 같은 모임을
> 맺자. 항상 선(禪)을 익혀 지혜를 고르는 데 힘쓰고, 예
> 불하고 경전을 읽으며, 나아가서는 노동하기에 힘쓰자.
> 각자 맡은 바 임무에 따라 경영하고, 인연에 따라 심성
> 을 수양하며 한평생을 자유롭고 호쾌하게 지내자.
> ─ 『권수정혜결사문』

보기
ㄱ. 화쟁 사상을 제시하였다.
ㄴ. 유불 일치설을 주장하였다.
ㄷ. 수선사를 중심으로 결사 운동을 펼쳤다.
ㄹ. 수행법으로 돈오점수와 정혜쌍수를 제안하였다.

① ㄱ, ㄴ   ② ㄱ, ㄷ   ③ ㄴ, ㄷ
④ ㄴ, ㄹ   ⑤ ㄷ, ㄹ

15 밑줄 친 '이것'에 대한 설명으로 옳은 것은?

합천 해인사에 보관된 이것은 불교 경전을 집대성한 것입니다. 총 8만여 장에 달하는 목판에 글씨를 새겼는데 글자체가 균일하고 아름다워 당시의 뛰어난 목판 인쇄술을 보여 주는 자료입니다.

① 몽골의 침입 때 소실되었다.
② 거란의 침입 때 만들어졌다.
③ 고구려 계승 의식을 표방하였다.
④ 충·효·신 등의 도덕규범을 장려하였다.
⑤ 부처의 힘으로 외적을 물리치고자 간행하였다.

01 다음 인물들을 통해 알 수 있는 고려 사회의 특징으로 가장 적절한 것은?

> • 장순룡은 원래 이슬람 사람으로, 본명은 삼가였다. …… 장순룡은 제국 공주를 따라 고려에 와서 낭장에 임명된 후 여러 번 승진하여 장군이 되었으며, 지금의 이름으로 바꾸었다.
> • 이의민은 경주 사람인데, 부친 이선은 소금과 체를 파는 사람이었고, 모친은 연일현 옥령사 노비였다. …… 이의민은 중랑장이 되었다가 즉시 장군으로 승진하였다.

① 향리는 신분을 세습하였다.
② 고려는 신라 골품제 사회보다 개방적이었다.
③ 천민인 노비는 매매·증여·상속의 대상이었다.
④ 향·소·부곡민은 일반 군현민에 비해 차별을 받았다.
⑤ 고려는 가정에서 여성과 남성이 거의 대등한 위치에 있었다.

★★★ 최고난도

02 (가)에 들어갈 학생의 대답으로 가장 적절한 것은?

> 오늘 학교에서 배운 만권당 기억나니?
>
> 그럼. 충선왕이 원의 수도인 대도에 세운 독서당이잖아.
>
> 만권당에서 고려와 원의 학자들이 교류하면서 ○○○에 대한 이해를 넓혀 갔다고 했지?
>
> 맞아. 그런데 안향이 충렬왕 때 소개한 ○○○은 고려에 어떤 영향을 주었지?
>
> (가)
>
> 전송

① 국자감 설치에 기여하였어.
② 유학이 보수화되는 데 영향을 주었어.
③ 유교적 생활 규범이 보급되기 시작하였어.
④ 최충의 9재 학당 등 사학 12도가 융성하였어.
⑤ 예언 사상과 결합하여 서경의 중요성이 강조되었어.

2019 수능 응용

03 밑줄 친 '그'에 대한 설명으로 옳은 것을 〈보기〉에서 고른 것은?

> 화면에 나온 인물에 대해 말씀해 주세요.
>
> 그는 교관겸수를 주장하면서 교종을 중심으로 고려의 불교 통합 운동을 주도한 승려로 송·요·일본 등 각국의 불교 서적을 모아 『신편제종교장총록』을 편찬하고, 교장을 간행하였습니다.

보기
ㄱ. 화쟁 사상을 주장하였다.
ㄴ. 백련사 결사를 주도하였다.
ㄷ. 해동 천태종을 창시하였다.
ㄹ. 교종 중심으로 선종을 통합하였다.

① ㄱ, ㄴ   ② ㄱ, ㄷ   ③ ㄴ, ㄷ
④ ㄴ, ㄹ   ⑤ ㄷ, ㄹ

◈ 서술형 문제

04 다음을 읽고 물음에 답하시오.

> (가) 중국의 사마천이 지은 『사기』의 체제를 따랐으며, 유교에서 강조하는 충·효의 도덕을 바탕으로 후세에 교훈이 되도록 역사를 서술하였다. 삼국의 정치적인 흥망과 변천을 중심으로 통일 신라까지 편찬하였다.
> (나) 불교 신앙을 중심으로 전설이나 야사, 신화적인 내용을 주로 다루었다. 고조선을 처음으로 서술하였고, 단군을 비롯한 역대 시조의 신비로운 탄생과 업적을 강조하였다.

(1) 고려 시대 역사서인 (가), (나)의 명칭을 쓰시오.

(2) (가), (나) 역사관의 차이를 중심으로 두 역사서의 특징을 비교하여 서술하시오.

05 조선의 정치 운영과 세계관의 변화

A 유교 이념에 따른 통치 체제의 정비

1. 조선의 건국과 유교 정치의 확립

(1) 건국 과정: 중국의 원이 쇠퇴(14세기), 명의 건국 → 이성계와 급진파 신진 사대부가 위화도 회군으로 실권 장악 (1388) → 과전법 시행 → 조선 건국(1392)

(2) 국가 기틀의 확립과 유교 정치의 실현

> 6조에서 의정부를 거치지 않고 국왕에게 직접 보고하도록 한 제도이다.

태조	국호 '조선', 한양 천도, 재상 중심 정치 운영 강조(정도전)
태종	사병 폐지, 6조 직계제, 양전 사업·호패법 실시, 사간원 독립
세종	의정부 서사제 실시, 경연 활성화, 집현전 설치, 훈민정음 창제
세조	6조 직계제 실시, 집현전·경연 폐지(언론 활동 제한)
성종	홍문관 설치(집현전 계승), 경연 재개, 『경국대전』 완성·반포

> 6조의 직무를 의정부에서 논의한 뒤 국왕에게 보고하도록 한 제도로, 왕권과 신권의 조화를 추구하였다.

★ 2. 통치 제도의 정비

(1) 중앙 정치 조직: 의정부와 6조 중심으로 운영

의정부	국정 총괄 기구(재상들 간의 합의로 정책 심의·결정)
6조	직능에 따라 정책 집행
3사	사헌부, 사간원, 홍문관 → 언론 기능(권력 독점과 부정 방지)
기타	승정원(왕명 출납 담당), 의금부(중죄인 조사), 한성부(한성의 행정), 춘추관(역사서 편찬), 성균관(최고 교육 기관)

(2) 지방 행정 제도

> 고려 시대와 달리 특수 행정 구역 및 군사 행정 구역이 폐지되었다.

조직	8도(관찰사 파견) – 부·목·군·현(수령 파견), 향·부곡·소를 일반 군현으로 승격하거나 주변 군현에 통합
운영	모든 군현에 수령 파견, 향리의 지위 격하, 유향소 설치(지방 사족이 조직한 자치 기구, 수령 보좌 및 견제, 향리 감시, 풍속 교화)

> 수령은 행정권·사법권·군사권을 행사하였다.

(3) 군사 제도

① 군역: 정군(현역 군인), 보인(정군의 비용 부담)으로 편성

② 군사 조직: 중앙군(5위, 궁궐·수도 방어), 지방군(영·진 방어, 병마절도사·수군절도사가 지휘), 잡색군으로 조직

> 가족이나 가까운 친인척과 같은 관서에 근무하지 않도록 하거나 출신 지역의 지방관으로 임명하지 않는 제도이다.

(4) 관리 등용 제도: 상피제 시행

① 과거: 법적으로 양인 이상 응시 가능, 문과·무과·잡과

② 음서: 고려에 비하여 대상 축소

> 무과가 제도화되었다.

③ 천거: 추천에 의한 선발

B 사림의 성장과 공론 정치의 전개

1. 사림의 성장과 사화의 발생

(1) 사림의 형성과 성장: 정몽주·길재의 학통을 계승한 지방의 사대부, 중소 지주 출신, 왕도 정치와 향촌 자치 추구 → 성종 때 훈구 세력 견제를 위해 대거 등용(3사에 임명)

> 조선 건국과 세조 즉위에 공을 세운 이들로, 고위 관직을 차지하고 권력을 이용해 막대한 토지를 차지하였다.

(2) 사화의 발생: 훈구와 사림의 대립 과정에서 발생

연산군 시기	• 무오사화: 연산군과 훈구 세력이 김종직의 「조의제문」을 문제 삼아 사림 축출 • 갑자사화: 연산군 생모 폐위와 관련된 훈구·사림 세력 제거
중종 시기	기묘사화: 조광조의 개혁 정치 주장(3사의 언론 활동 활성화, 소격서 폐지, 현량과 실시, 훈구의 부당한 공훈 삭제 등) → 훈구 세력의 반발로 조광조를 비롯한 사림 제거
명종 시기	을사사화: 외척 간 권력 갈등으로 사림이 피해를 입음

★ 2. 붕당 정치와 공론의 형성

> 3사의 관리와 하급 관리를 심사하고 자신의 후임자를 천거할 수 있었다.

(1) 사림의 세력 확대: 서원과 향약을 기반으로 향촌 사회에서 세력 확대, 중앙 정계에서 세력 확장, 정치 주도권 장악

(2) 붕당의 형성: 선조 때 척신 정치 청산과 이조 전랑 임명 문제를 놓고 대립 → 동인과 서인의 붕당 형성

동인	신진 사림 중심, 척신 정치 청산과 정치의 도덕성 강조
서인	기존 사림 중심, 척신이라도 믿을 만한 인물의 등용을 주장

(3) 공론에 의한 정치: 3사의 관리들이 공론 형성 주도, 재야의 산림들이 서원 활동과 상소 등을 통해 공론 형성

> 성리학에 부합하는 공정한 견해로, 붕당 내부의 토론을 통해 형성된 여론을 뜻한다.

C 사대교린 정책과 양난의 전개

1. 사대교린의 외교 관계

(1) 명과의 사대 외교

① 건국 초: 태조의 요동 정벌 추진으로 갈등 → 태종 이후 친선

② 사대 외교: 조공·책봉 체제, 명 중심의 동아시아 외교에 능동적으로 참여

조공	명에 사신 파견·조공(경제적·문화적 교류 및 선진 문물 수용)
책봉	명으로부터 국왕의 지위를 인정받음(국내 정치 안정에 도움)

(2) 여진·일본과의 교린 관계

> 삼남 지방의 주민들을 북쪽으로 이주시키는 정책이다.

여진	• 강경책: 세종 때 4군 6진 설치, 사민 정책 실시 • 회유책: 귀화 장려, 국경 지역에 무역소 설치
일본	• 강경책: 세종 때 왜구의 본거지인 쓰시마섬(대마도) 토벌 • 회유책: 3포 개항, 제한적 교역 허락

★ 2. 왜란의 전개와 결과

(1) 왜란의 배경: 일본의 도요토미 히데요시가 전국 시대 통일 → 내부 불만 세력을 무마하고자 대륙 침략 결정 → 임진왜란 발발(1592)

(2) 왜란의 전개 과정

① 전쟁 초기: 일본군이 한성과 평양 함락 → 선조는 의주로 피란하여 명에 지원군 요청

② 수군과 의병의 활약: 이순신의 수군이 남해에서 활약(해상 ┌ 한산도 대첩이 대표적이다.

권 장악), 전국 각지에서 의병이 활약 ┌ 곽재우, 고경명 등이
└ 대표적이다.

③ 휴전 협상: 명군의 참전, 조·명 연합군의 평양 탈환, 권율 의 행주 대첩 승리 → 일본이 명에 휴전 제의 → 3년간의 휴전 회담 결렬

④ 일본군의 재침입과 전쟁 종결: 일본군의 재침입(정유재란, 1597) → 조·명 연합군의 활약, 이순신의 명량 대첩 승리 → 도요토미 히데요시의 사망, 일본군 철수

(3) 왜란의 결과

① 동아시아 정세의 변화

조선	국토 황폐화, 인구 감소, 토지 대장과 호적 소실, 많은 문화재 소실 및 약탈, 신분 질서의 변화
일본	도쿠가와 이에야스의 에도 막부 성립, 조선 기술자에 의한 인쇄술·도자기 문화 발달, 조선 학자에 의해 성리학 전래
중국	명의 국력 약화, 여진 성장 → 후금 건국 ┌ 도자기 문화가 전래되면서 └ 일본에 이삼평비가 세워졌다.

② 일본과 국교 재개: 에도 막부가 국교 재개와 사절 파견을 요청 → 조선 정부가 통신사 파견

★ 3. 광해군의 정책과 호란의 전개

(1) 광해군의 정책

① 전후 복구: 토지 대장 정비, 대동법 실시

② 중립 외교: 후금의 명 공격, 명이 조선에 군사 요청 → 강홍립 이 이끄는 지원군 파견(상황에 따른 유연한 대처 지시)

③ 인조반정: 서인 세력이 광해군의 외교 정책 비판 → 광해군 을 몰아내고 인조를 왕으로 세움(인조반정, 1623)
└ 서인 세력은 명에 대한 의리를 중시하여 광해군의 중립 외교를 비판하였다.

(2) 정묘호란과 병자호란

정묘호란 (1627)	• 배경: 서인의 친명배금 정책 • 전개: 후금의 조선 침략 → 인조가 강화도로 피신, 의병장 정봉수의 활약 → 후금과 화의(형제 관계)
병자호란 (1636)	• 배경: 국력이 커진 후금이 국호를 '청'으로 바꾸고 사대 요구 → 조선에서 주화론과 주전론(척화론)이 대립 → 주전론 우세로 청의 사대 요구 거절 • 전개: 청 태종의 조선 침략 → 인조가 남한산성에서 항전 → 청에 항복(삼전도에서 청과 강화, 군신 관계 체결)

주화론은 청과 화의를 맺자는 ┘ 주장이고, 주전론(척화론)은 청에 무력으로 대응하자는 주장이다.

4. 대외 인식의 변화
┌ 청에 당한 치욕을 씻고 명에 대한 의리를 지키고자 하였다.

(1) 북벌 운동: 효종 시기 송시열·이완 중심으로 북벌론 제기, 청 정복을 위해 국방력 강화에 노력 → 실행에 옮기지 못함

(2) 북학론: 18세기 실학자들을 중심으로 청의 발전된 문물을 배우자는 주장이 제기됨

(3) 백두산정계비 건립(1712): 만주 일대에서 생활하는 조선인 증가 → 조선과 청 사이에 국경 분쟁 → 국경선 확정

북벌론과 북학론

• 우리나라는 실로 명 신종 황제의 은혜를 입어 임진왜란 때 나라가 이미 폐허가 되었다가 다시 보존되고 백성이 거의 죽었다가 다시 소생하였으니 …… 국경의 문을 닫고 약속을 끊으며 이름을 바르게 하고 이치를 밝혀 우리 의리의 원만함은 지킬 수 있을 것입니다. – 송시열, 『송자대전』

• 청이 천하를 차지한 지 1백 년이 지났다. 여기에 사는 사람들을 모조리 오랑캐라 하고 중국의 법마저 폐기해 버린다면 크게 옳지 않다. 진실로 백성에게 이롭기만 한다면, 그 법이 비록 오랑캐에게서 나왔다 하더라도 성인은 취할 것이다. – 박제가, 『북학의』

D 양난 이후 정치 운영의 변화

1. 통치 체제의 개편
┌ 16세기 초 국방 문제를 대비하는 임시 기구로 설치되었다가, 16세기 중엽 을묘왜변을 계기로 상설 기구가 되었으며, 임진왜란을 거치며 최고 정무 기구가 되었다.

중앙 정치	비변사의 기능 강화(국정 총괄) → 의정부·6조·왕권 약화
군제 개현	5군영 설치(중앙군), 속오군 편성(지방군)
수취 체제	영정법, 대동법, 균역법 시행(백성의 부담 경감 목적, 부당한 조세 징수 방지) ┌ 지주의 반대로 전국적 확대 시행에 100여 년이 소요되었다.

2. 붕당 정치의 전개와 변질

선조~광해군 시기	선조 때 동인이 남인과 북인으로 분화 → 광해군 때 북인이 정권 장악
인조~효종 시기	인조반정 이후 서인 집권(비변사의 고위직 독점), 남인 공존 → 상호 비판적 공존 관계 유지, 공론 중시
현종 시기	상복 문제로 두 차례 예송 발생(서인과 남인의 대립 격화)
숙종 시기	환국 전개 → 공존의 원리 붕괴, 3사의 언론 기능 변질, 남인 몰락·서인이 노론과 소론으로 분화, 특정 붕당의 일당 전제화 경향 발생 → 탕평론 제기

★ 3. 영조·정조의 탕평책과 개혁 정치

영조	탕평파 육성, 서원 정리, 이조 전랑의 권한 축소, 탕평비 건립, 균역법 시행, 신문고 부활, 가혹한 형벌 금지, 『속대전』 편찬
정조	탕평책 실시(노론·소론·남인 고루 등용), 규장각 설치, 초계문신제 실시, 장용영(친위 부대) 설치, 수원에 화성 건설, 통공 정책의 실시(시전 상인의 금난전권 폐지), 『대전통편』 편찬

젊고 재능 있는 관료들을 선발하여 규장각 ┘ 에서 학문을 연구하게 한 제도이다.

4. 세도 정치의 전개

배경	정조 사후 어린 순조의 즉위, 왕실과 혼인 관계를 맺은 소수 가문의 권력 장악
전개	순조·헌종·철종 3대 60여 년간 안동 김씨·풍양 조씨 등이 권력 장악
특징	권력이 비변사에 집중, 세도 가문이 주요 관직 독점
폐단	• 정치 기강의 문란: 과거 시험 부정, 매관매직 등 • 삼정의 문란: 전정, 군정, 환곡의 수취 제도가 비정상적으로 운영

01 조선 전기의 왕과 그 활동을 옳게 연결하시오.

(1) 태종 •   • ㉠ 집현전 폐지
(2) 세종 •   • ㉡ 호패법 실시
(3) 세조 •   • ㉢ 경국대전 반포
(4) 성종 •   • ㉣ 훈민정음 창제

02 다음에서 설명하는 중앙 정치 조직을 〈보기〉에서 골라 기호를 쓰시오.

> **보기**
> ㄱ. 3사 ㄴ. 6조 ㄷ. 의금부 ㄹ. 의정부

(1) 언론 기능을 담당하였다.   ( )
(2) 국가의 큰 죄인을 조사하였다.   ( )
(3) 재상들 간의 합의로 국정을 총괄하였다. ( )
(4) 직능에 따라 정책과 행정을 나누어 맡았다. ( )

03 15세기 이후 지방에서 성장한 세력인 (   )은 정몽주·길재의 학통을 계승하여 학문 연구와 교육에 힘쓴 사대부들을 말한다.

04 다음 괄호 안의 내용 중 알맞은 말에 ○표를 하시오.

(1) 세종은 여진에 대한 강경책으로 (비변사, 4군 6진)을/를 설치하였다.
(2) 도요토미 히데요시가 조선을 침략하여 (을묘왜변, 임진왜란)이 일어났다.
(3) (광해군, 연산군)은 왜란 이후 후금과 명 사이에서 중립 외교를 시행하였다.
(4) (병자호란, 정묘호란)은 조선이 청의 사대 요구를 거절한 것을 계기로 발생하였다.
(5) 효종 시기 청에 대한 치욕을 씻고 명에 대한 의리를 지키자는 (북벌론, 북학론)이 제기되었다.

05 다음 설명이 맞으면 ○표, 틀리면 ×표를 하시오.

(1) 성종 때 훈구가 대거 등용되어 3사에 임명되었다.
              ( )
(2) 현종 때 효종의 왕위 계승에 대한 정통성 문제를 놓고 예송이 일어났다.   ( )
(3) 정조는 탕평책을 실시함으로써 노론·소론·남인을 고루 관직에 등용하였다.   ( )
(4) 순조, 헌종, 철종 3대 60여 년 동안 외척인 안동 김씨와 풍양 조씨 등이 정치권력을 독점하였다. ( )

A 유교 이념에 따른 통치 체제의 정비

01 밑줄 친 '왕'의 활동으로 옳은 것은?

> • 왕 9년 옛 집현전을 대신할 학술·언론 기능을 홍문관이 하도록 하였다.
> • 왕 16년 『경국대전』을 완성하여 반포하였다.

① 경연을 활성화하였다.
② 집현전을 폐지하였다.
③ 훈민정음을 창제하였다.
④ 수도를 한양으로 옮겼다.
⑤ 호패법을 최초로 실시하였다.

02 다음 역할을 맡은 조선의 중앙 정치 조직에 대한 설명으로 옳은 것은?

> • 시정을 논하여 바르게 이끌고, 모든 관원을 살피며, 풍속을 바로잡고, 원통하고 억울한 일을 풀어주고, 거짓된 행위를 금하는 등의 일을 맡는다.
> • 간쟁하고 정사의 잘못을 논박하는 직무를 관장한다.
> • 궁궐 안에 있는 경적을 관리하고, 문한을 관리하며, 왕이 물을 일에 대비한다. 제학 이상은 다른 관부 관원이 겸한다. 모두 경연을 겸대한다.   – 『경국대전』

① 역사서를 편찬하였다.
② 언론 기능을 담당하였다.
③ 국정을 총괄하는 역할을 하였다.
④ 한성의 행정과 치안을 담당하였다.
⑤ 유학을 가르치는 최고 교육 기관이었다.

출제가능성 90%
03 다음 정치 운영 체제에 대한 설명으로 옳지 <u>않은</u> 것은?

> 의정부의 여러 일을 나누어 6조에 귀속하였다. …… 의정부가 관장한 일은 사대문서와 중죄수의 재심에 관한 것뿐이었다.

① 왕권 강화에 기여하였다.
② 태종과 세조 때 실시되었다.
③ 의정부의 역할을 축소시켰다.
④ 정도전이 주장한 정치 운영 방식이다.
⑤ 6조가 의정부를 거치지 않고 왕에게 업무를 보고하였다.

04 지도의 지방 행정 제도를 가진 나라에 대한 설명으로 옳지 않은 것은?

① 모든 군현에 수령을 파견하였다.
② 향리는 고려 시대에 비해 지위가 낮아졌다.
③ 각 도에 파견된 관찰사가 수령을 감독하였다.
④ 지방에는 유력 양반들로 구성된 유향소가 설치되었다.
⑤ 향·부곡·소의 주민들은 일반 군현민보다 차별받았다.

B 사림의 성장과 공론 정치의 전개

05 밑줄 친 '이들'에 대한 설명으로 옳지 않은 것은?

> 이들은 15세기 이후에 지방에서 성장한 사대부들이다. 정몽주, 길재 등의 학통을 이어받아 도덕과 의리를 바탕으로 하는 왕도 정치를 추구하였으며, 향촌 자치를 강조하였다.

① 성종 때 중앙 정계에 진출하기 시작하였다.
② 서원과 향약을 바탕으로 세력을 확장하였다.
③ 조의제문을 문제 삼은 반대 세력에 의해 쫓겨났다.
④ 세조 즉위 과정에서 공을 세워 고위직을 독점하였다.
⑤ 이조 전랑의 임명 문제를 놓고 두 세력으로 갈라졌다.

06 다음에서 설명하는 사건을 쓰시오.

> 중종 시기에 조광조가 현량과를 실시하고 부당하게 공신이 된 일부 훈구의 공훈을 삭제하려고 하자, 국왕과 훈구가 이에 반발하면서 조광조를 비롯한 많은 사림을 제거한 사건이다.

✨출제가능성90%

07 가상 대화의 (가), (나) 세력에 대한 설명으로 옳은 것은?

(가) 심충겸은 외척인데 어찌 그가 이조 정랑 자리에 앉을 수 있겠소?

(나) 척신이더라도 믿을 만한 인물은 등용해야 하지 않겠소?

① (가) – 노론과 소론으로 분화되었다.
② (가) – 인조반정 이후 정국의 주도권을 잡았다.
③ (나) – 광해군 때 집권하였다.
④ (나) – 척신 정치 청산을 강조하였다.
⑤ (가), (나) – 공론을 내세우고 이를 바탕으로 국정을 이끌었다.

C 사대교린 정책과 양난의 전개

08 지도에 표시된 지역에 대한 설명으로 옳은 것은?

① 세종 때 이종무가 토벌하였다.
② 남부 지방의 주민들을 이주시켰다.
③ 통신사의 이동 경로에 위치하였다.
④ 태조 때 정도전이 정벌을 추진하였다.
⑤ 일본과의 제한적인 교역이 허용되었다.

09 밑줄 친 '전쟁' 중에 일어난 사실로 옳지 <u>않은</u> 것은?

> 16세기에 들어 왜인이 자주 소란을 일으키는 가운데 3포 왜란과 을묘왜변이 일어났다. 16세기 말에 일본에서는 도요토미 히데요시가 전국 시대의 분열과 혼란을 수습하고 통일을 이루었다. 그리고 정권 안정을 도모하고 대륙 진출 야욕을 이루기 위해 조선을 침략하여 <u>전쟁</u>을 일으켰다.

① 인조가 남한산성으로 피신하였다.
② 3년에 걸쳐 휴전 회담을 전개하였다.
③ 조선과 명의 연합군이 평양을 탈환하였다.
④ 이순신의 수군이 한산도 대첩에서 승리하였다.
⑤ 곽재우, 고경명 등 의병이 전국 각지에서 일어났다.

10 지도에 나타난 전쟁의 영향으로 옳지 <u>않은</u> 것은?

① 명의 국력이 강화되었다.
② 조선의 문화재가 소실되었다.
③ 일본에 에도 막부가 성립하였다.
④ 여진이 급속히 성장하여 후금을 세웠다.
⑤ 조선의 도자기 기술이 일본에 전파되었다.

11 (가) 왕이 추진한 외교 정책에 대한 설명으로 옳은 것을 〈보기〉에서 고른 것은?

> 이 그림은 강홍립의 항복 장면을 그린 것이다. 강홍립은 [(가)]의 명으로 군대를 이끌고 갔으나, 적극적으로 싸움에 임하지 않고 후금에 투항하였다.

보기
ㄱ. 청과 군신 관계를 체결하였다.
ㄴ. 인조반정이 발생하는 계기가 되었다.
ㄷ. 명과 후금 사이에서 실리를 추구하였다.
ㄹ. 후금을 배척하는 친명배금 정책을 내세웠다.

① ㄱ, ㄴ 　　② ㄱ, ㄷ 　　③ ㄴ, ㄷ
④ ㄴ, ㄹ 　　⑤ ㄷ, ㄹ

12 다음 주장이 우세해지면서 일어난 전쟁에 대한 설명으로 옳은 것은?

> • 명은 우리나라에 있어서 부모의 나라이고, 노적(청)은 부모의 원수입니다. 부모의 원수와 형제의 의를 맺어 부모의 은혜를 저버려서야 되겠습니까. …… 차마 이런 시기에 어찌 다시 화의를 제창할 수 있겠습니까.   – 『인조실록』
> • 옛날이나 지금이나 천하에 망하지 않는 나라는 없으니, 만약 군신이 굳게 지켜 뜻을 확고히 한다면 비록 망하더라도 무엇이 부끄럽겠습니까. 지금 형세가 곤궁에 처해 있다고 하여 곧바로 (청에) 항복한다면 세상에서 무어라 하겠으며 후세에서 무어라 하겠습니까.   – 『승정원일기』

① 강동 6주를 확보하였다.
② 초조대장경이 소실되었다.
③ 명에 지원군을 요청하였다.
④ 의병장 정봉수가 활약하였다.
⑤ 삼전도에서 청과 강화를 맺었다.

13 (가), (나) 주장에 대한 설명으로 옳은 것은?

> (가) 우리나라는 실로 명 신종 황제의 은혜를 입어 임진왜란 때 나라가 이미 폐허가 되었다가 다시 보존되고 백성이 거의 죽었다가 다시 소생하였으니 …… 국경의 문을 닫고 약속을 끊으며 이름을 바르게 하고 이치를 밝혀 우리 의리의 원만함은 지킬 수 있을 것입니다.
>
> (나) 청이 천하를 차지한 지 1백 년이 지났다. 여기에 사는 사람들을 모조리 오랑캐라 하고 중국의 법마저 폐기해 버린다면 크게 옳지 않다. 진실로 백성에게 이롭기만 한다면, 그 법이 비록 오랑캐에게서 나왔다 하더라도 성인은 취할 것이다.

① (가) – 북인의 지지를 받았다.
② (가) – 을사사화의 원인이 되었다.
③ (나) – 실학자를 중심으로 전개되었다.
④ (나) – 효종이 추진한 북벌 운동의 기반이 되었다.
⑤ (가), (나) – 동인과 서인의 대립을 초래하였다.

D 양난 이후 정치 운영의 변화

14 (가) 왕의 재위 기간에 있었던 사실로 옳은 것은?

① 경국대전이 반포되었다.
② 이조 전랑의 권한이 축소되었다.
③ 서인이 노론과 소론으로 갈라졌다.
④ 탕평파를 중심으로 정국이 운영되었다.
⑤ 상복 문제로 서인과 남인이 대립하였다.

---

15 다음 비석을 세운 왕의 활동으로 옳은 것을 〈보기〉에서 고른 것은?

> 두루 사랑하고 편당하지 않는 것은 군자의 공정한 마음이요, 편당하고 두루 사랑하지 않는 것은 곧 소인의 마음이다.

> **보기**
> ㄱ. 속대전을 편찬하였다.
> ㄴ. 수원에 화성을 건설하였다.
> ㄷ. 군포 문제 해결을 위해 균역법을 시행하였다.
> ㄹ. 초계문신제를 실시해 젊은 관리를 재교육하였다.

① ㄱ, ㄴ   ② ㄱ, ㄷ   ③ ㄴ, ㄷ
④ ㄴ, ㄹ   ⑤ ㄷ, ㄹ

---

16 (가) 시기에 나타난 사실로 옳지 않은 것은?

> (가) 에 대해 검색해 줘.

> **검색 결과입니다.**
> 정조가 갑작스럽게 죽고 어린 왕들이 잇달아 왕위에 오르면서 왕을 중심으로 붕당 간에 권력 균형을 이루던 정치 질서가 무너졌다. 이후 왕의 외척인 안동 김씨와 풍양 조씨 등의 특정 가문이 권력을 독점하고 정치를 좌우하는 (가) 이/가 60여 년간 이어졌다.
>
> 더 보기>

① 삼정의 문란이 나타났다.
② 매관매직과 같은 부정부패가 일어났다.
③ 소수의 가문이 주요 관직을 독점하였다.
④ 망이·망소이가 주민들을 이끌고 봉기를 일으켰다.
⑤ 과거 시험에서 부정을 저지르는 사례가 증가하였다.

01 교사의 질문에 대한 학생의 답변으로 가장 적절한 것은?

밑줄 친 '왕'의 업적에 대해 말해 볼까요?

• 왕은 집현전 설치를 명하여 관리들의 학문 연구를 장려하였다.
• 왕은 6조에서 담당하는 모든 일을 의정부에서 논의한 뒤 국왕에게 보고하게 하였다.

① 4군 6진을 설치하였어요.
② 천리장성을 축조하였어요.
③ 동북 9성을 축성하였어요.
④ 백두산정계비를 세웠어요.
⑤ 쌍성총관부를 공격하였어요.

02 다음 제도에 대한 설명으로 옳은 것은?

6조는 각기 모든 직무를 의정부에 품의하고, 의정부는 가부를 헤아린 뒤 왕에게 아뢰어 (왕의) 전지를 받아 6조에 내려 시행한다. 다만 이조·병조의 관직 제수, 병조의 군사 업무, 형조의 사형수를 제외한 판결 등은 종래와 같이 각 조에서 직접 아뢰어 시행하고 곧바로 의정부에 보고한다.

① 세조 때 시행되었다.
② 국왕 중심의 정치를 강화하였다.
③ 6조가 왕에게 업무를 보고하였다.
④ 왕권과 신권의 조화를 추구하였다.
⑤ 노론, 소론, 남인이 고루 등용되었다.

03 밑줄 친 '전쟁'에 대한 설명으로 옳은 것을 〈보기〉에서 고른 것은?

한국사 독서 카드

• 서명: 『징비록』
• 저자: 유성룡
• 주요 내용
국가의 중요 직책에 있었던 저자가 임진년부터 7년에 걸친 일본과의 전쟁 과정에서 경험한 내용 등을 기록한 것이다. 국방과 정치 전반에 관한 내용을 담고 있으며, 우리 군의 패전 상황과 어려움, 원병으로 온 명군이 일으킨 폐해까지도 기록하였다. 저자는 이 책을 통해 일본의 침략에 제대로 대처하지 못한 과실을 되돌아보면서 후대 사람들에게 교훈을 주고자 하였다.

보기

ㄱ. 남한산성이 임금의 피난지가 되었다.
ㄴ. 전쟁 중 이순신의 수군이 활약하였다.
ㄷ. 왜구의 본거지인 쓰시마섬을 토벌하였다.
ㄹ. 전쟁 포로가 일본의 도자기 문화 발전에 기여하였다.

① ㄱ, ㄴ   ② ㄱ, ㄷ   ③ ㄴ, ㄷ
④ ㄴ, ㄹ   ⑤ ㄷ, ㄹ

04 (가) 전쟁 과정에서 일어난 사실로 옳은 것은?

수행 평가 보고서

• 제목: (가) 의 원인과 결과
• 원인: 청의 군신 관계 요구 거절
• 결과 및 영향
 – 삼전도에서 청과 강화를 맺음
 – 왕자를 포함한 백성들이 포로로 끌려감
 – 북벌 운동이 추진됨

① 인조가 남한산성으로 피신하였다.
② 윤관의 건의로 별무반을 편성하였다.
③ 강홍립의 부대가 후금에 투항하였다.
④ 송시열을 중심으로 북벌 운동이 제기되었다.
⑤ 곽재우 등의 의병 부대가 내륙에서 활약하였다.

05 (가)에 들어갈 내용으로 가장 적절한 것은?

▶ 지식 Q&A

조선 후기 국가의 최고 정책 결정 기구였던 ○○○에 대해 알려 주세요.

▶ 답변하기

└ 갑: 본래 여진과 왜구의 침입에 대비하여 임시로 설치한 기구였어요.

└ 을: 조선 후기 의정부와 6조 중심의 행정 체계가 유명무실해지는 데 영향을 주었어요.

└ 병: (가)

① 권문세족이 장악하였어요.

② 언론 기능을 담당하였어요.

③ 최씨 무신 정권의 권력 기반이었어요.

④ 직능에 따라 정책을 나누어 맡았어요.

⑤ 임진왜란을 거치면서 권한이 강화되었어요.

06 밑줄 친 '이 왕'의 업적으로 옳은 것을 <보기>에서 고른 것은?

이곳은 왕실 도서관에서 출발하여 이 왕의 개혁 정책을 뒷받침하는 핵심 정치 기관으로 거듭난 규장각입니다.

보기

ㄱ. 균역법을 실시하였다.

ㄴ. 장용영을 설치하였다.

ㄷ. 속대전을 편찬하였다.

ㄹ. 수원 화성을 건설하였다.

① ㄱ, ㄴ   ② ㄱ, ㄷ   ③ ㄴ, ㄷ

④ ㄴ, ㄹ   ⑤ ㄷ, ㄹ

🏵 서술형 문제

07 다음을 읽고 물음에 답하시오.

김효원이 과거에 장원으로 합격하여 (이조) 전랑의 물망에 올랐으나, 그가 윤원형의 문객이었다 하여 심의겸이 반대하였다. 그 후에 (심의겸의 동생) 심충겸이 장원 급제를 하여 이조 전랑으로 천거되었으나, 외척이라 하여 김효원이 반대하였다. …… 동인,   (가) (이)라는 말이 여기에서 비롯하였다. 효원의 집은 동쪽 건천동에 있고, 의겸의 집은 서쪽 정릉동에 있었기 때문이다.

(1) (가)에 들어갈 붕당을 쓰시오.

(2) 위 사건의 배경과 그 결과를 서술하시오.

08 다음 정책의 시행 배경을 쓰고, 그 개혁 방안을 두 가지 이상 서술하시오.

나라를 위해 몸과 마음을 다 바칠 의리와 서로 화목하게 지낼 도리를 생각하지 않고 오직 자기 당파의 주장과 어긋나지 않을지만 염려를 하니, …… 탕평(蕩平)하는 것은 공(公)이요, 당에 물드는 것은 사(私)인데, 여러 신하는 공을 하고자 하는가, 사를 하고자 하는가?

06 양반 신분제 사회와 상품 화폐 경제

A 양반 중심의 신분 질서 확립

1. 조선 전기 신분 질서와 특징

(1) 양천제: 법제상의 신분제, 양인(조세·공납·역의 의무 부담, 과거 응시 가능)과 천인(국가나 개인에게 소속되어 천역 담당, 국역의 의무 없음)으로 구분

(2) 반상제: 양인 내에서 양반과 상민을 구분하는 신분제 일반화 → 양반, 중인, 상민, 천민의 네 신분 정착

(3) 신분별 특징

양반	• 문·무반 관료를 부르는 명칭 → 점차 신분층으로 굳어짐 • 관료층(과거·음서·천거로 주요 관직 차지, 과전과 녹봉 받음)이자 지주층(토지·노비 소유), 각종 특권 보장(국역 면제 등)
중인	• 양반과 상민의 중간 계층을 의미 • 하급 관리(서리·향리), 기술관(역관·의원) 등 → 전문 기술이나 행정 실무 담당, 같은 신분끼리 혼인, 직역 세습 • 서얼(양반 첩의 자식)은 중인과 같은 신분적 대우(문과 응시 금지)
상민	농민·수공업자·상인(법제상으로는 과거 응시 가능, 조세·공납·역의 의무), 신량역천(신분은 양인이나 천역 담당)
천민	• 대다수가 노비 • 노비: 매매·상속·증여의 대상, 부모 중 한쪽이 노비일 경우 그 자녀도 노비, 공노비(국가 소유)와 사노비(개인 소유)로 구분, 사노비는 솔거 노비(주인과 함께 생활)와 외거 노비(독립된 생활 영위·신공 납부)로 구분

2. 양반 중심의 향촌 지배 체제 확립

(1) 유향소 설치: 수령 보좌, 백성 교화 담당

(2) 향회 개최: 사족들이 결속을 다지며 향촌에서 영향력 행사

(3) 서원 설립: 여론 형성, 학문 기반 마련

(4) 향약 운영: 농민 교화, 향촌 질서 유지
  └─ 향촌 사족의 명단인 향안에 이름이 올라 있는 지방 양반들의 총회이다.

B 수취 제도의 개편

1. 조선 전기의 수취 제도

(1) 수취 제도의 확립

조세(전세)	수확량의 10분의 1 징수, 세종 때 공법(전분 6등법·연분 9등법) 실시
공납	각 지역의 특산물을 현물로 징수
역	군역(정군·보인), 요역(토목 공사 동원)

(2) 수취 제도의 폐단 발생: 16세기 이후 폐단이 발생함

조세(전세)	지주제 확산 → 수확의 반 이상을 소작료로 납부
공납	방납의 폐단 발생 ─ 관청의 서리가 공물을 대신 납부하고 이자를 붙여 받았다.
역	대립, 방군수포 현상 발생

└─ 대립은 대가를 받고 군역을 대신 부담하는 것이고, 방군수포는 군 복무 대신 군포를 받는 사례를 말한다.

2. 조선 후기의 수취 제도

(1) 수취 제도 개편의 목적: 양난 이후에 부족해진 재정 확보, 민생 안정

(2) 개편된 수취 제도

영정법 (전세)	• 내용: 풍흉에 관계없이 토지 1결당 쌀 4~6두 징수 • 결과: 전세 비율이 낮아져 지주의 부담 감소, 부가세(수수료, 운송비 등) 부과로 대다수 농민들의 부담 가중
대동법 (공납)	• 내용: 토지 결수를 기준으로 쌀·무명이나 베·동전 등으로 징수(토지 1결당 쌀 12두 징수, 공납의 전세화) • 결과: 농민의 부담 경감, 양반 지주의 반발, 공인(어용상인) 등장, 상품 화폐 경제 발전
균역법 (군역)	• 내용: 군포 2필 징수에서 1필 징수로 경감, 재정 보충을 위해 결작·선무군관포 부과, 어장세·선박세·염세 등 활용 • 결과: 농민의 부담 일시 경감, 군역의 폐단 지속

└─ 토지 소유자에게 토지 1결당 쌀 2두를 부과하였다.

C 상품 화폐 경제의 발달과 신분 질서의 변화

1. 농업의 변화

(1) 모내기법 확대: 벼·보리의 이모작 가능, 수확량 증대, 노동력 절감 → 광작 출현 → 농민층 분화(일부는 부농층으로 성장, 대다수는 빈농·임노동자로 전락)
  └─ 농민이 경작지를 늘려 더 많은 토지를 경영하려는 현상을 말한다.

(2) 지대 납부 방식의 변화: 일부 지역은 타조법(일정 비율)에서 도조법(일정 액수)으로 변화 → 소작농의 자유로운 영농 가능, 지주와 소작농의 관계가 신분적 종속 관계에서 경제적 계약 관계로 변화

(3) 상품 작물 재배: 쌀의 상품화, 인삼·담배·채소 등의 상품 작물 재배 확대

2. 수공업과 광업의 발달

  ┌─ 상인이 농민이나 수공업자에게 생산에 필요한 원료나 자금을 미리 빌려주고 생산하게 하는 체제이다.

수공업	조선 후기에 민영 수공업 발달, 선대제 성행, 임금 노동자를 통한 공장제 수공업 등장
광업	17세기경부터 민영 광업의 발달, 민간 광산 채굴 확산(은광 채굴 발달), 덕대의 등장(광산 개발 전문 경영인인 덕대가 물주에게 자금을 지원받아 채굴업자·채굴 노동자 등을 고용하여 광산 운영)

└─ 조선 전기에는 관영 수공업, 관영 광업이 발달하였다.

★ 3. 상업의 발달과 상인의 성장

(1) 공인과 사상의 성장: 대동법 실시로 공인이 성장, 사상의 상업 자본 축적(금난전권 철폐 이후 활동 증가) → 도고 상업 전개(송상·만상·내상·유상의 활약)
  └─ 독점적 도매상인, 혹은 그러한 행위를 의미한다.

(2) 장시와 포구의 발달

① 장시 활성화: 보부상이 인근 장시 연계, 일부 상설 시장화

② 교통의 요지와 포구 번성: 선상(포구를 중심으로 선박을 이용해 상업 활동, 경강상인이 대표적) 및 객주와 여각(상품 매매 중개, 보관·운송·숙박·금융 등 담당)이 활동

(3) 대외 무역의 발전: 청·일본과 개시(공무역)·후시(사무역) 무역 발달
  • 청과의 무역은 의주의 만상이, 일본과의 무역은 동래의 내상이 주도하였다.

(4) 화폐의 유통: 조세와 소작료의 금납화 → 상평통보의 전국적 유통, 전황 발생
  • 지주나 대상인들이 화폐를 재산 축적에 이용하여 동전이 유통되지 않고 시중에 동전이 부족해진 현상이다.

★ **4. 양반 중심 신분 질서의 변화**

(1) 신분제의 동요

① 양반층의 분화: 붕당 정치의 변질 이후 일부 양반에게 권력 집중 → 몰락 양반 증가(향반, 잔반으로 전락)

② 중인의 신분 상승 운동: 서얼의 집단 상소 운동, 기술직 중인의 소청 운동 전개
  • 이름을 적는 곳이 비어 있는 관직 임명장이다.

③ 상민의 신분 상승: 부유한 상민이 납속책·공명첩 매입 등을 통해 신분 상승 → 상민 인구 감소
  • 국가에 곡물을 바치면 그 대가로 일정한 혜택을 주던 정책이었다.

④ 노비 신분의 탈피: 도망·군공·납속 등을 통해 신분 상승

⑤ 정부의 양인 확보 노력: 노비종모법 실시, 공노비 해방
  • 아버지가 노비라도 어머니가 양인이면 그 자녀가 양인이 되는 제도이다.

(2) 향촌 지배 질서의 변화

① 신향의 등장: 새롭게 양반으로 상승한 부농층

② 향전의 발생: 신향이 향촌 사회의 지배권에 도전 → 신향과 구향(기존 사족) 간의 대립으로 향전 발생 → 수령의 신향 지원 → 구향의 지위 약화, 수령권의 강화 → 향회는 수령의 세금 부과를 자문하는 기구로 전락

> **조선 후기 향촌 질서의 변화**
> 영덕의 오래된 가문은 모두 남인이며, 이른바 신향(新鄕)은 모두 서리와 품관의 자손으로 자칭 서인이라고 하는 자들이다. 근래 신향이 향교를 주관하면서 구향(舊鄕)과 마찰을 빚었다.
> – 『승정원일기』

D 새로운 사상의 유행과 농민 봉기의 발생

1. 새로운 사상의 유행

(1) 실학의 발달: 현실 문제 해결을 위한 현실 비판적·개혁적·실증적 학문이 등장

농업 중심 개혁론	• 유형원: 균전론(신분에 따라 차등을 두어 토지 분배) • 이익: 한전론(생활에 필요한 최소 토지는 매매 금지) • 정약용: 여전론(토지의 공동 경작 후 분배)
상업 중심 개혁론	• 특징: 청의 문물·기술 수용과 상공업 진흥 주장 • 사상가: 유수원, 홍대용, 박지원, 박제가 등

(2) 예언 사상과 미륵 신앙의 유행: 탐관오리의 횡포, 자연재해와 질병 발생, 이양선의 출몰 등 → 『정감록』 유행, 도참설 등의 예언 사상 및 미륵 신앙 확산
  • 백성을 구하고, 새로운 세상을 열어 줄 인물이 나타날 것이라고 예언하였다.

(3) 천주교의 확산
  • 미래 부처인 미륵이 나타나 중생을 구원할 것이라는 사상이다.

수용	17세기에 서학으로 소개 → 18세기 후반에 남인 계열 실학자에 의해 신앙으로 수용, 빠르게 확산
교리	인간 평등, 내세에서의 영생, 이웃 사랑과 박애 정신의 실천
탄압	평등사상 강조, 조상에 대한 유교적 제사 의식 거부 → 정부가 천주교를 사교로 규정하고 탄압

(4) 동학의 창시와 확산

① 창시: 경주의 몰락 양반 최제우가 창시(1860)

② 교리: 유교·불교·도교와 민간 신앙 결합, 시천주(모든 사람은 마음속에 한울님이 모셔져 있음), 인내천(사람이 곧 하늘임), 후천개벽(낡은 세계가 끝나고 곧 새로운 세상이 열림)

③ 탄압: 인간 평등 강조, 신분제 부정 → 교세 확장 → 동학을 사교로 규정, 혹세무민 혐의로 교주 최제우 처형

④ 교단 정비: 최시형의 교리 정리(『동경대전』, 『용담유사』 편찬) 및 교단 조직 정비 → 농어촌 사회에 더욱 확산

★ **2. 농민 의식의 성장과 농민 봉기의 발생**

(1) 사회 혼란의 심화: 세도 정치 시기 삼정의 문란이 극심, 자연재해와 전염병의 발생, 도적 출몰 등 → 사회 혼란 심화

(2) 농민 의식의 성장: 소극적 저항(소청·벽서·투서 등)에서 적극적 농민 봉기로 발전

(3) 농민 봉기의 발생
  • 상품 화폐 경제가 발달하면서 부를 축적한 부농층이 지배층에 과도한 수탈을 당하면서 불만이 높아져 농민 봉기를 적극적으로 지원하였다.

① 홍경래의 난(1811)

배경	평안도(서북) 지역민에 대한 차별, 세도 정치에 대한 불만
전개	몰락 양반 홍경래를 중심으로 광산 노동자, 농민, 중소 상인 등이 합세하여 봉기 → 청천강 이북 지역 점령 → 5개월 만에 관군에게 진압됨(정주성 전투 패배)
의의	세도 정권과 지방 수령에게 경각심을 불러일으킴

② 임술 농민 봉기(1862)

배경	삼정의 문란으로 인한 폐해 극심
전개	경상 우병사 백낙신의 부정부패에 항의해 진주에서 몰락 양반 유계춘을 중심으로 봉기(진주 농민 봉기) → 전국으로 확대
결과	봉기 수습을 위한 안핵사·암행어사 파견, 삼정의 문란 해결을 위해 삼정이정청 설치 → 농민 봉기의 근본적 원인을 파악하지 못해 성과를 거두지 못함 • 조선 후기 지방에서 일어난 농민 봉기를 수습하기 위해 중앙에서 파견한 임시 벼슬이다.
영향	농민들의 저항 지속 → 농민의 사회의식 성장, 양반 중심의 통치 질서 붕괴

01 조선 전기의 신분과 그 설명을 옳게 연결하시오.

(1) 양반 •
(2) 중인 •
(3) 상민 •
(4) 천민 •

• ㉠ 과전과 녹봉을 받음
• ㉡ 조세·공납·역 부담
• ㉢ 매매·상속·증여의 대상
• ㉣ 전문 기술이나 행정 실무 담당

02 다음 괄호 안의 내용 중 알맞은 말에 ○표를 하시오.

(1) 대동법 실시로 왕실과 관청의 수요품을 조달하는 어용상인인 (공인, 보부상)이 나타났다.
(2) 조선 후기에 군포 납부액을 2필에서 1필로 경감하도록 하는 (균역법, 대동법)이 실시되었다.
(3) 조선 후기에 전세 제도는 풍흉에 관계없이 토지 1결당 쌀 4~6두를 징수하는 (공법, 영정법)으로 바뀌었다.

03 다음 빈칸에 들어갈 내용을 쓰시오.

(1) 양난 이후 (   )의 실시로 이모작과 광작이 가능해졌다.
(2) 공인과 사상이 자본을 축적하면서 독점적 도매상인인 (   )로 성장하였다.
(3) 조선 후기에 조세와 소작료의 금납화가 이루어지면서 (   )가 전국적으로 유통되었다.

04 다음 설명이 맞으면 ○표, 틀리면 ×표를 하시오.

(1) 조선 후기에 신향과 구향 간의 대립에서 구향의 지위가 강화되었다. (   )
(2) 조선 후기에 부유한 상민들은 납속책·공명첩 등을 통해 신분 상승을 하였다. (   )
(3) 조선 후기에는 노비종모법에 따라 어머니가 양인이더라도 그 자녀가 노비가 되었다. (   )

05 동학의 교리로 옳은 것만을 〈보기〉에서 있는 대로 골라 기호를 쓰시오.

보기
ㄱ. 미륵 신앙   ㄴ. 인내천 사상
ㄷ. 후천개벽 사상   ㄹ. 내세의 영생 강조

06 19세기에 발생한 (   )은 평안도 지역민에 대한 차별과 세도 정치에 저항하며 일어났다.

A 양반 중심의 신분 질서 확립

01 밑줄 친 '의원과 역관'에 대한 설명으로 옳은 것은?

지금 전하께서 의원과 역관을 권장하고자 하시어 그 재주에 정통한 자를 특별히 동반과 서반에 뽑도록 하셨으니 …… 군자를 욕되게 하시고, 선왕의 제도를 버리시어 미천한 사람을 높이려고 하시니, 신 등은 그것이 옳은지를 알지 못하겠습니다. 엎드려 바라건대, 속히 명을 거두시어 신민의 소망에 부응케 하소서.
– 「성종실록」

① 전·현직 관료와 그 가문까지 지칭하였다.
② 직역을 세습하고 전문 기술을 담당하였다.
③ 정부의 허가를 받아 상거래 활동을 하였다.
④ 관청에 소속되어 필요한 물품을 생산하였다.
⑤ 향촌에서 유향소를 조직하여 수령을 보좌하였다.

주관식

02 다음에서 설명하는 조선 시대의 신분을 쓰시오.

조선 시대에는 양천제를 법제화하여 사회 구성원을 양인과 천인으로 나누었는데, 양인 중에서 수군·역졸 등 천한 일을 담당하는 계층을 말한다.

03 ⑺ 신분에 대한 설명으로 옳은 것은?

   (가)   의 매매는 관청에 신고하여야 한다. 사사로이 몰래 매매하였을 경우에는 관청에서 그 대가로 받은 물건을 모두 몰수한다. 나이 16세 이상 51세 이하는 가격이 저화 4천 장이고, 15세 이하 50세 이상은 3천 장이다.
– 「경국대전」, 「형전」

① 법제상 과거 응시가 가능하였다.
② 중인과 같은 신분적 대우를 받았다.
③ 관청의 서리나 지방 향리가 해당되었다.
④ 과거·음서·천거로 주요 관직을 차지하였다.
⑤ 재산으로 취급되어 매매, 상속, 증여의 대상이 되었다.

B 수취 제도의 개편

04 (가) 수취 제도에 대한 설명으로 옳은 것을 〈보기〉에서 고른 것은?

> 공납을 쌀, 무명이나 베, 동전 등으로 내니 매우 편하고 좋구먼.

> 우리 마을은 아직 (가) 이/가 시행되지 않아 자네가 부럽네.

보기

ㄱ. 토지 1결당 쌀 4~6두가 부과되었다.
ㄴ. 상품 화폐 경제 발달에 이바지하였다.
ㄷ. 부족한 세액을 선무군관포 등으로 보충하였다.
ㄹ. 거둔 쌀은 공인에게 지급하여 물품을 조달하였다.

① ㄱ, ㄴ   ② ㄱ, ㄷ   ③ ㄴ, ㄷ
④ ㄴ, ㄹ   ⑤ ㄷ, ㄹ

05 다음 자료를 활용한 탐구 주제로 가장 적절한 것은?

> 10여만의 민호로 50만의 양역을 감당해야 하니, 한 집에 비록 남자가 4, 5명이 있어도 모두 군역에서 벗어나지 못합니다. …… 도망가거나 죽은 자의 몫을 채울 수 없으니, 이에 백골징포, 황구첨정의 폐단이 생겨나고, 일족과 이웃에게 거두게 되니 죄수가 옥에 가득하게 되고, 원통하여 울부짖는 것이 갈수록 심해져 화기를 상하게 합니다.
> — 『영조실록』

① 균역법의 시행 배경
② 탕평책의 실시 목적
③ 6조 직계제의 운영 방법
④ 붕당 정치의 변질과 환국
⑤ 정약용의 토지 제도 개혁 방안

C 상품 화폐 경제의 발달과 신분 질서의 변화

06 (가) 농법의 확산으로 인한 변화로 옳지 않은 것은?

> (가) 을/를 하는 것은 세 가지 이유가 있다. 김매기의 노력을 더는 것이 첫째요, 두 땅의 힘으로 하나의 모를 기르는 것이 둘째요, 좋지 않은 것을 솎아내고 튼튼한 것을 고를 수 있는 것이 셋째이다.
> — 서유구, 『임원경제지』

↑ (가) 이/가 나타난 그림

① 광작 현상이 나타났다.
② 쌀의 상품화가 촉진되었다.
③ 벼와 보리의 이모작이 가능해졌다.
④ 밭을 논으로 바꾸는 현상이 나타났다.
⑤ 권문세족이 불법으로 농장을 확대하였다.

07 다음 자료의 농업 상황이 나타난 시기에 볼 수 있는 모습으로 적절하지 않은 것은?

> 밭에 심는 모든 곡식은 그 땅에 알맞아야 한다. …… 대개 그 종류는 9가지 곡식뿐만이 아니다. 모시·삼·참외·오이와 온갖 채소, 온갖 약초를 심어 농사를 잘 지으면 한 이랑 밭에서 얻는 이익은 헤아릴 수 없이 크다. 도성 안팎과 번화한 큰 도시의 파·마늘·배추·오이밭은 10묘의 땅에서 얻은 수확이 돈 수만 냥을 헤아리게 된다.
> — 정약용, 『경세유표』

① 포구에 물건을 실어 나르는 경강상인
② 국경에서 청 상인과 거래를 하는 사상
③ 장시에서 상평통보로 물건 값을 치르는 농민
④ 물주로부터 자금을 받아 광산을 운영하는 덕대
⑤ 무역 통제에 반발하여 3포 왜란을 일으키는 일본인

08 다음 자료에서 알 수 있는 조선 후기의 경제 상황으로 옳은 것은?

> 허생은 만 금을 얻어 생각하기를 "저 안성은 기(畿)·호(湖)의 어우름이요, 삼남의 어귀이다."하고는 이에 머물러 살았다. 그리하여 대추, 밤, 감, 배, 석류, 귤, 유자 등의 과실을 모두 두 배 값으로 사서 저장하였다. 허생이 과실을 몽땅 사들이자 온 나라가 잔치나 제사를 치르지 못하게 되었다. 그런지 얼마 아니 되어서 두 배 값을 받은 장사들이 도리어 열 배의 값을 치렀다.
> ─ 박지원, 「허생전」

① 관영 수공업이 발전하였다.

② 빈민 구제를 위해 의창을 설치하였다.

③ 독점적 도매상인인 도고가 등장하였다.

④ 공납은 각 지역의 특산물을 현물로 징수하였다.

⑤ 명과의 조공 무역을 통해 서적, 약재, 도자기 등을 들여왔다.

09 교사의 질문에 대한 학생의 답변으로 가장 적절한 것은?

> 이 자료는 정부가 발행한 관직 임명장으로, 받는 사람의 이름을 쓰는 곳이 비어 있습니다. 이것이 보여 주는 조선 사회의 모습은 무엇일까요?

① 양반 중심의 신분제가 동요하였어요.

② 성리학의 보급과 확산이 이루어졌어요.

③ 훈구 세력과 사림 세력이 대립하였어요.

④ 노비종모법이 실시되고 공노비가 해방되었어요.

⑤ 관리는 과거, 음서, 천거 등을 통해 등용되었어요.

10 다음 자료를 통해 알 수 있는 당시 향촌 사회의 상황으로 옳은 것은?

> • 영덕의 오래된 가문은 모두 남인이며, 이른바 신향(新鄕)은 모두 서리와 품관의 자손으로 자칭 서인이라고 하는 자들이다. 근래 신향이 향교를 주관하면서 구향(舊鄕)과 마찰을 빚었다.
> ─ 「승정원일기」
> • 향회라는 것이 …… 수령의 손 아래 놀아나는 좌수, 별감들이 통문을 돌려 불러 모은 것에 불과합니다.
> ─ 「질암유고」

① 사족 중심의 향촌 질서가 강화되었다.

② 향촌 사회에서 양반의 권위가 하락하였다.

③ 서원과 향약을 기반으로 사림이 성장하였다.

④ 향회가 강력한 권한을 행사하여 수령을 견제하였다.

⑤ 자치 조직인 유향소가 지방 행정에 크게 기여하였다.

D 새로운 사상의 유행과 농민 봉기의 발생

11 다음 주장을 한 학자에 대한 설명으로 옳은 것은?

> 대체로 재물은 샘과 같은 것이다. 퍼내면 차고, 버려두면 말라 버린다. …… 기교를 숭상하지 않아서 나라에 공장의 도야(陶冶: 기술을 익힘.)하는 일이 없게 되면 기예가 망하게 되며 농사가 황폐해져서 그 법을 잃게 되므로 …… 서로 구제할 수 없게 된다.

① 여전론을 주장하였다.

② 북벌 운동을 주도하였다.

③ 미륵 신앙을 확산시켰다.

④ 상공업 진흥을 주장하였다.

⑤ 시천주 사상을 강조하였다.

12 밑줄 친 '이 종교'에 대한 설명으로 옳은 것을 〈보기〉에서 고른 것은?

이 책은 최시형이 정리한 것으로, 이 종교의 교리를 담은 경전이다. 교단을 정비하고 경전을 펴내는 등 최시형의 노력으로 이 종교는 농촌 사회에 더욱 퍼져갔다.

↑ 『동경대전』과 『용담유사』

보기

ㄱ. 인내천 사상을 바탕으로 하였다.
ㄴ. 혹세무민의 혐의로 탄압을 당하였다.
ㄷ. 17세기에 서양 학문의 하나로 소개되었다.
ㄹ. 남인 계열의 실학자에 의해 신앙으로 수용되었다.

① ㄱ, ㄴ   ② ㄱ, ㄷ   ③ ㄴ, ㄷ
④ ㄴ, ㄹ   ⑤ ㄷ, ㄹ

13 (가) 종교에 대한 설명으로 옳은 것은?

지배층의 수탈과 자연재해, 질병으로 고통받던 조선 후기 사람들은 어떤 세상을 꿈꾸었을까?

(가) 이/가 당시에 새롭게 유입되어 유행한 것을 보면 알 수 있지 않을까?

내세에서의 영생, 이웃 사랑과 박애 정신의 실천을 강조한 종교이지?

① 후천개벽을 주장하였다.
② 청 문물의 수용을 주장하였다.
③ 유교적 제사 의식을 거부하였다.
④ 이차돈의 순교를 계기로 공인받았다.
⑤ 토지 소유의 불균형을 해결하려고 하였다.

14 지도에 나타난 반란에 대한 설명으로 옳은 것은?

① 왕실의 외척이던 이자겸이 일으켰다.
② 서경 천도 주장이 좌절되자 일어났다.
③ 평안도 지역민에 대한 차별로 발생하였다.
④ 유계춘의 봉기 이후 전국으로 확산되었다.
⑤ 노비들의 봉기로 신분 해방 운동의 성격을 띠었다.

15 밑줄 친 '소동'이 일어난 원인으로 옳은 것은?

금번 진주의 난민들이 소동을 일으킨 것은 오로지 전 우병사 백낙신이 탐욕을 부려 수탈하였기 때문입니다. 경상 우병영의 환곡 결손과 도결에 대해 시기를 틈타 한꺼번에 6만 냥의 돈을 집집마다 배정하여 억지로 받으려 하였습니다. 이 때문에 고을 인심이 들끓고 여러 사람의 노여움이 폭발해서 전에 듣지 못하던 변란이 갑자기 일어난 것입니다.
－ 『철종실록』

① 삼정의 문란
② 신분제의 동요
③ 대외 무역의 발전
④ 대동법의 전국적 실시
⑤ 상품 화폐 경제의 발달

01 조선 전기 (가), (나) 신분에 대한 설명으로 옳은 것은?

> (가) 하늘이 백성을 낳았는데 …… 그중 가장 귀한 것이 선비이다. 농사짓지 않고 장사도 하지 않으며, 문사(文史)를 대강 섭렵하면 크게는 문과에 급제하고 작게는 진사가 된다.
> (나) 서얼의 벼슬길이 막힌 일은 우리나라의 편벽된 일로 원통하고 답답함을 품은 지 이에 몇 백 년이 되었다.

① (가) – 신량역천으로 분류되었다.
② (가) – 양반 첩의 자식이 포함되었다.
③ (나) – 매매, 상속, 증여의 대상이 되었다.
④ (나) – 과거를 치를 때 문과의 응시가 금지되었다.
⑤ (가), (나) – 주인과 떨어져 살며 독립적인 가계를 꾸리고 신공을 바쳤다.

2016 수능 응용

02 (가), (나) 수취 제도에 대한 설명으로 옳은 것은?

> (가) 선혜청에서 아뢰기를, "공물 징수의 폐단을 개선하기 위해 새로운 법을 시행하자 지난날 방납하던 모리배들은 다들 원수같이 여기고 있으며, 각 읍의 향리들이나 수령들도 기뻐하지 않습니다."라고 하였다.
> (나) 양역을 절반으로 줄이라고 명하였다. 왕이 하교하기를 "구전을 한 집안에서 거두면 명분이 문란해지고, 결포는 정해진 세율이 있어 더 부과하기 어렵다. 이제 군포를 1필로 줄이도록 결정하니 보완책을 강구하라."라고 하였다.

① (가) – 공인이 등장하는 계기가 되었다.
② (가) – 토지의 비옥도와 풍흉의 정도를 반영하였다.
③ (나) – 전국적 확대 시행에 100여 년이 소요되었다.
④ (나) – 토산물 대신 쌀, 무명이나 베, 동전으로 납부하게 하였다.
⑤ (가), (나) – 권문세족이 대농장을 확대하는 결과를 가져왔다.

03 다음 주장이 나타난 시기의 경제 상황에 대한 설명으로 옳은 것을 〈보기〉에서 고른 것은?

> 육지로 천 리를 가는 것이 뱃길로 만 리를 가는 것의 편리함을 당하지 못하므로 통상이란 반드시 뱃길을 중요하게 여긴다. …… 나라의 재주 있는 장인들을 모아 배를 만들되, 청나라의 배처럼 견고하고 치밀하게 만들어야 한다.
> – 박제가, 「북학의」

보기
ㄱ. 농사직설이 편찬되었다.
ㄴ. 벽란도가 무역항으로 번성하였다.
ㄷ. 국가의 허락을 받지 않은 사상이 활동하였다.
ㄹ. 시중에 동전이 부족해지는 전황이 발생하였다.

① ㄱ, ㄴ   ② ㄱ, ㄷ   ③ ㄴ, ㄷ
④ ㄴ, ㄹ   ⑤ ㄷ, ㄹ

2017 수능 응용

04 다음 주장을 활용한 탐구 주제로 가장 적절한 것은?

> 농가마다 생계에 꼭 필요한 영업전을 갖게 하고, 그 이외의 토지는 매매를 허락하여야 합니다.

> 산천을 경계로 여(閭)라는 구역을 정합니다. 여의 농지는 공동으로 경작하고, 수확량은 노동량에 따라 분배해야 합니다.

① 서인과 남인의 예송
② 6두품 세력의 골품제 비판
③ 탕평파 육성과 탕평책 실시
④ 실학자의 토지 제도 개혁 방안
⑤ 개경 세력과 서경 세력의 갈등

05 밑줄 친 '이 화폐'가 유통되던 시기의 사회 모습으로 옳지 않은 것은?

 숙종 이후 이 화폐가 전국적으로 유통되었고, 대동법의 실시로 조세 및 소작료의 금납화가 확대되면서 화폐 유통이 더욱 활성화되었다.

① 양반의 인구가 증가하였다.
② 서얼의 집단 상소 운동이 일어났다.
③ 향촌에서 향회의 권한이 강화되었다.
④ 양인 인구 증가를 위해 공노비를 해방하였다.
⑤ 부유한 상민이 공명첩을 매입하여 신분 상승을 하였다.

06 (가) 종교에 대한 설명으로 옳은 것은?

조령에서 경주까지는 400여 리가 되고 주군이 모두 10여 개나 되는데 거의 어느 하루도 ___(가)___ 에 대한 이야기가 귀에 들어오지 않는 날이 없었으며 …… 또 '시천주(侍天主)'라고 명명하면서 조금도 부끄러워하지 않고 또한 숨기려고도 하지 않았습니다. …… 모두 말하기를 '최 선생이 혼자서 깨달은 것이며 그의 집은 경주에 있다.'고 하였는데 ……. - 『고종실록』

① 정감록을 편찬하였다.
② 초제를 열어 국왕의 장수를 빌었다.
③ 서원과 향교를 중심으로 퍼져 나갔다.
④ 사람이 곧 하늘이라는 교리를 내세웠다.
⑤ 남인 계열 실학자에 의해 신앙으로 수용되었다.

07 (가)에 들어갈 제목으로 가장 적절한 것은?

역사 다큐멘터리 제작 기획서
• 제목: ___(가)___
• 방영 시간: ○○월 ○○일 (수) 22시
• 기획 의도: 세도 정치 시기 관리들의 부정부패와 가혹한 수탈에 맞선 백성들의 저항을 소개함
• 촬영지: 진주, 밀양, 안동, 공주 등

① 만적, 신분 해방을 꿈꾸다
② 평안도민 차별에 맞선 홍경래
③ 전국 각지에서 의병이 일어나다
④ 세도 가문이 주요 관직을 독점하다
⑤ 임술 농민 봉기, 삼정의 문란에 분노하다

서술형문제

08 다음을 읽고 물음에 답하시오.

도성 백성이 의지하여 살아가는 것은 오로지 시사(시장)를 벌여 놓고 있고 없는 것을 팔고 사며 교역하는 데 달려 있습니다. 그런데 근래에는 기강이 엄하지 않아 간사한 무리들이 어물과 약재 등의 물종은 물론이고, ___(가)___ (이)라 이름하면서 중앙에서 이익을 독점하는 폐단이 그 단서가 한둘이 아닙니다. …… 근래에는 이 법이 점차 더욱 해이해져 온갖 물건의 가격이 크게 오른 것이 오로지 이에서 말미암은 것이라고 합니다. 평시서와 법을 집행하는 관서에서 참으로 적발하여 통렬하게 다스렸다면 어찌 이런 일이 있겠습니까. - 『영조실록』

(1) (가)에 들어갈 용어를 쓰시오.

(2) (가)가 18세기 말 이후 성장하게 된 배경을 서술하시오.

09 다음을 읽고 물음에 답하시오.

영덕의 고가(姑家: 오래된 가문)는 모두 남인이며, 이른바 ___(가)___ 은/는 모두 서리와 품관의 자손으로 자칭 서인이라고 하는 자들이다. 근래 ___(가)___ 이/가 향교를 주관하면서 구향(舊鄕)과 마찰을 빚었다. 주자의 영정이 비에 손상되자 …… 남인에게 죄를 전가할 계획을 세우고는 주자와 송시열의 초상을 숨기고, "남인이 송시열의 영정을 봉안하는 것을 꺼려 야음을 틈타 영정을 훔쳐 갔다."라고 하였다. - 『승정원일기』

(1) (가)에 들어갈 명칭과 그 뜻을 쓰시오.

(2) 위 사건으로 인한 향촌 사회의 변화를 서술하시오.

01 서구 열강의 접근과 조선의 대응

A 서양 세력의 아시아 접근

1. 제국주의의 대두

(1) 등장 배경

① 독점 자본주의 등장: 소수의 거대 기업이 시장·자본을 비롯한 모든 분야에 강한 영향력 행사 → 식민지 필요성 증대

② 민족주의 확산: 배타적·침략적 민족주의 확산

(2) 확산: 19세기 중후반 서구 열강이 경제력·군사력을 토대로 대외 팽창 정책 추진 → 약소국의 식민지화

(3) 합리화: 백인 우월주의·사회 진화론을 내세워 약소국 지배 정당화 ┌─ 인간 사회에도 약육강식, 적자 생존의 법칙이 적용된다고 보는 이론이다.

2. 제국주의 열강의 동아시아 침략

(1) 아편 전쟁과 청의 개항

제1차 아편 전쟁 (1840~1842)	영국의 아편 밀수출(삼각 무역 실시) → 청 정부의 아편 몰수·폐기 → 영국의 청 공격 → 청 패배 → 난징 조약 체결(상하이·광저우 등 5개 항구 개항, 홍콩 할양, 공행 폐지) ┌ 이후 후문 추가 조약을 체결하여 영사 재판권, 최혜국 대우를 허용하였다.
제2차 아편 전쟁 (1856~1860)	애로호 사건을 구실로 영국과 프랑스가 청 침략 → 청의 패배(베이징 함락) → 톈진 조약·베이징 조약 체결, 러시아에 연해주 할양

(2) 일본의 개항: 미국의 무력시위에 굴복 → 미일 화친 조약 체결, 개항(1854) → 미일 수호 통상 조약 체결(1858) ┌ 5개 항구를 개항하고 미국에 영사 재판권을 허용하였다.

B 흥선 대원군의 개혁 정치

1. 흥선 대원군의 실권 장악

(1) 고종 즉위 당시 조선의 상황

국내	세도 정치, 삼정의 문란 → 전국 각지에 농민 봉기 지속
국외	해안에 이양선 출몰, 서양 세력의 통상 요구 압력 심화

(2) 흥선 대원군의 권력 장악: 고종이 어린 나이로 즉위 → 국왕의 부친인 흥선 대원군이 정치적 영향력 행사

★ 2. 개혁 정책의 추진 → 국가의 기강을 바로잡고 민심을 수습하기 위한 개혁 정치를 실시하였다.

(1) 통치 체제의 재정비

① 세도 정치 타파: 세도 가문 축출, 당파와 관계없이 인재의 고른 등용 ┌ 행정권을 의정부에, 군사권을 삼군부에 각각 나누어 맡도록 하였다.

② 통치 조직 정비: 종친부의 권력 기구화, 비변사 축소(사실상 폐지), 의정부와 삼군부의 기능 부활

③ 법전 편찬: 『대전회통』, 『육전조례』 등 편찬

④ 군사력 강화: 수군 강화, 신무기 제조(이양선 대비)

⑤ 경복궁 중건

목적	세도 정치를 거치며 실추된 왕실의 권위 회복
과정	• 공사비 마련을 위해 원납전 강제 징수, 당백전 발행, 도성문 출입 시 통행세 징수 ┌ 시중에 유통되면서 화폐 가치가 하락하여 물가가 폭등하였다. • 토목 공사에 강제로 백성 동원 • 목재를 채우기 위해 양반의 묘지림을 벌목
영향	양반과 백성 모두에게 반발을 삼

(2) 민생 안정책

① 서원 정리 ┌ 각종 면세·면역의 특권을 누려 국가 재정을 악화시켰으며, 선현에 대한 제사 등을 명목으로 지역 농민을 가혹하게 수탈하였다.

과정	사액 서원을 수령이 주관하도록 함, 서원의 면세 규정 철폐, 전국의 서원을 47개소만 남기고 철폐 → 국가 재정 확충
영향	백성들의 환영, 양반 유생들의 강한 반발 ┌ 훗날 흥선 대원군이 물러나는 배경이 되기도 하였다.

② 삼정의 개혁 ┌ 호(戶)를 기준으로 군포를 부과한 제도이다.

과정	• 전정: 양전 사업 실시(토지 대장에서 누락된 토지 색출) • 군정: 호포제 실시(양반에게도 군포 부과) • 환곡: 사창제 실시(민간에서 자율적으로 곡식 대여)
영향	관리의 부정 감소, 농민의 부담 다소 감소

3. 흥선 대원군이 추진한 개혁의 의의와 한계

의의	국가 기강 확립, 민생 안정에 기여
한계	전제 왕권의 강화를 목표로 개혁 추진

C 서구 열강의 침략과 대응

★ 1. 서구 열강의 침략

(1) 19세기 조선의 상황

① 러시아의 접근: 러시아가 연해주 획득 후 남하 정책 추진 → 조선에 여러 차례 통상 요구

② 조선의 대외 정책: 통상 수교 거부 정책 → 러시아의 통상 요구 거절, 러시아를 견제하기 위해 프랑스와 교섭 시도

(2) 병인양요(1866)

배경	프랑스와의 교섭 실패, 천주교 금지 여론 고조 → 수많은 천주교 신자와 프랑스 선교사 처형(병인박해, 1866. 1.)
과정	• 1차 침입: 프랑스군이 한강을 거슬러 올라 양화진까지 이르는 수로를 탐색(1866. 9.) • 2차 침입: 프랑스 군함이 강화도 공격 → 프랑스군의 갑곶진 상륙, 강화부 점령, 재물 약탈 → 한성근 부대(문수산성), 양헌수 부대(삼랑성)가 프랑스군 격파 ┌ 정족산성의 다른 이름이다.
결과	• 프랑스군 퇴각(강화도의 주요 시설 파괴, 외규장각 의궤를 비롯한 각종 문화재 약탈) • 통상 수교 거부 정책과 천주교 신자에 대한 박해 강화

★ 표시는 시험 전에 확인해 주세요.

┌─ 흥선 대원군의 아버지이다.
(3) 남연군 묘 도굴 미수 사건(오페르트 도굴 사건, 1868)

과정	조선이 독일 상인 오페르트의 통상 요구 거절 → 오페르트 일행이 조선과의 통상을 목적으로 남연군 묘를 도굴하려다 실패
영향	서양인에 대한 조선인의 반감 더욱 확산, 흥선 대원군의 통상 수교 거부 의지 강화 ─ 미국인 자본가와 프랑스 선교사의 지원을 받았다.

(4) 신미양요(1871) ─ 평안도 관찰사 박규수가 제너럴셔먼호에 식량, 땔감 등을 제공하며 물러가기를 요구하였으나 거절하였다.

배경	미국 상선 제너럴셔먼호가 평양에서 통상 요구·약탈 행위·인명 살상 → 평양 관민이 제너럴셔먼호 격침(제너럴셔먼호 사건, 1866. 7.) → 미국이 조선에 배상금 지불과 개항 요구
과정	미국이 강화도 공격(신미양요) → 미군의 초지진·덕진진 점령, 광성보 공격 → 광성보에서 어재연이 이끄는 수비대의 저항, 패배 → 흥선 대원군의 통상 수교 협상 불응 → 미군 퇴각
영향	전국에 척화비 건립(통상 수교 거부 정책 천명)

─ 미군은 어재연 장군의 '수'자기를 전리품으로 가져갔다.

↑ 병인양요와 신미양요의 전개

2. 통상 수교 거부 정책의 의의와 한계

의의	서양 세력의 침략을 일시적으로 저지
한계	조선의 근대화가 지연되는 결과 초래

척화비 건립

• 서양 오랑캐가 침범하였을 때 싸우지 않는 것은 화친하는 것이요, 화친을 주장하는 것은 나라를 파는 것이다. ─ 척화비
• 홍순목이 아뢰기를, "병인년 이후 서양인을 배척한 것은 온 세상에 자랑할 만한 일입니다. 오랑캐들이 침범하고 있지만 화친에 대해서는 절대로 논의할 수 없습니다. 먼저 정벌하는 위엄을 보이면 …… 누군들 우러러 받들지 않겠습니까?" …… 이때에 종로 거리와 각 도회지에 척화비를 세웠다. ─「고종실록」

↑ 척화비 (서울 마포)

척화비에 새겨진 내용은 병인양요 때 작성된 글이다. 신미양요를 겪은 흥선 대원군은 이 글을 새긴 척화비를 전국에 세웠다.

01 19세기에 독점 자본주의와 침략적 민족주의가 확산되면서 서구 자본주의 열강이 약소국가를 식민지로 점령하는 대외 팽창 정책인 (   )가 등장하였다.

02 흥선 대원군은 조선 후기에 국정을 총괄하던 (   )의 기능을 축소하고 의정부와 삼군부의 기능을 회복하였다.

03 흥선 대원군이 국가 재정을 확충하기 위해 양반에게도 군포를 부과한 제도는?

04 다음 설명이 맞으면 ○표, 틀리면 ×표를 하시오.
(1) 흥선 대원군은 전국의 서원을 47개소만 남기고 철폐하였다. (   )
(2) 경복궁 중건에 필요한 돈을 마련하기 위해 원납전을 발행하면서 물가가 크게 오르기도 하였다. (   )
(3) 제1차 아편 전쟁에서 패한 청은 영국과 난징 조약을 맺어 상하이를 비롯한 5개 항구를 개방하고 홍콩을 영국에 넘겨주었다. (   )

05 미국이 제너럴셔먼호 사건을 문제 삼아 1871년 강화도를 침략한 사건은?

06 흥선 대원군은 통상 수교 거부 정책에 대한 의지를 알리기 위해 전국 각지에 (   )를 세웠다.

07 다음 역사적 사실을 일어난 순서대로 나열하시오.

> ㄱ. 흥선 대원군이 전국 각지에 척화비를 세웠다.
> ㄴ. 프랑스는 조선에 문호 개방을 요구하며 강화도를 공격하였다.
> ㄷ. 미국 함대가 초지진과 덕진진을 점령하고 광성보에서 어재연 부대를 공격하였다.
> ㄹ. 독일 상인 오페르트는 조선과의 통상을 목적으로 남연군의 묘를 도굴하려 하였다.
> ㅁ. 제너럴셔먼호가 평양에서 통상을 요구하고 약탈 행위를 저지르자 평양 관민이 제너럴셔먼호를 불태워 침몰시켰다.

2단계 내신 다지기

A 서양 세력의 아시아 접근

01 밑줄 친 '정책'의 배경으로 옳은 것을 〈보기〉에서 고른 것은?

> 19세기 중후반 서구 열강은 경제력과 군사력을 토대로 대외 팽창을 펼치며 약소국을 식민지로 점령하는 <u>정책</u>을 추구하였다.

보기
ㄱ. 청과 일본의 개항
ㄴ. 독점 자본주의 형성
ㄷ. 배타적·침략적 민족주의 대두
ㄹ. 백인 우월주의에 대한 비판 제기

① ㄱ, ㄴ ② ㄱ, ㄷ ③ ㄴ, ㄷ
④ ㄴ, ㄹ ⑤ ㄷ, ㄹ

02 다음에서 설명하는 이론을 쓰시오.

> 하버트 스펜서가 다윈의 진화론을 인간 사회에 적용한 이론이다. 이 이론은 인간 사회에서도 약육강식, 적자생존의 법칙이 적용된다고 보았다.

03 (가), (나) 조약과 관련된 설명으로 옳지 <u>않은</u> 것은?

> (가) 청국 정부의 특허를 얻은 행상하고만 거래를 하도록 하던 관행을 없애고, 누구하고나 자유롭게 거래하도록 한다.
> (나) 일본인에 대하여 범법 행위를 한 미국인은 미국 영사 재판소에서 조사하여 미국의 법으로 처벌한다.

① (가)는 제2차 아편 전쟁의 결과 체결되었다.
② (나)를 통해 일본은 5개 항구를 개방하였다.
③ 청은 (가)를 계기로 광저우 등의 항구를 개항하였다.
④ 일본은 (나)를 통해 미국에 영사 재판권을 허용하였다.
⑤ (가)는 청, (나)는 일본에 불리한 내용을 담은 불평등 조약이다.

04 밑줄 친 사건의 결과로 옳은 것은?

> 양이가 이미 황성(베이징)에 가득 찼으므로 혹시 그 기세로 동쪽(조선)을 침범할지도 모른다는 것입니다. 신은 반드시 그렇지는 않다고 말합니다. 그들은 교역하는 것을 일로 삼는데, 우리나라는 바꿀 만한 재화와 보물이 없습니다. 다만 사교에 물들거나 양약을 복용하는 무리가 몰래 잘못 끌어들이면 그들이 오지 않는다고 보장하기 어렵습니다. 　－『일성록』

① 청이 공행을 폐지하였다.
② 청이 영국에 홍콩을 할양하였다.
③ 청이 상하이 등 5개 항구를 개항하였다.
④ 영국이 청에게 영사 재판권을 인정받았다.
⑤ 러시아가 청으로부터 연해주를 할양받았다.

B 흥선 대원군의 개혁 정치

05 (가) 인물에 대한 설명으로 옳지 <u>않은</u> 것은?

> '대원위 분부'는 　(가)　의 명령이라는 의미입니다. 고종의 아버지이자 종친부의 우두머리였던 그는 종친부를 권력 기구로 만들고 각 관서에 '대원위 분부'를 전달하는 방식으로 권력을 행사하였습니다.

> 　(가)　이/가 10년 동안 집권하면서 그 위세를 내외에 떨쳤다. '대원위 분부'라는 다섯 글자가 바람처럼 전국을 횡행하였는데 우레나 불과 같아서 관리와 백성이 두려워하였다. 　－황현, 『매천야록』

① 의정부와 삼군부의 기능을 부활하였다.
② 비변사를 정권 유지의 기반으로 삼았다.
③ 이양선에 대비하기 위해 수군을 강화하였다.
④ 대전회통과 육전조례 등의 법전을 편찬하였다.
⑤ 세도 가문을 축출하고 인재를 고루 등용하였다.

06 밑줄 친 '이 화폐'가 발행된 배경으로 적절한 것은?

> 흥선 대원군이 발행한 이 화폐의 명목 가치는 상평통보의 100배로 책정되었으나, 실질적인 가치는 상평통보의 5~6배에 불과하였다. 단기간에 많은 양의 화폐가 시중에 유통되면서 화폐 가치가 하락하여 물가가 폭등하였다. 또한 일반 상거래에 사용하기에는 화폐 단위가 너무 컸기 때문에 상인들은 이를 사용하는 것을 꺼려 일시적으로 물물교환이 성행하였다.

① 대동법이 실시되었다.
② 청이 아편 전쟁에서 패배하였다.
③ 전국적으로 농민 봉기가 일어났다.
④ 삼정의 문란으로 백성의 고통이 심하였다.
⑤ 경복궁 중건 사업에 많은 비용이 필요하였다.

✦출제가능성 90%
07 다음 정책에 대한 설명으로 옳지 <u>않은</u> 것은?

> 대원군이 명령을 내려 서원을 모두 허물고 서원 유생들을 쫓아 버리도록 하였다. …… "진실로 백성에게 해되는 것이 있으면 비록 공자가 다시 살아난다 하더라도 나는 용서하지 않겠다."
> – 박제형, 『근세조선정감』

① 민생을 안정시키기 위해 실시하였다.
② 서원에 부과된 각종 세금을 면제하였다.
③ 양반 유생들의 강력한 반발을 불러일으켰다.
④ 전국에서 47개소를 제외한 서원이 철폐되었다.
⑤ 흥선 대원군이 물러나는 배경이 되기도 하였다.

✦출제가능성 90%
08 다음은 경상도 영천 지방의 군포 부담층 변화를 나타낸 것이다. (가) 제도에 대한 설명으로 옳은 것은?

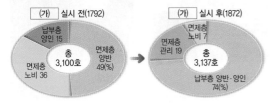

(가) 실시 전(1792)	(가) 실시 후(1872)
납부층 양인 15 / 면제층 양반 49(%) / 면제층 노비 36 / 총 3,100호	면제층 노비 7 / 면제층 관리 19 / 납부층 양반·양인 74(%) / 총 3,137호

① 양반층의 군포 부담을 감소하였다.
② 국가 재정을 확충하기 위한 것이었다.
③ 농민의 군포 부담을 2필에서 1필로 줄여 주었다.
④ 사창을 설치하여 민간에서 곡식을 대여해 주었다.
⑤ 토산물로 부과하던 공납을 쌀·무명 등으로 거두었다.

09 밑줄 친 '방안'에 해당하는 내용으로 옳은 것은?

> **한국사 신문**
>
> **흥선 대원군, 개혁의 칼을 빼들다!**
>
>
> ⬆ 흥선 대원군
>
> 흥선 대원군은 왕이 주재하는 조정 회의에서 극심한 삼정의 문란을 바로잡아 민생을 안정시키고 국가 재정을 확충하기 위한 방안을 발표하였다. 이번 결정으로 민간에서 곡식을 저장해 두었다가 대여해 줄 수 있게 되어 환곡에 대한 농민의 부담이 다소 줄어들 것으로 예상된다.

① 과전법을 실시하였다.
② 당백전을 발행하였다.
③ 사창제를 실시하였다.
④ 삼군부를 부활하였다.
⑤ 호패법을 실시하였다.

C 서구 열강의 침략과 대응

✦출제가능성 90%
10 지도와 같이 전개된 사건의 배경으로 가장 적절한 것은?

① 평양 관민들이 제너럴셔먼호를 침몰시켰다.
② 오페르트 일행이 남연군의 묘를 도굴하려 하였다.
③ 흥선 대원군이 전국 각지에 척화비를 건립하였다.
④ 프랑스군이 외규장각에 보관된 문화재를 약탈하였다.
⑤ 흥선 대원군이 프랑스 선교사와 신자들을 처형하였다.

11 다음 연극 대본의 배경이 되는 사건에 대한 설명으로 옳은 것은?

> 장면 #1. 강화도 어느 논밭(낮)
> (막이 오르면 농민1과 농민2가 무대 중앙에 등장한다.)
> • 농민1: 양헌수 장군의 부대가 정족산성에서 외적을 물리쳤대.
> • 농민2: 다행이지. 그런데 정말 안타까운 일이 있어. 외적이 외규장각을 불태우고 그곳에 있던 책을 훔쳐 갔다네.
> • 농민1: (무릎을 치며) 저런, 그 귀한 것을 빼앗기다니!

① 프랑스가 강화도를 공격하였다.
② 러시아가 조선에 통상을 요구하였다.
③ 어재연 장군기가 미국으로 유출되었다.
④ 흥선 대원군이 물러나는 계기가 되었다.
⑤ 제너럴셔먼호의 선원이 조선인을 공격하였다.

12 (가), (나) 사건에 대한 설명으로 옳은 것은?

> (가) 대포로 무장한 미국 상선이 대동강을 거슬러 평양까지 들어와 조선에 통상을 요구하였다. 선원들은 조선 측의 퇴거 요구에도 약탈 행위를 하고 조선 관리를 감금하는 등 횡포를 부렸다. 이에 분노한 평양 관민이 상선을 불태워 침몰시켰다.
> (나) 중국에서 활동하던 독일 상인 오페르트는 조선에 들어와 몇 차례 통상을 요구하였으나 거부당하였다. 그러자 오페르트는 프랑스 선교사와 미국 자본가의 지원을 받아 충청도 덕산에 있는 흥선 대원군의 아버지 남연군의 묘를 도굴하려 하였다.

① (가) - 어재연 부대가 미군과 맞서 싸웠다.
② (가) - 미국이 신미양요를 일으키는 구실로 삼았다.
③ (가) - 전국 각지에 척화비를 건립한 이후 일어났다.
④ (나) - 프랑스와의 교섭 시도가 실패하면서 발생하였다.
⑤ (나) - 조선이 통상 수교 거부 정책을 포기하는 계기가 되었다.

출제가능성90%
13 지도와 같이 전개된 전투에 대한 설명으로 옳은 것은?

① 천주교 신자를 처형한 사건을 배경으로 하였다.
② 강화도에 있던 외규장각의 도서와 의궤가 약탈되었다.
③ 조선이 중화 문명의 후계자라고 자부하는 계기가 되었다.
④ 제너럴셔먼호 사건을 구실로 미국이 군함을 이끌고 침공하였다.
⑤ 흥선 대원군이 의정부와 삼군부의 기능을 부활하는 계기가 되었다.

14 (가)에 들어갈 내용으로 가장 적절한 것은?

> **초대장**
> 이번 전시회에서는 조선 시대의 귀중한 유적과 유물의 사진을 시민들에게 공개할 예정입니다. 즐겁게 관람하시길 바랍니다.
> • 주제: _____(가)_____
> • 일시: 20□□년 □□월 □□일 09:00 ~ 17:00
> • 장소: □□ 문화 예술관 1층 전시실
>
>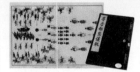
> ↑ 외규장각 의궤   ↑ 광성보

① 정조의 탕평 정책
② 흥선 대원군의 내정 개혁
③ 19세기 이후 신분제의 변화
④ 조선 후기 북벌 운동의 추진
⑤ 서양 세력의 침입과 조선의 항전

3단계 등급 올리기

01 다음 가상 대화의 배경이 된 흥선 대원군의 정책으로 가장 적절한 것은?

기부금인 원납전을 강제로 걷다니 너무 하지 않아?

맞아. 게다가 당백전까지 발행되어 물가가 크게 올라서 더 살기 어려워졌어.

① 재정 확충을 위해 서원을 철폐하였다.
② 환곡을 개선하고자 사창제를 실시하였다.
③ 왕권을 제약하던 비변사를 축소·폐지하였다.
④ 호포제를 실시하여 양반에게도 군포를 징수하였다.
⑤ 왕실의 권위와 위엄을 되찾기 위해 임진왜란 때 불탄 경복궁을 중건하였다.

2019 평가원 응용

02 (가) 인물이 추진한 정책으로 옳은 것은?

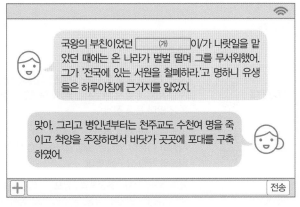

국왕의 부친이었던 [(가)] 이/가 나랏일을 맡았던 때에는 온 나라가 벌벌 떨며 그를 무서워했어. 그가 '전국에 있는 서원을 철폐하라.'고 명하니 유생들은 하루아침에 근거지를 잃었지.

맞아. 그리고 병인년부터는 천주교도 수천여 명을 죽이고 척양을 주장하면서 바닷가 곳곳에 포대를 구축하였어.

전송

① 녹읍을 폐지하였다.
② 장용영을 창설하였다.
③ 강동 6주를 획득하였다.
④ 교정도감을 설치하였다.
⑤ 대전회통을 편찬하였다.

★최고난도

03 다음은 역사적 사건을 일어난 순서대로 쓴 책이다. 찢어진 부분에 들어갈 내용으로 가장 적절한 것은?

> 프랑스는 조선의 문호 개방을 요구하며 강화도를 공격하였다. …… 조선군의 저항으로 사상자가 생기자 프랑스군은 강화도에서 물러났다.
>
> 미국은 군함과 병력을 동원하여 강화도를 공격하였다. …… 그럼에도 불구하고 흥선 대원군이 협상에 응하지 않자 미군은 퇴각하였다.

① 제너럴셔먼호가 대동강에서 침몰하였다.
② 흥선 대원군이 척화비를 전국 각지에 세웠다.
③ 오페르트 일행이 남연군 묘의 도굴을 시도하였다.
④ 흥선 대원군이 러시아를 견제하기 위해 프랑스와 교섭을 시도하였다.
⑤ 프랑스군이 한강을 거슬러 올라 양화진까지 이르는 수로를 탐색하고 돌아갔다.

🌿 서술형 문제

04 다음을 읽고 물음에 답하시오.

제시된 사진은 [(가)] 이/가 실시한 통상 수교 거부 정책을 잘 보여 주는 척화비의 모습이다. 이 비석에는 "서양 오랑캐가 침범하였을 때 싸우지 않는 것은 화친하는 것이요, 화친을 주장하는 것은 나라를 파는 것이다." 라고 새겨져 있다.

(1) (가)에 들어갈 인물을 쓰시오.

(2) 밑줄 친 정책의 의의와 한계를 서술하시오.

02 동아시아의 변화와 근대적 개혁의 추진

A 문호 개방과 불평등 조약 체제

1. 중국과 일본의 근대화 운동
중국의 유교 문화를 바탕으로 서양의 과학과 기술을 도입하자는 주장이다.

양무운동 (중국)	이홍장을 비롯한 한인 관료 중심, 부국강병 목표, 중체서용의 원칙 → 서양의 군사 기술 수용, 근대적 산업 시설 설립(금릉 기기국 등) → 뚜렷한 성과를 거두지 못함
메이지 유신 (일본)	천황 중심의 메이지 정부 수립(1868) → 문명개화를 바탕으로 개혁 추진(신분제 폐지, 징병제 실시, 의무 교육 실시, 이와쿠라 사절단 파견 등) → 일본 제국 헌법 공포(1889), 의회 설립 → 대외 팽창

★ 2. 조선의 개항
지방관들이 지역별로 추진하는 등 통일성이 없었고, 근본적인 제도 개혁 없이 서양 기술만 받아들였기 때문이다.

(1) 외교 문제 발생: 메이지 유신 이후 일본은 조선에 외교 관계의 개선 요구 → 조선의 거부 → 정한론 대두
조선을 무력으로 침공하자는 주장이다.

(2) 개국 통상론 대두: 자주적 문호 개방 및 서양과의 통상 주장 제기(박규수, 오경석, 유홍기 등)

(3) 강화도 조약 체결
일본이 운요호를 이끌고 강화도·영종도 일대에서 무력시위를 한 사건이다.

배경	운요호 사건(1875) 발발 → 일본이 병력을 보내 개항 강요, 조선 정부와 논의 → 개항 결정, 강화도 조약 체결(1876)
내용	조선이 자주국임을 명시, 부산 등 3개 항구 개항, 해안 측량권 허용, 영사 재판권(치외 법권) 인정 외국인이 현재 거주하는 국가의 법률을 적용받지 않는 권리이다.
성격	조선이 외국과 맺은 최초의 근대적 조약, 불평등 조약
부속 조약	• 조일 수호 조규 부록: 개항장 내 일본인 거류지 설정, 일본 화폐 통용 허용 • 조일 무역 규칙: 쌀과 잡곡의 수출입 허용, 일본 선박의 항세 면제(이후 수출입 상품에 대한 무관세 허용)

강화도 조약(조일 수호 조규)
청의 간섭을 배제하려는 의도였다.
제1조 조선은 자주국이며 일본과 평등한 권리를 보유한다.
제4조 부산 이외에 제5조에 기재하는 2개 항구를 개항하고 일본인이 왕래 통상함을 허가한다.
원산(1880)과 인천(1883)이다.
제7조 조선의 연해 도서는 위험하므로 일본의 항해자가 자유로이 해안을 측량함을 허가한다. → 해안 측량권을 인정하였다.
제10조 일본 인민이 조선이 지정한 각 항구에서 죄를 범한 것이 조선 인민과 관계되는 사건일 때는 모두 일본 관원이 재판한다. → 영사 재판권(치외 법권)을 인정하였다.

3. 서구 열강과의 수교
청은 조선에 대한 종주권을 확인하고 러시아와 일본을 견제할 목적으로 조약 체결을 알선하였다.

(1) 조미 수호 통상 조약 체결(1882)
다른 국가에 주어진 가장 유리한 대우를 조약 상대국에게도 적용하도록 하는 것이다.

배경	『조선책략』 유포, 미국과의 수교 주장 대두 → 청의 알선으로 수교
내용	거중 조정과 관세 조항 포함, 최혜국 대우와 영사 재판권 인정
성격	서양 국가와 체결한 최초의 근대적 조약, 불평등 조약

(2) 서양 각국과 수교: 영국·독일(1883), 러시아(1884), 프랑스(1886)와 불평등 조약 체결
천주교 공인 문제로 조약 체결이 지연되었다.
└ 조약을 맺은 국가가 제3국과 분쟁이 있을 경우 조약을 맺은 상대국이 중간에서 해결을 추진하는 것이다.

B 개화 정책의 추진과 반발

1. 개화 정책의 추진
(1) 통리기무아문 설치(1880): 개화 정책 총괄, 실무 담당 부서로 12사 설치
무위영과 장어영으로 통합하였다.
(2) 군제 개편: 5군영을 통합, 신식 군대인 별기군 창설
(3) 근대 시설 설치: 기기창(근대식 무기 제조, 1883), 박문국(인쇄·출판, 1883), 전환국(화폐 주조, 1883), 우정총국(우편 사무, 1884) 등
일본인 교관을 채용하여 근대식 군대 훈련을 실시하였다.
(4) 사절단 파견

수신사	• 1차(1876): 김기수 일행이 일본의 근대 시설 시찰 • 2차(1880): 강화도 조약 개정 목적으로 김홍집 일행 파견 → 조약 개정 실패, 일본의 발전상 파악, 김홍집이 『조선책략』을 가지고 귀국 러시아를 막기 위해 중국, 일본, 미국과 긴밀한 관계를 가질 것을 주장하였다.
조사 시찰단 (1881)	개화 반대 운동을 의식하여 일본에 박정양·어윤중 등을 비밀리에 파견 → 근대 시설 시찰, 근대적 법률 제도와 조세 제도 등 파악 → 귀국 이후 보고서 작성, 정부의 개화 정책 뒷받침
영선사 (1881)	청에 김윤식 등을 파견 → 청에서 근대 무기 제조 기술과 군사 훈련법 습득 → 재정 부족과 임오군란의 발발로 조기 귀국 → 기기창 설치에 기여
보빙사 (1883)	미국의 공사 파견에 대한 답례로 미국에 파견(민영익, 유길준, 홍영식 등) → 각종 근대 시설 시찰

유길준은 미국에 남아 유학하였으며, 귀국 후 『서유견문』을 지어 서양 문물을 국내에 소개하였다.

★ 2. 위정척사 운동
(1) 위정척사의 의미: 바른 학문인 성리학을 지키고, 성리학 이외의 종교와 사상을 배척한다는 주장
(2) 특징: 19세기 후반 보수적 양반 유생 주도, 성리학적 사회 질서 수호 주장
(3) 전개

시기	특징	내용
1860년대	통상 반대 운동	서구 열강의 통상 요구 → 기정진·이항로 등이 서양 세력과 맞서 싸우자는 척화 주전론 주장, 통상 반대 운동 전개
1870년대	개항 반대 운동	강화도 조약 체결 추진 → 최익현 등이 일본과 서양이 다름이 없다는 왜양일체론을 주장하며 일본의 개항 요구에 반대
1880년대	개화 반대 운동	개화 정책 실시, 『조선책략』 유포 → 이만손 등 영남 유생의 만인소 작성, 정부의 개화 정책 및 미국과의 수교에 반대

(4) 의의와 한계

의의	반외세·반침략의 성격, 이후 항일 의병 운동으로 계승
한계	양반 중심의 성리학적 질서 유지 추구

★ 3. 임오군란(1882)

(1) **배경**: 개화 정책 추진으로 백성의 세금 부담 증가, 개항 후 쌀의 유출로 쌀값 폭등 → 백성의 불만 고조

(2) **전개**

발단	구식 군대의 군인에 대한 차별 대우(별기군 우대), 밀린 급료로 받은 쌀에 겨와 모래가 섞임
전개	구식 군대 군인의 봉기 → 정부 고관의 집·일본 공사관·궁궐 등 공격(도시 하층민 가담) → 민씨 세력 피신, 흥선 대원군 재집권(통리기무아문·별기군 폐지) → 청의 개입(민씨 세력의 요청)
결과	청군이 군란 진압, 흥선 대원군을 청으로 끌고 감

(3) **영향**

① 청의 내정 간섭: 외국인 고문 파견(마건상, 묄렌도르프 등), 조청 상민 수륙 무역 장정 체결(조선을 속국으로 규정, 청 상인의 조선 내륙 진출 허용)

② 일본과 조약 체결: 제물포 조약(일본에 막대한 배상금 지급, 한성에 일본군 주둔 허용)
┗ ● 일본 공사관을 보호한다는 구실로 허용하였다.

C 갑신정변과 국내외 정세의 변화

1. 개화파의 분화 ┏ ● 박규수·오경석·유홍기 등 개국 통상론자에게 개화사상을 배우면서 성장하였다.

(1) **배경**: 청에 대한 입장, 개화 정책의 추진 방법 차이 등

(2) **분화**

구분	온건 개화파	급진 개화파
중심인물	김홍집, 김윤식, 어윤중 등	김옥균, 박영효, 홍영식, 서광범 등
개화 모델	청의 양무운동	일본의 메이지 유신
개화 방법	동도서기론 입장, 점진적 개혁 추구 → 유교와 도덕은 유지, 서양의 기술만 수용	문명개화론 입장, 적극적인 근대화 추구 → 서양의 기술과 함께 사상과 제도 수용
청과의 관계	전통적 외교 관계(사대 관계) 중시	사대 관계 청산, 청의 내정 간섭 탈피

┗ ● 전통 제도와 사상은 지키면서 서구 근대 기술을 받아들이자는 주장이다.　┗ ● 서양의 사상·문물·기술·제도를 적극적으로 받아들이자는 주장이다.

★ 2. 갑신정변(1884)

(1) **배경**

① 개화 정책의 지연: 청의 내정 간섭, 민씨 정권의 친청 정책 추진으로 개화 정책 지연 ┏ ● 묄렌도르프의 당오전 발행에 반발하여 차관을 도입하고자 하였다.

② 급진 개화파의 위축: 개화 정책 추진에 필요한 자금 부족 → 김옥균이 일본에서 차관 도입 시도 → 실패

③ 청프 전쟁의 발발: 한성에 주둔한 청군 일부 철수

④ 일본의 약속: 일본의 군사적 지원 약속
┗ ● 청은 베트남 문제로 프랑스와 충돌하였다.

(2) **전개**

① 정변의 발발: 김옥균 등 급진 개화파가 우정총국 개국 축하연에서 민씨 정권의 핵심 인물 처단 → 개화당 정부 수립

② 개혁 정강 발표: 청에 대한 사대 청산, 내각 제도의 수립, 인민 평등권 보장, 재정의 일원화, 지조법 개혁 등

③ 정변의 결과: 청군의 개입과 일본군의 철수로 실패

> **갑신정변의 개혁 정강**
> 1. 잡혀간 흥선 대원군을 곧 돌아오게 하고 청에 조공하는 허례를 폐지한다. → 청과 종속 관계를 청산하여 자주독립을 확고히 하고자 하였다.
> 2. 문벌을 폐지하여 인민 평등권을 제정하고 능력에 따라 관리를 임명한다. → 인민 평등권을 내세웠다.
> 3. 지조법을 개혁하여 부정을 막고 백성을 보호하며 재정을 넉넉하게 한다. ┗ ● 토지에서 발생하는 수익에 부과하는 세금을 규정한 법이다.
> 12. 재정은 모두 호조에서 관할하게 하고 그 밖의 재무 관청은 폐지한다. → 재정을 호조로 일원화할 것을 추구하였다.
> 14. 의정부와 6조 외의 불필요한 기관을 없애고, 대신과 참찬이 논의하여 보고한다. → 일종의 내각 제도를 수립하고자 하였다.

(3) **영향**

① 한성 조약 체결(조선·일본, 1884): 일본 공사관의 신축비와 배상금 지불 규정

② 톈진 조약 체결(청·일본, 1885): 양국 군대 철수, 조선에 군대 파병 시 사전 고지 규정
┗ ● 동학 농민 운동 당시 청일 전쟁이 일어난 배경이 되었다.

(4) **의의와 한계**

의의	자주적 근대 국가 건설을 목표한 최초의 정치 개혁 운동, 이후 갑오개혁과 독립 협회의 활동에 영향을 줌
한계	소수 지식인 중심의 위로부터의 근대화 운동, 일본의 군사적 지원에 의존, 일반 백성의 지지 부족, 토지 개혁 배제

3. 갑신정변 이후 국내외 정세의 변화

(1) **거문도 사건 발발**: 청의 내정 간섭 심화 → 고종의 조러 비밀 협약 추진, 러시아와 우호 관계 강화 → 영국의 거문도 불법 점령(거문도 사건, 1885)
┗ ● 러시아의 남하를 막는다는 구실을 내세웠다.

(2) **조선 중립화론 대두**: 조선을 둘러싼 열강들의 대립 심화 → 독일 부영사 부들러와 유길준이 조선 중립화론 구상

(3) **고종의 자주적 개화 정책**

① 개화 정책: 내무부 설치(군사·재정·외교 등 업무 담당), 박문국 재설치(→ 한성주보 간행), 육영 공원·연무 공원 설립(외국인 교사와 군사 교관 초빙), 광혜원 설립(근대식 병원), 전보국 설립(전신 가설), 주미 공사관 개설 등

② 한계: 친청파 관료들의 비판, 청의 간섭, 재정 부족 등

01 일본이 1875년 강화도, 영종도 일대에서 일으킨 무력시위로, 강화도 조약 체결의 계기가 된 사건은?

02 미국은 1882년 조미 수호 통상 조약을 체결하여 한 국가가 다른 국가에 주어진 가장 유리한 대우를 조약 상대국에게도 적용하도록 하는 (   )를 인정받았다.

03 다음 사절단이 파견된 국가를 옳게 연결하시오.

(1) 수신사 •　　　　　　　　　• ㉠ 미국
(2) 영선사 •　　　　　　　　　• ㉡ 일본
(3) 보빙사 •　　　　　　　　　• ㉢ 중국(청)

04 보수적인 양반 유생들의 주도로 성리학적 사회 질서를 수호하기 위해 전개한 운동은?

05 1882년 구식 군대 군인에 대한 정부의 차별이 원인이 되어 일어난 사건은?

06 다음은 개화파의 분화를 정리한 표이다. ㉠, ㉡에 들어갈 내용을 각각 쓰시오.

구분	온건 개화파	급진 개화파
중심인물	김홍집, 김윤식, 어윤중 등	김옥균, 박영효, 홍영식, 서광범 등
개화 모델	청의 (㉠　　　)	일본의 메이지 유신
개화 방법	동도서기론 입장, 점진적 개혁 추구 → 유교와 도덕은 유지, 서양의 기술만 수용	(㉡　　　) 입장, 적극적인 근대화 추구 → 서양의 사상과 제도까지 수용

07 다음 설명이 맞으면 ○표, 틀리면 ×표를 하시오.

(1) 김옥균 등 급진 개화파는 갑신정변을 일으켜 개화당 정부를 수립하였다. (   )
(2) 1885년 독일은 러시아의 남하를 막는다는 구실을 내세워 거문도를 불법으로 점령하였다. (   )
(3) 갑신정변 이후 청과 일본은 톈진 조약을 체결하여 조선에 군대를 파병할 때 서로에게 사전에 고지하기로 합의하였다. (   )

2단계 내신 다지기

A 문호 개방과 불평등 조약 체제

01 다음과 같은 주장에 따라 전개된 중국의 근대화 운동에 대한 설명으로 옳은 것은?

> 외국과 평화를 유지하는 가운데 중국을 지키려면 그에 대한 방비가 있어야 합니다. …… 저(이홍장)의 어리석은 소견으로는, 국가의 모든 경비는 절약해야 하나 병사를 기르고 총포나 군함을 제조하는 데 드는 비용만은 아끼지 말아야 할 것입니다.

① 개항을 반대하며 외세를 배격하고자 하였다.
② 입헌 군주제 도입 등 정치 제도의 개혁을 추구하였다.
③ 중체서용에 입각하여 서양 기술을 도입하려고 하였다.
④ 신분제를 폐지하고 징병제를 실시하는 등의 개혁을 추진하였다.
⑤ 중앙 정부의 통일된 계획하에 추진되어 뚜렷한 성과를 거두었다.

02 밑줄 친 '개혁 정책'의 내용으로 옳지 <u>않은</u> 것은?

> 메이지 정부는 서구 근대 국가를 모델로 부국강병을 위한 정치·경제·사회 분야에서 <u>개혁</u> 정책을 실시하였다.

① 신분제 폐지　　　　　② 징병제 실시
③ 의무 교육 실시　　　　④ 이와쿠라 사절단 파견
⑤ 에도 막부 중심의 정부 수립

03 밑줄 친 두 인물의 공통된 주장으로 가장 적절한 것은?

> • <u>박규수</u>는 박지원의 손자로, 청에 사신으로 다녀오면서 청의 문호 개방 과정을 목격하였다. 이후 젊은 양반 자제들을 대상으로 세계정세를 소개하였다.
> • <u>오경석</u>은 역관으로 청을 왕래하면서 신학문에 눈을 떠 『해국도지』, 『영환지략』 등의 서적을 들여왔다.

① 토지 제도를 개혁하여 민생을 안정시키자.
② 성리학적 이념을 강화하여 신분 질서를 바로잡자.
③ 흥선 대원군의 통상 수교 거부 정책을 적극 지지하자.
④ 자주적으로 문호를 개방하여 서양 문물을 받아들이자.
⑤ 부국강병을 위해서 국왕을 내세우고 외세를 배격하자.

04 (가)에 들어갈 사건에 대한 설명으로 옳은 것은?

（가）   [검색]

목차
1. 사건의 배경
2. 사건의 경과
3. 사건의 영향
4. 참고 문헌

↑ 일본의 운요호

1875년 일본 메이지 정부가 운요호를 강화도와 영종도로 보내 민가를 약탈하면서 조선에 개항을 요구하는 무력시위를 전개한 사건이다.

① 조선이 일본에 개항하는 배경이 되었다.
② 청군의 개입으로 3일 만에 막을 내렸다.
③ 일본에 정한론이 대두되는 계기가 되었다.
④ 흥선 대원군이 청에 압송되는 결과를 초래하였다.
⑤ 구식 군대 군인에 대한 차별을 배경으로 일어났다.

06 다음 두 조약이 체결되면서 나타난 변화로 적절하지 <u>않은</u> 것은?

> 제4관 부산항에서 일본인이 통행할 수 있는 도로의 거리는 부두에서 동서남북 각 직경 10리(조선의 이법)로 정한다.
> 제7관 일본국 인민은 본국에서 사용하는 여러 화폐로 조선국 인민이 보유하고 있는 물자와 교환할 수 있다.

> 제6칙 조선국 항구에 거주하는 일본인은 쌀과 잡곡을 수출, 수입할 수 있다.
> 제7칙 (상선을 제외한) 일본국 정부에 속한 모든 선박은 항세를 납부하지 않는다.

① 조선에 일본인 거류지가 설정되었다.
② 일본 선박이 조선의 해안을 측량하였다.
③ 조선으로 유입되는 일본 상품이 늘어났다.
④ 일본 상인이 조선의 쌀을 대량으로 수입하였다.
⑤ 조선 개항장에서 일본 화폐의 유통이 허용되었다.

출제가능성 90%

05 다음 조약에 대한 설명으로 옳은 것을 〈보기〉에서 고른 것은?

> 제1조 조선은 자주국이며 일본과 평등한 권리를 보유한다.
> 제4조 부산 이외에 제5조에 기재하는 2개 항구를 개항하고 일본인이 왕래 통상함을 허가한다.
> 제7조 조선의 연해 도서는 위험하므로 일본의 항해자가 자유로이 해안을 측량함을 허가한다.
> 제10조 일본 인민이 조선이 지정한 각 항구에서 죄를 범하고 조선 인민에게 관계되는 사건은 모두 일본 관원이 재판할 것이다.

보기
ㄱ. 일본 공사관의 신축 비용을 규정하였다.
ㄴ. 조선이 체결한 최초의 근대적 조약이었다.
ㄷ. 일본 상품에 관세를 부과하도록 명시하였다.
ㄹ. 영사 재판권 등을 인정한 불평등 조약이었다.

① ㄱ, ㄴ   ② ㄱ, ㄷ   ③ ㄴ, ㄷ
④ ㄴ, ㄹ   ⑤ ㄷ, ㄹ

07 다음 조약에 대한 설명으로 옳지 <u>않은</u> 것은?

> 제5조 조선에 오는 미국 상인과 상선은 모든 수출입 상품에 대해 관세를 지불해야 한다.
> 제14조 조선이 어느 때든지 어느 국가에 항해, 통상, 기타 어떤 것을 막론하고 본 조약에 부여되지 않은 어떤 권리 또는 특혜를 허가할 때에는 이와 같은 권리, 특권 및 특혜는 미국의 관민 상인에게도 무조건 균점된다.

① 청이 조약의 체결을 알선하였다.
② 최초로 관세 부과 조항을 포함하였다.
③ 미국에 대한 최혜국 대우를 인정하였다.
④ 조약 당사자국 사이의 거중 조정을 인정하였다.
⑤ 천주교를 공인하는 문제 때문에 체결이 지연되기도 하였다.

B 개화 정책의 추진과 반발

08 ㉠~㉢에 들어갈 내용을 옳게 연결한 것은?

> 개항 이후 조선 정부는 일본에 조사 시찰단 등을, 청에
> (㉠)를 파견하여 근대 문물을 배우게 하였다. 또한
> 군제를 개편하여 신식 군대인 (㉡)을 창설하였다.
> 그러나 이러한 근대화 정책은 1882년 구식 군대 군인들
> 의 불만으로 일어난 (㉢)으로 제동이 걸렸다.

	㉠	㉡	㉢
①	수신사	별기군	갑신정변
②	수신사	별기군	임오군란
③	영선사	별기군	임오군란
④	영선사	통리기무아문	갑신정변
⑤	영선사	통리기무아문	위정척사 운동

09 다음 내용을 담고 있는 서적을 쓰시오.

> 러시아가 강토를 공략하려 한다면 반드시 조선이 첫 번
> 째 대상이 될 것이다. …… 러시아를 막을 수 있는 조선
> 의 책략은 무엇인가? 오직 중국과 친하며 일본과 맺고
> 미국과 연합함으로써 자강을 도모하는 길뿐이다.

10 다음 사절단에 대한 설명으로 옳은 것은?

> 신사년(1881) 가을에 김윤식을 톈진에 보냈다. …… 조
> 정에서는 문무관의 자제 가운데 총명한 자 백여 명을 뽑
> 아 김윤식으로 하여금 이끌고 가서 중국이나 서양의 학
> 문을 배우도록 하였다.

① 차관 도입을 시도하였다.
② 강화도 조약 체결 직후 파견되었다.
③ 조선책략을 가져와 국내에 유포시켰다.
④ 정보 수집을 목적으로 비밀리에 파견되었다.
⑤ 청에 파견되어 근대 무기 제조 기술을 습득하였다.

11 다음과 같이 제도를 개편한 정부의 정책으로 옳지 않은 것은?

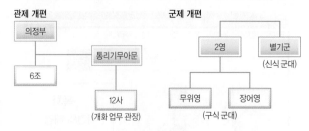

① 전환국에서 화폐를 주조하였다.
② 의정부와 삼군부의 기능을 부활하였다.
③ 근대식 무기를 제조하는 시설을 만들었다.
④ 박문국을 설치하여 인쇄·출판 업무를 맡겼다.
⑤ 우편 사무를 전담하는 우정총국을 설치하였다.

12 (가), (나) 주장이 제기되었을 당시 조선의 대내외 상황으로 옳지 않은 것은?

> (가) 양이의 화가 금일에 이르러 홍수나 맹수의 해로움보
> 다도 더 심합니다. …… 안으로는 사학의 무리를 잡
> 아 베게 하시고 밖으로는 바다를 건너오는 적을 정벌
> 하게 하소서.   – 이항로, 『화서집』
> (나) 미국을 끌어들일 경우 그들이 재물을 요구하고 우리
> 의 약점을 알아차려 어려운 청을 하거나 과도한 경우
> 를 떠맡긴다면 응하지 않을 도리가 없습니다. – 『일성록』

① (가) – 조선에 천주교가 확산되었다.
② (가) – 프랑스와 미국이 통상을 요구하였다.
③ (나) – 정부가 미국과의 수교를 추진하였다.
④ (나) – 운요호가 조선에서 무력시위를 전개하였다.
⑤ (나) – 정부가 개화 정책을 실시하고 외국에 사절단을
파견하였다.

13 밑줄 친 '조약'으로 옳은 것은?

> 1882년 일본은 조선과 '조선은 5만 원을 내 피해를 입은
> 일본 관리들의 유족 및 부상자에게 지급할 것', '일본 공
> 사관에 군인 약간을 두어 경비하며 그 비용은 조선이 부
> 담할 것' 등을 규정한 조약을 체결하였다.

① 톈진 조약   ② 한성 조약   ③ 강화도 조약
④ 베이징 조약   ⑤ 제물포 조약

C 갑신정변과 국내외 정세의 변화

출제가능성 90%

14 다음은 개화파의 형성과 분화를 정리한 것이다. (가), (나) 세력에 대한 설명으로 옳은 것을 〈보기〉에서 고른 것은?

보기

ㄱ. (가) – 청과의 전통적인 우호 관계를 유지하여 열강의 침략으로부터 조선을 보호하려 하였다.

ㄴ. (나) – 동도서기론에 입각한 점진적인 개혁을 추구하였다.

ㄷ. (나) – 일본의 메이지 유신을 본받아 서양의 사상과 제도까지 수용하고자 하였다.

ㄹ. (가), (나) – 임오군란 이후 개화 추진 방식 등을 둘러싸고 분화되었다.

① ㄱ, ㄴ   ② ㄱ, ㄷ   ③ ㄴ, ㄷ
④ ㄴ, ㄹ   ⑤ ㄷ, ㄹ

15 지도와 같이 전개된 사건에 대한 설명으로 옳은 것은?

① 흥선 대원군이 하야하는 계기가 되었다.
② 성리학적 사회 질서를 수호하고자 하였다.
③ 제물포 조약을 체결하는 결과를 초래하였다.
④ 청군의 개입과 일본군의 철수로 실패하였다.
⑤ 한성의 도시 하층민이 가담하면서 규모가 커졌다.

16 다음 개혁안을 제시한 세력에 대한 설명으로 옳지 않은 것은?

1. 잡혀간 흥선 대원군을 곧 돌아오게 하고 청에 조공하는 허례를 폐지한다.
2. 문벌을 폐지하여 인민 평등권을 제정하고 능력에 따라 관리를 임명한다.
3. 지조법을 개혁하여 부정을 막고 백성을 보호하며 재정을 넉넉하게 한다.
12. 재정은 모두 호조에서 관할하게 하고 그 밖의 재무 관청은 폐지한다.
14. 의정부와 6조 외의 불필요한 기관을 없애고, 대신과 참찬이 논의하여 보고한다.

① 평등 사회를 건설하고자 하였다.
② 청과의 전통적인 관계를 청산하려고 하였다.
③ 정치 개혁을 단행하여 내각제를 수립하려고 하였다.
④ 국가 재정을 확충하고 관련 업무를 일원화하고자 하였다.
⑤ 농민층의 요구를 수용하여 토지 제도를 개혁하려고 하였다.

17 다음 주장이 제기된 시기를 연표에서 옳게 고른 것은?

우리나라가 아시아의 중립국이 되는 것은 러시아를 막는 중요한 계기가 될 것이며, 또 아시아의 여러 대국이 서로 균형을 이루는 정략도 될 것이다. …… 오직 중립 한 가지만이 진실로 우리나라를 지키는 방책이지만, 이를 우리가 먼저 제창할 수 없으니 중국이 이를 맡아서 처리해 주도록 청하는 것이 좋을 것이다. – 유길준, 「중립론」

① (가)   ② (나)   ③ (다)   ④ (라)   ⑤ (마)

★최고난도

01 (가), (나) 내용이 들어 있는 조약을 옳게 연결한 것은?

> **한국사 용어 정리**
> • ▨(가)▨ : 국제법에서 외국인이 현재 거주하는 국가의 법률을 적용받지 않는 권리
> • ▨(나)▨ : 조약을 맺은 국가가 제3국과 분쟁이 있을 경우 조약을 맺은 상대국이 중간에서 해결을 주선한다는 의무
> • 최혜국 대우: 다른 국가에 주어진 가장 유리한 대우를 조약 상대국에게도 적용하도록 하는 것

	(가)	(나)
①	강화도 조약	제물포 조약
②	강화도 조약	조미 수호 통상 조약
③	조미 수호 통상 조약	강화도 조약
④	조청 상민 수륙 무역 장정	강화도 조약
⑤	조청 상민 수륙 무역 장정	제물포 조약

02 밑줄 친 '사절단'에 대한 설명으로 옳은 것은?

> **수행 평가 보고서**
> 1. 주제: 외국으로 파견된 조선의 사절단
> 2. 조사 내용
> – 파견 시기: 1883년
> – 참여 인물: 유길준, 홍영식, 민영익 등
> – 활동: 근대 시설 시찰, 방문한 국가의 대통령을 만남

① 조선에 조선책략을 들여왔다.
② 임오군란이 발발하자 조기 귀국하였다.
③ 근대식 무기 공장인 기기창 설치에 기여하였다.
④ 개화 정책 기구인 통리기무아문 설치에 기여하였다.
⑤ 미국이 조선에 공사를 보낸 것에 대한 답례로 파견되었다.

03 (가), (나) 주장에 대한 설명으로 옳지 <u>않은</u> 것은?

> (가) 서양 나라들과 수호를 맺는 것을 점점 사교에 물드는 것이라고 말한다. …… 서양의 종교는 사교이므로 마땅히 음탕한 음악이나 미색처럼 여겨서 멀리해야 겠지만, 서양의 기계는 이로워서 진실로 백성의 생활을 편리하게 할 수 있다.
> (나) 강화가 저들의 애걸에서 나왔다면 우리가 충분히 제압할 수 있지만, 우리가 약점이 있어서 서두른다면 주도권이 저들에게 있으므로, 저들이 오히려 우리를 제어할 것이니, 그런 강화를 믿을 수 없습니다. …… 저들이 비록 왜인(倭人)이라고 하나 실은 양적(洋賊)입니다. 강화가 한 번 이루어지면 사학 서적과 천주의 초상화가 교역하는 속에 들어올 것입니다.

① (가)는 점진적인 개혁을 추구하였다.
② (가)를 주장한 세력은 우정총국에서 정변을 일으켰다.
③ (나)는 보수적 유생층을 중심으로 제기되었다.
④ (나)를 내세운 세력은 강화도 조약 체결에 반대하였다.
⑤ (가), (나)를 주장한 세력은 전통적인 유교 질서를 지키고자 하였다.

2020 평가원 응용

04 밑줄 친 '이 사건'의 결과로 옳은 것은?

> **▶ 지식 Q&A**
> 1882년에 구식 군대의 군인들이 일으킨 이 사건에 대해 알려 주세요.
>
> **▶ 답변하기**
> └ 갑: 별기군과의 차별 대우가 사건이 발생한 원인 중 하나였어요.
> └ 을: 구식 군대 군인과 하층민이 합세하여 일본 공사관을 습격하였어요.
> └ 병: 흥선 대원군이 일시적으로 재집권하였어요.

① 비변사가 폐지되었다.
② 병인박해가 일어났다.
③ 조선 정부가 청에 영선사를 보냈다.
④ 조선이 일본과 한성 조약을 체결하였다.
⑤ 청이 조선에 묄렌도르프를 고문으로 파견하였다.

05 지도는 19세기 한반도를 둘러싼 열강의 형세를 나타낸 것이다. 이 시기 (가)~(다) 국가에 대한 설명으로 옳지 <u>않은</u> 것은?

```
→ (가)의 세력 진출
→ (나)의 세력 진출
→ (다)의 세력 진출
```

① (가)는 갑신정변 이후 조선에 대한 영향력을 강화하였다.
② 영국은 (나)의 남하를 견제하기 위해 거문도를 불법으로 점령하였다.
③ (다)는 열강의 각축 속에서 조선을 중립국으로 만들자고 주장하였다.
④ 고종은 (나)를 끌어들여 (가)를 견제하고자 하였다.
⑤ (가)와 (다)가 체결한 톈진 조약은 이후 양국 간에 전쟁이 일어나는 빌미가 되었다.

06 (가)에 들어갈 내용으로 옳지 <u>않은</u> 것은?

갑신정변 이후 고종의 개화 정책에 대해 말해 볼까요?

박문국을 다시 설치하였어요.

(가)

① 연무 공원을 세웠어요.
② 기기창을 설치하였어요.
③ 내무부를 설치하였어요.
④ 육영 공원을 설립하였어요.
⑤ 미국에 공사관을 개설하였어요.

서술형 문제

07 다음을 읽고 물음에 답하시오.

> (가) 일본 인민이 조선이 지정한 각 항구에서 죄를 범하고 조선 인민에게 관계되는 사건은 모두 일본 관원이 재판할 것이다.
> (나) 조선이 어느 때든지 어느 국가에 항해, 통상, 기타 어떤 것을 막론하고 본 조약에 부여되지 않은 어떤 권리 또는 특혜를 허가할 때에는 이와 같은 권리, 특권 및 특혜는 미국의 관민 상인에게도 무조건 균점된다.

(1) (가), (나)를 규정한 조약의 명칭을 각각 쓰시오.

(2) 조선이 18세기 이후 외국과 체결한 조약의 성격을 (가), (나)와 연관 지어 서술하시오.

08 다음을 읽고 물음에 답하시오.

> 서양 오랑캐가 북경에 들어온 지 여러 해가 지났는데 초반에는 서양 물건의 매매가 심하였습니다. 최근에는 중국인들이 서양 물건은 눈을 현혹시킬 뿐 실용에는 맞지 않는다는 것을 깨달아 교역이 심하지 않으니 서양인들이 이익을 얻지 못하고 있습니다. 전에 강남에서 병력을 사용할 때에는 중국이 서양의 대포를 많이 구매해 전쟁에 사용하여 서양인들이 이익을 보았습니다. 그러나 최근에는 <u>중국이 서양의 대포를 모방하여 만들어 그들의 대포를 구매하지 않으니 서양인들이 이익을 얻지 못하게 되었습니다.</u>
> － 『승정원일기』, 1872. 12.

(1) 밑줄 친 내용과 같은 결과를 가져온 중국의 근대화 운동을 쓰시오.

(2) (1)의 근대화 운동을 본받은 국내 정치 세력과 이들이 주장한 주요 주장을 서술하시오.

03 근대 국민 국가 수립을 위한 노력

A 동학 농민 운동

1. 배경

(1) **농민층의 동요**: 외세의 경제 침탈로 농촌 경제 악화, 조세 부담 증가, 삼정의 문란 지속, 지방관의 수탈 심화

(2) **동학의 확산**: 2대 교주 최시형의 포접제 정비, 경전 간행 → 전라도·충청도·경기도까지 확산 └• 전국을 포와 접으로 나누어 관리한 동학의 조직망이다.

(3) **교조 신원 운동의 전개**: 공주·삼례에서 집회 → 한성에서 집단 상소 → 보은·금구 집회(탐관오리 처벌, 외세 배격 등 정치적 구호 등장) └• 교조 최제우의 억울한 누명을 풀고, 정부의 동학 탄압을 중지할 것을 주장하였다.

★ 2. 전개

(1) **고부 농민 봉기(1894. 1.)** •→ 농민들에게 만석보를 쌓게 하고 강제로 물세를 거두었다.

배경	고부 군수 조병갑의 횡포 → 전봉준이 사발통문 돌려 봉기 계획
전개	농민들이 고부 관아 습격, 아전 처벌, 만석보 파괴 → 새 군수 임명, 안핵사 파견 → 새 군수의 회유로 해산

(2) **제1차 봉기(1894. 3.)**

배경	안핵사 이용태가 고부 농민 봉기 가담자 처벌
전개	전봉준·손화중 등이 이끄는 농민군이 무장에서 봉기 → 백산에서 격문 발표(제폭구민·보국안민) → 황토현·황룡촌 전투에서 관군 격퇴 → 전주성 점령 → 정부가 청에 지원 요청 → 청·일본 군대의 조선 상륙 → 전주 화약 체결 → 집강소 설치, 폐정 개혁 추진

(3) **제2차 봉기(1894. 9.)** └• 농민군은 외국 군대 철수와 폐정 개혁을 조건으로 해산하였다.

배경	일본의 경복궁 점령과 내정 간섭, 청일 전쟁 발발
전개	농민군 재봉기 → 논산에서 남접(전봉준 주도)·북접(손병희 주도) 연합 부대 형성 후 북상 → 공주 우금치 전투에서 패배 → 전봉준 등 농민군 지도부 체포, 농민군 진압

└• 양반·향리들이 조직한 민보군도 농민을 공격하였다.

3. 영향
폐정 개혁안이 갑오개혁에 반영, 동학 농민군의 잔여 세력이 항일 의병 투쟁에 가담

B 청일 전쟁과 갑오개혁

1. 청일 전쟁

배경	전주 화약 이후 조선 정부가 독자적으로 개혁 추진(교정청 설치), 청·일본 군대에 철병 요구 → 일본이 청 공동으로 조선의 내정을 개혁하자고 건의 → 청의 거절 → 일본이 경복궁 점령
전개	일본군이 아산만에 상륙한 청군 기습(1894. 6.) → 성환 전투, 평양 전투, 황해 해전 등에서 일본군 승리, 청의 본토까지 진격 → 일본의 승리, 시모노세키 조약 체결(1895. 3.)

★ 2. 갑오개혁과 을미개혁

(1) **제1차 갑오개혁** •→ 국정에 관한 일제의 개혁 안건을 의결하기 위해 만든 임시 회의 기구이다.

전개	일본군의 경복궁 점령, 흥선 대원군을 섭정으로 하는 김홍집 정권 수립 → 군국기무처 설치, 개혁 추진
내용	개국 기년 사용, 궁내부 설치(국왕의 권한 제한), 80아문제 실시, 경무청 설치(경찰 제도 도입), 언론 기관(사간원 등)·과거제 폐지, 재정의 일원화(탁지아문), 조세 항목을 지세와 호세로 통합, 조세 금납화·은본위제 채택, 노비제 폐지, 가혹한 고문·연좌제 폐지, 조혼 금지, 과부 재가 허용 등

(2) **제2차 갑오개혁** •→ 고종은 종묘에서 독립서고문을 바치고 국정 개혁의 기본 강령으로 홍범 14조를 반포하였다.

배경	청일 전쟁에서 승기를 잡은 일본이 조선에 내정 간섭 심화 → 김홍집·박영효 연립 내각 구성, 군국기무처 폐지
전개	홍범 14조 반포, 의정부를 내각으로 개편, 80아문을 7부로 개편, 8도를 23부에 소속, 훈련대 설치, 근대적 예산 제도 도입, 재판소 설치, 육의전·공납제 폐지, 교육입국 조서 반포 등

(3) **제3차 갑오개혁(을미개혁)**

전개	삼국 간섭 이후 일본 세력 약화 → 고종이 친러·친미 내각 구성 → 을미사변 발발(1895. 8.) → 김홍집 내각 수립
내용	훈련대 해산, 친위대와 진위대 신설, 태양력과 '건양' 연호 사용, 종두법과 단발령 실시, 소학교 설립 → 을미의병 봉기 → 아관 파천으로 김홍집 내각 붕괴(개혁 중단)

└• 일본이 경복궁에 침입하여 명성 황후를 살해하였다.

3. 갑오·을미개혁의 의의와 한계

의의	갑신정변과 동학 농민 운동의 요구 사항을 일부 반영, 평등 사회의 기틀 마련, 내각제 시행으로 전제 군주제 극복 시도
한계	개혁 주도 세력이 일본의 무력에 의존, 민중의 지지 부족, 국방력 강화와 상공업 진흥에 소홀

C 독립 협회와 대한 제국

1. 독립 협회의 창립과 대한 제국의 수립

•→ 단발령을 철회하였으며, 내각을 폐지하고 의정부를 재설치하였다. 지방 행정 구역도 23부에서 13도로 개편하였다.

(1) **아관 파천(1896)**: 을미사변으로 신변의 위협을 느낀 고종이 러시아 공사관으로 피신 → 갑오·을미개혁의 일부 철폐

(2) **독립 협회의 창립**

배경	조선에 대한 러시아의 영향력 강화, 열강의 이권 침탈 가속화
전개	서재필 등이 독립신문 창간(1896. 4.) → 독립문 건립을 위한 단체로 독립 협회 설립(1896. 7.)

(3) **대한 제국의 수립**

배경	아관 파천 이후 고종의 환궁 요구 상소, 러시아와 일본의 세력 균형, 자주독립 국가 천명에 대한 여론 고조
전개	고종의 경운궁(덕수궁) 환궁(1897) → '광무' 연호 사용, 환구단(원구단)에서 황제 즉위식 거행, 국호를 '대한 제국'으로 선포

★ 표시는 시험 전에 확인해 주세요.

★ 2. 독립 협회의 활동

국민 계몽 활동	기관지 『대조선 독립 협회 회보』 간행, 독립관에서 강연회와 토론회 개최 • 청에 대한 자주독립을 상징하는 의미로 청의 사신을 맞이하였던 영은문 터에 세웠다.
자주 국권 운동	독립문 건립(1897), 만민 공동회 개최(러시아의 내정 간섭과 이권 요구 규탄 → 러시아의 재정 고문 철수, 절영도 조차 요구 철회, 한러 은행 폐쇄)
자유 민권 운동	신체의 자유 및 재산권과 언론·출판·집회·결사의 자유 요구, 국민 참정권 운동 전개, 정부 대신의 부정부패 비판
자강 개혁 운동	의회 설립 운동 전개, 관민 공동회 개최(헌의 6조 결의) → 중추원 제도 개편 • 정부 대신과 학생, 시민 등이 함께 참석하였다. • 중추원이 입법권, 정부 안건 심사권 등을 행사하게 되었다.

헌의 6조
2. 광산, 철도, 석탄, 삼림 및 차관 차병과 외국과 조약 맺는 일은 각부 대신 및 중추원 의장이 합동 날인하여 시행할 것
3. 전국 재정은 모두 탁지부가 관리하며, 다른 정부 기관과 회사는 간섭하지 못하게 하고 예산·결산을 국민에게 공포할 것
5. 칙임관은 황제가 정부에 자문하여 그 과반수의 의견에 따라 임명할 것
— 『일성록』, 1898. 10.

헌의 6조에서는 외국과의 조약 체결, 재정 운영, 관리 임명을 정부 대신이나 중추원과 협의하여 시행할 것을 규정하였다.

3. 독립 협회의 해산
보수 세력이 독립 협회가 공화정을 수립한다고 모함 → 정부가 황국 협회를 동원하여 만민 공동회 습격, 독립 협회 강제 해산(1898. 12.)

★ 4. 대한 제국의 광무개혁
전제 군주제 기반, 자주적 근대화 목표, 구본신참에 따른 점진적 개혁 추구
• 옛것을 기본으로 하고 새로운 것을 참작한다는 의미이다.

정치	• 대한국 국제 반포: 자주독립 국가 천명, 전제 군주정 명시(황제가 입법·사법·행정·군사권 장악) • 황실 재정 확보: 궁내부에 내장원 설치(→ 정부 재정 흡수), 전환국을 황제 직속으로 전환(→ 백동화 대량 발행) • 자주적 외교 정책 실시: 대한국·대청국 통상 조약 체결(1899), 벨기에·덴마크와 국교 수립, 국제기구 가입(만국 우편 연합 등)
경제	• 양전 사업: 재정 수입 증대와 근대적 토지 소유 제도 확립 목적, 지계 발급 • 토지 소유권을 증명하는 문서이다. • 상공업 진흥 정책: 실업 학교와 각종 기술 교육 기관 수립, 근대적 회사 설립 지원 • 금융 정책: 중앙은행 설립, 금본위 지폐 발행 시도
군사	원수부 설치, 친위대와 진위대 증강, 무관 학교 설립, 징병제 시행 준비 등 • 황제가 대원수로서 군사권을 직접 장악하였다.

대한국 국제(1899)
• 3조에서 군권을, 6조에서 입법·사법·행정을 황제의 권한으로 규정하였다.
제1조 대한국은 만국이 공인한 자주독립 제국이다.
제2조 대한국의 정치는 만세불변의 전제 정치이다.
제3조 대한국 대황제는 무한한 군권(君權)을 누린다.
제6조 대한국 대황제는 법률을 제정하여 그 반포와 집행을 명하고, 대사·특사·감형·복권을 명한다.

01 다음 괄호 안의 내용 중 알맞은 말에 ○표를 하시오.
(1) 제1차 봉기 때 동학 농민군은 (우금치, 황룡촌)에서 정부군을 격파하고 전주성을 점령하였다.
(2) 전주 화약 체결 이후 동학 농민군은 폐정 개혁을 추진하기 위해 (교정청, 집강소)을/를 설치하였다.
(3) 제1차 갑오개혁 때 정부는 재정을 (탁지부, 탁지아문)(으)로 일원화하고 여러 조세 항목을 지세와 호세로 통합하였다.

02 을미개혁 때 실시한 (　　　　　)은 을미의병이 일어나는 배경이 되었다.

03 다음 설명이 맞으면 ○표, 틀리면 ×표를 하시오.
(1) 갑오개혁은 동학 농민 운동의 요구를 전혀 반영하지 못하였다는 한계가 있다. (　　　)
(2) 시모노세키 조약의 체결로 일본이 청에게 랴오둥반도를 할양받자 러시아는 프랑스·독일과 함께 일본을 압박하였다. (　　　)
(3) 안핵사 이용태가 고부 농민 봉기에 가담한 자를 처벌하자 전봉준·손화중 등이 이끄는 농민군은 무장에서 봉기하였다. (　　　)

04 을미사변 이후 고종이 경복궁을 떠나 러시아 공사관으로 피신한 사건은?

05 서재필이 창간한 (　　　　　)은 자주독립과 자유 민권 사상을 전파하는 데 기여하였다.

06 대한 제국은 옛것을 기본으로 하고 새로운 것을 참작한다는 (　　　　　)의 원칙에 따라 광무개혁을 추진하였다.

07 다음에서 설명하는 강령 또는 법령의 내용을 〈보기〉에서 골라 기호를 쓰시오.

보기
ㄱ. 헌의 6조　　ㄴ. 홍범 14조　　ㄷ. 대한국 국제

(1) 고종이 종묘에서 국정 개혁의 기본 강령으로 반포하였다. (　　　)
(2) 독립 협회가 개최한 관민 공동회에서 국정 개혁안으로 제기하였다. (　　　)
(3) 대한 제국이 세계 만국이 공인한 자주독립 국가이며 전제 군주정임을 명시하였다. (　　　)

A 동학 농민 운동

01 다음 가상 일기에 나타난 사건에 대한 설명으로 옳은 것은?

> 1893년 ○○월 ○○일
> 오늘 이곳 충청도 보은에 많은 사람이 모여 들었다. 이들은 교조 최제우가 억울하게 처형당했다며 그 억울함을 풀어 주어야 한다고 말하였다. 나는 그곳에서 또 다른 농민을 만났는데, 그는 조정에 집회의 요구 사항을 전달하고 포교의 자유를 얻어야 한다고 주장하였다.

① 을미개혁을 중단하는 계기가 되었다.
② 프랑스가 병인양요를 일으킨 배경이 되었다.
③ 외세 배격과 같은 정치적 구호가 등장하였다.
④ 농민들이 아전을 처벌하고 만석보를 파괴하였다.
⑤ 유생들이 개화 정책을 반대하는 만인소를 작성하였다.

02 (가)에 들어갈 내용으로 적절한 것은?

> **'새야새야 파랑새야' 다큐멘터리 기획안**
> • 기획 의도: 전봉준의 행적을 중심으로 동학 농민 운동의 역사적 의미를 조망한다.
> • 구성 방안: 동학 농민 운동의 전개 과정을 시간의 흐름에 따라 5부작으로 구성한다.
>
> > 1부: 고부 지방의 접주로 임명되다.
> > 2부: (가)
> > 3부: 황토현에서 관군과 싸워 승리하다.
> > 4부: 집강소를 설치하고 폐정 개혁을 추진하다.
> > 5부: 공주에서 관군과 일본군 부대에게 패배하다.

① 우정총국에서 정변을 일으키다.
② 사발통문을 돌려 봉기를 계획하다.
③ 평등사상을 바탕으로 동학을 창시하다.
④ 구식 군대의 군인들과 궁궐을 공격하다.
⑤ 일본이 경복궁을 점령하자 다시 봉기하다.

03 다음 격문을 발표한 이후 조선의 상황으로 옳은 것을 〈보기〉에서 고른 것은?

> 1. 사람을 죽이거나 가축을 잡아먹지 말라.
> 2. 충효를 다하여 세상을 구하고 백성을 편안케 하라.
> 3. 일본 오랑캐를 몰아내고 나라의 정치를 깨끗이 한다.
> 4. 군대를 몰고 서울로 들어가 권세가와 귀족을 모두 없앤다.
> – 정교, 『대한계년사』

보기
ㄱ. 황룡촌에서 승리한 농민군이 전주성을 점령하였다.
ㄴ. 톈진 조약으로 청군과 일본군이 조선에서 철수하였다.
ㄷ. 동학 농민군이 폐정 개혁을 조건으로 관군과 화약을 체결하였다.
ㄹ. 안핵사 이용태가 봉기에 가담한 자들을 동학교도라는 죄목으로 체포하였다.

① ㄱ, ㄴ　　② ㄱ, ㄷ　　③ ㄴ, ㄷ
④ ㄴ, ㄹ　　⑤ ㄷ, ㄹ

04 지도에 나타난 농민 봉기에서 있었던 일로 가장 적절한 것은?

① 정부는 삼정이정청을 설치하였다.
② 을미사변이 일어나자 의병이 봉기하였다.
③ 홍경래가 영세 농민 등을 이끌어 봉기하였다.
④ 농민군은 외국 군대 철수를 조건으로 해산하였다.
⑤ 손병희가 이끈 농민군과 전봉준이 이끈 농민군이 연합하였다.

B 청일 전쟁과 갑오개혁

05 (가)에 들어갈 내용으로 옳은 것은?

[생방송] 소통하는 한국사

군국기무처의 회의 모습을 묘사한 그림입니다. 이 기구에서 추진한 개혁에 대해 말해 볼까요?

실시간 대화방

6조를 80아문으로 개편하였어요.

(가)

전송

① 교육입국 조서를 발표하였어요.
② 궁내부에 내장원을 설치하였어요.
③ 노비제와 연좌제를 폐지하였어요.
④ 재판권을 재판소로 단일화하였어요.
⑤ 지방 행정 구역을 23부로 개편하였어요.

06 자료를 활용한 탐구 활동으로 가장 적절한 것은?

1. 청에 의존하는 관념을 버리고 자주독립의 기초를 세운다.
4. 왕실 사무와 국정 사무는 분리하여 뒤섞이는 것을 금한다.
7. 조세의 부과와 징수, 경비 지출은 모두 탁지아문에서 관할한다.
14. 문벌 및 지벌에 구애되지 말고, 선비를 두루 구하여 인재를 등용한다.

① 내무부가 설치된 배경을 살펴본다.
② 폐정 개혁안을 제시한 주체를 검색한다.
③ 김홍집·박영효 연립 내각의 활동을 찾아본다.
④ 조선 정부가 교정청을 설치한 이유를 조사한다.
⑤ 흥선 대원군이 재집권하게 된 계기를 알아본다.

출제가능성 90%

07 밑줄 친 '개혁'의 내용으로 옳지 않은 것은?

박영효가 명성 황후 폐위 음모 혐의로 일본에 망명하자, 고종은 친러·친미적인 인물들로 내각을 구성하였다. 이에 위기를 느낀 일본은 미우라 고로를 조선에 공사로 파견하여 을미사변을 일으켰다. 그 결과 김홍집을 중심으로 한 친일 내각이 수립되어 개혁을 추진하였다.

① 경무청을 설치하였다.
② 태양력을 처음 사용하였다.
③ 연호를 건양이라고 정하였다.
④ 종두법을 전국적으로 확대 실시하였다.
⑤ 중앙에 친위대, 지방에 진위대를 편성하였다.

08 (가) 전쟁 시기에 있었던 일로 적절하지 않은 것은?

1894년 조선을 제국주의 열강의 각축장으로 만든 사건이 아산만 풍도 앞바다에서 벌어졌습니다. 일본 해군 함대는 이곳에서 청의 북양함대를 기습 공격해 대승을 거두었고, 이는 곧 ⃞(가)⃞ (으)로 확대되었습니다.

⃞(가)⃞ 역사 탐방, 오늘부터 접수 시작

① 소학교를 설립하였다.
② 8아문제를 실시하였다.
③ 우금치 전투가 일어났다.
④ 조세 항목을 지세·호세로 통합하였다.
⑤ 전봉준 등 농민군 지도자들이 체포되었다.

C 독립 협회와 대한 제국

09 (가) 단체에 대한 설명으로 옳은 것을 〈보기〉에서 고른 것은?

한국사 스피드 퀴즈

(가)

(가) 은/는 독립문을 건립하고, 교육과 산업 진흥, 자주독립 등의 주제로 토론회를 열어 민중을 계몽하였어.

보기

ㄱ. 러시아의 절영도 조차 요구를 저지하였다.
ㄴ. 자발적으로 해체한 후 황국 협회를 결성하였다.
ㄷ. 관민 공동회를 개최하여 헌의 6조를 결의하였다.
ㄹ. 보수적 성향의 관료들이 단체의 창립을 주도하였다.

① ㄱ, ㄴ   ② ㄱ, ㄷ   ③ ㄴ, ㄷ
④ ㄴ, ㄹ   ⑤ ㄷ, ㄹ

☆출제가능성 90%
10 다음 건의안에 대한 설명으로 옳은 것은?

> 2. 광산, 철도, 석탄, 삼림 및 차관 차병과 외국과 조약 맺는 일은 각부 대신 및 중추원 의장이 합동 날인하여 시행할 것
> 3. 전국 재정은 모두 탁지부가 관리하며, 다른 정부 기관과 회사는 간섭하지 못하게 하고 예산·결산을 국민에게 공포할 것
> 4. 모든 중범죄는 공개 재판하되 피고에게 철저히 설명하여 죄를 자복하게 한 후 시행할 것
> 5. 칙임관은 황제가 정부에 자문하여 그 과반수의 의견에 따라 임명할 것

① 갑신정변으로 수립된 신정부가 제시하였다.
② 제2차 갑오개혁의 기본 강령으로 반포되었다.
③ 연좌제 등의 악습, 신분제 폐지를 건의하였다.
④ 황제의 권한을 일부 제한하는 조항을 담고 있다.
⑤ 농민들을 위한 토지 제도 개혁안을 포함하고 있다.

[11~12] 다음을 읽고 물음에 답하시오.

> **한국사 수행 평가**
>
> <u>자료</u>와 관련된 개혁의 성격과 내용을 서술하시오.
>
> | 제1조 | 대한국은 만국이 공인한 자주독립 제국이다. |
> | 제2조 | 대한국의 정치는 만세불변의 전제 정치이다. |
> | 제3조 | 대한국 대황제는 무한한 군권(君權)을 누린다. |
> | 제6조 | 대한국 대황제는 법률을 제정하여 그 반포와 집행을 명하고, 대사·특사·감형·복권을 명한다. |
>
> 답안
> – 성격: 전제 군주제 기반, 자주적 근대화 목표
> – 내용: (가)

11 밑줄 친 '자료'를 분석한 내용으로 적절한 것은?

① 서양 문물의 수용을 거부하였다.
② 동학 농민군이 제시한 개혁안을 반영하였다.
③ 언론·출판·집회·결사의 자유를 추구하였다.
④ 군주가 입법·사법·행정·군사권을 장악하였다.
⑤ 세도 정치로 실추된 왕실의 권위를 회복하고자 하였다.

☆출제가능성 90%
12 (가)에 들어갈 내용으로 옳지 <u>않은</u> 것은?

① 원수부 설치
② 사간원 등 언론 기관 폐지
③ 전환국을 황제 직속으로 전환
④ 실업 학교와 각종 기술 교육 기관 설립
⑤ 중앙은행을 통해 금본위 지폐 발행 시도

13 밑줄 친 '이 문서'를 쓰시오.

> <u>이 문서</u>는 대한 제국 정부가 양전 사업을 추진하면서 토지 소유권을 입증하기 위해 발급하였다. 토지와 가옥 등에 대한 모든 소유권을 포괄하여 관에서 발급한 문서라는 뜻으로 '관계(官契)'라고도 불렸다.

3단계 등급 올리기

01 다음 연극 대본의 (가)에 들어갈 내용으로 가장 적절한 것은?

> 장면 #20. 막이 오르면 법무아문 관리와 들것에 실린 전봉준이 무대 중앙으로 등장한다.
> • 관리: 작년 3월에 무슨 사연으로 고부 등지에서 민중들을 크게 모았는가?
> • 전봉준: 고부 군수의 수탈이 심하여 의거하였다.
> ......
> • 관리: 전주 화약 이후 다시 군대를 일으킨 이유는 무엇이냐?
> • 전봉준: [_____(가)_____]

① 일본인들이 국모를 시해하였기 때문이다.
② 영국군이 거문도를 불법으로 점령하였기 때문이다.
③ 일본군이 경복궁을 침범하여 우리 국왕을 핍박하였기 때문이다.
④ 정부가 개혁을 한다는 명목으로 단발령을 시행하였기 때문이다.
⑤ 일본이 운요호를 강화도로 보내 무력시위로 양민들을 위협하였기 때문이다.

2019 평가원 응용

02 다음 개혁을 시작하였던 시기를 연표에서 옳게 고른 것은?

> 자네 군국기무처에서 과거제 폐지를 결정했다는 이야기를 들었나?

> 물론이지. 이외에도 과부의 재가를 허용하는 등 여러 개혁안을 의결했다고 하더군.

	(가)	(나)	(다)	(라)	(마)	
전주 화약 체결		교정청 설치	청일 전쟁 발발	삼국 간섭	을미사변	아관 파천

① (가)　② (나)　③ (다)　④ (라)　⑤ (마)

★★★최고난도

03 고종이 밑줄 친 '이곳'에 있었던 시기에 볼 수 있는 모습으로 적절하지 않은 것은?

좋아요 232개
오늘의_역사@ 1896년 오늘, 고종이 이곳으로 피신하였습니다. 명성 황후가 시해된 이후 신변의 위협을 느끼던 고종이 중앙군이 지방으로 내려간 틈을 타 궁궐에서 탈출하여 이곳으로 거처를 옮긴 것입니다.
#한국사 #고종 #을미사변 #을미개혁 #단발령 #아관_파천

① 소학교를 다니는 학생
② 독립신문 창간호를 보는 청년
③ 독립 협회 창립식에 참석한 관료
④ 단발령 철회 소식에 기뻐하는 유생
⑤ 환구단에서 즉위식을 거행하는 황제

🌸 서술형 문제

04 다음을 읽고 물음에 답하시오.

연월	토론회의 주요 내용
1898. 3.	우리 국토를 남에게 빌려주는 것은 온당치 못하다.
1898. 4.	중추원을 개편하는 것이 정치상 제일 긴요하다.
1898. 5.	백성의 권리가 높아질수록 임금의 지위가 높아지고, 나라의 힘을 떨칠 수 있다.

(1) 위와 같은 토론회를 개최한 단체를 쓰시오.

(2) (1) 단체가 지향한 정치의 특징을 토론회의 주요 내용을 바탕으로 서술하시오.

04 일본의 침략 확대와 국권 수호 운동

A 러일 전쟁과 일본의 국권 침탈

1. 러일 전쟁 → 러일 전쟁 직전에 대한 제국 정부는 전시 국외 중립을 선언하였다.

배경	중국에서 의화단 운동 발발(1899~1901) → 러시아가 의화단을 진압한 이후에도 만주에 군대 주둔 → 제1차 영일 동맹 체결(1902) → 러시아군이 한국의 용암포 점령(1903) → 일본의 전쟁 준비
전개	일본의 러시아 기습 공격(1904) → 일본 우세(뤼순항 점령, 러시아 발트 함대 격파) → 일본 승리, 포츠머스 조약 체결(1905)

★ 2. 일본의 국권 침탈

한일 의정서 (1904. 2.)	러일 전쟁을 빌미로 한국의 군사적 요충지를 장악, 한국 내정에 간섭
제1차 한일 협약 (1904. 8.)	재정 고문(메가타)과 외교 고문(스티븐스)을 파견 → 한국의 재정과 외교에 본격적으로 간섭
제국주의 열강의 한국 지배 승인	• 가쓰라·태프트 밀약(미국·일본, 1905. 7.) • 제2차 영일 동맹(영국·일본, 1905. 8.) • 포츠머스 조약(러시아·일본, 1905. 9.)
을사늑약 (1905. 11.)	한국의 외교권 박탈, 통감부 설치 → 이토 히로부미를 통감으로 파견, 외교 업무 등 내정 간섭
고종의 강제 퇴위 (1907. 7.)	고종이 네덜란드 헤이그에 특사 파견(1907. 6.) → 일제에 의해 고종 강제 퇴위, 순종 즉위
정미7조약 (한일 신협약, 1907. 7.)	통감의 권한 강화(법령 제정·고등 관리 임면 등 한국의 내정 장악), 부속 각서 체결(차관을 비롯한 주요 관직에 일본인 임명, 대한 제국의 군대 해산)
기유각서(1909)	사법권과 감옥 관리권 강탈
한국의 국권 강탈 (1910. 8.)	경찰권 박탈(1910. 6.) → 한국 병합 조약 체결(국권 상실, 조선 총독부 설치 → 조선 총독이 권력 장악)

• 을사늑약이 무효라는 사실을 알리고 국제 사회의 지원을 받고자 하였다.

을사늑약(제2차 한일 협약, 1905. 11.)

제2조 …… 한국 정부는 지금부터 일본국 정부의 중개를 거치지 않고서는 국제적 성질을 가진 어떠한 조약이나 약속도 맺지 않을 것을 서로 약속한다. → 외교권 박탈

제3조 일본국 정부는 그 대표자로 한국 황제 폐하 밑에 1명의 통감을 두되 통감은 오로지 외교에 관한 사항을 관리하기 위해 경성에 주재하고 직접 한국 황제 폐하를 만날 수 있는 권리를 가진다. → 통감부 실시 — 『고종실록』

을사늑약은 일본의 군사적 위협 속에서 체결되었다. 또한 을사늑약 원본에는 조약의 명칭이 없으며, 황제의 위임과 비준도 받지 않았기 때문에 국제법상으로 무효이다.

B 항일 의병 운동과 의열 투쟁

★ 1. 항일 의병 운동

(1) 을미의병(1895)

배경	일본의 명성 황후 시해(을미사변), 정부의 단발령 실시
전개	유인석·이소응 등 유생 주도로 봉기, 동학 농민군의 잔여 세력과 함께 지방 관청 공격, 개화파 관리·일본군 공격
결과	아관 파천 이후 고종이 단발령 취소, 의병 해산 권고 → 대부분 활동 중단, 일부는 활빈당을 조직하여 투쟁 지속

• 대한사민논설 13조목을 발표하였다.

(2) 을사의병(1905)

배경	러일 전쟁 이후 일본의 침략 본격화, 을사늑약 체결
전개	전직 관료(민종식·최익현) 중심으로 봉기, 평민 출신의 의병장 등장(신돌석)

• 정부군에게 체포되어 쓰시마섬에 끌려가 순국하였다.

(3) 정미의병(1907)

배경	고종의 강제 퇴위, 군대 해산	• 이인영을 총대장, 허위를 군사장으로 추대하였다.
특징	해산 군인의 참여로 전투력 강화, 다양한 계층이 참여	
전개	13도 연합 부대(13도 창의군) 결성 → 각국 영사관에 의병 부대를 국제법상 교전 단체로 인정해 줄 것을 요구, 서울 진공 작전 전개(1908, 일본군에게 패배) → 전국 각지에서 의병 투쟁 지속	
결과	일제의 '남한 대토벌' 작전(1909)으로 의병 활동 위축 → 살아남은 의병들이 만주·연해주 등지로 이동	

2. 을사늑약 반대 투쟁과 의열 투쟁

(1) 을사늑약 반대 투쟁: 고위 관료·유생들의 상소(조약 폐기, 을사5적 처단 요구), 신문 게재(을사늑약의 부당성 규탄), 자결(민영환·조병세 등), 고종의 헤이그 특사 파견(이준·이상설·이위종) 등

• 장지연이 황성신문에 「시일야방성대곡」을 발표하였다.
• 을사늑약 체결에 찬성한 박제순, 이지용, 이근택, 이완용, 권중현을 가리킨다.

(2) 의열 투쟁

기산도	을사5적 처단을 위한 결사대 조직(1906)
나철·오기호	을사5적을 처단하기 위해 자신회 조직(1907)
장인환·전명운	미국 샌프란시스코에서 외교 고문 스티븐스 저격(1908)
안중근	만주 하얼빈에서 이토 히로부미 처단(1909. 10.)
이재명	서울 명동 성당 앞에서 이완용 습격(1909. 12.)

• 『동양 평화론』을 저술하여 일본의 침략을 비판하였다.

C 애국 계몽 운동

1. 애국 계몽 운동의 특징

• 대부분 의병 투쟁에 비판적이었다.

세력	개화 운동, 독립 협회의 활동을 계승한 지식인(사회 진화론 수용)
목표	교육과 언론·산업 진흥을 통한 국민 계몽, 경제적 성장

★ 2. 주요 애국 계몽 운동 단체

보안회 (1904)	• 배경: 러일 전쟁 중 일본이 한국에 황무지 개간권 요구 • 활동: 집회를 열어 황무지 개간권 요구 반대 운동 전개 → 일본의 요구 철회 → 일본의 압력으로 강제 해산
헌정 연구회 (1905)	독립 협회 계승, 입헌 군주제 추구(의회 설립, 입헌 정치 체제 주장), 일진회의 친일 행위 규탄 → 을사늑약 반대 입장을 밝힌 지도부의 체포로 활동 중단
대한 자강회 (1906)	• 결성: 헌정 연구회 계승, 교육과 산업 진흥을 통한 국권 수호, 입헌 군주제 수립 목표 • 활동: 전국에 지회 설치, 월보 간행, 대중 연설 개최 • 해산: 고종 강제 퇴위 반대 운동 전개 → 통감부의 탄압으로 해산
대한 협회 (1907)	대한 자강회 주요 인사와 천도교 간부가 결성, 실력 양성을 통한 국권 회복과 입헌 군주정 지향 → 일제의 탄압으로 활동 약화
신민회 (1907)	• 결성: 안창호·양기탁·이회영·신채호 등이 참여, 비밀 결사 형태로 조직 • 목표: 국권 회복, 공화정 체제의 근대 국민 국가 건설 • 활동: 실력 양성 운동(계몽 강연, 대성 학교·오산 학교 설립, 자기 회사 설립, 태극 서관 운영), 무장 투쟁 준비 (남만주에 독립운동 기지 건설, 신흥 강습소 설립) • 해산: 105인 사건으로 국내 조직 와해(1911)

┗ 일제는 안명근의 독립 자금 모금 활동을 총독 암살 모의로 날조하여 신민회 회원을 비롯한 105인을 체포하였다.

D 독도와 간도

1. 독도

(1) 독도의 역사적 연원

고대	『삼국사기』에 신라 영토로 복속된 사실 기록
고려	우산국이 고려 왕실에 조공, 『고려사』에 독도 기록 ┐ 독도를 우산도로 기록하였다.
조선	• 『세종실록지리지』, 『신증동국여지승람』 등에 독도 기록 • 안용복의 활약: 일본에 독도가 조선의 영토임을 주장
대한 제국	「대한 제국 칙령 제41호」 선포(1900) → 울릉도를 울도군으로 승격, 독도를 울도군의 행정 구역으로 편입

(2) 일제의 독도 편입: 일제가 러일 전쟁 중 독도를 불법적으로 자국 영토에 편입(시마네현 고시, 1905)

2. 간도

(1) 간도를 둘러싼 조선과 청의 분쟁

양국의 동쪽 경계를 결정하는 ● 토문강을 조선은 쑹화강의 지 류로, 청은 두만강으로 주장 하였다.

배경	조선과 청이 양국의 경계를 정하여 백두산정계비를 건립(1712) → 19세기에 비문에 적힌 토문강 해석을 둘러싸고 분쟁 발생
대응	대한 제국이 이범윤을 간도 관리사로 임명(1903)

(2) 청과 일본의 간도 협약 체결(1909): 일본이 만주의 철도 부설 권과 탄광 채굴권을 얻는 대가로 간도를 청의 영토로 인정

을사늑약 체결로 대한 제국의 외교권이 상실된 ● 상태에서 일본이 우리 민족의 의사와 무관하게 간도를 청의 영토로 인정하였다.

---

01 다음 조약이 체결된 순서대로 나열하시오.

> ㄱ. 정미7조약 　　　ㄴ. 한일 의정서
> ㄷ. 한국 병합 조약 　ㄹ. 가쓰라·태프트 밀약

02 일제는 네덜란드 (　　　　)에 특사를 파견한 사건을 빌 미로 고종을 강제 퇴위시키고 순종을 즉위시켰다.

03 다음은 항일 의병 운동을 정리한 표이다. ㉠~㉢에 들어갈 내용을 각각 쓰시오.

구분	계기	특징
을미의병 (1895)	명성 황후 시해(을미사변), (㉠　　) 실시	유인석·이소응 등 유생 주도, 단발령 철회·고종의 권고에 따라 해산
을사의병 (1905)	러일 전쟁 이후 일본의 침략 본격화, 을사늑약 체결	민종식·최익현 등 전직 관료 중심, 평민 출신의 의병장 (㉡　　) 등장
정미의병 (1907)	(㉢　　)의 강제 퇴위, 대한 제국의 군대 해산	해산 군인의 참여로 전투력 강화, 다양한 계층이 참여

04 장인환, 전명운은 미국 샌프란시스코에서 대한 제국의 외교 고문이었던 (　　　　)를 저격하였다.

05 다음에서 설명하는 단체를 〈보기〉에서 골라 기호를 쓰시오.

> **보기**
> ㄱ. 보안회　　ㄴ. 신민회　　ㄷ. 대한 자강회

(1) 평양에 대성 학교, 정주에 오산 학교를 세워 인재를 길렀다. (　　)
(2) 러일 전쟁 중 일제의 황무지 개간권 요구를 반대하는 투쟁을 전개하였다. (　　)
(3) 고종의 강제 퇴위에 반대하는 운동을 전개하였다가 통감부의 탄압을 받아 해산하였다. (　　)

06 일본은 러일 전쟁 중 시마네현 고시로 (　　　　)를 자 국 영토에 불법 편입하였다.

A 러일 전쟁과 일본의 국권 침탈

01 밑줄 친 '이 조약'이 체결된 결과로 옳은 것은?

> 러시아와 일본의 갈등이 고조되자 대한 제국 정부는 국외 중립을 선언하였다. 그러나 일본은 이를 무시한 채 뤼순 항과 인천항에 정박 중인 러시아군을 기습 공격하여 전쟁을 일으켰다. 또한 한성에 군대를 주둔시킨 후 한국에 <u>이 조약</u>을 체결하라고 강요하였다.

① 한국의 외교권이 박탈되었다.
② 대한 제국의 군대를 해산하였다.
③ 한국에 재정·외교 고문이 파견되었다.
④ 일본이 한국의 군사적 요충지를 장악하였다.
⑤ 일본인 차관이 정부의 주요 관직에 임명되었다.

02 (가) 시기 일본의 활동으로 옳은 것을 〈보기〉에서 고른 것은?

> 일본이 러시아를 기습 공격하였다.
> ↓
> (가)
> ↓
> 러시아는 일본과 포츠머스 조약을 맺었다.

〈보기〉
ㄱ. 영국과 제1차 영일 동맹을 체결하였다.
ㄴ. 미국과 가쓰라·태프트 밀약을 체결하였다.
ㄷ. 한국에 제1차 한일 협약 체결을 강요하였다.
ㄹ. 한국의 외교 업무를 대리하는 통감부를 설치하였다.

① ㄱ, ㄴ　　　② ㄱ, ㄷ　　　③ ㄴ, ㄷ
④ ㄴ, ㄹ　　　⑤ ㄷ, ㄹ

주관식

03 다음 조약의 명칭을 쓰시오.

> 제2조 …… 한국 정부는 지금부터 일본국 정부의 중개를 거치지 않고서는 국제적 성질을 가진 어떠한 조약이나 약속도 맺지 않을 것을 서로 약속한다.

[04~05] 다음 자료를 읽고 물음에 답하시오.

> 제1조　한국 정부는 시정 개선에 관하여 통감의 지도를 받을 것
> 제2조　한국 정부의 법령 제정 및 중요한 행정상의 처분은 미리 통감의 승인을 받을 것
> 제4조　한국 고등 관리의 임면은 통감의 동의로써 이를 행할 것
> 제5조　한국 정부는 통감이 추천하는 일본인을 한국 관리에 임명할 것
> 　　　　　　　　　　　　　　　　－「순종실록」

04 위 조약이 체결되기 이전의 사실로 옳은 것을 〈보기〉에서 고른 것은?

〈보기〉
ㄱ. 조선 총독부가 설치되었다.
ㄴ. 일제가 고종을 강제로 퇴위시켰다.
ㄷ. 고종이 헤이그에 특사를 파견하였다.
ㄹ. 일제가 사법권과 감옥 관리권을 강탈하였다.

① ㄱ, ㄴ　　　② ㄱ, ㄷ　　　③ ㄴ, ㄷ
④ ㄴ, ㄹ　　　⑤ ㄷ, ㄹ

05 위 조약에 대한 학생들의 대화 내용으로 가장 적절한 것은?

① 통감부가 설치되는 계기가 되었어.
② 러일 전쟁을 빌미로 체결되었을 거야.
③ 통감이 한국의 내정을 장악하게 되었어.
④ 민영환이 자결하는 원인이 되었을 거야.
⑤ 시일야방성대곡을 작성하는 배경이 되었어.

06 (가) 시기에 일어난 사실로 옳은 것은?

1907. 7.　　　　　　　　　　　　1910. 8.
한국 각 부에 차관 임명　　　　　　　한국 강제 병합
　　　　　　　　　(가)

① 통감부가 세워졌다.
② 을미의병이 일어났다.
③ 한일 의정서를 체결하였다.
④ 보안회가 집회를 개최하였다.
⑤ 일본이 한국의 경찰권을 박탈하였다.

B 항일 의병 운동과 의열 투쟁

출제가능성 90%

07 (가), (나) 격문을 발표한 의병에 대한 설명으로 옳은 것은?

> (가) 국모의 원수를 생각하며 이미 이를 갈았는데 참혹한 일이 더하여 부모에게서 받은 머리털을 풀 베듯이 베어 버리니 이 무슨 변고란 말인가. …… 이에 감히 의병을 일으켜 마침내 이 뜻을 세상에 포고한다.
>
> (나) 오호라 작년 10월에 저들이 한 행위는 만고에 일찍이 없던 일로서, 억압으로 한 조각의 종이에 조인하여 5백 년 전해 오던 종묘사직이 드디어 하룻밤 사이에 망했으니, …… 나라가 이와 같이 망해 갈진대 어찌 한번 싸우지 않을 수 있는가.

① (가) – 서울 진공 작전을 전개하였다.
② (가) – 을사늑약 체결에 반발하여 일어났다.
③ (나) – 민종식, 최익현 등이 의병을 이끌었다.
④ (나) – 고종의 강제 퇴위를 계기로 봉기하였다.
⑤ (나) – 고종의 해산 권고 조직에 따라 해산하였다.

08 다음 상황이 나타났던 시기의 의병 운동에 대한 설명으로 옳은 것을 〈보기〉에서 고른 것은?

> 군사장(허위)은 미리 군비를 신속히 정돈하여 철통과 같이 함에 한 방의 물도 샐 틈이 없는지라. 이에 전군에 전령하여 일제히 전군을 재촉하여 동대문 밖으로 진군하였다. …… 지원군이 이르지 않으므로 할 수 없이 마침내 퇴각하였다. – 대한매일신보

보기
ㄱ. 단발령에 반발하여 일어났다.
ㄴ. 다양한 계층이 지도부를 구성하였다.
ㄷ. 평민 출신의 의병장이 최초로 등장하였다.
ㄹ. 해산 군인들이 가담하여 전투력이 강화되었다.

① ㄱ, ㄴ   ② ㄱ, ㄷ   ③ ㄴ, ㄷ
④ ㄴ, ㄹ   ⑤ ㄷ, ㄹ

09 밑줄 친 '이 작전' 이후 의병이 내세웠을 주장으로 가장 적절한 것은?

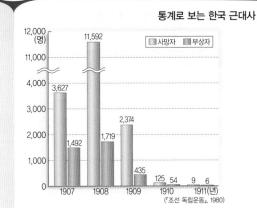

위 그래프는 일본의 진압으로 인한 의병의 피해를 나타낸 것이다. 의병 투쟁이 지속되자 일본은 대대적인 군사 작전으로 의병을 진압하였다. 특히 1909년 호남에서는 일본군이 이 작전을 벌여 의병장 100여 명, 의병 4,000여 명이 체포되거나 학살당하였다.

① 단발령 철회를 이끌어 내자.
② 정부의 서원 철폐 정책에 반대한다.
③ 만주와 연해주에서라도 투쟁을 지속하자.
④ 민씨 일파를 몰아내고 개화당 정부를 세우자.
⑤ 고종은 러시아 공사관에서 나와 환궁해야 한다.

10 다음 인물의 활동으로 옳은 것은?

> 서양 세력이 동양으로 침략의 손길을 뻗어 오고 있는 지금의 환란은 동양 사람이 일치단결해서 막아 내는 것이 최선책임은 어린아이도 다 아는 일이다.

① 을사늑약이 체결되자 자결로 저항하였다.
② 서울 명동 성당에서 이완용을 습격하였다.
③ 만주 하얼빈에 온 이토 히로부미를 처단하였다.
④ 미국 샌프란시스코에서 스티븐스를 저격하였다.
⑤ 자신회를 조직하여 을사5적의 처단을 시도하였다.

C 애국 계몽 운동

11 (가)에 들어갈 내용으로 가장 적절한 것은?

> **애국 계몽 운동을 전개한 주요 단체와 그 활동**
>
> 1. 보안회: _____(가)_____
> 2. 헌정 연구회: 일진회의 친일 행위를 규탄하였다.
> 3. 대한 자강회: 전국에 지회를 설치하고 대중 연설을 개최하였다.
> 4. 대한 협회: 교육 진흥, 산업의 발전을 위한 활동을 전개하였다.
> 5. 신민회: 강연회 등 대중 계몽 활동을 전개하였다.

① 폐정 개혁안을 제시하였다.
② 종로에서 만민 공동회를 개최하였다.
③ 일제의 황무지 개간권 요구를 철회시켰다.
④ 자기 회사를 설립하여 민족 산업을 육성하였다.
⑤ 공화정에 바탕을 둔 근대 국민 국가 건설을 지향하였다.

12 다음 자료를 발표한 단체에 대한 설명으로 옳은 것은?

> 우리나라의 독립은 자강(自强)에 있다. 오늘날 우리 한국은 삼천리강토와 2천만 동포가 있으니 힘써 자강하여 단체가 합하면 부강한 전도를 바랄 수 있고 국권을 능히 회복할 수 있을 것이다. 자강의 방도를 강구하려 할 것 같으면 다른 곳에 있지 않고 교육을 진작하고 산업을 일으키는 데 있다. 교육이 일어나지 않으면 민지(民智)가 열리지 않고, 산업이 일어나지 않으면 국부가 증가하지 못한다. …… 교육과 산업의 발달이 자강의 방도임을 알 수 있을 것이다.

① 국정 개혁안으로 헌의 6조를 건의하였다.
② 대성 학교, 오산 학교를 세워 인재를 길렀다.
③ 안창호, 신채호 등이 비밀 결사로 조직하였다.
④ 태극 서관을 운영하여 계몽 서적을 출판하였다.
⑤ 고종의 강제 퇴위를 반대하는 운동을 주도하였다.

13 밑줄 친 '이 단체'에 대한 설명으로 옳은 것을 〈보기〉에서 고른 것은?

> 이 단체는 자유 문명국을 성립시켜 열국의 보호 아래 공화 정체의 독립국을 만드는 데 목적이 있다고 한다.
> – 『일본 헌병대 기밀 보고』, 1909

> **보기**
> ㄱ. 헌정 연구회를 계승하였다.
> ㄴ. 국외에서 무장 투쟁을 준비하였다.
> ㄷ. 105인 사건으로 국내 조직이 와해되었다.
> ㄹ. 전국에 지회를 설치하고 월보를 발행하였다.

① ㄱ, ㄴ   ② ㄱ, ㄷ   ③ ㄴ, ㄷ
④ ㄴ, ㄹ   ⑤ ㄷ, ㄹ

D 독도와 간도

14 밑줄 친 '석도'에 대한 설명으로 옳지 않은 것은?

> 제1조 울릉도를 울도로 개칭하여 강원도에 부속하고 도감을 군수로 개정하여 관제 중에 편입하고 군등(郡等)은 5등으로 할 것
> 제2조 군청 위치는 태하동으로 정하고 구역은 울릉 전도(全島)와 죽도(竹島), 석도(石島)를 관할할 것
> – 「대한 제국 칙령 제41호」

① 대한 제국이 이범윤을 관리사로 임명한 지역이다.
② 삼국사기에 신라 영토로 편입되었다고 적혀 있다.
③ 안용복이 일본에 건너가 조선 영토임을 주장하였다.
④ 대한 제국 시기 정부가 공식 행정 구역으로 관리하였다.
⑤ 일제가 러일 전쟁 중 불법으로 자국 영토에 편입하였다.

15 밑줄 친 '이 지역'에 대한 설명으로 옳은 것은?

> 19세기 말에 이 지역을 둘러싼 청과 조선의 영토 분쟁이 일어나자, 청은 백두산정계비에 동쪽 경계로 기록된 토문강을 두만강이라고 주장하였고, 조선은 토문강이 쑹화강의 지류라고 주장하였다.

① 조일 수호 조규를 체결한 지역이다.
② 청은 이 지역을 두고 프랑스와 충돌하였다.
③ 베이징 조약으로 러시아가 획득한 지역이다.
④ 세종실록지리지에서 이곳을 우산도로 기록하였다.
⑤ 청은 일본과 협약을 체결하여 이 지역을 획득하였다.

3단계 등급 올리기

2020 수능 응용

01 다음 두 사건 사이에 있었던 사실로 옳은 것은?

> • 러일 전쟁을 일으킨 일본은 한반도에서 전략상 필요한 지역을 임의로 사용할 수 있다는 내용의 한일 의정서를 강제로 체결하였다.
> • 고종이 강제 퇴위당하고 군대가 해산된 후 의병들이 13도 창의군을 결성하여 서울 진공 작전을 감행하였다.

① 을미의병이 일어났다.
② 105인 사건이 일어났다.
③ 대한 제국이 외교권을 빼앗겼다.
④ 동학 농민군이 전주성을 점령하였다.
⑤ 대한 제국이 전시 국외 중립을 선언하였다.

★★★ 최고난도
02 다음 신문에 보도된 '의병'에 대한 설명으로 옳은 것을 〈보기〉에서 고른 것은?

> **한국사 신문**
>
> "일본의 노예로 사느니 자유민으로 죽는 것이 낫습니다."
> – 영국 외신 기자의 의병 인터뷰
>
>
> ↑ 경기도 양평에 집결한 의병
>
> 5, 6명의 의병이 마당에 들어와 내 앞에서 정렬하더니 경례하였다. 그들은 모두 18세에서 26세 정도의 청년들이었다. 영리하게 보이고 용모가 단정한 한 청년은 아직도 대한 제국 정규군의 구식 제복을 입고 있었고, 다른 사람들은 군복 바지를 입었다. 이들 중 두 사람은 흐느적거리는 낡아 빠진 한복을 입고 있었다.

> 보기
> ㄱ. 고종의 권유로 자진 해산하였다.
> ㄴ. 해산 군인의 참여로 전투력이 강화되었다.
> ㄷ. 만주에 독립운동 기지로 신흥 강습소를 건설하였다.
> ㄹ. 각국 영사관에 국제법상 교전 단체로 인정해 줄 것을 요구하였다.

① ㄱ, ㄴ   ② ㄱ, ㄷ   ③ ㄴ, ㄷ
④ ㄴ, ㄹ   ⑤ ㄷ, ㄹ

03 밑줄 친 '이 단체'에 대한 설명으로 가장 적절한 것은?

한국사 뮤지컬 기획 회의

애국 계몽 운동 단체인 이 단체를 소재로 한 뮤지컬에 어떤 장면을 넣어 볼까?

미국에서 귀국한 안창호가 비밀리에 신채호, 양기탁, 이회영을 만나는 모습을 연출해 보자.

오산 학교 개교식에서 이승훈이 연설하는 장면도 재현하자.

① 자기 회사를 설립하였다.
② 백두산정계비를 건립하였다.
③ 서울 진공 작전을 전개하였다.
④ 을사5적의 처단을 시도하였다.
⑤ 입헌 군주제 수립을 추구하였다.

서술형 문제

04 다음을 읽고 물음에 답하시오.

> 제1조 청과 일본 두 나라 정부는 도문강(두만강)을 청과 한국의 국경으로 하고 강 원천지에 있는 정계비를 기점으로 하여 석을수(石乙水)를 두 나라의 경계로 한다.
> 제2조 청 정부는 이전과 같이 도문강 이북의 개간지에 한국 국민이 거주하는 것을 승인한다.

(1) 위 조약의 명칭을 쓰시오.

(2) 위 조약의 체결 과정과 결과를 서술하시오.

05 개항 이후 경제적 변화

A 열강의 경제 침탈

1. 개항 초기 일본과의 무역 활동

(1) 강화도 조약의 부속 조약: 조일 수호 조규 부록(거류지 범위 설정, 개항장에서 일본 화폐 유통 허용), 조일 무역 규칙 (곡물 수출입 허용, 관세 규정 미비)

(2) 거류지 무역: 개항장 주변 10리 이내로 일본인의 활동 범위 제한 → 객주·여각·보부상의 중개 무역 전개

(3) 미·면 교환 체제: 일본이 영국산 면제품 중계 무역, 조선의 곡물 대량 수입 ┌ 일본 상인은 주로 조선의 쌀, 콩, 소가죽, 금 등을 사들여 일본에 팔아 차익을 남겼다.

(4) 영향: 조선의 곡물 가격 폭등, 조선의 면방직 수공업 타격

★ 2. 청·일본 상인의 상권 침탈

(1) 조청 상민 수륙 무역 장정(1882): 청 상인이 한성과 양화진에 점포 설립, 개항장 밖에서 활동 가능, 영사 재판권 규정

(2) 조일 통상 장정(1883): 관세 부과, 일본에 최혜국 대우 인정

(3) 영향: 외국 상인의 내륙 시장 진출, 청·일본 상인의 상권 경쟁 → 중개 상인 몰락, 조선 상인들의 상권 위협

> **조청 상민 수륙 무역 장정(1882)**
> 조선 상인은 베이징에서, 청 상인은 양화진과 서울에 들어가 영업소를 개설할 수 있도록 허락하는 외에 각종 화물을 내륙에 운반하여 점포를 차리는 것을 금지한다. 필요한 경우 각각 자기 측 상무위원에게 제기해야 하고, 상무위원은 …… 증명서를 발급해 준다.

조청 상민 수륙 무역 장정 체결에 따른 청 상인의 특권은 최혜국 대우 규정에 따라 다른 나라 상인들도 동일하게 보장받았다.

3. 열강의 이권 침탈
아관 파천으로 러시아의 정치적 영향력 증대, 경제적 이권 차지 → 다른 열강도 최혜국 대우 조항을 내세워 이권 침탈(철도, 광산, 삼림, 어업, 전기 등)

┌ 고종은 러시아를 비롯한 열강들이 왕실을 보호해 줄 것을 기대하고 이권을 넘겨주었다.

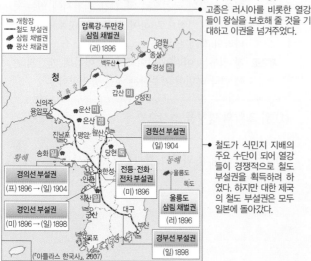

범례:
🏳 개항장
— 철도 부설권
🌲 삼림 채벌권
⛏ 광산 채굴권

압록강·두만강 삼림 채벌권 (러) 1896

경원선 부설권 (일) 1904

전등·전화·전차 부설권 (미) 1896

울릉도 삼림 채벌권 (러) 1896

경부선 부설권 (일) 1898

경의선 부설권 (프) 1896 → (일) 1904

경인선 부설권 (미) 1896 → (일) 1898

『아틀라스 한국사』, 2007

↑ 철도가 식민지 지배의 주요 수단이 되어 열강들이 경쟁적으로 철도 부설권을 획득하려 하였다. 하지만 대한 제국의 철도 부설권은 모두 일본에 돌아갔다.

↑ 열강의 이권 침탈

★ 4. 일본의 금융 지배와 토지 약탈

┌ 전환국을 폐쇄하였다.

금융 지배	• 화폐 정리 사업(1905): 재정 고문 메가타의 주도 → 상평통보와 백동화를 일본 제일 은행권으로 교환(사업 자금을 일본 차관으로 조달) → 국내 상인 몰락, 거액의 국채 발생 • 재정 장악: 재무서·재무 감독국 설치(징세 업무 관장), 역에 딸린 토지의 소작료와 홍삼 전매 수입의 국유화
토지 약탈	고리대 등으로 한국 토지 매입, 러일 전쟁 후 대규모 토지 약탈(철도 부지와 군용지 확보 명분) → 동양 척식 주식회사(1908)가 국유화한 황실 소유 토지를 일본인들에게 싼값에 판매

> **화폐 정리 사업**
> 백동화의 품질, 무게, 인상(印象), 모양이 정화(正貨)로 인정받을 만한 것(갑종)을 1개당 2전 5리의 가격으로 새 화폐로 교환해 준다. 이 기준에 합당하지 않은 부정 백동화(을종)는 1개당 1전의 가격으로 정부에서 매수한다. …… 단, 형태나 품질이 조악한 백동화(병종)는 매수하지 않는다.   — 탁지부령 제1호

일본은 대한 제국의 백동화를 갑종·을종·병종으로 나누어 감정하였다. 그중 을종은 4할의 가치로 교환하였으며, 병종은 교환을 거부하였다.

B 상공업 진흥과 경제적 구국 운동

1. 상권 수호 노력

(1) 배경: 임오군란 이후 외국 상인들의 내륙 시장 진출

(2) 전개

개성 상인	수출입 유통 참여 → 서울 이북 지역의 상권 유지
경강 상인	일본인들의 세곡 운반 독점에 반발 → 증기선 구입
시전 상인	황국 중앙 총상회 결성(1898) → 외국 상인의 국내 상업 활동 제한, 한국 상인의 상권 보호 노력

2. 이권 수호 노력

(1) 배경: 아관 파천 이후 열강의 경제적 이권 침탈

(2) 전개 ┌ 미국, 일본, 영국의 철도 부설이나 광산 채굴 요구에 대해서는 서구의 자본과 기술을 도입할 기회로 여겨 환영하였다.

독립 협회	만민 공동회에서 이권 수호 운동 전개(1898) → 러시아의 절영도 조차 요구 저지, 한러 은행 폐쇄 등
보안회	일본의 황무지 개간권 요구 철회(1904)

┌ 일부 자본가와 관리들이 농광 회사를 설립하여 황무지를 직접 개간할 것을 주장하기도 하였다.

3. 근대적 기업 육성

상회사	1880년대부터 같은 업종의 상인들이 함께 투자하여 설립(대동 상회, 장통 상회 등)
은행	조선은행, 한성은행, 대한 천일 은행 등 설립
기타	제조업(종로 직조사·한성 제직 회사), 상업·무역업(마포 마상 회사), 해운업(대한 협동 우선 회사·인천 우선 회사), 철도업 등

└ 대개 내·외아문의 회사 규정에 올려 허가를 받는 관허 방식의 회사였다.

★ 표시는 시험 전에 확인해 주세요.

★ 4. 방곡령 선포

배경	• 일본으로 곡물 수출 → 국내 곡물 가격 폭등 • 조일 통상 장정 체결(1883, 방곡령 선포 규정 마련)
전개	함경도·황해도 등의 지방관이 곡물의 유출을 막는 방곡령 선포
결과	일본의 요구로 방곡령 철회, 배상금 지불

> **조일 통상 장정 제37관(1883)**
> 조선국에서 가뭄과 홍수, 전쟁 등의 일로 인하여 국내에 식량이 결핍될 것을 우려하여 일시적으로 곡물 수출을 금지하려고 할 때에는 반드시 1개월 전에 지방관이 일본 영사관에게 통지하여 미리 그 기간을 항구에 있는 일본 상인들에게 전달하여 일률적으로 준수하는 데 편리하게 한다.

함경도, 황해도의 지방관은 조일 통상 장정에 따라 1개월 전에 방곡령 실시를 알렸으나, 일본은 통보를 늦게 받았다는 구실로 방곡령 철회를 강요하였다.

★ 5. 국채 보상 운동(1907)
→ 통감부는 식민지화의 토대를 닦기 위한 각종 시설을 만드는 데 차관을 사용하였다.

배경	일제의 차관 도입 강요 → 대한 제국의 재정이 일본에 예속 → 일본에 진 빚을 국민의 힘으로 갚자는 국채 보상 운동 전개
전개	대구에서 시작 → 국채 보상 기성회 조직, 각종 단체와 언론 기관(대한매일신보 등)의 참여 → 여러 국채 보상 운동 단체 설립, 전국적인 모금 운동 전개(금연, 음주 절제, 패물 헌납 등)
결과	통감부의 탄압(대한매일신보의 양기탁을 성금 횡령의 누명을 씌워 구속), 고위 관료와 부유층의 불참 등으로 실패

> **국채 보상 운동 취지서** → 당시 대한 제국 정부의 1년 예산과 맞먹었다.
> 국채 1,300만 원은 대한 제국의 존망에 직결된 것이라. 국채를 갚으면 나라가 존재하고, 갚지 못하면 나라가 망할 것은 필연적인 사실이다. …… 국채를 갚는 방법으로는 2천만 인민들이 3개월 동안 금연하고, 그 대금으로 한 사람이 매달 20전씩 모은다면 1,300만 원을 모을 수 있을 것이다.

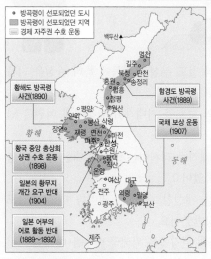

◑ 경제적 자주권 수호 운동

01 다음 내용에 해당하는 조약을 〈보기〉에서 골라 기호를 쓰시오.

> **보기**
> ㄱ. 조일 무역 규칙   ㄴ. 조일 통상 장정
> ㄷ. 조일 수호 조규 부록   ㄹ. 조청 상민 수륙 무역 장정

(1) 청 상인이 한성과 양화진에 영업소를 설립할 수 있었다. (　　)

(2) 수출입 상품에 관세를 부과하고 일본에 최혜국 대우를 인정하였다. (　　)

(3) 일본 상인의 곡물 수출입을 허용하였으며, 관세 관련 규정이 미비하였다. (　　)

(4) 일본인의 거류지 범위를 설정하였으며, 개항장에서 일본 화폐 유통을 허용하였다. (　　)

02 개항 초기의 일본인은 개항장 주변 (　　　　) 이내로 활동 범위가 제한되었다.

03 아관 파천 이후 제국주의 열강들이 경제적 이권을 요구할 때 내세운 조항은?

04 1905년 재정 고문 메가타가 추진한 (　　　　)으로 국내 상인이 몰락하고 거액의 국채가 발생하였다.

05 다음 설명이 맞으면 ○표, 틀리면 ×표를 하시오.

(1) 일본은 보안회의 활동으로 황무지 개간권 요구를 철회하였다. (　　)

(2) 독립 협회는 만민 공동회에서 한러 은행 폐쇄 등의 이권 수호 운동을 전개하였다. (　　)

(3) 서울의 시전 상인은 황국 협회를 결성하여 한국 상인의 상권을 보호하려고 하였다. (　　)

06 함경도, 황해도 등의 지방관은 곡물의 유출을 막기 위해 조일 통상 장정의 규정에 근거하여 (　　　　)을 선포하였다.

07 대한 제국의 국채를 갚기 위해 1907년에 대구에서 시작된 모금 운동은?

A 열강의 경제 침탈

01 다음과 같이 전개된 무역의 영향을 〈보기〉에서 고른 것은?

> **보기**
> ㄱ. 조선의 곡물 가격이 폭락하였다.
> ㄴ. 조선의 면방직 수공업이 쇠퇴하였다.
> ㄷ. 객주·여각이 중개 무역으로 성장하였다.
> ㄹ. 외국 상인이 조선의 내륙 시장에 진출하였다.

① ㄱ, ㄴ   ② ㄱ, ㄷ   ③ ㄴ, ㄷ
④ ㄴ, ㄹ   ⑤ ㄷ, ㄹ

출제가능성 90%
02 (가), (나) 조약에 대한 설명으로 옳은 것은?

> (가) 조선 정부에서 어떠한 권리와 특전 및 혜택과 우대를 다른 나라 관리와 백성에게 베풀 때에는 일본국 관리와 백성도 마찬가지로 일체 그 혜택을 받는다.
> (나) 조선 상인은 베이징에서, 청의 상인은 양화진과 서울에 들어가 영업소를 개설할 수 있도록 허락하는 외에 각종 화물을 내륙에 운반하여 점포를 차리는 것을 금지한다. 만일 필요한 경우 각각 자기 측 상무위원에게 제기해야 하고, 상무위원은 …… 증명서를 발급해 준다.

① (가) - 일본 상인의 거류지를 설정하였다.
② (가) - 일본의 영사 재판권에 대한 내용을 포함하였다.
③ (나) - 갑신정변을 계기로 체결되었다.
④ (나) - 최혜국 대우를 처음으로 규정하였다.
⑤ (가), (나) - 청일 상인 간의 상권 경쟁이 치열해지는 배경이 되었다.

출제가능성 90%
03 다음과 같은 상황이 일어나게 된 배경으로 옳은 것을 〈보기〉에서 고른 것은?

> 청일 양국 상인 모두 점점 많아지고 상업은 더욱 광범위해졌다. 청일의 상인들은 큰 거리의 요지에 노점을 개설하는 자가 날로 늘어났다. 그 영향은 잡화 상점에까지 파급하여 도성 내 모든 조선 상인이 불평불만을 일으키는 지경에 이르렀다.   – 『일본 외교 문서』

> **보기**
> ㄱ. 일본 화폐의 유통이 허용되었다.
> ㄴ. 일본이 최혜국 대우를 인정받았다.
> ㄷ. 청과 일본이 톈진 조약을 체결하였다.
> ㄹ. 청 상인이 개항장 밖에서 활동할 수 있었다.

① ㄱ, ㄴ   ② ㄱ, ㄷ   ③ ㄴ, ㄷ
④ ㄴ, ㄹ   ⑤ ㄷ, ㄹ

04 교사의 질문에 대한 학생의 답변으로 적절하지 않은 것은?

아관 파천 이후 미국이 차지한 평안도 운산 금광입니다. 이 시기에 전개된 열강의 이권 침탈에 대해 설명해 볼까요?

① 일본은 조선의 철도 부설권 획득에 특히 관심을 기울였어요.
② 고종은 왕실의 보호를 기대하며 열강에게 이권을 넘겨주었어요.
③ 아관 파천을 계기로 러시아는 조선에 대한 정치적 영향력을 강화하였어요.
④ 한성에 점포를 개설할 수 있는 권리를 다른 열강도 동일하게 보장받았어요.
⑤ 미국, 독일 등의 열강들은 최혜국 대우를 내세워 조선에 경제적 이권을 요구하였어요.

출제가능성 90%

05 다음 공고문에 따라 추진된 사업에 대한 설명으로 옳지 <u>않은</u> 것은?

> **탁지부령 제1호**   1905. 6. 29.
>
> **구 백동화 교환에 관한 건**
>
> 제1조   구 백동화 교환에 관한 사무를 금고로 처리하도록 하며 탁지부 대신이 이를 감독한다.
> 제2조   교환을 위하여 제공한 구 백동화를 모두 화폐 감정 인이 감정하도록 한다. 화폐 감정인은 탁지부 대신 이 임명한다.
> 제3조   백동화의 품질, 무게, 인상(印象), 모양이 정화(正貨)로 인정받을 만한 것(갑종)을 1개당 2전 5리의 가격으로 새 화폐로 교환해 준다. 이 기준에 합당하지 않은 부정 백동화(을종)는 1개당 1전의 가격으로 정부에서 매수한다. …… 형태나 품질이 조악한 백동화(병종)는 매수하지 않는다.

① 일본인 재정 고문 메가타가 주도하였다.
② 전환국에서 새 화폐를 발행하도록 하였다.
③ 백동화를 일본 제일 은행권으로 바꾸게 하였다.
④ 한국의 상인들이 큰 타격을 입는 계기가 되었다.
⑤ 일본의 차관을 도입하여 사업 자금을 조달하였다.

06 다음 건물이 건립된 당시에 볼 수 있는 모습으로 적절하지 <u>않은</u> 것은?

↑ 동양 척식 주식회사(경성)

① 한국으로 이주하는 것을 고민하는 일본 농민
② 황실 소유 토지를 판매하는 광고를 보는 청년
③ 일본의 황무지 개간권 요구에 반대하는 지식인
④ 철도 부지 확보를 빌미로 토지를 약탈하는 일본군
⑤ 고리대를 갚지 못해 일본 상인에게 토지를 파는 농민

B 상공업 진흥과 경제적 구국 운동

07 밑줄 친 부분에 해당하는 활동으로 옳지 <u>않은</u> 것은?

> 외국 상인들이 조선의 내륙 시장에 진출하면서 개항장에서 중개 무역을 담당하였던 객주, 여각 등의 상권은 위축되기 시작하였다. 이에 <u>국내 상인들은 외국 상인들의 상권 침탈에 대응하고, 근대적 기업을 설립하여 외국의 경제 침략에 맞섰다.</u>

① 시민들과 함께 동맹 철시 투쟁을 전개하였다.
② 대동 상회, 장통 상회 등 상회사를 설립하였다.
③ 황국 중앙 총상회를 조직하여 상권 수호에 나섰다.
④ 해운, 철도 분야에서 회사를 세우는 데 참여하였다.
⑤ 선대제를 통해 상품을 생산하는 방식을 채용하였다.

08 다음에서 설명하는 상업 기관을 쓰시오.

> 개항 이후 같은 업종의 상인들이 투자하여 설립한 근대적 회사이다. 대개 내·외아문에 회사 규정을 올려 허가를 받는 관허 방식의 회사였다.

09 (가)에 들어갈 금융 기관으로 옳은 것은?

① 조선은행   ② 한성은행
③ 대한 천일 은행   ④ 일본 제일 은행
⑤ 조선 상업 은행

10 (가)에 대한 설명으로 가장 적절한 것은?

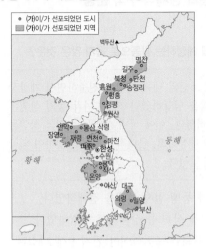

- (가)이/가 선포되었던 도시
- (가)이/가 선포되었던 지역

백두산
명찬
길주
북청 · 단천
흥원 · 송정리
함흥
정평
원산
안악 봉산 삭령
장연 재령 연천 · 마전
파주 · 한성
수원
평택
직산
온양
여산 · 대구
의령 · 밀양
부산
동해
황해

① 시전 상인이 철시를 단행하였다.
② 경강상인이 증기선을 구입하였다.
③ 전·현직 관료들이 회사를 설립하였다.
④ 국채를 갚기 위해 국민들이 성금을 모았다.
⑤ 지방관이 곡물의 수출을 금지하는 명령을 내렸다.

11 다음 조항을 활용한 탐구 활동으로 가장 적절한 것은?

제37관 조선국에서 가뭄과 홍수, 전쟁 등의 일로 인하여 국내에 식량이 결핍할 것을 우려하여 일시적으로 곡물 수출을 금지하려고 할 때에는 반드시 1개월 전에 지방관이 일본 영사관에게 통지하여 미리 그 기간을 항구에 있는 일본 상인들에게 전달하여 일률적으로 준수하는 데 편리하게 한다.
— 조일 통상 장정

① 조선이 거액의 차관을 받게 된 배경을 알아본다.
② 일본이 방곡령의 취소를 요구한 근거를 살펴본다.
③ 조선이 일본과의 무관세 무역 문제를 해결해 나간 과정을 정리한다.
④ 일본 상인이 개항장을 벗어나 조선의 상권을 장악해 나간 과정을 조사한다.
⑤ 일본인이 조선에서 불법 행위를 저질러도 조선 관리의 처벌을 받을 수 없던 이유를 알아본다.

12 다음 취지서를 발표한 운동에 대한 설명으로 옳지 <u>않은</u> 것은?

국채 1,300만 원은 대한 제국의 존망에 직결된 것이라. 국채를 갚으면 나라가 존재하고, 갚지 못하면 나라가 망할 것은 필연적인 사실이다. …… 국채를 갚는 방법으로는 2천만 인민들이 3개월 동안 금연하고, 그 대금으로 한 사람이 매달 20전씩 모은다면 1,300만 원을 모을 수 있을 것이다.
— 대한매일신보

① 일본이 강요한 차관을 갚기 위해 일어났다.
② 경제적 주권을 지키기 위한 구국 운동이었다.
③ 국채 보상 기성회 등 여러 단체가 참여하였다.
④ 독립신문과 만민 공동회가 적극적으로 주도하였다.
⑤ 일본의 방해와 탄압으로 큰 성과를 거두지 못하였다.

13 밑줄 친 '의연금'을 모으기 위해 당시 사람들이 전개한 활동으로 적절하지 <u>않은</u> 것은?

의연금 명단

처음 서상돈 씨가 발의한 이래 본 신문사에서 현재까지 수합한 <u>의연금</u> 총액은 14만 3천여 전입니다.

명단	내역
서울 김일당 외	매끼에 밥 한 그릇 감하여 모은 쌀값 2원 70전
서울 약방업자 178명	금연하고 모은 의연금 603원 75전
대구 부인 227명	구화 407냥, 신화 189원 90전, 쌍가락지 등 패물 5점
양근 분원 초동 및 백정	땔감과 짚신 판 값 3원 40전

① 비녀와 반지를 팔아 성금을 냈다.
② 전국에 모금 운동 단체를 만들었다.
③ 양기탁을 성금 횡령으로 고소하였다.
④ 언론을 통해 모금 운동을 홍보하였다.
⑤ 국채를 국민의 힘으로 갚자고 주장하였다.

2020 수능 응용

01 다음 가상 대화의 된 배경이 된 사실로 가장 적절한 것은?

> 여보게. 청 상인이 한성과 양화진에 영업소를 개설할 수 있게 되었다네.

> 정부의 허가를 받으면 청 상인이 내륙에서도 활동할 수 있게 되었으니 우리 조선 상인들에게 피해가 있을까 봐 걱정이야.

① 청군이 갑신정변을 진압하였다.
② 청과 일본이 톈진 조약을 체결하였다.
③ 조청 상민 수륙 무역 장정이 체결되었다.
④ 대한 제국이 청과 통상 조약을 체결하였다.
⑤ 청의 알선으로 조미 수호 통상 조약이 체결되었다.

02 (가)~(라)에 대한 설명으로 옳은 것을 〈보기〉에서 고른 것은?

개항 이후 경제적 구국 운동이 주는 교훈

○○고등학교는 20□□년 교과 중점 학교로 선정되어 방과 후 스마트 교실에서 다음과 같은 초청 특강을 마련하였습니다. 한국사와 경제에 관심 있는 학생들의 많은 참여 바랍니다.

⊙ 강의 주제 ⊙
• 1강(9/5): 방곡령의 선포 ─────── (가)
• 2강(9/6): 독립 협회의 활동 ─────── (나)
• 3강(9/7): 황국 중앙 총상회의 활동 ─── (다)
• 4강(9/8): 보안회의 활동 ─────── (라)

보기
ㄱ. (가) – 쌀 유출을 금지하였다.
ㄴ. (나) – 러시아의 절영도 조차 요구를 규탄하였다.
ㄷ. (다) – 대동 상회, 장통 상회를 설립하였다.
ㄹ. (라) – 대구에서 국채 보상 운동을 전개하였다.

① ㄱ, ㄴ   ② ㄱ, ㄷ   ③ ㄴ, ㄷ
④ ㄴ, ㄹ   ⑤ ㄷ, ㄹ

★★★최고난도

03 (가)에 대한 설명으로 적절한 것은?

한국사 신문

| (가) | 기록물, 유네스코 세계 기록 유산에 등재 |

⬆ 국채 담보금 영수증

…… 유네스코 심사회에서는 국채를 앞세운 일제의 경제적인 침략에 맞서 전 국민이 전개한 기부 운동을 자세히 기록하였으며, 중국, 멕시코, 베트남 등 제국주의 침략을 받은 여러 국가에서도 한국과 유사한 방식으로 국민적 모금 운동이 연이어 일어났다는 점에서 이 기록물이 세계사적 의의를 지닌다고 평가하였다.

---

① 대구에서 시작하여 전국으로 확산되었다.
② 정부 관료들이 설립한 농광 회사도 참여하였다.
③ 일본이 실시한 화폐 정리 사업으로 타격을 받았다.
④ 조일 통상 장정의 규정을 근거로 일본의 반발을 샀다.
⑤ 외국 상인들의 점포 철수를 요구하였던 상권 수호 운동이었다.

🌱서술형문제

04 다음과 같은 인식이 등장하게 된 배경을 외국 상인의 내륙 진출 과정과 연관 지어 서술하시오.

> 요즈음 서양 제국에서는 모두 회사를 설립하여 상인을 부르고 있는데, 실로 부강의 기초라 하겠다. …… 대체로 회사란 여러 사람이 자본을 합하여 농공과 상업의 사무를 잘 아는 사람들에게 맡겨 운영하는 것이다.
> – 「회사설」, 1883

06 개항 이후 사회·문화적 변화

A 근대 문물의 수용과 사회·문화의 변화

★ 1. 근대 문물의 도입

통신	• 전신: 나가사키~부산 사이를 잇는 해저 전신 개통(1884, 일본) → 인천~서울~의주 사이를 잇는 육로 전신 개통(1885, 청) • 우편: 우정총국 설립(1884), 갑신정변 이후 중단 → 갑오개혁 때 재개(1895) → 국제 우편 업무 실시(1900) • 전화: 경운궁에 최초 설치 → 시내 전화 업무 개시
전기	경복궁에 최초로 전등 설치(1887), 한성 전기 회사 설립(1898)
교통	• 전차: 한성 전기 회사가 서대문~청량리 노선 부설(1899) • 철도: 경인선(1899), 경부선(1905), 경의선(1906) 개통
의료	• 광혜원(1885, 이후 제중원·세브란스 병원으로 개칭) ┐ 일본이 군사적 목적으로 부설 하였다. • 광제원(1900, 이후 대한 의원으로 확대 개편) • 기타: 지석영의 종두법 실시, 자혜 의원 설치(지방 의료)

└ 지석영의 건의로 정부가 설립하였다.

2. 생활 모습의 변화
┌ 여성들이 외출할 때 쓰던 옷으로, 서양식 복제가 도입되면서 양산이 이를 대신하기도 하였다.

의생활	단발과 양복 허용, 서양식 예복과 제복 착용, 개량 한복 등장, 장옷과 쓰개치마 소멸, 마고자·조끼 등장
식생활	서양식 요리와 커피 전래, 중국 음식(호떡·찐빵)과 일본 음식(우동·어묵·초밥) 소개, 겸상·두레상이 나타남
주생활	서양·일본 건축 양식 도입(러시아 공사관·영국 공사관·명동 성당·정동 교회·덕수궁 정관헌·덕수궁 석조전 등)
기타	근대식 운동 경기 보급(야구·축구·테니스 등)

3. 국외 이주 동포의 생활

(1) 배경: 제국주의 열강의 경제적 침탈로 민중의 삶 악화 → 기근·빈곤·수탈을 피해 국외로 이주 증가

(2) 만주·연해주: 1860년대부터 이주, 한인 사회 형성 → 1910년 전후 항일 운동가 망명, 독립운동 기지 건설

(3) 일본: 1910년 이전에는 유학생 위주 → 제1차 세계 대전 이후 노동 이민 증가

(4) 미주: 하와이 농장의 사탕수수 노동자로 이주 시작(1903) → 미국 서부 지역, 멕시코 등지로 재이주

4. 문예와 종교의 변화

(1) 문예의 변화
┌ 신교육·계급 타파 등 문명 개화를 주제로 하였다.

문학	역사·전기 소설(박은식의 『서사건국지』, 장지연의 『애국부인전』), 신체시(최남선의 「해에게서 소년에게」), 신소설(이인직의 『혈의 누』, 이해조의 『화의 혈』·『자유종』, 안국선의 『금수회의록』) 등 등장
음악	창가(서양식 곡과 우리말 가사) 유행 ┐ 서양식 군악대 설치, 창의 가·용병가 등장, 창극 유행 └ 동물들을 주인공으로 하여 인간 사회를 풍자하였다.
미술	서양 화풍 도입 → 유화 등장
연극	현대식 극장인 원각사 설립 → 「은세계」 공연

(2) 종교계의 변화

유교	박은식의 유교구신론 제기(교화 활동과 실천적 유교 정신 강조)
불교	한용운의 『조선불교유신론』 저술(조선 불교의 자주성 수호)
동학	손병희가 천도교로 개칭, 민족의식 고취 노력(사립 학교 설립, 기관지로 『만세보』 발행)
대종교	나철(나인영)·오기호 등이 단군 신앙을 기반으로 창시(1909), 국권 피탈 이후 만주 지역으로 교단을 옮겨 포교 확대
천주교	프랑스와의 수교로 포교의 자유 인정(1886), 소학교·고아원·양로원 등 설립, 경향신문 발행
개신교	병원·학교 설립, 여성 교육과 사회봉사 활동 전개

B 근대 의식의 확대

★ 1. 근대 교육의 확산

(1) 교육 발달의 배경: 외국의 선진 학문 수용, 민권 의식·평등 사상·민족의식 고취

(2) 교육의 발달 과정

개항 초기	함경도 덕원에서 원산 학사 설립(최초의 근대식 사립 학교, 1883), 정부가 동문학(1883)·육영 공원(1886) 등의 교육 기관 설립, 개신교 선교사들이 배재 학당(1885)·이화 학당(1886) 등의 근대 학교 설립
갑오개혁 시기	교육입국 조서 반포(1895) → 한성 사범 학교 등 다양한 관립 학교 수립
광무개혁 시기	많은 실업 학교 설립, 유학생 파견(근대 문물 학습)
을사늑약 전후	대성 학교·오산 학교 등의 사립 학교 설립(민족 교육)

└ 일제는 1908년 사립 학교령을 공포하여 사립 학교 설립을 제한하였다.

> **교육입국 조서(1895)**
> 세계의 정세를 보면 부강하고 독립하여 사는 모든 나라는 다 국민의 지식이 밝기 때문이다. 이제 짐은 정부에 명하여 널리 학교를 세우고 인재를 길러 새로운 국민의 학식으로써 국가 중흥의 큰 공을 세우고자 하니, 국민은 나라를 위하는 마음으로 덕과 체와 지를 기를지어다. 왕실의 안전이 국민의 교육에 있고, 국가의 부강도 국민의 교육에 있도다.

고종은 교육입국 조서에서 국가의 부강함이 국민의 교육에 달려 있다고 보았다. 조선 정부는 교육입국 조서에 따라 소학교, 한성 사범 학교, 외국어 학교 등 각종 관립 학교를 설립하였다.

★ 2. 근대 언론의 발달

(1) 1880년대: 국내외 정세와 개화 정책 소개

한성순보(1883)	우리나라 최초의 신문, 박문국에서 10일에 한 번씩 발간(순 한문체), 서양의 문물·제도 소개, 관보 역할
한성주보(1886)	갑신정변 이후 발행(7일에 한 번씩 발간)

★ 표시는 시험 전에 확인해 주세요.

(2) 1890년대 이후: 민중 계몽 노력, 을사늑약 체결 이후 국권 회복 운동 전개

독립신문(1896)	우리나라 최초의 민간 신문(서재필 등 창간), 순 한글 사용, 영문판 발행
제국신문(1898)	하층민과 부녀자 대상, 순 한글 사용
황성신문(1898)	유림층 대상, 국한문 혼용체로 발행
대한매일신보 (1904)	양기탁과 영국인 베델이 함께 창간, 순 한글·국한문·영문판으로 발행, 강력한 항일 논조

● 일제의 국권 침탈과 친일 정권의 부패·무능을 비판하고 의병 투쟁을 호의적으로 보도하였다.

★ 3. 국학의 발달

(1) 국어

| 배경 | 갑오개혁 이후 공문서에 국한문 혼용, 순 한글로 신문 발행(독립신문, 제국신문 등) → 국문 사용이 늘면서 문자 체계·철자법 등의 통일 필요성 제기 |
| 활동 | • 정부: 국문 연구소 설립(1907) →「국문 연구 의정안」마련
• 개인: 유길준, 주시경, 지석영 등의 국어 연구 |

● 유길준은 『대한문전』을, 주시경은 『국어문법』을 저술하였다.

(2) 국사

| 배경 | 일본을 비롯한 열강의 침략 심화 → 민족의 주체성 확립·애국심 고취를 목적으로 국사 연구 활발(근대 계몽 사학) |
| 활동 | • 정부: 『조선 역사』와 같은 교과서 편찬
• 개인: 위인전기 발간(박은식의 『동명왕실기』·『천개소문전』, 신채호의 『을지문덕전』 등), 신채호의 『독사신론』 발표(민족주의 역사 서술의 기본 틀 제시) |

4. 근대 의식의 신장

● 천한 일에 종사하였던 노비, 백정, 광대(사당패), 기생, 승려, 무당, 장인(수공업 기술자) 등이다.

평등 의식	갑신정변(인민 평등권 주장), 동학 농민 운동(노비 문서 소각, 7종 천인 차별 폐지, 과부 재가 허용 주장) → 갑오개혁에 반영(신분제 폐지 등)
민권 의식	독립 협회의 자유 민권 운동 전개, 관민 공동회에서 백정 박성춘이 시민 대표로 연설 → 애국 계몽 운동 단체로 계승(헌정 연구회, 대한 자강회 등)
여권 의식	한성의 부인들이 「여권통문」 발표 → 여성 단체 조직(찬양회 등), 여성 학교 설립 → 여성의 사회 활동 확대(국채 보상 운동에 적극적으로 참여)

「여권통문」(1898)

어려서부터 각각 학교에 다니며 각종 학문을 다 배워 이목을 넓혀 장성한 후에 사나이와 부부 관계를 맺어 평생을 살더라도 그 사나이에게 조금도 압제받지 않고 후대를 받음은 다름 아니라 그 학문과 지식이 사나이에 못지않은 고로 권리도 동일하니 어찌 아름답지 않으리오.

1898년 한성의 부인들은 여학교 설립을 주장하는 「여권통문」을 황성신문 등에 발표하였다. 이는 최초의 여성 운동 단체인 찬양회가 조직되는 계기가 되었다.

1단계 개념 짚어 보기

● 정답과 해설 27쪽

01 개항 이후 전차 운행, 가로등 설치 등 민간인을 대상으로 한 전기 사업을 주도한 회사는?

02 다음 설명이 맞으면 ○표, 틀리면 ×표를 하시오.
(1) 지석영의 건의로 설립된 광혜원은 이후 대한 의원으로 확대·개편되었다. (   )
(2) 근대 문물이 수용되면서 서양 요리와 커피가 전래되었고, 상차림에서는 겸상·두레상도 나타났다. (   )
(3) 개항 이후 만들어진 대표적인 서양식 건축물로는 명동 성당, 정동 교회, 덕수궁 석조전 등이 있다. (   )

03 다음에서 설명하는 국외 이주 동포들이 사는 지역을 〈보기〉에서 골라 기호를 쓰시오.

보기
ㄱ. 만주   ㄴ. 미주   ㄷ. 일본

(1) 1910년 전후로 항일 운동가들이 망명하여 독립운동 기지를 건설하였다. (   )
(2) 1903년부터 하와이의 사탕수수 농장의 노동자를 선발하면서 이주가 시작되었다. (   )
(3) 1910년 이전에는 주로 유학생 중심으로 이주하였으며, 제1차 세계 대전 후에는 노동 이민이 증가하였다. (   )

04 손병희는 동학을 (   )로 개칭하고 민족의식을 고취하기 위해 학교를 설립하고 『만세보』를 발행하였다.

05 근대 신문과 그 특징을 옳게 연결하시오.
(1) 한성순보 •   • ㉠ 박문국에서 발행
(2) 독립신문 •   • ㉡ 영문판으로도 발행
(3) 황성신문 •   • ㉢ 국한문 혼용체로 발행

06 (   )는 『독사신론』을 발표하여 민족주의 역사 서술의 기본 틀을 제시하였다.

A 근대 문물의 수용과 사회·문화의 변화

01 (가), (나)에 들어갈 내용으로 적절하지 않은 것은?

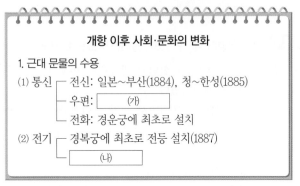

개항 이후 사회·문화의 변화

1. 근대 문물의 수용
(1) 통신 ─ 전신: 일본~부산(1884), 청~한성(1885)
   ├ 우편: (가)
   └ 전화: 경운궁에 최초로 설치
(2) 전기 ─ 경복궁에 최초로 전등 설치(1887)
   └ (나)

① (가) - 을미개혁 때 우체사를 설립하였다.
② (가) - 갑신정변 이후 우편 사무가 중단되었다.
③ (가) - 1900년부터 국제 우편 업무를 실시하였다.
④ (나) - 한성 전기 회사가 설립되었다.
⑤ (나) - 일본이 군사적 목적으로 부설하였다.

02 (가)에 들어갈 기관에 대한 설명으로 옳은 것은?

목차
1. 설립 배경
2. 인력과 진료
3. 운영 및 변천
4. 참고 문헌

⬆ **(가)의 초기 모습**

1885년에 조선 정부가 세운 최초의 근대식 병원이다. 정부는 미국 공사관의 소속 의사가 갑신정변 당시 중상을 입은 민영익을 치료하자 그의 건의를 받아 이 병원을 세웠다.

① 제중원으로 이름을 바꾸었다.
② 대한 의원으로 확대·개편되었다.
③ 지석영의 건의로 정부가 설립하였다.
④ 경운궁(덕수궁)에 가장 먼저 설치하였다.
⑤ 지방에 설립되어 근대 의료 기술을 보급하였다.

03 교사의 질문에 대한 학생의 답변으로 적절하지 않은 것은?

이와 같이 근대 문물의 유입으로 생활 모습이 바뀐 사례에 대해 이야기해 볼까요?

⬆ 서양식 만찬에 참석한 관리들

① 중국에서 호떡과 찐빵이 전래되었어요.
② 야구와 같은 운동 경기가 보급되었어요.
③ 관리들이 서양식 제복을 입기 시작하였어요.
④ 외출 복장으로 장옷과 쓰개치마가 유행하였어요.
⑤ 덕수궁 석조전과 같은 서양식 건축물이 세워졌어요.

출제가능성 90%
04 다음 가상 신문에 나타난 시기에 볼 수 있는 모습으로 가장 적절한 것은?

한국사 신문

한성에서 경인선 개통식 열려

오늘 한성에서 경인선 개통식이 열렸다. 개통식장에는 고관대작, 각국의 공사 등이 참석하였다. 철도 주변은 한성에 거주하는 사람은 물론 소문을 듣고 온 지방 사람들까지 몰려 매우 혼잡스러웠다. 마침내 화려하게 장식된 기차가 출발하자 여기저기에서 함성이 절로 터져 나왔다.

① 하와이 이민행 배에 탑승하는 청년
② 전차를 타고 청량리에 도착한 학생
③ 우정총국에서 우표를 구입하는 관리
④ 육영 공원의 개교 소식을 전해듣는 양반들
⑤ 대한매일신보에 실린 논설을 읽고 있는 독자

05 밑줄 친 '이 지역'을 지도에서 옳게 고른 것은?

- 이 지역으로의 이주는 대한 제국 정부가 공인한 최초의 합법적 이민이었다.
- 이 지역으로 이주한 사람들은 주로 사탕수수 농장의 노동자로 일하였으며, 어려운 생활 속에서도 한인 사회를 형성하였다.

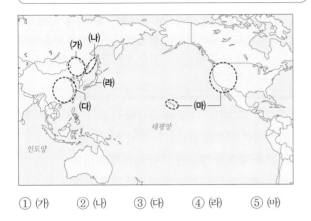

① (가)　② (나)　③ (다)　④ (라)　⑤ (마)

06 다음 중 토의 내용이 적절하지 <u>않은</u> 모둠은?

질문이 살아 있는 한국사 활동지

1. 학습 주제: 개항 이후 종교계의 변화
2. 모둠별 토의 내용

1모둠	동학을 '천도교'로 개칭한 이유는 무엇일까?
2모둠	대종교가 만주 지역으로 포교를 확대한 배경은 무엇일까?
3모둠	박은식이 유교구신론에서 주장하는 혁신은 무엇일까?
4모둠	천주교 탄압 사건인 병인박해가 일어난 대외적 배경은 무엇일까?
5모둠	한용운은 불교의 자주성을 지키기 위해 어떤 운동을 펼쳤을까?

① 1모둠　② 2모둠　③ 3모둠
④ 4모둠　⑤ 5모둠

⑧ 근대 의식의 확대

주관식

07 밑줄 친 '이 학교'의 명칭을 쓰시오.

1883년 함경도 덕원(원산)에서는 개화파 관료와 주민들이 <u>이 학교</u>를 세워 외국어와 법률, 만국 공법, 지리 등의 근대 학문을 가르쳤다.

08 다음 조서를 발표한 이후 정부의 활동으로 옳은 것은?

세계의 정세를 보면 부강하고 독립하여 사는 모든 나라는 다 국민의 지식이 밝기 때문이다. 이제 짐은 정부에 명하여 널리 학교를 세우고 인재를 길러 새로운 국민의 학식으로써 국가 중흥의 큰 공을 세우고자 하니, 국민은 나라를 위하는 마음으로 덕과 체와 지를 기를지어다. 왕실의 안전이 국민의 교육에 있고, 국가의 부강도 국민의 교육에 있도다.　　　　　－「관보」, 1895

① 한성 사범 학교 등 관립 학교를 설립하였다.
② 원산 학사를 설립하여 근대 학문을 가르쳤다.
③ 이화 학당을 설치하여 여성 교육에 노력하였다.
④ 개신교 선교사를 초빙하여 배재 학당을 세웠다.
⑤ 육영 공원을 설립하여 양반 자제들을 교육하였다.

09 (가)에 들어갈 내용으로 가장 적절한 것은?

① 서재필을 비롯한 지식인들이 창간하였어요.
② 관보의 역할을 했으며, 순 한문체로 발행하였어요.
③ 국한문 혼용체로 발행하였고, 민족의식 고취에 노력하였어요.
④ 하층민과 부녀자를 주된 독자층으로 삼아서 순 한글로 간행하였어요.
⑤ 영국인 베델을 발행인으로 내세웠고 강력한 항일 논조의 논설을 다루었어요.

10 다음과 같은 주장에 따라 전개된 활동으로 가장 적절한 것은?

> 전국 인민의 사상을 돌리며 지식을 넓혀 주려면 국문으로 학문을 저술·번역하여 남녀를 물론하고 다 쉽게 알도록 가르쳐 주어야 될지라. 영국, 미국, 프랑스, 독일 같은 나라들은 한문을 구경도 못하였지만 저렇듯 부강함을 보라. …… 더 좋고 더 편리한 말과 글이 되게 할 뿐 아니라, 온 나라 사람이 다 국어와 국문을 우리나라 근본의 주장 글로 숭상하고 사랑하여 쓰기를 바라노라.
>
> – 『서우』 제2호, 1907

① 금수회의록 등의 신소설을 지었다.
② 조선 역사와 같은 교과서를 편찬하였다.
③ 황성신문에 시일야방성대곡을 게재하였다.
④ 을지문덕전과 같은 위인전기를 간행하였다.
⑤ 국문 연구소에서 국문 연구 의정안을 마련하였다.

11 다음 주장을 펼친 인물에 대한 설명으로 옳은 것은?

대한매일신보   1907. 8. 27.

기고

○○○ 주필
前 황성신문 기자

> 국가의 역사는 민족의 소장성쇠(消長盛衰)를 서술해야 한다. 민족을 버리면 역사가 없고, 역사를 버리면 민족의 국가관념이 크지 않을 것이니, 역사가의 책임이 얼마나 큰가? …… 역사를 집필하는 자는 반드시 그 국가의 주인 종족을 골라 이를 주제로 삼은 후 그 정치는 어떻게 흥하고 쇠하였으며, 그 산업은 어떻게 번창하고 몰락하였으며, 그 무공(武功)은 어떻게 나아가고 물러났으며, 그 생활 관습과 풍속은 어떻게 변하여 왔으며, 밖으로부터 들어온 각각의 종족을 어떻게 받아들였으며, 그 다른 지역의 나라들과 어떻게 교섭하였는가를 서술하여야 이것을 역사라고 말할 수 있다. 그렇지 않으면 정신 빠진 역사라.

① 종두법을 배워 실행하였다.
② 우리말을 연구하여 국어문법을 저술하였다.
③ 단군 신앙을 기반으로 대종교를 창시하였다.
④ 민족주의 역사 서술의 기본 틀을 제시하였다.
⑤ 동명왕실기를 저술하여 민족의식을 고취하였다.

12 (가)에 들어갈 내용으로 적절하지 않은 것은?

> 1. 탐구 주제: 1890년대 이후 민권 의식의 성장
> 2. 수집 자료
>   – 갑오개혁의 법령 내용
>   – ＿＿＿＿＿＿(가)＿＿＿＿＿＿
>   – 애국 계몽 운동 단체들의 월보와 강연 기록
> 3. 자료 분석 결과: 법적으로 신분제가 폐지된 후 사회의식의 변화가 나타났고, 독립 협회의 자유 민권 운동과 애국 계몽 운동 단체들의 민중 계몽 활동을 통해 민권 의식이 성장하였다.

① 헌정 연구회가 발표한 강령의 내용
② 신체의 자유를 요구하는 독립신문 논설
③ 고종 황제가 발표한 대한국 국제의 내용
④ 동학 농민군이 정부에 제시한 폐정 개혁안
⑤ 관민 공동회에서 발표한 백정 박성춘의 연설

13 다음 자료에 대한 설명으로 옳은 것을 〈보기〉에서 고른 것은?

> 어려서부터 각각 학교에 다니며 각종 학문을 다 배워 이목을 넓혀 장성한 후에 사나이와 부부 관계를 맺어 평생을 살더라도 그 사나이에게 조금도 압제받지 않고 후대를 받음은 다름 아니라 그 학문과 지식이 사나이에 못지 않은 고로 권리도 동일하니 어찌 아름답지 않으리오.
>
> – 통문 발기인 이소사·김소사, 1898. 9.

보기

ㄱ. 국채 보상 운동에 여성도 참여할 것을 독려하였다.
ㄴ. 최초의 여성 운동 단체인 찬양회가 조직되는 계기가 되었다.
ㄷ. 갑오개혁에 반영되어 조혼 제도를 폐지하는 성과를 거두었다.
ㄹ. 여성이 교육받을 권리를 보장하기 위해 여학교 설립을 주장하였다.

① ㄱ, ㄴ   ② ㄱ, ㄷ   ③ ㄴ, ㄷ
④ ㄴ, ㄹ   ⑤ ㄷ, ㄹ

2020 평가원 응용

01 밑줄 친 '최초의 철도'가 개통된 시기를 연표에서 옳게 고른 것은?

> **초청장**
>
> 노량진과 제물포를 잇는 우리나라 최초의 철도가 개통된 지 올해로 ○○○년이 되었습니다. 우리 학회는 이를 기념하여 학술 대회를 개최하려 합니다.
>
> * 발표 내용 *
> 1. 제국주의 열강의 이권 침탈과 철도
> 2. 철도 개통에 따른 생활의 변화
> 3. 일본의 철도 부설 의도와 과정
>
> • 일시: 20○○년 ○○월 ○○일 14:00~18:00
> • 장소: △△대학 ○○호실
> • 주관: □□학회

	(가)	(나)	(다)	(라)	(마)	
갑신정변		청일 전쟁 발발	삼국 간섭	을미사변	대한 제국 선포	러일 전쟁 발발

① (가) ② (나) ③ (다) ④ (라) ⑤ (마)

02 (가)에 들어갈 신문에 대한 설명으로 옳은 것은?

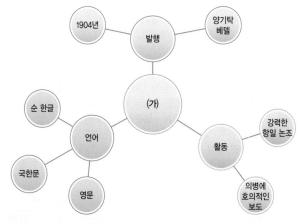

① 10일에 한 번씩 발간되었다.
② 국채 보상 운동을 지원하였다.
③ 한러 은행의 설립을 반대하였다.
④ 하층민과 부녀자를 대상으로 하였다.
⑤ 여권통문에 동조하는 논설을 게재하였다.

03 다음 역할극 대본의 배경이 되는 시기에 볼 수 있는 모습으로 적절하지 않은 것은? ★최고난도

> 장면 1. ○○학당 (낮)
> (양갓집 규수와 시종이 학당 대문 앞에 서 있다.)
> • 시종: (놀라며) 이곳은 평민 여자들이나 가는 곳입니다. 아무리 나라에서 반상의 구분을 없앴다고 하지만 대감마님께서 아시면 어쩌시려고 그럽니까?
> • 양갓집 규수: 그러니 아버님께는 비밀이야.
> • 시종: (답답해하며) 아이고…….
> • 양갓집 규수: (문을 두드리며) 이리 오너라.
> (학당에 있던 외국인 교사와 학생이 나온다.)

① 제중원에서 외과 수술을 하는 의사
② 양복 광고가 실린 신문을 펼쳐 보는 관료
③ 만민 공동회에 참석하여 연설하는 시전 상인
④ 새로 산 마고자를 입고 친구에게 자랑하는 아이
⑤ 동문학이 설립되었다는 소식을 듣는 양반집 자제

서술형문제

04 다음 책이 발간될 수 있었던 시대적 배경과 목적을 서술하시오.

> 이 책을 만든 목적은 …… 독자의 이부자리에 이야기책을 제공함이 아니라 선조의 위대한 사업을 칭송하여 국민의 영웅 숭배심을 고취하고자 함이고, 또한 이 천여 년 전의 일을 한가로이 읊고자 함이 아니라 열성적, 모범적 위인의 행적을 그려 내어 이천 년 후 을지문덕과 맞먹는 인물을 기르고자 함이니 모든 독자는 항상 이에 유념하여 이 책을 읽어야 할 것이다.
> — 신채호, 「을지문덕전」 서문

01 일제의 식민지 지배 정책

A 제1차 세계 대전과 전후의 세계

1. 제1차 세계 대전(1914~1918)

> 서부 전선이 교착 상태에 빠지면서 참호전의 양상이 나타났다.

배경	19세기 후반 제국주의 국가들의 식민지 확보 경쟁 → 3국 동맹과 3국 협상의 대립, 범게르만주의(독일 중심)와 범슬라브주의(러시아 중심)의 충돌
전개	사라예보 사건 → 오스트리아·헝가리 제국이 세르비아에 선전포고 → 3국 동맹과 3국 협상 측의 전쟁 가담 → 전쟁의 장기화 → 독일의 무제한 잠수함 작전으로 미국 참전 → 러시아 혁명 발생(러시아의 전선 이탈) → 독일의 항복, 휴전 조약 체결
결과	막대한 피해 발생, 민주주의 확산(유럽 각국에 공화정 수립), 미국과 일본의 영향력 확대

- 기관총, 탱크, 독가스 등 신무기를 사용하면서 엄청난 인적·물적 피해를 남겼다.
- 독일의 중국 내 이권을 차지하였다.

2. 전후 처리와 베르사유 체제

> 14개조 중 민족 자결주의는 아시아·아프리카의 민족 운동에 영향을 주었다.

베르사유 체제	전후 처리 문제를 논의하기 위해 파리 강화 회의 개최(미국 대통령 윌슨의 평화 원칙 14개조 채택) → 베르사유 조약 체결, 국제 연맹 창설(1920)
워싱턴 체제	일본의 팽창(중국에 '21개조 요구' 강요) → 일본을 견제하기 위해 미국 주도로 워싱턴 회의 개최(1921) → 일본이 산둥반도를 중국에 반환, 군비 축소

> **윌슨의 평화 원칙 14개조(1918)**
> 제5조 모든 식민지 문제는 식민지 주민의 의사를 존중하여 공평무사하고 자유롭게 처리되도록 한다. → 민족 자결주의 원칙
> 제14조 국가 간 연합 기구를 만들어 각국의 정치적 독립과 영토보전을 보장한다. → 국제 연맹 창설

미국 대통령 윌슨이 미국 의회에서 제창한 것으로 민족 자결주의 원칙, 국제 평화 기구 창설 등의 내용을 담고 있다.

3. 러시아 혁명과 사회주의 국가의 수립

(1) 러시아 혁명(1917): 제1차 세계 대전에 따른 경제난이 지속
→ 3월 혁명(노동자와 군인들이 제정 붕괴·임시 정부 수립)
→ 11월 혁명(레닌 등 사회주의자들이 혁명 정부 수립)

(2) 소련의 수립: 독일과 강화 조약 체결(1918), 사회 개혁 추진
→ 반혁명파 세력과의 내전에서 승리, 소비에트 사회주의 공화국 연방(소련) 수립(1922)

- 1919년 국제 공산당 조직인 코민테른을 조직하고, 제국주의에 반대하여 일어난 각국의 노동 운동과 식민지 해방 운동을 지원하겠다고 선언하였다.

B 1910년대 일제의 식민 통치

★ 1. 무단 통치

(1) 식민지 통치 제도 정비
> 총독은 현역 육군 대장 가운데 임명되었고, 행정권·입법권·사법권·군 통수권을 가졌다.

① 조선 총독부 설치: 식민 통치의 최고 기구

② 중추원 설치: 조선 총독부의 자문 기관, 친일파로 구성

③ 지방 행정 조직 개편: 전국을 13도 12부 220군으로 나눔

(2) 헌병 경찰을 통한 무단 통치
> 세금 징수, 검열, 언론 지도, 위생 점검 등을 맡았다.

① 헌병 경찰 제도 실시: 헌병이 경찰 업무와 일반 행정 업무에 관여
> 헌병 경찰에게 정식 재판 없이 한국인을 처벌할 수 있는 즉결 처분권을 부여하였다.

② 한국인 처벌 법령 제정: 범죄 즉결례(1910), 조선 태형령(1912), 경찰범 처벌 규칙(1912) 등 제정

③ 위압적인 분위기 조성: 일반 관리, 학교 교원들에게 제복을 입고 칼을 차게 함

(3) 한국인의 기본권 제한과 식민지 교육

① 언론·출판·집회·결사의 자유 박탈: 한국인이 발행한 신문·잡지 폐간, 항일적 내용의 서적 발행 금지, 정치 단체와 학회 해산
> 한국인을 식민 지배에 순응하게 하고 한국인의 노동력을 마음껏 활용하고자 하였다.

② 식민지 교육의 도입: 제1차 조선 교육령 공포 → 한국인의 고등 교육 기회 제한(보통 교육·실업 교육·일본어 교육 위주로 교과목 편성), 보통학교 설립
> 한국인이 다니는 학교로, 교육 연한은 4년이었다.

> **조선 태형령 시행 규칙 1조(1912)**
> 태형은 수형자를 형판 위에 엎드리게 하고 그자의 양팔을 좌우로 벌리게 하여 형판에 묶고 양다리도 같이 묶은 후 볼기 부분을 노출시켜 태로 친다. - 『조선 총독부 관보』, 1912

일제는 조선 태형령을 제정하여 한국인에게만 태형을 적용하였다. 헌병 경찰은 조선 태형령을 통해 한국인에게 태형을 가할 수 있었다.

★ 2. 1910년대 경제 수탈 정책

(1) 토지 조사 사업(1910~1918)

목적	• 명분: 공정한 지세 부담과 근대적인 토지 소유권 확립 • 실상: 지세 수입을 늘려 식민지 지배의 경제적 기반 확보, 일본인의 토지 투자 용이화
내용	• 시행: 임시 토지 조사국 설치(1910), 토지 조사령 공포(1912) • 방식: 정해진 기간 안에 직접 신고한 토지만 소유권으로 인정하는 신고주의 방식으로 진행
결과	• 조선 총독부의 지세 수입 증가: 식민지 통치에 필요한 재정 확보 • 일본인의 토지 소유 증가: 미신고 토지, 국·공유지 등을 조선 총독부 소유지로 편입 → 동양 척식 주식회사나 일본인 지주에게 헐값으로 팔아넘김 → 일본인 대지주 증가 • 농민 몰락: 일제가 지주의 소유권만 인정하고 농민의 관습적인 경작권 부정 → 농민들이 소작농으로 전락, 화전민이 되거나 만주·연해주 등지로 이주

> 정해진 기간에 토지 소유권자가 직접 신고한 토지만 소유지로 인정하였다.
> 지주와 임대 기한을 정해 경작 계약을 맺었다.

(2) 일제의 산업 통제
> 한국인의 기업 설립은 소규모의 제조업·매매업 등에 한정되었다.

회사령 공포 (1910)	기업을 설립할 때 조선 총독의 허가를 받게 함 → 한국인의 기업 설립 억제, 일본 자본의 무분별한 한국 진출 통제
산업 침탈	어업령·삼림령·조선 광업령 공포, 인삼 등의 전매 사업 실시, 조선 식산 은행 설립
기간 시설 구축	철도·도로 건설 및 정비, 항만 시설 확충 → 한국의 농산물과 자원을 일본에 쉽게 이출

ⓒ 1920년대 일제의 식민 통치

★ 1. 민족 분열 통치

(1) 배경: 3·1 운동(1919)으로 일제가 무단 통치의 한계 인식 → 사이토 마코토가 총독으로 부임, 이른바 '문화 통치' 표방

(2) 목적: 한국인의 불만 무마, 일제 협력자 양성, 항일 운동 탄압 → 민족 분열 도모

(3) 내용과 실상

> 일본의 천황제나 사유 재산제를 부정하는 자를 단속하기 위한 법률로, 사회주의 운동과 독립운동 탄압에 활용되었다.

구분	표면적 내용	실제 내용
조선 총독	문관도 임명 가능	문관이 임명된 적 없음
경찰 제도	헌병 경찰제를 보통 경찰제로 전환, 태형 제도 폐지, 관리·교원의 제복 착용 폐지	경찰 관서·인원·비용 등 확대, 치안 유지법 제정(1925), 고등 경찰제 실시
언론 정책	조선일보·동아일보 등 한글 신문의 발행 허가	신문 검열 강화(기사 삭제, 신문 압수·정간·폐간 등)
지방 제도	지방 자치제의 실시 표방→도 평의회와 부·면 협의회를 민선으로 구성	평의회와 협의회는 의결권이 없는 자문 기구에 불과, 일본인·친일 인사로 구성
교육 정책	교육 기회의 확대 표방 → 보통학교의 교육 연한을 연장(6년), 학교 수 일부 증설	학교 수 여전히 부족, 학비가 비쌈 → 한국인의 취학률 저조

★ 2. 1920년대 경제 수탈 정책

(1) 산미 증식 계획(1920~1934)

> 농업 생산력이 쌀의 수요에 미치지 못하자 쌀값이 크게 올라 1918년 일본에서 쌀 소동이 일어나기도 하였다.

배경	일본의 공업화 → 도시 인구 증가로 쌀이 부족해지자 한국에서 쌀을 확보하고자 함
내용	품종 개량, 비료 사용 확대, 농토 개간(논의 비중 확대), 각지에 수리 조합 조직 → 쌀 증산 시도
결과	• 한국인의 식량 사정 악화: 쌀 증산량보다 일본으로의 이출량이 더 많음 → 만주에서 잡곡 수입 • 지주들의 이익 증대: 토지 회사·지주들이 쌀 판매로 막대한 부 축적 ┌ 일본에 더 많은 쌀을 팔기 위해 소작료를 올리기도 하였다. • 한국 농민의 처지 악화: 높은 소작료와 지세, 수리 조합비·비료 대금 등 쌀 증산에 드는 비용 부담 → 몰락 농민 증가 • 쌀농사 위주의 농업 정착: 쌀 가격 변동에 취약

(2) 일제의 산업 정책 변화

> 1929년 대공황으로 쌀 가격이 폭락하자 많은 농민이 몰락하였다.

회사령 폐지 (1920)	회사 설립을 허가제에서 신고제로 변경 → 일본 대기업의 한국 진출 증가(미쓰이·미쓰비시 등)
관세 폐지 (1923)	한국과 일본 사이의 관세 폐지 → 일본 상품의 한국 수출 가속화
금융 장악	신은행령 발표(1928), 한국인 소유의 은행 합병

3. 식민지 조선의 산업 구조
한국인 기업은 대부분 유통·제조업 분야의 소규모 회사에 집중 → 조선에 세운 한국인의 공장 수와 일본인의 공장 수는 비슷하지만 생산액 격차가 큼

1단계 개념 짚어 보기

📗 정답과 해설 29쪽

01 윌슨이 제창한 평화 원칙 14개조 중 (   )의 원칙은 아시아·아프리카의 민족 운동에 영향을 끼쳤다.

02 다음 괄호 안의 내용 중 알맞은 말에 ○표를 하시오.

(1) 1910년대에 일제는 (고등 경찰, 헌병 경찰) 제도를 바탕으로 한 강압적인 무단 통치를 실시하였다.

(2) 일제는 한국인에게 (고등 교육, 보통 교육)의 기회를 거의 부여하지 않고 주로 실업 교육을 실시하였다.

(3) 일제는 한국인을 정치에 참여시킨다는 명분으로 조선 총독부의 자문 기관인 (승정원, 중추원)을 만들었으나 이완용, 송병준 등 친일파로 구성하였다.

03 다음은 토지 조사 사업에 대해 정리한 표이다. ㉠~㉢에 들어갈 내용을 각각 쓰시오.

목적	공정한 (㉠) 부담과 근대적인 토지 소유권 확립 표방 → 식민 지배의 경제적 기반 확보, 일본인 토지 투자 용이화
내용	(㉡) 방식으로 진행 → 정해진 기간 안에 신고한 토지만 소유권 인정
결과	조선 총독부의 지세 수입 증가, 미신고 토지, 국·공유지 등을 조선 총독부의 소유지로 편입, 농민의 관습적인 (㉢) 부정 → 농민이 소작농으로 전락

04 회사의 설립을 조선 총독이 허가하도록 제정한 법령은?

05 다음 설명이 맞으면 ○표, 틀리면 ×표를 하시오.

(1) 3·1 운동 이후 일제는 이른바 '문화 통치'를 표방하면서 문관을 조선 총독으로 임명하였다. (   )

(2) 1920년대 일제는 지방 제도를 개편하여 의결권을 행사할 수 있는 부·면 협의회를 설치하였다. (   )

(3) 문화 통치 시기에 일제는 한국인에게 신문 발행을 허용하여 조선일보와 동아일보가 발간되었다. (   )

06 일본에서 도시 인구의 증가로 쌀 부족 현상이 나타나자 일제가 부족한 쌀을 한국에서 확보하기 위해 시행한 정책은?

A 제1차 세계 대전과 전후의 세계

01 밑줄 친 '이 전쟁'에 대한 설명으로 옳지 않은 것은?

> 유네스코 세계 기록 유산 Memory of the World
>
> **1914년 7월 28일 오스트리아·헝가리의 대 세르비아 선전 포고 전보**
>
> '1914년 7월 28일 오스트리아·헝가리의 대 세르비아 선전 포고 전보'는 수백만 명에 달하는 사람들의 삶을 망가뜨린 비극적인 전쟁인 이 전쟁의 개시를 의미하므로 전 지구적인 차원에서 중요하며 가치가 있다. 이 전쟁의 결과 독일 제국의 시대는 막을 내렸으며, 러시아에서는 사회주의 혁명이 일어나 세계의 정치 지도는 대폭 수정되었다.

① 독일이 항복하면서 끝났다.
② 일본의 세력이 크게 약화되는 결과를 가져왔다.
③ 서부 전선이 교착 상태에 빠지면서 장기화되었다.
④ 독일의 무제한 잠수함 작전을 계기로 미국이 참전하였다.
⑤ 탱크, 독가스 등의 신무기 사용으로 큰 인명 피해가 발생하였다.

02 다음 주장이 채택되었던 국제회의에 대한 설명으로 옳은 것은?

> 제5조 모든 식민지 문제는 식민지 주민의 의사를 존중하여 공평무사하고 자유롭게 처리되도록 한다.
> 제14조 국가 간 연합 기구를 만들어 각국의 정치적 독립과 영토 보전을 보장한다.

① 3국 협상을 맺는 배경이 되었다.
② 미국의 주도로 워싱턴에서 개최되었다.
③ 제1차 세계 대전의 전후 처리 문제를 논하였다.
④ 제국주의에 반대하여 일어난 식민지 해방 운동을 지원할 것을 약속하였다.
⑤ 일본이 산둥반도를 중국에 반환하였으며, 군비를 축소하는 결과를 가져왔다.

03 (가) 시기에 있었던 사실로 옳지 않은 것은?

1917 ────────── (가) ────────── 1922
러시아 11월 혁명   소련 수립

① 국제 연맹이 창설되었다.
② 워싱턴 회의가 개최되었다.
③ 레닌이 코민테른을 조직하였다.
④ 러시아가 제1차 세계 대전의 전선을 이탈하였다.
⑤ 러시아에서 제정이 무너지고 임시 정부가 세워졌다.

B 1910년대 일제의 식민 통치

04 밑줄 친 '헌병 경관'에 대한 설명으로 옳지 않은 것은?

> 제국 군대는 각도의 주요 지점에 주둔하여 유사시의 변란에 대비하고, 헌병 경관은 서울과 지방에 널리 퍼져 치안에 종사하며, …… 함부로 망상을 일으켜 정무를 방해하는 자가 있으면 결단코 용서하지 않을 것이다.
> – 조선 총독 데라우치 마사타케의 취임사, 1910

① 전국 각지에서 경찰 업무를 담당하였다.
② 태형령을 통해 한국인에게 태형을 가하였다.
③ 세금 징수 등 일반 행정의 업무를 처리하였다.
④ 치안 유지법을 이용하여 사회주의자를 체포하였다.
⑤ 범죄 즉결례로 정식 재판 없이 한국인을 처벌하였다.

출제가능성 90%

05 다음 법령이 시행되던 시기 일제의 식민지 지배 정책으로 옳지 않은 것은?

> 태형은 수형자를 형판 위에 엎드리게 하고 그자의 양팔을 좌우로 벌리게 하여 형판에 묶고 양다리도 같이 묶은 후 볼기 부분을 노출시켜 태로 친다.

① 토지 조사 사업을 실시하였다.
② 헌병 경찰 제도를 시행하였다.
③ 한국과 일본 간 관세를 폐지하였다.
④ 학교 교원들에게 제복을 입고 칼을 차게 하였다.
⑤ 한국인의 언론·출판·집회·결사의 자유를 박탈하였다.

06 (가)에 들어갈 내용으로 적절한 것을 <보기>에서 고른 것은?

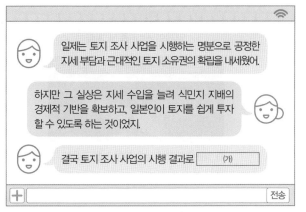

> 일제는 토지 조사 사업을 시행하는 명분으로 공정한 지세 부담과 근대적인 토지 소유권의 확립을 내세웠어.
>
> 하지만 그 실상은 지세 수입을 늘려 식민지 지배의 경제적 기반을 확보하고, 일본인이 토지를 쉽게 투자할 수 있도록 하는 것이었지.
>
> 결국 토지 조사 사업의 시행 결과로 (가)
>
> 전송

보기
ㄱ. 쌀농사 위주의 농업이 정착되었어.
ㄴ. 조선 총독부의 지세 수입이 증가하였어.
ㄷ. 농민들이 비료 대금, 수리 조합비를 부담하였어.
ㄹ. 농민은 기한부 계약에 의한 소작농으로 전락하였어.

① ㄱ, ㄴ ② ㄱ, ㄷ ③ ㄴ, ㄷ
④ ㄴ, ㄹ ⑤ ㄷ, ㄹ

07 출제가능성 90% 다음 법령의 시행 결과 나타난 사실로 옳은 것은?

> 제1조 회사의 설립은 조선 총독의 허가를 받아야 한다.
> 제5조 회사가 본령이나 혹 본령에 의거하여 발하는 명령과 허가 조건에 위반하거나 또는 공공질서와 선량한 풍속에 반하는 행위를 할 때 조선 총독은 사업의 정지, 지점의 폐쇄 또는 회사의 해산을 명할 수 있다.
> – 회사령

① 한국인의 기업 설립이 억제되었다.
② 조선 총독부의 지세 수입이 증가하였다.
③ 실업 교육 위주로 학교 수업이 편성되었다.
④ 농민은 지주와 기한을 정해 경작 계약을 맺었다.
⑤ 일제가 한국의 각종 자원을 독점하여 이익을 챙겼다.

08 교사의 질문에 대한 학생의 답변으로 가장 적절한 것은?

> 지도는 일제가 건설한 주요 항구와 철도망을 나타낸 것이에요. 이처럼 일제는 한반도의 주요 도시와 항구를 연결하는 철도를 건설하고 정비하였는데 그 이유는 무엇일까요?

① 한국인의 기업 설립을 억제하기 위해서였어요.
② 일본 기업의 한국 진출을 자유롭게 하고자 하였어요.
③ 한국인에 대한 교육의 기회를 확대하기 위해서였어요.
④ 한국인을 정치에 참여시킨다는 명분을 내세우고자 하였어요.
⑤ 한국에서 생산되는 농산물과 자원을 일본에 쉽게 이출하기 위해서였어요.

C 1920년대 일제의 식민 통치

09 다음과 같은 정책이 추진된 배경으로 옳은 것은?

> 정부는 관제를 개혁하여 총독 임용의 범위를 확장하고 경찰 제도를 개정하며, 또한 일반 관리나 교원 등의 복제를 폐지함으로써 시대의 흐름에 순응하고 …… 장래 기회를 보아 지방 자치 제도를 실시하여 국민 생활을 안정시키고 일반 복리를 증진할 것이다.

↑ 사이토 마코토 총독

① 3·1 운동이 일어났다.
② 치안 유지법이 제정되었다.
③ 제1차 세계 대전이 발발하였다.
④ 대구에서 국채 보상 운동이 시작되었다.
⑤ 소비에트 사회주의 공화국 연방이 수립되었다.

10 (가), (나) 자료에 대해 학생들이 나눈 대화 내용으로 가장 적절한 것은?

(가)　(나)

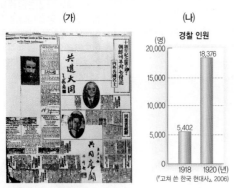

↑ 신문 검열을 통한 기사 삭제　↑ 일제의 경찰 인원 증가

① (가) – 기사 삭제 조치는 헌병 경찰의 검열에 의해 이루어졌을 거야.
② (가) – 일제가 한국인이 운영하는 신문을 대부분 폐간했음을 알 수 있어.
③ (나) – 경찰 인원의 증가는 3·1 운동이 일어나는 원인이 되었어.
④ (나) – 경찰 인원이 증가한 이유는 치안 유지법이 시행되었기 때문일 거야.
⑤ (가), (나) – '문화 통치'의 기만성을 보여 주고 있어.

11 다음 정책이 추진된 시기에 있었던 사실로 옳지 <u>않은</u> 것은?

• 친일 인사가 각 종교 단체 지도자가 되도록 후원한다.
• 수재 교육을 명목으로 친일 지식인을 많이 양성한다.
• 조선인 부호들과 민중을 대립하게 하고, 이들에게 일본 자본을 공급해 친일화한다.
• 각종 친일 단체를 조직하고 후원한다.

① 관리·교원의 제복 착용을 폐지하였다.
② 헌병 경찰제를 보통 경찰제로 바꾸었다.
③ 조선일보·동아일보의 발행을 허용하였다.
④ 보통학교의 교육 연한을 6년으로 연장하였다.
⑤ 회사를 설립할 때 총독의 허가를 받도록 하였다.

12 밑줄 친 '이 법률'의 명칭을 쓰시오.

일제의 국가 체제(천황제)나 사유 재산 제도를 부정하는 자를 단속하기 위해 1925년에 이 법률이 제정되었다. 일제는 이를 통해 사회주의 운동뿐만 아니라 농민·노동 운동, 항일 민족 운동을 탄압하였다.

13 (가)에 들어갈 내용으로 적절한 것은?

일제의 산미 증식 계획

↑ 일본으로 보낼 쌀을 쌓아 놓은 군산항

• 배경: 일본의 공업화 진전으로 인한 쌀 부족 현상 심화
• 경과: 한국에서 종자 개량, 수리 시설 확충, 경지 정리, 농토 개간 등 실시 → 쌀 증산 성공
• 결과: ㅤㅤㅤㅤ (가)

① 일제가 한국인 소유의 은행을 합병함
② 한국 농민의 관습적인 경작권을 부정함
③ 일본 대기업이 한국에 본격적으로 진출함
④ 한국 농민이 쌀 증산에 드는 비용을 부담함
⑤ 동양 척식 주식회사가 소유한 토지가 증가함

14 밑줄 친 경제 정책이 실시된 시기를 연표에서 옳게 고른 것은?

제1차 세계 대전 때 일본은 공업 제품의 수출 증가로 경제 호황을 누렸다. 축적된 자본을 바탕으로 한국에 진출하여 값싼 자원과 노동력을 활용하려는 일본 기업이 늘어나자, 일제는 <u>한반도 내의 회사 설립을 통제하였던 법령을 폐지하였다.</u>

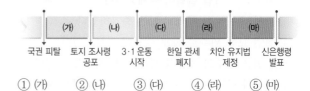

	(가)	(나)	(다)	(라)	(마)	
국권 피탈	토지 조사령 공포	3·1 운동 시작	한일 관세 폐지	치안 유지법 제정	신은행령 발표	

① (가)　② (나)　③ (다)　④ (라)　⑤ (마)

01 (가)에 들어갈 내용으로 가장 적절한 것은?

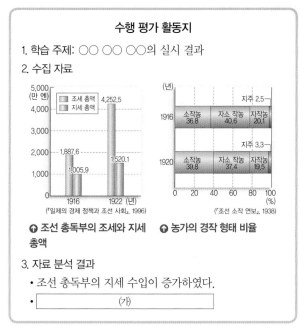

수행 평가 활동지

1. 학습 주제: ○○ ○○ ○○의 실시 결과
2. 수집 자료

↑ 조선 총독부의 조세와 지세 총액   ↑ 농가의 경작 형태 비율

3. 자료 분석 결과
   - 조선 총독부의 지세 수입이 증가하였다.
   - _____ (가) _____

① 쌀농사 위주의 농업이 정착되었다.
② 만주로부터의 잡곡 수입량이 증가하였다.
③ 일본 자본의 무분별한 한국 진출이 통제되었다.
④ 지계가 발급되어 근대적 토지 소유권이 확립되었다.
⑤ 경작권을 인정받지 못한 농민들이 소작농으로 전락하였다.

2020 평가원 응용

02 (가) 통치 시기에 있었던 사실로 옳은 것은?

일제는 무단 통치의 한계를 인식하고, 통치 방식을 이른바 (가) (으)로 전환하였습니다. 하지만 경찰의 수를 대폭 증가시키고, 치안 유지법을 적용하는 등 독립운동에 대한 탄압을 더욱 강화하였습니다.

① 회사령을 공포하였다.
② 고등 경찰제를 실시하였다.
③ 경찰범 처벌 규칙을 공포하였다.
④ 임시 토지 조사국을 설치하였다.
⑤ 자문 기관으로 중추원을 만들었다.

03 다음 동영상의 뒤에 이어질 내용으로 적절하지 않은 것은?

★최고난도

도시의 쌀값도 잡지 못한 정부는 당장 사퇴하라!

일제는 부족한 쌀을 한국에서 충당하는 정책을 실시하였다.

[한국사와 세계사의 만남] 1918년 일본의 쌀 소동

① 다수확 품종으로 개량한 벼 종자
② 일본으로 이출할 쌀을 쌓아 놓은 항구
③ 수리 조합비를 떠맡게 되자 항의하는 농민
④ 익지 않은 감을 판매하였다고 태형을 맞는 상인
⑤ 만주에서 잡곡을 수입하는 이유를 보도한 신문 기사

서술형 문제

04 다음은 1920년대 한국 내 공업에 대한 그래프이다. 한국과 일본의 공장 수와 생산액을 비교하고, 그 차이의 원인을 서술하시오.

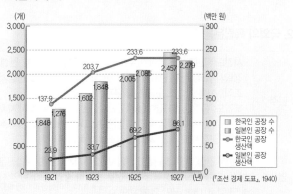

02 3·1 운동과 대한민국 임시 정부

A 1910년대 국내외의 독립운동

1. 국내의 독립운동 전개
• 마지막 의병장으로 평가받으며, 1915년까지 평안도와 황해도 등지에서 활동하였다.

(1) 의병 부대의 활동: 채응언 등이 이끄는 의병 부대의 활약

(2) 항일 비밀 결사의 활동

① 배경: 일제의 '남한 대토벌' 작전으로 국내 의병 활동 위축, 105인 사건으로 신민회 해체 → 애국지사와 의병 부대가 만주·연해주로 이동, 국내에서 비밀 결사 조직

② 활동
• 나라를 되찾아 임금을 다시 세우겠다는 주장이다.

독립 의군부 (1912)	임병찬 등이 고종의 밀지를 받고 각지의 유생들을 모아 조직, 복벽주의 이념 추구(고종의 복위 목표), 전국적인 의병 봉기 준비, 조선 총독부와 일본 정부에 국권 반환 요구서 전달 계획 → 조직이 발각되어 해체
대한 광복회 (1915)	박상진, 채기중 등이 대구에서 조직, 공화정 수립 목표, 만주에 무관 학교 설립을 위한 군자금 모금·친일파 처단 활동 전개 → 조직이 드러나 해체
기타	기성볼단·자립단(교사와 학생들이 조직), 송죽회(여성 중심), 조선 국민회(대한인 국민회의 국내 지부 성격) 등

> **대한 광복회의 강령(1915)**
> 1. 부호의 의연 및 일본인이 불법 징수하는 세금을 압수하여 무장을 준비한다.
> 2. 남북 만주에 사관 학교를 설치하여 독립 전사를 양성한다.
> 3. 기존의 의병 및 해산 군인과 만주 이주민을 소집하여 훈련한다.
> 4. 중국, 러시아 등 여러 나라에 의뢰하여 무기를 구입한다.
> 6. 일본인 고관 및 한국인 반역자를 수시 수처에서 처단하는 행형부를 둔다.

대구의 박상진 등은 공화정 수립을 목표로 1915년 대구에서 대한 광복회를 조직하였다. 대한 광복회는 군대식 조직을 갖추고 군자금을 모아 만주에 무관 학교를 세우려고 하였다.

★ 2. 국외의 독립운동 전개

만주	• 서간도(남만주): 신민회가 주도 → 삼원보에 신한민촌 건설, 경학사 조직(자치 단체, 부민단·한족회로 발전, 서로 군정서 조직), 신흥 강습소 운영(신흥 무관 학교로 발전) • 북간도: 용정촌·명동촌 형성(한인 집단촌), 간민회 조직(자치 단체), 서전서숙·명동 학교 설립(민족 교육 실시), 중광단 조직(북로 군정서로 개편, 사관 연성소에서 독립군 양성)
연해주	신한촌 건설(한인 집단촌), 권업회 조직(자치 단체, 권업신문 발간, 대한 광복군 정부 조직), 전로 한족회 중앙 총회·한인 사회당 결성, 대한 국민 의회(1919) 수립 ← 1914년 이상설과 이동휘를 정·부통령으로 하여 조직되었다.
상하이	동제사 조직(1912), 박은식·신규식 등이 대동단결의 선언 발표(대한 제국의 주권이 국민에게 계승되었다고 주장, 1917), 신한청년당 조직(1918) ← 대한민국 임시 정부가 수립되는 기반이 되었다.
미주	대한인 국민회 결성(신한민보 발간), 하와이에 대조선 국민군단 조직(박용만), 멕시코 이주민들이 숭무 학교 설립

• 독립운동 자금을 모아 만주와 연해주의 독립운동을 지원하였다.

B 3·1 운동

1. 3·1 운동의 배경

(1) 세계정세 변화: 레닌의 식민지 민족 해방 운동 지원 선언, 윌슨의 민족 자결주의 주창
• 각 민족은 정치적 운명을 스스로 결정할 권리가 있다는 주장이다.

(2) 국외의 독립운동

① 신한청년당의 외교 활동: 김규식을 파리 강화 회의에 파견

② 국외의 독립 선언서 발표: 대한 독립 선언(만주 지린성), 2·8 독립 선언(일본 도쿄) 발표

(3) 국내의 만세 시위 계획: 고종의 승하로 반일 감정 고조 → 천도교·기독교·불교 등 종교계 지도자들과 학생 대표들이 만세 시위 계획

★ 2. 3·1 운동의 전개

(1) 3·1 운동의 전개 과정

독립 선언 준비	33인의 민족 대표 구성(대중적인 비폭력 운동 전개 방침 수립) → 기미 독립 선언서 작성
독립 선언서 발표	민족 대표 33인이 태화관에서 독립 선언서 낭독 후 자진 체포, 학생·시민들이 탑골 공원에서 독립 선언서 발표 후 평화적 만세 시위 전개
시위의 확산	전국 주요 도시로 확산(청년·학생 중심, 상인·노동자 참여) → 농촌으로 확대(농민 참여, 무력 투쟁 전개) → 국외로 확산(만주·연해주·미주·일본 등에서 만세 시위 전개)

• 일제의 탄압에 대항하여 농민들은 식민 통치 기관을 습격하였다.

(2) 일제의 탄압: 일제가 헌병 경찰과 군대를 동원해 무자비한 학살 자행(제암리 사건 등)
• 1919년 4월 일본군이 경기 화성 제암리의 마을 사람들을 교회에 가두고 사격을 가한 후 불을 지른 사건이다.

> **기미 독립 선언서(1919)**
> 오등(吾等)은 이에 아(我) 조선의 독립국임과 조선인의 자주민임을 선언하노라. …… 금일 우리의 이 거사는 정의, 인도, 생존, 존영을 위하는 민족적 요구이니 오직 자유적 정신을 발휘하는 것이요, 결코 배타적 감정으로 치닫지 말라. — 보성사본

33인의 민족 대표는 탑골 공원에서 독립 선언서를 발표할 계획이었으나 시위가 과격해질 것을 우려하여 태화관에 모여 독립 선언을 하였다.

3. 3·1 운동의 의의 및 영향

(1) 우리 역사상 최대 규모의 민족 운동: 모든 계층이 참여 → 우리 민족의 독립 의지를 전 세계에 알림

(2) 대한민국 임시 정부 수립의 계기: 3·1운동 이후 독립운동을 조직적·체계적으로 이끌 통일된 지도부의 필요성 제기

(3) 일제의 통치 방식 변화: 통치 방식을 무단 통치에서 이른바 '문화 통치'로 전환

(4) 아시아의 민족 운동에 영향: 중국의 5·4 운동 등 약소민족의 반제국주의 운동에 영향

★ 표시는 시험 전에 확인해 주세요.

C 대한민국 임시 정부

1. 임시 정부의 수립과 통합

(1) 여러 지역의 임시 정부 수립 ── 각지에 세워진 임시 정부들은 모든 국민이 평등하고 국민에게 주권이 있는 민주 공화정을 지향하였다.

대한 국민 의회	연해주에서 전로 한족회 중앙 총회를 정부 형태로 개편(대통령: 손병희, 국무총리: 이승만)
한성 정부	국내에서 13도 대표가 모여 수립(집정관 총재: 이승만, 국무총리 총재: 이동휘)
상하이 임시 정부	신한청년당 중심으로 임시 의정원을 만들어 구성(국무총리: 이승만, 내무총장: 안창호), 대한민국 임시 헌장 선포

(2) 임시 정부의 통합 ── 무장 투쟁에 유리한 연해주에 두자는 주장과 외교 활동에 유리한 상하이에 두자는 주장이 있었다.

① 대한민국 임시 정부 수립(1919. 9.): 외교 활동에 유리한 중국 상하이에서 출범, 대한민국 임시 헌법 공포
② 대한민국 임시 정부의 체제: 삼권 분립에 입각한 최초의 민주 공화제 정부 → 대통령제(대통령: 이승만, 국무총리: 이동휘), 임시 의정원(입법)·국무원(행정)·법원(사법) 구성

★ 2. 대한민국 임시 정부의 활동

국내 연락망 구축	연통제(비밀 행정 조직)·교통국(통신 기관) 조직 → 독립운동 자금 확보, 국내외 항일 세력과 연락
자금 마련	독립 공채 발행, 국민 의연금 모금
외교 활동	파리 강화 회의에 파견된 김규식을 전권 대사로 임명하여 독립 청원서 제출, 미국에 구미 위원부 설치(1919), 워싱턴 회의(1921)에 독립 요구서 제출
군사 활동	군무부 설치, 직할 부대 편성(광복군 사령부, 광복군 총영, 육군 주만 참의부), 군무부 산하에 만주 지역의 독립군 단체인 서로 군정서와 북로 군정서 편제
문화 활동	독립신문·각종 외교 선전 책자 발행, 임시 사료 편찬 위원회에서 『한일 관계 사료집』 간행

★ 3. 국민대표 회의와 대한민국 임시 정부의 변화

(1) 국민대표 회의의 개최(1923)

① 배경: 일제의 탄압으로 연통제·교통국 마비, 외교 활동의 성과 미약 → 독립운동의 노선을 둘러싼 논쟁 발생, 이승만의 위임 통치 청원서 제출 → 임시 정부의 개편 요구 ── 이승만 계열의 외교 독립론, 이동휘 계열의 무장 투쟁론, 안창호의 실력 양성론 등이 제기되었다.

② 경과: 독립운동의 새 방향 모색을 위한 국민대표 회의 개최(1923) → 창조파(새 정부 수립 주장)와 개조파(임시 정부의 존속 주장)의 대립 → 결렬 ── 이승만은 한국에 대한 국제 연맹의 위임 통치를 청원하는 문서를 미국 대통령 윌슨에게 보냈다.

③ 결과: 많은 민족 운동가들이 임시 정부에서 이탈 → 임시 정부의 세력 약화

(2) 임시 정부의 변화: 이승만 탄핵, 제2대 대통령 박은식 선출 → 국무령 중심의 내각 책임제로 개편(2차 개헌, 1925) → 국무위원 중심의 집단 지도 체제로 전환(3차 개헌, 1927)

---

01 임병찬 등은 고종의 밀지를 받고 국내에서 전국 각지의 유생들을 모아 (   )를 조직하였다.

02 다음에서 설명하는 독립운동이 일어난 지역을 〈보기〉에서 골라 기호를 쓰시오.

┌─ 보기 ────────────────────┐
ㄱ. 만주   ㄴ. 미주   ㄷ. 연해주
└──────────────────────────┘

(1) 대한인 국민회는 신한민보를 발행하여 항일 의식을 고취하였다. (   )
(2) 자치 단체인 권업회는 권업신문을 발간하였으며, 한인들의 권익 신장에 힘썼다. (   )
(3) 항일 운동 단체인 경학사는 이후 부민단, 한족회로 발전하면서 서로 군정서를 조직하였다. (   )

03 (   )은 김규식을 파리 강화 회의에 대표로 파견하였다.

04 1919년 일본 도쿄에서 한국인 유학생들을 중심으로 발표한 독립 선언은?

05 대한민국 임시 정부는 외교 활동에 유리한 (   )에서 출범하였다.

06 다음 대한민국 임시 정부의 조직과 그 역할을 옳게 연결하시오.

(1) 연통제 •   • ㉠ 입법 기관
(2) 구미 위원부 •   • ㉡ 외교 담당 기관
(3) 임시 의정원 •   • ㉢ 비밀 행정 조직

07 대한민국 임시 정부가 독립운동의 새로운 방향을 논의하기 위해 1923년에 개최한 회의는?

A 1910년대 국내외의 독립운동

출제가능성 90%

01 다음 강령을 발표한 단체에 대한 설명으로 옳은 것은?

> 1. 부호의 의연 및 일본인이 불법 징수하는 세금을 압수하여 무장을 준비한다.
> 2. 남북 만주에 사관 학교를 설치하여 독립 전사를 양성한다.
> 3. 종래의 의병 및 만주 이주민을 소집하여 훈련한다.
> 7. 무력이 완비되는 대로 일본인 섬멸전을 단행하여 최후의 목적을 이룬다.

① 하와이에서 박용만이 조직하였다.
② 공화정 수립을 목표로 하여 조직되었다.
③ 일제가 조작한 105인 사건으로 해체되었다.
④ 채응언을 중심으로 평안도, 황해도 등지에서 활동하였다.
⑤ 대성 학교, 오산 학교 등을 설립하여 민족 교육을 실시하였다.

주관식

02 다음에서 설명하는 이념을 쓰시오.

> • 나라를 되찾아 임금을 다시 세우겠다는 주장으로, 대한 제국의 회복을 추구하는 독립운동의 이념이다.
> • 임병찬이 조직한 독립 의군부는 이것을 추구한 대표적인 항일 비밀 결사이다.

03 (가) 지역에서 활동한 독립운동 단체로 옳은 것은?

> **역사 인물 카드**
> • 이름: 이회영
> • 생몰 연대: 1867~1932년
> • 주요 활동
> – 국권 피탈 이후 재산을 처분하고 [(가)] 지역으로 떠남
> – 신흥 강습소를 세워 독립군 양성에 힘씀

① 경학사   ② 권업회   ③ 송죽회
④ 대한인 국민회 ⑤ 대한 광복군 정부

04 (가)~(마) 지역에서 전개된 독립운동에 대한 설명으로 옳지 않은 것은?

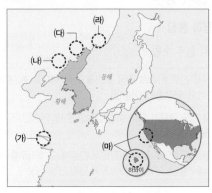

① (가) – 신규식 등이 대동단결 선언을 발표하였다.
② (나) – 이상설 등이 서전서숙과 명동 학교를 세웠다.
③ (다) – 대종교 신자 중 일부가 중광단이라는 무장 독립 단체를 만들었다.
④ (라) – 이상설과 이동휘를 정·부통령으로 하는 대한 광복군 정부가 조직되었다.
⑤ (마) – 대한인 국민회가 독립운동 자금을 모아 만주와 연해주의 독립운동을 지원하였다.

B 3·1 운동

05 (가)에 들어갈 내용으로 적절한 것을 〈보기〉에서 고른 것은?

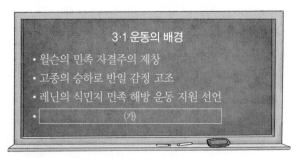

> **3·1 운동의 배경**
> • 윌슨의 민족 자결주의 제창
> • 고종의 승하로 반일 감정 고조
> • 레닌의 식민지 민족 해방 운동 지원 선언
> • [(가)]

> **보기**
> ㄱ. 중국에서 5·4 운동 발발
> ㄴ. 대한민국 임시 정부 수립
> ㄷ. 일본에서 2·8 독립 선언서 발표
> ㄹ. 신한청년당이 파리 강화 회의에 김규식 파견

① ㄱ, ㄴ   ② ㄱ, ㄷ   ③ ㄴ, ㄷ
④ ㄴ, ㄹ   ⑤ ㄷ, ㄹ

06 다음 선언서가 발표된 민족 운동에 대한 설명으로 옳은 것은?

> **선언서**
>
> 오등(吾等)은 이에 아(我) 조선의 독립 국임과 조선인의 자주민임을 선언하노라. …… 금일 우리의 이 거사는 정의, 인도, 생존, 존영을 위하는 민족적 요구이니 오직 자유적 정신을 발휘하는 것이요, 결코 배타적 감정으로 치닫지 말라. 최후의 일인까지 최후의 시간까지 민족의 정당한 의사를 시원하게 발표하라.
>
> – 기미년 3월 조선 민족 대표 33인

① 신민회가 주도하였다.
② 13도 창의군을 조직하였다.
③ 연해주와 미주에서도 전개되었다.
④ 집강소에서 폐정 개혁을 실천하였다.
⑤ 국민대표 회의가 열리는 계기가 되었다.

07 그래프는 3·1 운동으로 검거된 사람의 직업별 구성이다. 이를 통해 알 수 있는 3·1 운동의 특징으로 가장 적절한 것은?

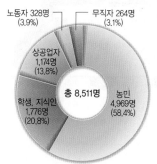

노동자 328명 (3.9%)
무직자 264명 (3.1%)
상공업자 1,174명 (13.8%)
총 8,511명
농민 4,969명 (58.4%)
학생, 지식인 1,776명 (20.8%)
(『독립운동사 연구』, 1980)

① 일반 백성의 지지가 부족하였다.
② 소수의 지식인 중심으로 전개되었다.
③ 대한매일신보 등 언론의 지원을 받았다.
④ 대구에서 시작되어 전국으로 확산되었다.
⑤ 운동의 주체가 확대되어 모든 계층이 참여하였다.

08 ✨출제가능성 90% (가) 운동에 대한 설명으로 옳은 것을 〈보기〉에서 고른 것은?

> 일본군은 화성시 제암리에서 [(가)] 때 만세 시위를 전개한 주민들을 잔인하게 학살하였습니다. 선교사로 한국에 온 스코필드는 당시 현장을 사진과 기록으로 남겨 미국 언론에 보내면서 일제의 만행을 세상에 알렸습니다.

제암리 학살 사건을 해외에 알린 스코필드 특별전 열려

> **보기**
>
> ㄱ. 독립 의군부가 결성되는 계기가 되었다.
> ㄴ. 일제가 식민 통치 방식을 바꾸게 만들었다.
> ㄷ. 미국 대통령 윌슨이 민족 자결주의 원칙을 제시하는 배경이 되었다.
> ㄹ. 중국의 5·4 운동 등 아시아 각국의 반제국주의 운동에 영향을 주었다.

① ㄱ, ㄴ   ② ㄱ, ㄷ   ③ ㄴ, ㄷ
④ ㄴ, ㄹ   ⑤ ㄷ, ㄹ

C 대한민국 임시 정부

09 임시 정부가 통합되기 전 (가)~(다)에서 설립된 임시 정부에 대한 설명으로 옳지 않은 것은?

(가)
동해
(나)
황해
(다)

① (가) – 임시 의정원을 만들었다.
② (가) – 손병희가 대통령이 되었다.
③ (나) – 이승만을 집정관 총재로 추대하였다.
④ (다) – 대한민국 임시 헌장을 선포하였다.
⑤ (다) – 신한청년당을 중심으로 수립되었다.

10 다음 자료를 발표한 단체에 대한 설명으로 옳지 <u>않은</u> 것은?

> 제1조 대한민국은 대한 인민으로 조직한다.
> 제2조 대한민국의 주권은 대한 인민 전체에 있다.
> 제5조 대한민국의 입법권은 의정원, 행정권은 국무원, 사법권은 법원이 행사한다.

① 우리나라 최초의 민주 공화제 정부였다.
② 외교 활동에 유리한 상하이에 위치하였다.
③ 3·1 운동을 비롯한 국내의 대규모 만세 시위를 계획하였다.
④ 한일 관계 사료집을 간행하여 독립 의식을 높이고자 하였다.
⑤ 연통제, 교통국을 조직하여 국내의 항일 세력들과 연락하였다.

11 검색 결과로 나올 수 있는 내용으로 적절하지 <u>않은</u> 것은?

① 군무부 산하에 서로 군정서와 북로 군정서 등을 편제하였다.
② 광복군 사령부, 광복군 총영 등을 두어 직할 부대를 편성하였다.
③ 조선 총독부와 일본 정부에 국권 반환 요구서를 보내려고 계획하였다.
④ 독립 공채를 발행하거나 의연금을 거두어 독립운동 자금을 마련하였다.
⑤ 미국에 구미 위원부를 설치하여 한국의 독립 문제를 국제 여론화하는 데 힘썼다.

출제가능성90%

12 밑줄 친 '국민대표 회의'에 대한 설명으로 옳은 것은?

> 본 <u>국민대표 회의</u>는 2천만 민중의 공정한 뜻에 바탕을 둔 국민적 대회합으로 최고의 권위를 가지고 국민의 완전한 통일을 공고하게 하며 광복 대업의 근본 방침을 수립하여 우리 민족의 자유를 만회하며 독립을 완성하기를 기도하고 이에 선언하노라. …… 본 대표 등은 국민이 위탁한 사명을 받들어 국민적 대단결에 힘쓰며, 독립운동이 나아갈 방향을 확립하여 통일적 기관 아래에서 대업을 완성하고자 하노라. — 「한국 민족 독립운동 사료(중국 편)」

① 개조파와 창조파의 대립으로 결렬되었다.
② 박은식을 대통령으로 추대하는 것에 합의하였다.
③ 대한민국 임시 정부의 조직만 바꾸기로 결정하였다.
④ 대한민국 임시 정부를 해체하고 새로운 정부를 수립하기로 결정하였다.
⑤ 헌법을 개정하여 국무령 중심의 내각 책임제를 실시하기로 합의하였다.

13 (가)에 들어갈 내용으로 가장 적절한 것은?

① 김규식을 전권 대사로 임명
② 임시 의정원·국무원·법원 구성
③ 이승만이 위임 통치 청원서 제출
④ 워싱턴 회의에 독립 요구서 제출
⑤ 국무령 중심의 내각 책임제로 개편

01 밑줄 친 '이 지역'에서 일어난 사실로 옳은 것은?

> 이 지역에 사는 한인들이 늘어나자, 시 당국에서는 한인들만 집단으로 거주하는 구역을 만들어 '한인촌'이라 불렀다. 그러나 1911년에 전염병이 퍼지는 것을 이유로 한인촌은 강제로 철거되었고 한인들은 새로 만든 구역으로 강제 이주되었다. 한인들은 그곳에서 새로운 한인 마을을 만들었는데, 이름을 '신한촌'이라 지었다.

① 숭무 학교가 설립되었다.
② 신한청년당이 조직되었다.
③ 대한 국민 의회가 수립되었다.
④ 용정촌, 명동촌 등이 형성되었다.
⑤ 삼원보에 신한민촌이 건설되었다.

★최고난도

02 밑줄 친 '식민 통치 정책'으로 가장 적절한 것을 〈보기〉에서 고른 것은?

> **학교 생활 기록부**
>
> 8. 교과 학습 발달 사항
> [1학년]
>
> | 과목 | 세부 능력 및 특기 사항 |
> |---|---|
> | 한국사 | '3·1 운동 가상 법정' 수업(20○○. ○. ○○.)에서 만세 시위에 참여하였던 농민의 변호를 맡아, 그가 헌병 주재소를 습격하였던 이유를 일제의 부당한 식민 통치 정책을 사례로 제시하여 논리적으로 자신의 주장을 전개함 |

> **보기**
> ㄱ. 토지 조사 사업을 실시하였다.
> ㄴ. 헌병 경찰에게 즉결 처분권을 부여하였다.
> ㄷ. 치안 유지법을 이용하여 한국인을 구속하였다.
> ㄹ. 산미 증식 계획으로 각지에 수리 조합을 조직하였다.

① ㄱ, ㄴ   ② ㄱ, ㄷ   ③ ㄴ, ㄷ
④ ㄴ, ㄹ   ⑤ ㄷ, ㄹ

2020 평가원 응용

03 (가)에 대한 설명으로 옳은 것은?

> 자료는 상하이에서 수립된 [(가)]의 기관지인 독립신문으로, 국내외의 독립운동 소식을 알리기 위해 간행되었다. 독립신문은 중국과 미주 지역 등 해외의 한인 동포들뿐만 아니라, [(가)]의 연통제와 교통국을 통해 국내에도 배포되었다.

① 원산 학사를 설립하였다.
② 홍범 14조를 반포하였다.
③ 한인 사회당을 결성하였다.
④ 자치 단체로 간민회를 조직하였다.
⑤ 육군 주만 참의부를 직할 부대로 두었다.

🌱 서술형 문제

04 다음 자료의 핵심 주장을 서술하시오.

> 융희 황제(순종)가 삼보(三寶: 토지, 국민, 정치)를 포기한 8월 29일은 바로 우리 동지가 이를 계승한 8월 29일이니, 그간에 한순간도 멈춘 적이 없음이라. 우리 동지는 완전히 상속자니 저 황제권이 소멸한 때가 민권이 발생한 때요, 구한국 최후의 날은 곧 신한국 최초의 날이다. …… 그러므로 경술년 융희 황제의 주권 포기는 곧 우리 국민 동지들에 대한 묵시적 선위이니 우리 동지들은 당연히 주권을 계승하여 통치할 특권이 있고 또 대통을 상속할 의무가 있도다.
>
> – 대동단결의 선언, 1917

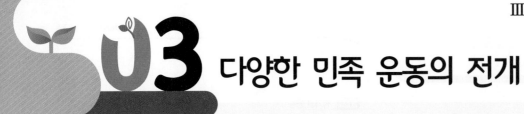

03 다양한 민족 운동의 전개

A 무장 독립 투쟁과 의열 투쟁

★ 1. 봉오동 전투와 청산리 대첩

(1) 무장 독립 투쟁의 준비: 1910년대 간도·연해주에서 자치 단체 조직, 독립운동 기지 건설 — 일본군은 1920년 중국 마적들을 매수하여 훈춘의 일본 영사관을 습격하게 하였다.

(2) 봉오동 전투(1920. 6.)와 청산리 대첩(1920. 10.)

봉오동 전투	대한 독립군의 국내 진공 작전 → 일제의 독립군 공격 → 대한 독립군(홍범도)·군무 도독부군(최진동)·국민회군(안무) 등 독립군 연합 부대가 봉오동 계곡에서 일본군 공격, 승리
청산리 대첩	일제가 훈춘 사건을 조작하여 만주에 일본군 투입, 일본군이 독립군 공격 → 북로 군정서(김좌진)·대한 독립군(홍범도) 중심의 연합 부대가 백운평·완루구·어랑촌 전투 등 10여 차례의 전투에서 일본군 격파

2. 독립군의 시련

간도 참변 (1920~1921)	봉오동 전투·청산리 대첩에서 대패한 일본군이 독립군의 지지 기반 붕괴 시도 → 간도 지역의 한인 마을 습격, 가옥·학교 등 방화, 한국인 무차별 학살
자유시 참변 (1921)	독립군 부대가 미산(밀산)에 집결 → 러시아령 자유시로 이동 → 독립군 부대의 통합 과정에서 지휘권을 둘러싼 다툼 발생 → 러시아 적군이 독립군의 무장 해제 강요, 수백 명의 독립군 희생

3. 독립군의 재정비

만주 지역의 한인 사회에서 동포들의 권리와 이익을 지키면서 독립 전쟁을 수행하였다.

3부의 성립	• 배경: 간도 참변, 자유시 참변 이후 만주 독립운동 세력의 조직 정비 노력 • 내용: 참의부(대한민국 임시 정부 소속의 군정부, 지안을 중심으로 동포 사회 관할), 정의부(남만주 일대에서 활동), 신민부(러시아에서 돌아온 독립군 중심, 간도와 북만주 일대에서 활동) 조직 • 3부의 성격: 민정 조직과 군정 조직으로 구성된 공화주의 자치 정부의 성격을 띔
3부의 통합	• 배경: 일제와 만주 군벌의 미쓰야 협정 체결로 독립군의 활동 위축, 민족 유일당 운동 전개(베이징에서 한국 독립 유일당 북경 촉성회 조직) • 내용: 통합을 둘러싼 갈등 발생 → 남만주의 국민부(조선 혁명당 결성, 조선 혁명군 조직), 북만주의 혁신 의회(한국 독립당 결성, 한국 독립군 조직)로 재편

> **미쓰야 협정(1925)**
> 1. 한국인이 무기를 가지고 다니거나 한국으로 침입하는 것을 엄금하며 위반자는 검거하여 일본 경찰에 인도한다.
> 2. 만주에 있는 한인 단체를 해산시키고 무장을 해제하며, 무기와 탄약을 몰수한다.
> 3. 일본이 지명하는 독립운동가를 체포하여 일본 경찰에 인도한다.

조선 총독부 경무국장 미쓰야가 만주 군벌과 맺은 협정이다. 이 협정으로 독립운동 세력은 일본군뿐만 아니라 중국 관리의 탄압도 받았다.

4. 의열 투쟁의 전개

(1) 의열단

폭력 투쟁을 통한 민중의 직접 혁명을 추구하였다.

결성	1919년 만주 지린성에서 김원봉의 주도로 결성(본부 베이징), 신채호의 『조선 혁명 선언』을 활동 지침으로 삼음
의거 활동	박재혁(부산 경찰서에 폭탄 투척), 김익상(조선 총독부에 폭탄 투척), 김상옥(종로 경찰서에 폭탄 투척), 나석주(동양 척식 주식회사와 조선 식산 은행에 폭탄 투척) 등
변화	1920년대 후반 개인 폭력 투쟁의 한계 인식, 조직적인 항일 무장 투쟁 준비 → 단원들이 황푸 군관 학교에서 군사 교육을 받음, 1930년대에 조선 혁명 군사 정치 간부 학교 설립(독립군 간부 양성), 민족 혁명당 결성(1935) 주도

(2) 기타: 강우규(국내에서 조선 총독 사이토 마코토 저격), 조명하(타이완에서 일본 왕족 사살) 등

B 실력 양성 운동

1. 실력 양성 운동의 배경
3·1 운동 이후 일부 지식인들이 일제의 지배에서 벗어나기 위해 민족의 실력 양성 주장

★ 2. 실력 양성 운동의 전개

(1) 물산 장려 운동

배경	1920년대 회사령 폐지로 일본 자본의 한국 진출, 한일 간 관세 철폐 소식으로 한국인 자본가의 위기의식 고조
전개	조만식 등이 평양에서 조선 물산 장려회 조직(1920), 서울에서 조선 물산 장려회 조직(1923) → 민족 산업 보호·성장을 목표로 토산품 애용, 근검저축, 금주, 금연 등의 실천 강조
구호	'내 살림 내 것으로', '조선 사람 조선 것' 등
결과	민중의 공감과 지지 획득, 민족의식 고취, 상품 가격의 상승으로 사회주의자들의 비판을 받음 → 큰 성과를 거두지 못함

자본가와 중산 계급의 이익만을 추구하는 이기적 운동이라고 비판하였다.

(2) 민립 대학 설립 운동

배경	제2차 조선 교육령(1922)에 따라 대학 설립이 가능해짐 → 고등 교육을 통한 민족의 실력 양성 도모
전개	이상재 등이 결성한 조선 교육회의 제안 → 조선 민립 대학 기성회 조직(1923) → 전국적인 모금 운동 전개
구호	'한민족 1천만이 한 사람이 1원씩'
결과	일제의 방해와 탄압, 가뭄·수해로 중단 → 일제가 회유책으로 경성 제국 대학 설립(1924)

(3) 문맹 퇴치 운동: 언론 주도의 농촌 계몽 운동, 한글 보급 활동

문자 보급 운동	1929년부터 조선일보 주도, '아는 것이 힘, 배워야 산다.'라는 표어 아래 전개, 한글 교재 발행
브나로드 운동	1931년부터 동아일보 주도, 지방마다 야학 설립(한글 교육), 계몽 운동(미신 타파·구습 제거·근검절약 등 강조)

러시아어로 '민중 속으로'라는 의미이다.

3. 자치 운동과 참정권 운동의 대두

내용	일부 민족주의 계열(이광수, 최린 등) → 일제의 식민 지배 인정, 자치 운동과 참정권 운동 전개
결과	민족주의 세력의 분열 초래(일제의 민족 분열 정책에 이용당함)

> **이광수의 「민족적 경륜」(1924)**
> 지금까지 해 온 정치 운동은 모두 일본을 적대시하는 운동뿐이었다. 이런 종류의 정치 운동은 해외에서나 할 수 있는 일이고, 조선 내에서는 허용되는 범위 내에서 일대 정치적 결사를 조직해야 한다는 것이 우리의 주장이다.   – 동아일보, 1924

이광수는 「민족적 경륜」을 발표하여 일본의 식민 지배를 받아들이고 그 안에서 한국인의 자치를 인정받는 자치 운동을 전개하였다.

C 민족 유일당 운동

1. 사회주의 사상의 확산 ┌• 농민과 노동자들을 단결하여 일제를 타도하고 평등 사회 건설을 지향하였다.

확산	3·1 운동 이후 국내 유입, 청년과 지식인층을 중심으로 확산 → 여러 사회주의 단체 조직, 조선 공산당 결성(1925)
탄압	일제가 치안 유지법(1925) 제정, 사회주의 세력 탄압

2. 민족 유일당 운동의 전개

국외	중국의 제1차 국공 합작(1924) → 베이징에서 한국 독립 유일당 북경 촉성회 결성, 만주에서 3부 통합 운동 전개
국내	• 비타협적 민족주의자: 타협적 민족주의자의 자치 운동 비판, 일부 사회주의자와 조선 민흥회 결성(1926) • 사회주의자: 정우회 선언 발표(1926)

3. 신간회

창립	비타협적 민족주의자들과 사회주의자들이 연대하여 창립(1927) → 전국에 140여 개의 지회 조직, 4만여 명에 이르는 회원으로 구성(국내 최대의 항일 운동 단체)
활동	합법적 공간 활용하여 정치 활동, 전국 순회강연을 통한 민중 계몽, 노동·농민·여성·형평 운동 등 지원, 원산 총파업(1929) 지원, 갑산군 화전민 사건의 진상 규명 노력, 광주 학생 항일 운동(1929) 때 광주에 조사단 파견 및 민중 대회 계획
해소	광주 학생 항일 운동의 민중 대회 무산, 일제의 탄압, 지도부 내에서 타협주의 대두, 코민테른의 노선 변화로 사회주의 계열 이탈 → 신간회 해소(1931)

> **신간회의 강령(1927)**
> 1. 우리는 정치적, 경제적 각성을 촉진한다.
> 2. 우리는 단결을 공고히 한다.
> 3. 우리는 기회주의를 일체 부인한다.

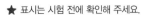

01 다음의 역사적 사실을 일어난 순서대로 나열하시오.

> ㄱ. 봉오동 계곡에서 독립군 연합 부대가 일본군을 공격하여 승리를 거두었다.
> ㄴ. 김좌진이 이끄는 북로 군정서와 홍범도가 이끄는 대한 독립군 등이 일본군과 맞서 승리하였다.
> ㄷ. 만주의 독립운동 세력은 참의부, 정의부, 신민부의 3부를 구성하여 흩어진 조직을 정비하였다.
> ㄹ. 러시아 적군이 자유시에 모인 독립군의 무장 해제를 강요하면서 수백 명의 독립군이 희생되었다.

02 만주 지역의 3부는 동포 사회를 이끌어 가는 민정 조직과 독립군의 훈련·작전을 담당하는 (   )을 갖추고 있었다.

03 만주 지역 독립운동 단체의 통합 운동이 전개된 결과 3부는 국민부와 (   )로 각각 재편되었다.

04 의열 투쟁에 대한 설명이 맞으면 ○표, 틀리면 ×표를 하시오.
  (1) 조명하는 타이완에서 일본 왕족을 죽이는 의거를 일으켰다.   (   )
  (2) 나석주는 동양 척식 주식회사와 조선 식산 은행에 폭탄을 투척하였다.   (   )
  (3) 신채호가 작성한 조선 혁명 선언은 조선 혁명당의 활동 지침으로 활용되었다.   (   )

05 다음 실력 양성 운동의 구호를 옳게 연결하시오.
  (1) 문자 보급 운동 •   • ㉠ 내 살림 내 것으로
  (2) 물산 장려 운동 •   • ㉡ 아는 것이 힘, 배워야 산다
  (3) 민립 대학 설립 운동   • ㉢ 한민족 1천만이 한 사람이 1원씩

06 민족 유일당 운동의 결과 1927년 국내에서 비타협적 민족주의자들과 사회주의자들이 연대하여 창립된 단체는?

A 무장 독립 투쟁과 의열 투쟁

01 (가) 전투에 대한 설명으로 가장 적절한 것은?

파일(F) 편집(E) 보기(V) 즐겨찾기(A) 도구(T) 도움말(H)

홍범도 ▼ 검색

검색 결과 약 1,520,000개

홍범도(1868~1943)
[생애 및 활동] …… 홍범도의 대한 독립군, 최진동의 군무 도독부군, 안무의 국민회군 등이 (가) 전투에서 일본군 150여 명을 사살하였다.

① 서울 진공 작전이 전개되었다.
② 봉오동 계곡에서 일본군을 공격하였다.
③ 미쓰야 협정이 체결되는 계기가 되었다.
④ 의병장 채응언이 일본군에게 사로잡혔다.
⑤ 자유시에서 돌아온 독립군 부대들이 주도하였다.

출제가능성 90%

02 (가) 지역에서 일어난 전투에 대한 설명으로 옳은 것을 〈보기〉에서 모두 고른 것은?

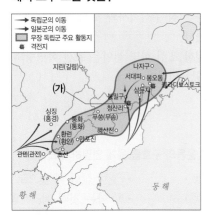

→ 독립군의 이동
→ 일본군의 이동
▨ 무장 독립 주요 활동지
★ 격전지

지린(길림)
나자구
서대파 봉오동
(가)
밀구 블라디보스토크
삼둔자
청산리
무쑹(무송)
심징(흥경)
통화(통화)
혜산진
환련(환인) 만포진
관톈(관전)
훈춘
황해
동해

보기
ㄱ. 훈춘 사건이 일어나는 원인이 되었다.
ㄴ. 일제가 제암리 사건을 일으켜 보복하였다.
ㄷ. 북로 군정서와 대한 독립군이 참여하였다.
ㄹ. 백운평, 어랑촌 등에서 일본군을 격파하였다.

① ㄱ, ㄴ   ② ㄱ, ㄷ   ③ ㄴ, ㄷ
④ ㄴ, ㄹ   ⑤ ㄷ, ㄹ

출제가능성 90%

03 자료의 사건을 활용한 탐구 활동으로 가장 적절한 것은?

간도 용정촌에서 40리 정도 떨어진 한 마을을 일본군 1개 대대가 포위하였다. 남자라면 늙은이, 어린아이를 막론하고 끌어내어 죽이고, 못다 죽이면 타오르는 집이나 짚 더미에 던져 타 죽게 하였다. — 조지훈, 「한국 민족 운동사」

① 이른바 남한 대토벌 작전의 영향을 조사한다.
② 청산리 대첩 이후 일본군의 움직임을 파악한다.
③ 독립군이 러시아 적군과 충돌한 원인을 분석한다.
④ 북만주에서 혁신 의회가 조직된 배경을 탐구한다.
⑤ 일제가 만주 군벌과 체결한 협정의 내용을 알아본다.

04 다음 두 사건 사이에 일어난 일로 옳은 것은?

• 일제는 일본군이 만주에 진출할 수 있는 명분을 만들기 위해 중국 마적들을 매수하여 이들에게 훈춘 영사관을 습격하도록 하였다.
• 러시아의 자유시로 이동한 독립군은 부대를 통합하는 과정에서 지휘권을 둘러싼 분쟁이 일어났고, 러시아 적군이 독립군의 무장 해제를 강요하면서 수백 명의 독립군이 희생되었다.

① 남만주 일대에 정의부가 결성되었다.
② 북만주 지역에서 신민부가 조직되었다.
③ 북만주의 미산에 독립군 부대가 집결하였다.
④ 남만주의 국민부가 조선 혁명군을 결성하였다.
⑤ 봉오동 계곡에서 독립군이 일본군을 무찔렀다.

05 다음 자료를 활용한 보고서 주제로 가장 적절한 것은?

참의부 ─ 전 민족 유일당 조직 협의회 ─ 국민부 (남만주) ─ 조선 혁명당, 조선 혁명군
정의부
신민부 ─ 전 민족 유일당 조직 촉성회 ─ 혁신 의회 (북만주) ─ 한국 독립당, 한국 독립군

① 독립군의 시련   ② 의열 투쟁의 전개
③ 3부 통합 운동의 전개   ④ 민족주의 운동의 분화
⑤ 실력 양성 운동의 흐름

06 다음 협정의 명칭을 쓰시오.

> 1. 한국인이 무기를 가지고 다니거나 한국으로 침입하는 것을 엄금하며 위반자는 검거하여 일본 경찰에 인도한다.
> 2. 만주에 있는 한인 단체를 해산시키고 무장을 해제하며, 무기와 탄약을 몰수한다.
> 3. 일본이 지명하는 독립운동가를 체포하여 일본 경찰에 인도한다.

07 (가) 단체의 활동에 대한 설명으로 옳은 것은?

한국사 스피드 퀴즈
(가)

1919년 만주에서 김원봉을 중심으로 결성한 단체는?

① 조명하가 타이완에서 일본 왕족을 사살하였다.
② 안중근이 만주에서 이토 히로부미를 저격하였다.
③ 강우규가 조선 총독 사이토 마코토를 저격하였다.
④ 이재명이 명동 성당 앞에서 이완용을 습격하였다.
⑤ 나석주가 동양 척식 주식회사에 폭탄을 투척하였다.

08 다음 자료를 활동 지침으로 삼은 단체에 대한 설명으로 옳은 것은?

> 민중은 우리 혁명의 대본영(大本營)이다. 폭력은 우리 혁명의 유일한 무기이다. 우리는 민중 속으로 가서 민중과 손을 맞잡아 끊임없는 폭력, 암살, 파괴, 폭동으로써 강도 일제의 통치를 타도하고, 우리 생활에 불합리한 일체의 제도를 개조하여 인류로써 인류를 압박하지 못하며, 사회로써 사회를 박탈하지 못하는 이상적 조선을 건설할지니라.   – 신채호의 「조선 혁명 선언」

① 복벽주의를 지향하였다.
② 한국 독립군을 조직하였다.
③ 민족 혁명당 결성을 주도하였다.
④ 실력 양성을 강조한 비밀 결사이다.
⑤ 민정 조직과 군정 조직을 갖추고 있었다.

B 실력 양성 운동

✨출제가능성 90%
09 다음과 같이 주장한 민족 운동이 일어난 배경으로 가장 적절한 것은?

> 보아라! 우리의 먹고 입고 쓰는 것이 거의 다 우리의 손으로 만든 것이 아니었다. 이것이 세상에 제일 무섭고 위태한 일인 줄을 오늘에야 우리는 깨달았다. …… 입어라! 조선 사람이 짠 것을 / 먹어라! 조선 사람이 만든 것을 / 써라! 조선 사람이 지은 것을 조선 사람, 조선 것

① 제2차 조선 교육령이 제정되었다.
② 기업 설립을 조선 총독이 허가하도록 하였다.
③ 어업령, 삼림령, 조선 광업령 등이 공포되었다.
④ 한국과 일본 사이의 관세를 철폐하려는 움직임이 나타났다.
⑤ 일제가 치안 유지법을 제정하여 사회주의 세력을 탄압하였다.

10 밑줄 친 '이 운동'에 대한 설명으로 옳은 것은?

> 이 운동은 '한민족 1천만이 한 사람이 1원씩'이라는 구호를 내걸고 전국적인 모금 운동을 벌였다.

① 고등 교육 기관을 설립하고자 하였다.
② 각 지방의 마을마다 야학을 개설하였다.
③ 민족 산업을 보호하고 성장시키고자 하였다.
④ 조선일보가 한글 교재를 만들어 배부하였다.
⑤ 미신 타파, 구습 제거, 근검절약 등을 강조하였다.

11 다음 자료에 해당하는 민족 운동으로 가장 적절한 것은?

① 3·1 운동
② 자치 운동
③ 참정권 운동
④ 문맹 퇴치 운동
⑤ 민족 유일당 운동

출제가능성 90%

12 다음 자료의 주장에 대한 설명으로 옳은 것을 〈보기〉에서 고른 것은?

> 지금의 조선 민족에게는 왜 정치적 생활이 없는가? 그 대답은 간단하다. 일본이 한국을 병합한 이래로 조선인에게는 모든 정치적 활동을 금지한 것이 제1의 원인이요, 병합한 이래로 조선인은 일본의 통치권을 승인하는 조건 밑에서 하는 모든 정치적 활동, 즉 참정권·자치권 운동 같은 것은 물론, 일본 정부를 상대로 하는 독립운동조차도 원치 아니하는 극렬한 절개 의식이 있었던 것이 제2의 원인이다. …… 지금까지 해 온 정치 운동은 모두 일본을 적대시하는 운동뿐이었다. 이런 종류의 정치 운동은 해외에서나 할 수 있는 일이고, 조선 내에서는 허용되는 범위 내에서 일대 정치적 결사를 조직해야 한다는 것이 우리의 주장이다. — 동아일보, 1924

보기
> ㄱ. 신간회의 회원들이 제기하였다.
> ㄴ. 일제의 식민 지배를 인정하였다.
> ㄷ. 민족 유일당 운동으로 발전하였다.
> ㄹ. 민족주의 세력의 분열을 초래하였다.

① ㄱ, ㄴ ② ㄱ, ㄷ ③ ㄴ, ㄷ
④ ㄴ, ㄹ ⑤ ㄷ, ㄹ

ⓒ 민족 유일당 운동

13 다음과 같은 주장을 배경으로 일어난 사실로 옳은 것은?

> 민족주의 세력에 대하여는 그 부르주아 민주주의적 성질을 명백하게 인식하는 동시에 과정적 동맹자적 성질도 충분히 승인하여, 그것이 타락하는 형태로 출현되지 않는 것에 한하여 적극적으로 제휴하여, 대중의 개량적 이익을 위하여서도 종래의 소극적 태도를 버리고 분연히 싸워야 할 것이다. — 정우회 선언

① 신간회가 창립되었다.
② 조선 공산당이 조직되었다.
③ 물산 장려 운동이 전개되었다.
④ 제1차 국공 합작이 이루어졌다.
⑤ 조선 민립 대학 기성회가 결성되었다.

출제가능성 90%

14 다음 내용을 강령으로 한 단체에 대한 설명으로 옳은 것은?

> 1. 우리는 정치적, 경제적 각성을 촉진한다.
> 2. 우리는 단결을 공고히 한다.
> 3. 우리는 기회주의를 일체 부인한다.

① 조선 공산당 결성을 주도하였다.
② 대한민국 임시 정부 소속의 군정부였다.
③ 조선 혁명 군사 정치 간부 학교를 설립하였다.
④ 태극 서관을 운영하고 자기 회사를 설립하였다.
⑤ 광주 학생 항일 운동에 진상 조사단을 파견하였다.

15 (가) 단체에 대한 설명으로 옳지 <u>않은</u> 것은?

(가) 은/는 원산 노동자 총파업을 지지하였어.

전국 각지에 140여 개의 지회를 둔 단체였어.

① 노동·농민·여성 운동을 지원하였다.
② 비타협적 민족주의 세력을 비판하였다.
③ 전국 순회 강연을 통해 민중을 계몽하였다.
④ 갑산군 화전민 사건의 진상 규명을 위해 노력하였다.
⑤ 합법적인 공간을 활용하여 각종 정치 활동을 펼쳤다.

16 다음 주장이 제기된 시기를 연표에서 옳게 고른 것은?

> 소시민(봉급 생활자, 자영업자 등)의 개량주의적 정치 집단으로 변질한 현재의 신간회는 무산 계급의 투쟁욕 성장에 장애가 되고 있다. 노동자 투쟁과 농민 투쟁을 강력하게 펼치기 위해서는 신간회를 해소하고 노동자는 노동조합으로, 농민은 농민 조합으로 돌아가야 한다.

	(가)	(나)	(다)	(라)	(마)	
3·1 운동		간도 참변 발발	경성 제국 대학 설립	정우회 선언 발표	광주 학생 항일 운동	민족 혁명당 결성

① (가) ② (나) ③ (다) ④ (라) ⑤ (마)

3단계 등급 올리기

2020 수능 응용

01 다음 자료를 활용한 탐구 주제로 가장 적절한 것은?

> 적군은 우리 군 병력이 막강한 것을 알지 못하고 봉오동 골짜기 안으로 깊숙이 들어왔다. 이에 사령부장 홍범도가 공격 명령의 신호 총성을 울리었다. 매복해 있던 우리 군이 3면에서 정확히 조준을 하고 있다가 맹렬한 집중 사격을 가하니 적은 많은 사상자를 내고 후퇴하였다.

① 의열 투쟁의 전개
② 신간회 설립의 배경
③ 사회주의 사상의 확산
④ 실력 양성 운동의 전개
⑤ 국외 무장 독립군의 활동

02 ★★★최고난도 (가)에 들어갈 제목으로 가장 적절한 것은?

> **생각을 키우는 한국사 활동지**
> 다음 자료를 읽고 알맞은 제목을 넣어 보자.
>
> 제목: [(가)]
>
> 오늘날 한국인에게 무엇 하나 필요하지 않은 것이 없다. 그러나 가장 필요한 것을 들자면 지식 보급일 것이다. …… 전 인구의 대부분이 문자를 이해하지 못하고, 취학 연령 아동의 10분의 3만이 학교에 가는 현실에서 간결하고 쉬운 문자의 보급은 민족이 가질 최대의 긴급한 일이다. — 조선일보, 1934. 6. 10.

① 농민들을 단결하여 일제를 타도하자
② 농촌에 한글을 가르쳐 문맹을 퇴치하자
③ 여학교를 세워 여성의 교육권을 보장하자
④ 한글의 문자 체계와 맞춤법의 원리를 밝히자
⑤ 고등 교육을 통해 민족의 실력 양성을 도모하자

03 (가), (나) 세력에 대한 설명으로 옳지 않은 것은?

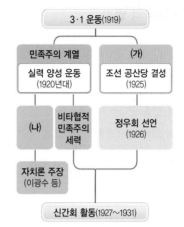

① (가) – 물산 장려 운동을 비판하였다.
② (가) – 치안 유지법으로 탄압을 받았다.
③ (나) – 일제의 식민 지배를 인정하였다.
④ (나) – 조선 민흥회 결성에 참여하였다.
⑤ (나) – 일제의 민족 분열 정책에 이용당하였다.

🌸 서술형문제

04 다음을 읽고 물음에 답하시오.

> [(가)]은/는 1919년 11월 만주 지린성에서 김원봉을 중심으로 결성되었다. 조선 총독부의 고위 관리 및 친일파를 처단하고 일제의 수탈 기구를 파괴하는 활동을 하였으며, 신채호가 작성한 조선 혁명 선언을 행동 강령으로 삼았다. <u>[(가)]은/는 1920년대 후반부터 개인 폭력 투쟁에 한계를 느끼고 새로운 방향을 모색하였다.</u>

(1) (가)에 들어갈 단체를 쓰시오.

(2) 밑줄 친 부분에 따라 추진된 (1)의 활동을 두 가지 서술하시오.

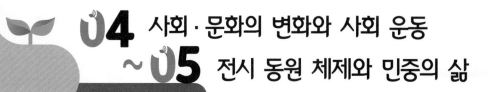

04 사회·문화의 변화와 사회 운동
~05 전시 동원 체제와 민중의 삶

A 사회 구조와 생활 모습의 변화

1. 식민지 근대화의 실상

(1) 식민지적 근대화

<small>● 한국의 물자를 수탈하는 데 활용되었다.</small>

교통의 발달	X 자형 간선 철도망 완성(1928), 항만·전차 노선 확충, 버스와 택시 등장 → 이동 시간 단축, 근대적 시간관념 정착
식민지 도시화	• 도시 발달: 교통이 발달한 지역으로 확대(1920년대) → 공업 중심지에서 공업 도시가 성장(1930년대 이후) • 특징: 일본인 거주 지역과 한국인 거주 지역 구분, 일본인 거주 지역 중심으로 도시 발전, 도시 외곽에 빈민촌 형성(토막민 거주) <small>● 경성은 청계천을 중심으로 한국인 거리인 북촌과 일본인 거리인 남촌으로 구분되었다.</small>

(2) 실상: 일제의 효율적인 식민 지배와 식민 통치 정당화에 이용, 일본인이 도시의 경제권 장악

2. 산업 구조의 변화와 노동자의 삶

공업의 변화	1920년대 경공업 중심 → 1930년대 광공업·서비스 산업 비중 증가 → 중일 전쟁(1937) 이후 중화학 공업 발달
노동자의 삶	한국인 노동자는 단순 노무직 담당, 일본인보다 적은 임금과 장시간 노동으로 열악한 생활

3. 농촌의 개편과 농민의 삶

(1) 일제의 농업 정책

1910년대	토지 조사 사업 → 일본인 지주의 대토지 소유 확대
1920년대	산미 증식 계획 → 한반도가 일본의 식량 공급지화
1930년대	농촌 진흥 운동(1932), 조선 농지령(1934)을 통해 일제가 농촌 경제의 안정화 시도 → 농촌 문제 해결 못함

<small>일제는 소작료 인하, 자영농 육성 등의 근본적인 문제를 외면하였다. ●</small>

(2) 농민의 삶: 지주의 횡포, 높은 소작료 등 → 농민 몰락(화전민·도시 빈민으로 전락), 농민 운동 확산

4. 생활 양식의 변화

의생활	서양식 복장 보편화(고무신·운동화·구두·양복 등 확산, 단발머리 유행 → 모던 걸·모던 보이 등장), 중일 전쟁 이후 일제가 국민복·몸뻬 착용 강요
식생활	커피·빵·아이스크림·맥주 등 서양 식품 및 일본 음식 소비, 일반 서민들은 식량 부족
주생활	도시에 개량 한옥과 문화 주택 보급, 농촌은 초가집이 대부분

B 근대 사상의 확산과 다양한 사회 운동

1. 근대 사상의 확산
3·1 운동을 전후로 자유주의, 공화주의, 사회주의, 개조론(개조 사상), 아나키즘(무정부주의) 등의 근대 사상이 국내에 소개됨 → 자유와 평등 강조, 다양한 사회 운동에 영향

2. 농민 운동과 노동 운동

농민 운동	• 특징: 소작료 인하, 소작권 인정 등 요구(1920년대) → 비합법적 농민 조합 중심으로 계급 투쟁(1930년대) • 단체: 조선 농민 총동맹(1927) • 활동: 암태도 소작 쟁의(1923~1924) 등
노동 운동	• 특징: 노동 조건 개선, 임금 인상 등 요구(1920년대) → 비합법적 노동조합 중심으로 계급 투쟁(1930년대) • 단체: 조선 노동 총동맹(1924), 조선 노동 총동맹(1927) • 활동: 원산 총파업(1929), 강주룡의 투쟁 등

★ 3. 학생 운동

<small>대한민국 정부는 이 사건이 일어난 11월 3일을 학생 독립운동 기념일로 지정하여 기념하고 있다.</small>

6·10 만세 운동(1926)	순종이 서거하자 조선 공산당, 천도교 세력, 학생 단체가 만세 시위 계획 → 계획이 사전에 발각되어 학생들의 주도로 전개, 민족 유일당 운동에 대한 공감대 형성(신간회 결성에 영향)
광주 학생 항일 운동 (1929)	한일 학생 충돌 → 일본 경찰의 편파적 대처 → 광주 지역 학생들이 대규모 시위 전개 → 국내외로 확산(3·1 운동 이후 최대 규모 항일 운동)

4. 기타 사회 운동

<small>회지 『근우』를 발행하였고, 여성 노동자와 농민에 대한 계몽 활동을 하였다. ●</small>

여성 운동	근대 교육을 받은 신여성 등장, 여성의 단결과 지위 향상 도모, 신간회의 자매단체로 근우회 조직(1927)
소년 운동	방정환을 중심으로 천도교 소년회 조직(1921) → '어린이' 용어 사용, 어린이날 제정(5월 1일), 잡지 『어린이』 발행
청년 운동	조선 청년 총동맹 결성(1924) → 식민 교육 반대 활동, 계몽 운동 등 전개
형평 운동	갑오개혁(신분제 폐지) 이후에도 백정에 대한 차별과 편견 지속 → 경남 진주에서 조선 형평사 조직(1923), 백정에 대한 평등한 대우 요구 → 다른 사회 운동 단체와 협력하여 항일 민족 운동 전개

<small>● 기와집과 비단옷을 이용하지 못하였으며, 학교 수업도 다른 학생들과 함께 받을 수 없었다. 공문서에 신분을 반드시 표시하였으며, 호적에 붉은 점 등을 표시하여 신분을 구분하였다.</small>

C 민족 문화 수호 노력과 다양한 문예 활동

1. 한글 연구

<small>● 한국인을 일본에 동화시키기 위한 목적에서 이루어졌다.</small>

배경	일제의 일본어 보급 → 학교에서 일본어 교육 비중 증가
활동	• 조선어 연구회(1921): 가갸날(한글날) 제정(1926), 『한글』 발행 • 조선어 학회(1931): 조선어 연구회 계승, 문맹 퇴치 운동 지원, 한글 맞춤법 통일안과 표준어·외래어 표기법 제정, 『우리말 큰 사전』 편찬 시도 → 조선어 학회 사건으로 해산(1942)

★ 2. 한국사 연구

(1) 배경: 일제가 타율성론(외세의 영향을 받음)·정체성론(발전 없이 정체됨)·당파성론(당파를 만들어 싸움) 등 식민 사관을 주장하며 한국사 왜곡, 조선사 편수회를 설치하여 식민 사관 전파 시도(『조선사』 편찬)

(2) 활동

민족주의 사학	• 박은식: 국혼 강조, 『한국통사』, 『한국독립운동지혈사』 저술, 일제 침략·한국 독립운동의 역사 정리 • 신채호: 고대사 연구에 주력, 『조선상고사』, 『조선사연구초』 등 저술, 우리 민족의 고유한 정신 강조 • 정인보·안재홍·문일평 등: 1930년대에 조선학 운동 전개
사회 경제 사학	유물 사관의 입장에서 역사 연구, 백남운의 『조선사회경제사』 저술(식민 사관의 정체성론 반박)
실증 사학	실증적 방법으로 역사 연구(이병도 등), 진단 학회 조직 (1934), 『진단 학보』 발행

└ 한국사가 세계사의 보편적인 발전 과정을 걸어왔음을 주장하였다.

3. 종교계의 활동

대종교	만주에서 중광단 조직 → 항일 무장 투쟁 전개
천도교	『개벽』, 『신여성』 등 잡지 간행, 각종 대중 운동 전개
천주교	사회사업 확대(고아원·양로원 설립 등), 만주에서 의민단 조직 (→ 항일 무장 투쟁 전개)
개신교	교육과 의료 활동 전개, 신사 참배 거부 운동 전개
불교	한용운 등이 사찰령 폐지 운동 전개, 만당(비밀 결사) 결성
원불교	박중빈이 창시, 불교의 생활화·대중화 추구, 새 생활 운동 전개

4. 다양한 문예 활동

문학	• 1910년대: 계몽적 성격의 문학 유행(이광수, 최남선 등) • 1920년대: 낭만주의·자연주의 문학(『창조』, 『폐허』 등 동인지 발간)과 사실주의 문학 발달(식민지 현실 반영), 신경향파 문학 등장(사회주의 사상의 영향) • 1930년대: 순수 문학(식민지 현실 외면), 친일 문학, 저항 문학(심훈·이육사·윤동주) 등장
예술	• 연극: 신파극 인기, 토월회·극예술 연구회 조직 • 영화: 나운규의 「아리랑」 발표(1926) *나라 잃은 민족의 울분과 설움을 그려 냈다. • 음악: 민족적 정서가 짙은 가곡·동요 등장(현제명의 「고향 생각」), 안익태의 「애국가」 작곡(1936) • 미술: 한국 전통 회화 계승·발전(안중식 등), 서양화 기법 도입(나혜석·이중섭 등) • 대중 문화: 대중가요 유행, 대중 잡지 발간(『개벽』, 『별건곤』 등)

└ 대표적인 신여성으로, 「이혼 고백서」를 발표하여 남성 중심 사회를 비판하였다.

Ⓓ 일제의 침략 전쟁과 전시 동원 체제

1. 제2차 세계 대전과 일제의 침략 전쟁

(1) 대공황
미국은 중남미를 아우르는 달러 블록을, 영국과 프랑스는 식민지와 본국을 아우르는 블록 경제를 형성하였다.

발생	제1차 세계 대전 이후 경제 발전 → 생산·소비의 불균형 심화 → 미국의 주가 대폭락(1929) → 경제 위기가 전 세계로 확산
극복 노력	• 국가의 경제 개입: 기업 규제, 공공사업 실시(미국) • 블록 경제 형성: 보호 무역 강화(미국·영국·프랑스) • 전체주의 대두: 군수 산업 육성, 해외 시장 확보를 위해 침략 전쟁 시도(독일·일본·이탈리아)

└ 독일에는 나치즘, 일본에는 군국주의, 이탈리아에는 파시즘이 대두하였다.

(2) 제2차 세계 대전(1939~1945)

배경	전체주의 국가들(독일·일본·이탈리아)의 침략 전쟁 본격화
전개	독일의 폴란드 침공(1939) → 영국·프랑스의 선전 포고 → 독일·이탈리아의 유럽 장악 → 독일의 소련 침공 → 일본의 진주만 공습(태평양 전쟁, 1941)으로 미국의 참전 → 이탈리아의 항복(1943) → 독일·일본의 항복(1945)

(3) 일제의 침략 전쟁

시작	대공황에 따른 일본의 경제 위기 → 경제 블록을 조성하기 위해 대륙 침략(만주 사변, 1931) → 군부 쿠데타(전체주의 심화)
확대	경제적 어려움 지속 → 중국 본토 침략(중일 전쟁, 1937) → 전쟁의 장기화 → 동남아시아 지역 침략 → 미국·영국의 경제 봉쇄 → 진주만 공습(1941), 태평양 전쟁 발발

2. 병참 기지화 정책 한반도를 침략 전쟁에 필요한 물자·인력을 공급하는 기지로 전환 → 한국의 공업 구조 변화

조선(식민지) 공업화 정책	만주를 농업·원료 지대로, 한반도를 중화학 공업 지대로 설정 → 한반도 북부 지방에 발전소 건설, 중화학 공업 육성(→ 공업 구조의 지역 불균형 초래)
남면북양 정책	일본에 필요한 공업 제품의 원료 생산을 위해 남부 지방에 면화 재배, 북부 지방에 양 사육 강요

★ 3. 전시 동원 체제 중일 전쟁 이후 국가 총동원법 제정(1938), 국민 정신 총동원 운동 전개(애국반, 반상회 조직)

인력 수탈	• 병력 동원: 지원병제(1938)·학도 지원병제(1943)·징병제(1944) 실시 → 학생, 청년들을 전쟁에 투입 • 노동력 동원: 국민 징용령 실시(1939), 근로 보국대 조직 → 광산·비행장·군수 공장 등에 청년·학생들을 강제 동원 • 여성 동원: 젊은 여성들에게 일본군 '위안부' 강요, 여자 정신 근로령 제정(1944)
물자 수탈	공출 제도 실시(각종 금속 공출), 산미 증식 계획 재개(1938), 미곡 공출제·식량 배급제 실시 → 민중의 일상적 궁핍 심화

★ 4. 민족 말살 통치 한국인을 일본인에 동화시키는 황국 신민화 정책 강화 → 침략 전쟁에 효율적으로 동원

내선일체 강조	황국 신민 서사 암송, 궁성 요배, 신사 참배, 창씨개명 강요 → 불응 시 각종 불이익 부과 *'황국 신민 학교'라는 뜻이다.
교육·언론 통제	소학교의 명칭을 국민학교로 변경, 수신(도덕) 교과 강화, 우리말 사용 및 교육 금지, 한글 신문과 잡지 폐간
사상 탄압	조선 사상범 예방 구금령 제정(1941): 독립운동가들을 재판 없이 구금 *1940년에 동아일보와 조선일보를 폐간하였다.

5. 친일파 활동

(1) 친일파의 형성: 일제의 황국 신민화 정책 강화 → 친일 반민족 행위자 증가

(2) 친일파의 활동: 국방헌금 납부, 침략 전쟁 예찬, 학도병 지원 권유 등

01 일제 강점기에 도시 외곽에서 빈민촌을 형성하여 살았던 도시 빈민들을 가리키는 말은?

02 다음 설명이 맞으면 ○표, 틀리면 ×표를 하시오.

(1) 1930년대 노동 운동은 주로 합법적 노동조합을 중심으로 전개되었다. ( )

(2) 3·1 운동을 전후로 국내에 자유와 평등을 강조하는 다양한 근대 사상이 소개되었다. ( )

(3) 일제 강점기에는 근대 문물이 유입되면서 구두, 양복, 단발머리 등 서양식 복장이 유행하였다. ( )

03 1926년에 순종이 서거하자 조선 공산당, 학생 단체, 천도교 세력은 ( )을 계획하였다.

04 일제 강점기에 백정들이 차별 대우에 항의하며 전개한 사회 운동은?

05 1926년에 조선어 연구회가 제정하였으며, 한글날의 시초가 된 기념일은?

06 다음 역사학자들이 저술한 책을 옳게 연결하시오.

(1) 박은식 •　　　　　　• ㉠ 한국통사
(2) 백남운 •　　　　　　• ㉡ 조선사연구초
(3) 신채호 •　　　　　　• ㉢ 조선사회경제사

07 다음 괄호 안의 내용 중 알맞은 말에 ○표를 하시오.

(1) 일제는 1943년 (징병제, 학도 지원병제)를 실시하여 많은 학생들을 전쟁터로 끌고 갔다.

(2) 일제는 중일 전쟁 이후 (치안 유지법, 국가 총동원법)을 제정하여 본격적으로 인력과 물자의 수탈을 강화하기 시작하였다.

(3) 일제는 황국 신민화 정책의 일환으로 한국인의 성과 이름을 일본식으로 바꾸는 (창씨개명, 신사 참배)을/를 강요하여 이에 불응하는 사람에게는 각종 불이익을 주었다.

Ⓐ 사회 구조와 생활 모습의 변화

01 다음 자료를 활용한 탐구 활동으로 가장 적절한 것은?

⬆ 경성 남촌의 상가　　⬆ 토막민의 생활 모습

① 신은행령의 발표 배경을 알아본다.
② 민족 분열 통치의 영향을 조사한다.
③ 철도의 부설과 그 영향을 분석한다.
④ 식민지 도시화의 양면성을 확인한다.
⑤ 일제 강점기 식생활의 변화를 살펴본다.

02 다음 자료에 나타난 시기의 사회 모습으로 옳지 <u>않은</u> 것은?

> 철근 콘크리트, 벽돌 등의 고층 건물이 날 보아라 자랑하면서 그 위대한 형체를 하루하루 쌓아 올려, 서울 시내에는 도처에 '강철의 거리'를 이루고 있는데 ……
>
> – 『삼천리』, 1934. 11.

① 근대 교육을 받은 신여성이 등장하였다.
② 개항장을 중심으로 거류지 무역이 이루어졌다.
③ 도시에서 일본인 거주 지역과 한국인 거주 지역이 구분되었다.
④ 철도를 운행하면서 사람들에게 근대적 시간관념이 정착하였다.
⑤ 도시로 몰려든 농민들은 대부분 도시 외곽에 빈민촌을 형성하였다.

03 밑줄 친 부분을 위해 추진된 일제의 정책으로 옳은 것은?

> 1930년대 초 대공황에 따른 농업 공황으로 농촌 경제가 어려워지자 일제는 춘궁 퇴치, 부채 근절 등을 목표로 하는 정책을 실시하여 <u>농촌 경제를 안정시키고자 하였다.</u>

① 농민의 경작권 박탈　② 농촌 진흥 운동 실시
③ 문맹 퇴치 운동 전개　④ 산미 증식 계획 시행
⑤ 암태도 소작 쟁의 탄압

04 다음 자료에 해당하는 시기의 사회 모습으로 적절하지 <u>않은</u> 것은?

> 지금 당신이 단발을 했다고 하는 것은 당신이 얽매여 있던 '하렘'에 작별을 고한 것입니다. 얌전하게 땋아서 내린 머리는 얌전하다는 것에는 틀림없지만 거기에는 이 시대에 뒤처진 봉건 시대의 꿈이 흐릅니다.
>
>
>
> – 『동광』, 1932 ↑ 신여성·구여성의 대비

① 개량 한옥과 문화 주택이 보급되었다.
② 고무신, 운동화, 구두, 양복 등이 확산되었다.
③ 커피, 빵, 아이스크림 등 서양 식품이 소비되었다.
④ 단발령을 집행하는 관리들이 사람들을 단속하였다.
⑤ 경작지를 잃은 농민들이 도시 빈민으로 전락하였다.

B 근대 사상의 확산과 다양한 사회 운동

05 밑줄 친 '이 단체'로 옳은 것은?

> 1920년대 후반 농민 운동은 사회주의의 영향을 받으며 더욱 발전하였다. 소작인 조합은 자작농까지 참여하는 농민 조합으로 확대되었고, 1927년에는 전국적인 농민 운동 단체인 <u>이 단체</u>가 결성되었다.

① 조선 형평사   ② 천도교 소년회
③ 조선 노농 총동맹   ④ 조선 노동 총동맹
⑤ 조선 농민 총동맹

06 다음 사건을 바탕으로 한 탐구 주제로 가장 적절한 것은?

> 원산 인근의 라이징 선 석유 회사에서 일본인 현장 감독이 한국인 노동자를 구타하자 이에 분노한 노동자들이 열악한 노동 조건 개선과 감독 파면 등을 요구하면서 파업을 벌였고, 이는 원산 지역의 노동자 전체가 참여하는 대규모 총파업으로 발전하였다.

① 형평 운동의 전개 과정
② 6·10 만세 운동을 계획한 세력
③ 회사령이 산업 구조에 끼친 영향
④ 노동 쟁의가 활발하게 일어난 배경
⑤ 비합법적인 농민 조합이 내세운 구호

07 (가) 운동에 대한 설명으로 옳은 것은?

① 순종의 장례일에 일어난 대규모 만세 운동이다.
② 대학의 설립을 목표로 한 전국적인 모금 운동이다.
③ 서울 등 주요 도시에서 시작하여 전국으로 확산되었다.
④ 시위 계획이 사전에 발각되어 학생들의 주도로 전개되었다.
⑤ 한국 학생과 일본 학생이 충돌하였던 사건을 계기로 일어났다.

출제가능성 90%
08 다음을 주장한 단체에 대한 설명으로 옳은 것은?

> 우리 사회에서도 여성 운동이 시작된 것은 또한 이미 오래이다. 그러나 회고하여 보면 여성 운동은 거의 분산되어 있었다. 그것에는 통일된 조직이 없었고 통일된 목표와 지도 정신도 없었다. 그러므로 그 운동은 효과를 충분히 내지 못하였다. …… 우리가 실지로 우리 자체를 위하여 우리 사회를 위하여 분투하려면 우리 조선 자매 전체의 역량을 공고히 단결하여 운동을 전반적으로 전개하지 않으면 아니 된다. 일어나라! 오너라! 단결하자! 조선의 자매들아! 미래는 우리의 것이다. – 『근우』 창간호

① 잡지로 어린이를 발행하였다.
② 신간회의 자매단체로 창립되었다.
③ 조선어 학회 사건으로 해산하였다.
④ 평양에서 물산 장려 운동을 시작하였다.
⑤ 하부에 애국반을 조직하고 반상회를 운영하였다.

C 민족 문화 수호 노력과 다양한 문예 활동

출제가능성 90%

09 밑줄 친 '이 단체'에 대한 설명으로 옳지 <u>않은</u> 것은?

> <u>이 단체</u>는 1931년에 한글 연구 및 보급을 목적으로 조선어 연구회를 개편하여 조직한 단체이다. 일제는 한글 연구로 민족의식이 고취되는 것을 막기 위해 1942년 이 단체를 강제로 해산하였다.

① 문맹 퇴치 운동을 지원하였다.
② 국문 연구 의정안을 마련하였다.
③ 우리말 큰사전 편찬을 시도하였다.
④ 한글 맞춤법 통일안을 제정하였다.
⑤ 표준어·외래어 표기법을 만들었다.

[10~11] 다음을 보고 물음에 답하시오.

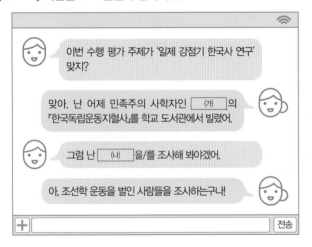

이번 수행 평가 주제가 '일제 강점기 한국사 연구' 맞지?

맞아. 난 어제 민족주의 사학자인 ⑺ 의 『한국독립운동지혈사』를 학교 도서관에서 빌렸어.

그럼 난 ⑷ 을/를 조사해 봐야겠어.

아, 조선학 운동을 벌인 사람들을 조사하는구나!

전송

10 ⑺ 인물에 대한 설명으로 옳은 것은?

① 국혼을 강조하며 한국통사를 저술하였다.
② 유물 사관의 입장에서 한국사를 연구하였다.
③ 조선사 편수회에서 조선사 편찬에 참여하였다.
④ 고대사 연구에 주력하여 조선상고사를 저술하였다.
⑤ 진단 학회에서 실증적 방법으로 역사를 연구하였다.

11 ⑷에 가장 적절한 인물을 〈보기〉에서 고른 것은?

> 보기
> ㄱ. 백남운　　ㄴ. 안재홍　　ㄷ. 이광수　　ㄹ. 정인보

① ㄱ, ㄴ　　② ㄱ, ㄷ　　③ ㄴ, ㄷ
④ ㄴ, ㄹ　　⑤ ㄷ, ㄹ

12 ⑺ 종교에 해당하는 설명으로 옳은 것은?

안녕 인공 지능! ⑺ 에 대해 검색해서 알려 줘.

검색 결과입니다. 1909년 나철, 오기호 등이 일으킨 ⑺ 은/는 단군 신앙을 기반으로 한 민족 종교입니다. 교단의 간부들은 국권 피탈 이후 만주 지역으로 포교를 확대하였습니다.

① 사찰령 폐지 운동을 전개하였다.
② 신사 참배 거부 운동을 전개하였다.
③ 불교의 생활화와 대중화를 추구하였다.
④ 의민단을 조직하여 항일 투쟁을 전개하였다.
⑤ 일부 신자들이 만주에서 중광단을 조직하였다.

13 다음 영화가 개봉된 시기에 일어난 일로 가장 적절한 것은?

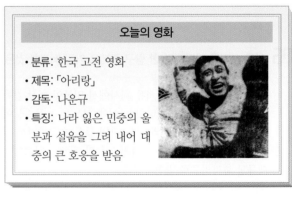

오늘의 영화

- 분류: 한국 고전 영화
- 제목: 「아리랑」
- 감독: 나운규
- 특징: 나라 잃은 민중의 울분과 설움을 그려 내어 대중의 큰 호응을 받음

① 진단 학회가 조직되었다.
② 조선 농지령이 제정되었다.
③ 안익태가 애국가를 작곡하였다.
④ 이인직이 혈의 누를 발표하였다.
⑤ 조선어 연구회가 가갸날을 제정하였다.

D 일제의 침략 전쟁과 전시 동원 체제

✨출제가능성 90%

14 다음은 제2차 세계 대전의 전개 과정을 나타낸 것이다. (가)에 들어갈 내용으로 옳은 것은?

① 국민 징용령을 제정하였다.
② 미국에서 대공황이 발생하였다.
③ 만주 사변을 일으키고 만주국을 세웠다.
④ 중일 전쟁을 일으켜 침략 전쟁을 본격화하였다.
⑤ 징병제를 실시하여 한국인을 침략 전쟁에 동원하였다.

✨출제가능성 90%

15 교사의 질문에 대한 학생의 답변으로 적절하지 않은 것은?

① 한반도 북부 지방에 발전소를 세우고 중화학 공업을 육성하였어요.
② 만주를 농업·원료 지대로, 한국을 중화학 공업 지대로 설정하였어요.
③ 한반도 남부 지방에 면화 재배를, 북부 지방에 양 사육을 강요하였어요.
④ 한반도에 X 자형 간선 철도망을 완성하여 한국의 각종 물자를 수탈하였어요.
⑤ 한국을 대륙 침략에 필요한 물자와 인력을 공급하는 병참 기지로 만들려고 하였어요.

16 다음 법령에 따라 추진된 정책으로 옳지 않은 것은?

제1조 국가 총동원이란 전시(전시에 준할 경우도 포함)에 국방 목적을 달성하기 위해 국가의 전력을 가장 유효하게 발휘하도록 인적 및 물적 자원을 운용하는 것이다.
제4조 정부는 전시에 국가 총동원상 필요할 때에는 칙령이 정하는 바에 따라 제국 신민을 징용하여 총동원 업무에 종사하게 할 수 있다.

① 공출 제도를 실시하여 금속 제품을 빼앗았다.
② 산미 증식 계획을 재개하여 군량을 마련하였다.
③ 경찰범 처벌 규칙을 만들어 한국인의 일상생활을 통제하였다.
④ 여자 정신 근로령을 제정하여 여성을 군수 공장에서 일하게 하였다.
⑤ 국민정신 총동원 운동을 실시하여 침략 전쟁에 한국인을 강제로 동원하였다.

17 다음 상황이 나타난 시기에 볼 수 있는 모습으로 적절하지 않은 것은?

우리들은 대일본 제국의 신민입니다. 우리는 마음을 합하여 천황 폐하에게 충의를 다합니다.

① 신사 참배를 거부하는 기독교인
② 일본군 '위안부'로 끌려가는 여성
③ 암태도 소작 쟁의에 참여하는 농민
④ 일본 국왕이 사는 궁을 향해 절하는 청년
⑤ 창씨개명을 거부하는 학생을 혼내는 교사

주관식

18 밑줄 친 '이것'의 명칭을 쓰시오.

1941년 일제는 소학교의 명칭을 '황국 신민 학교'를 뜻하는 이것으로 바꾸고, 황국 신민의 가치관을 주입하는 수신(도덕) 교과를 강화하였다.

최고난도

01 (가), (나)에 들어갈 내용으로 옳지 <u>않은</u> 것은?

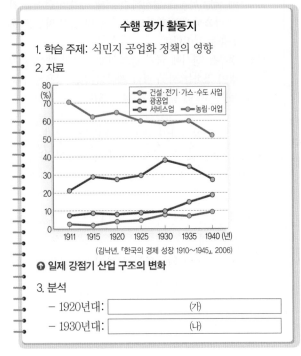

수행 평가 활동지

1. 학습 주제: 식민지 공업화 정책의 영향
2. 자료

(범례)
- 건설·전기·가스·수도 사업
- 광공업
- 서비스업
- 농림·어업

(김낙년, 『한국의 경제 성장 1910~1945』, 2006)
⬆ 일제 강점기 산업 구조의 변화

3. 분석
- 1920년대: (가)
- 1930년대: (나)

① (가) – 회사령의 폐지로 공장이 점차 늘어났다.
② (가) – 주로 군수 공업 위주의 공업이 발달하였다.
③ (나) – 1차 산업의 비중이 줄어들었다.
④ (나) – 광공업·서비스 산업의 비중이 증가하였다.
⑤ (나) – 중일 전쟁 이후 중화학 공업이 발달하였다.

02 (가) 사건에 대한 설명으로 옳은 것은?

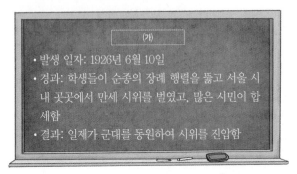

(가)

- 발생 일자: 1926년 6월 10일
- 경과: 학생들이 순종의 장례 행렬을 뚫고 서울 시내 곳곳에서 만세 시위를 벌였고, 많은 시민이 합세함
- 결과: 일제가 군대를 동원하여 시위를 진압함

① 항일 무장 투쟁으로 변화하였다.
② 타협적 민족주의자들이 주도하였다.
③ 민족 유일당 운동이 전개되는 계기가 되었다.
④ 사건 당시 신간회가 진상 조사단을 파견하였다.
⑤ 일본인 감독의 한국인 노동자 폭행 사건이 발단이 되었다.

03 일제 강점기 (가)가 주도한 사회 운동에 대한 설명으로 옳은 것은?

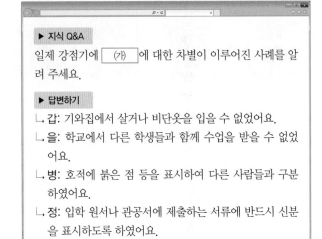

▶ 지식 Q&A
일제 강점기에 (가) 에 대한 차별이 이루어진 사례를 알려 주세요.

▶ 답변하기
ㄴ 갑: 기와집에서 살거나 비단옷을 입을 수 없었어요.
ㄴ 을: 학교에서 다른 학생들과 함께 수업을 받을 수 없었어요.
ㄴ 병: 호적에 붉은 점 등을 표시하여 다른 사람들과 구분하였어요.
ㄴ 정: 입학 원서나 관공서에 제출하는 서류에 반드시 신분을 표시하도록 하였어요.

① 차별적인 신분제의 폐지를 요구하였다.
② 방정환을 중심으로 한 단체가 주도하였다.
③ 조선 물산 장려회가 창립되면서 시작되었다.
④ 신분 해방 운동을 넘어 항일 민족 운동으로 발전하였다.
⑤ 회지 근우를 발행하였고, 여성 노동자와 농민의 계몽에 힘썼다.

04 밑줄 친 '이 종교'의 활동으로 옳은 것은?

이 종교의 지도자들은 3·1 운동을 계획하였어.

신여성 등의 잡지도 간행하였어.

각종 대중 운동도 전개하였어.

① 만당을 결성하였다.
② 신사 참배 거부 운동을 벌였다.
③ 만주에서 의민단을 조직하였다.
④ 5월 1일을 어린이날로 제정하였다.
⑤ 사찰령을 폐지하려는 운동을 전개하였다.

05 다음 작품을 통해 알 수 있는 일제 강점기의 문예 경향으로 가장 적절한 것은?

죽는 날까지 하늘을 우러러 / 한 점 부끄럼이 없기를 / 잎새에 이는 바람에도 / 나는 괴로워했다. / 별을 노래하는 마음으로 / 모든 죽어 가는 것을 사랑해야지. / 그리고 나한테 주어진 길을 / 걸어가야겠다. // 오늘 밤에도 별이 바람에 스치운다. — 1941. 11. 20.

↑ 윤동주 「서시」 친필 원고

① 창조, 폐허 등의 동인지가 출간되었다.
② 일부 문인들이 일제의 침략 전쟁을 찬양하였다.
③ 일제에 대한 저항 의식을 담은 작품이 등장하였다.
④ 사회주의 사상의 영향을 받은 문학 경향이 나타났다.
⑤ 이광수, 최남선 등의 주도로 계몽적 성격의 문학이 유행하였다.

2020 수능 응용

06 밑줄 친 '시기'에 일제가 실시한 정책으로 옳은 것은?

기념일로 보는 한국사

8월 14일, 일본군 '위안부' 피해자 기림의 날

1991년 8월 14일 고(故) 김학순 할머니가 일본군 '위안부' 생존자 중 최초로 피해 사실을 공개 증언하였다. 고(故) 김학순 할머니는 중일 전쟁 이후 일제가 국가 총동원법을 시행하여 인력과 물자를 수탈하던 시기에 끌려가 일본군 '위안부'로 고통을 당하였다. 정부는 일본군 '위안부' 문제를 국내외에 알리고 피해자를 기리기 위하여 8월 14일을 국가 기념일로 제정하였다.

① 회사령을 공포하였다.
② 미곡 공출제를 시행하였다.
③ 토지 조사령을 공포하였다.
④ 임시 토지 조사국을 설치하였다.
⑤ 제2차 조선 교육령을 공포하였다.

서술형 문제

07 다음을 읽고 물음에 답하시오.

일제는 한국의 역사가 외세의 영향을 받아 타율적으로 전개되었고, 발전 없이 정체되었으며, 한국은 잘못된 민족성을 가졌기 때문에 당파를 만들어 싸움을 한다는 식민 사관을 주장하였다. 조선 총독부는 조선사 편수회를 설치하고 한국의 역사를 왜곡하여 정리한 『조선사』를 만들어 식민 사관을 퍼뜨리려 하였다. 이에 한국의 역사학계는 일제의 한국사 왜곡에 맞서 우리 역사를 지키기 위해 노력하였다.

(1) 밑줄 친 부분에 해당하는 이론을 쓰시오.

(2) (1)을 유물 사관의 입장에서 반박한 일제 강점기 역사학자의 주장을 서술하시오.

08 일제가 다음과 같은 정책을 추진한 목적을 쓰시오.

일제는 조선 신궁을 비롯한 전국의 주요 신사에 참배를 강요하였으며, 일본 국왕이 사는 궁을 향해 절을 하게 하였다. 또한 한국인의 성과 이름도 일본식으로 바꾸도록 강요하였다. 일제는 교육령을 개정하여 학교에서 한국어 학습 시간을 없앴으며, 우리말 사용을 금지하였다. 한글을 사용하는 동아일보, 조선일보 등의 신문도 폐간하였다.

↑ 서울 남산에 세운 조선 신궁

06 광복을 위한 노력

A 1930년대 이후의 독립운동

★ 1. 만주에서의 항일 투쟁

(1) 한중 연합 작전

조선 혁명군	조선 혁명당 군사 조직, 총사령관 양세봉, 남만주 일대에서 중국 의용군과 연합 작전 전개, 영릉가·흥경성 전투 등에서 일본군 격퇴
한국 독립군	한국 독립당의 군사 조직, 총사령관 지청천, 북만주 일대에서 중국 호로군과 연합 작전 전개, 쌍성보·사도하자·대전자령 전투 등에서 일본군에게 승리

(2) 항일 유격 투쟁

동북 인민 혁명군 (1933)	중국 공산당이 만주 일대의 항일 유격대를 통합하여 조직 ● 사상에 관계없이 모든 반일 세력을 받아들인다는 원칙을 내세웠다.
동북 항일 연군	동북 인민 혁명군 확대·개편(1936), 동북 항일 연군 내의 한인 유격대가 사회주의·민족주의 세력을 통합하여 조국 광복회 결성(1936) → 국내 민족 운동가들과 함께 보천보 전투 전개(1937) → 1930년대 후반 일본군의 대공세로 소련의 연해주로 이동

★ 2. 중국 관내의 항일 투쟁

(1) 한인 애국단의 활동 중국 지린성 만보산 지역에서 한중 농민 간의 ● 수로 분쟁에서 시작된 유혈 사태이다.

배경	국민대표 회의(1923) 이후 대한민국 임시 정부의 활동 위축, 만보산 사건(1931)으로 중국 내 반한 감정 고조 → 임시 정부에 활기를 불어넣고자 김구가 상하이에서 한인 애국단 조직(1931)
활동	• 이봉창(1932): 도쿄에서 일본 국왕 폭살 시도(→ 의거 실패) → 중국 신문에서 보도 → 일제가 중국 상하이 침략(상하이 사변) • 윤봉길(1932): 상하이 훙커우 공원에서 일왕의 생일과 상하이 사변의 승리를 축하하는 기념식장에 폭탄 투척 → 의거 성공
영향	중국인의 태도 변화 → 중국 국민당 정부가 대한민국 임시 정부 지원 → 이후 한국 광복군을 조직하는 데 도움을 주었다.

이봉창 의거 실패에 아쉬워하는 기사를 보도하자, 일제가 이를 빌미로 상하이를 침략하였다.

(2) 민족 운동 단체의 결성

민족 혁명당	의열단·조선 혁명당·한국 독립당·미주 대한 독립단 등 민족주의 계열과 사회주의 계열 단체의 연합으로 결성(1935) → 조소앙·지청천 등 민족주의 계열의 이탈로 세력 약화 → 조선 민족 혁명당으로 계승 → 조선 민족 전선 연맹 조직(1937) ● 김구 등 임시 정부 세력은 참가하지 않았다.
조선 의용대	• 창설: 조선 민족 전선 연맹의 군사 조직으로 중국 국민당 정부의 지원을 받아 김원봉이 창설(1938) • 활동: 정보 수집·포로 심문·후방 교란 활동 등 전개 → 부대원 중 일부는 화북 지방으로 이동하여 조선 의용대 화북 지대 결성(호가장 전투·반소탕전 등 참가)
한국 광복 운동 단체 연합회	한국 국민당(김구)이 조소앙·지청천 등 민족주의 세력과 연합 도모, 미주 지역의 대한인 국민회 등과 함께 결성(1937), 조선 민족 전선 연맹과 통일 시도

B 국외 이주 동포들의 생활

만주	1920년대 간도 참변, 미쓰야 협정 등으로 큰 피해
연해주	소련 정부가 한인들을 중앙아시아로 강제 이주(1937) → 추위와 굶주림, 강제 노동으로 시련
일본	관동 대지진(1923) 이후 일본인들이 한인 대량 학살 → 1930년대 일제의 침략 전쟁 본격화 → 한인들이 일본 각지와 사할린 지역으로 끌려가 강제 노역
미주	대한인 국민회 등의 한인 단체 결성 → 대한민국 임시 정부 지원

C 건국 준비 활동

★ 1. 대한민국 임시 정부의 변화

(1) 임시 정부의 이동과 체제 정비: 윤봉길 의거 이후 일제의 탄압 강화로 이동 시작(1932) → 충칭에 정착, 주석(김구) 중심의 단일 지도 체제 마련(1940)

(2) 민족 운동 세력의 결집: 한국 독립당 결성(1940), 김원봉이 이끄는 조선 민족 혁명당 합류(1942)

(3) 대한민국 건국 강령 발표(1941): 조소앙의 삼균주의에 기초, 민주 공화정 수립·보통 선거 제도 실시·토지와 주요 산업 국유화·무상 교육 실시 주장

> **대한민국 건국 강령(1941)**
> 2. 삼균 제도를 골자로 한 헌법을 실시하여 정치·경제·교육의 민주적 시설로 실제상 균형을 도모하며, 전국의 토지와 생산 기관의 국유화가 완성되고, 고등 교육의 무상 교육이 완성되고, 보통 선거 제도가 구속 없이 완전히 시행되어 ……
> 4. 보통 선거에는 만 18세 이상 남녀로 선거권을 행사하되 신앙, 교육, 거주 연수, 사회 출신, 재정 상황 등을 분별치 아니한다.

대한민국 건국 강령에 반영된 조소앙의 삼균주의는 정치, 경제, 교육에서의 균등을 바탕으로 개인과 개인, 민족과 민족, 국가와 국가 간의 균등을 이루는 것을 말한다.

(4) 한국 광복군의 활동 지청천을 사령관으로 하였다. ●

① 창설: 대한민국 임시 정부의 정규군으로 충칭에서 창설(1940) → 초기에는 중국 군사 위원회의 간섭을 받음

② 시기별 활동

1941년	대한민국 임시 정부의 대일 선전 포고 → 연합군과 합동 작전 전개(주로 중국군 부대에 배치, 비정규전에 참여)
1942년	김원봉이 이끄는 조선 의용대의 일부 합류 → 전력 강화
1943년	영국군의 요청으로 미얀마·인도 전선에 참여
1944년	대한민국 임시 정부가 한국 광복군의 지휘권 확보
1945년	미국과 협력하여 국내 진공 작전(독수리 작전) 계획

● 일제가 연합군에 항복하면서 실현하지 못하였다.

2. 재미 한족 연합 위원회

대한민국 임시 정부로부터 한국 ●
광복군의 일원으로 인정받았다.

결성	미주 지역 한인 동포들이 결성(1941)
활동	의연금을 모아 대한민국 임시 정부 지원, 한인 국방 경비대 조직(무장 독립 전쟁 준비), 워싱턴에 외교 위원회 설치, 미국과 한반도 침투 작전(냅코 작전) 계획

3. 조선 독립 동맹 → 김두봉을 위원장으로 선출하였다.

결성	화북 지방에서 한인 사회주의자들을 중심으로 결성(1942)
활동	• 건국 강령 발표: 일본 제국주의 타도, 보통 선거에 의한 민주 공화국 수립, 남녀평등권의 확립, 토지 분배 등 제시 • 조선 의용군 결성(1942): 조선 의용대 화북 지대를 기반으로 편성 → 중국 공산당의 팔로군과 대일 항전 전개 • 국내외 독립운동 세력과의 통합 논의 전개

4. 조선 건국 동맹 → 민족주의자부터 사회주의자까지 포함한 비밀 결사였다.

결성	여운형을 중심으로 국내에서 비밀리에 결성(1944)
활동	• 건국 강령 마련: 일제 타도를 위한 대동단결, 민주주의 원칙에 의한 국가 건설 등 주장 • 전국에 조직망 설치, 농민 동맹 조직, 군사 위원회 설치(일본군의 후방 교란과 무장 봉기 목적) • 국외 독립운동 세력과의 연계 모색

5. 국내 비밀 결사
조선 민족 해방 협동당(학도병 지원 거부자들이 조직, 국내 민중 무장 봉기 계획), 대한 애국 청년단(부민관 의거) 등

6. 국제 사회의 한국 독립 약속

카이로 회담	미국·영국·중국 참여, 상호 협력과 전후 처리 논의, 최초로 한국의 독립 문제 논의(1943. 11.)
얄타 회담	미국·영국·소련 참여, 소련의 대일전 참전 결정, 신탁 통치에 대한 묵시적 합의(1945. 2.)
포츠담 회담	미국·영국·소련 참여 → 일본의 무조건 항복 요구, 한국의 독립 재확인(1945. 7.)

카이로 선언(1943)
(미국, 영국, 중국) 3대 연합국은 한국 인민의 노예 상태에 유의하여 적당한 시기(in due course)에 한국이 자유롭게 되고 독립하게 될 것을 결의한다. 이와 같은 목적으로 일본과 교전 중인 여러 국가와 협조하여 일본의 무조건 항복을 촉진하는 데 필요한 중대하고도 장기적인 행동을 속행한다.

카이로 선언에 명시된 '적당한 시기'라는 애매한 표현 때문에 한국은 광복 이후 즉각적인 독립 정부 구성을 인정받지 못하였다.

7. 한국의 독립
미국이 일본에 원자 폭탄 투하, 소련의 대일 선전 포고 → 일본의 항복, 한국의 광복(1945. 8. 15.)

1단계 개념 짚어 보기

정답과 해설 38쪽

01 다음 설명이 맞으면 ○표, 틀리면 ×표를 하시오.

(1) 북만주 일대에서는 조선 혁명군이 중국 호로군과 연합하여 일본군을 격파하였다. ( )
(2) 남만주 일대에서는 한국 독립군이 중국 의용군과 힘을 모아 일본군을 격퇴하였다. ( )
(3) 동북 인민 혁명군은 사상에 관계없이 모든 반일 세력을 받아들인다는 원칙을 내세우고 동북 항일 연군으로 확대·개편되었다. ( )

02 동북 항일 연군 내의 한인 유격대가 사회주의 세력과 민족주의 세력을 통합하여 결성한 단체는?

03 한인 애국단의 ( )이 일으킨 의거를 계기로 중국 국민당 정부가 대한민국 임시 정부를 지원하게 되었다.

04 다음 괄호 안의 내용 중 알맞은 말에 ○표를 하시오.

(1) 조선 의용대 중 일부는 (충칭, 화북)으로 이동하여 호가장 전투, 반소탕전 등에 참가하였다.
(2) 1935년 중국 관내에서 민족주의 계열과 사회주의 계열의 통합 단체로 (민족 혁명당, 조선 혁명당)이 만들어졌다.
(3) (만주, 연해주)로 이주한 동포들은 1937년 소련 정부에 의해 중앙아시아 지역으로 강제 이주를 당하면서 시련을 겪었다.

05 대한민국 건국 강령은 한국 독립당의 이념이었던 조소앙의 ( )에 기초하였다.

06 다음에서 설명하는 단체를 〈보기〉에서 골라 기호를 쓰시오.

보기
ㄱ. 조선 건국 동맹 　　　ㄴ. 조선 독립 동맹

(1) 1942년 중국 화북 지방에서 한국인 사회주의자들을 중심으로 결성한 단체이다. ( )
(2) 1944년 여운형을 중심으로 한 민족 지도자들이 국내에서 비밀리에 결성한 단체이다. ( )

A 1930년대 이후의 독립운동

01 (가), (나)에 들어갈 독립군 부대에 대한 설명으로 옳은 것을 〈보기〉에서 고른 것은?

> **보기**
> ㄱ. (가) – 황푸 군관 학교에서 군사 훈련을 받았다.
> ㄴ. (나) – 쌍성보, 대전자령에서 일본군을 격퇴하였다.
> ㄷ. (가), (나) – 중국군과 연합 작전을 전개하였다.
> ㄹ. (가), (나) – 1930년대 후반 소련 지역으로 이동하였다.

① ㄱ, ㄴ　　　② ㄱ, ㄷ　　　③ ㄴ, ㄷ
④ ㄴ, ㄹ　　　⑤ ㄷ, ㄹ

02 (가) 단체에 대한 설명으로 옳은 것은?

① 중국 의용군과 연합하였다.
② 조선 민족 전선 연맹으로 개편하였다.
③ 대종교 인사들을 주축으로 조직되었다.
④ 동북 인민 혁명군이 개편되어 결성되었다.
⑤ 백운평, 완루구 등지에서 일본군을 격퇴하였다.

03 다음 카드 뉴스에서 (가)에 들어갈 내용으로 적절한 것을 〈보기〉에서 고른 것은?

> **보기**
> ㄱ. 만보산 사건으로 중국 내의 독립운동이 어려워졌다.
> ㄴ. 국민대표 회의 이후 대한민국 임시 정부의 활동이 위축되었다.
> ㄷ. 일제가 중국 신문 기사의 내용을 빌미로 중국 상하이를 침략하였다.
> ㄹ. 중국 국민당 정부에서 대한민국 임시 정부를 지원하기로 결정하였다.

① ㄱ, ㄴ　　　② ㄱ, ㄷ　　　③ ㄴ, ㄷ
④ ㄴ, ㄹ　　　⑤ ㄷ, ㄹ

04 밑줄 친 부분의 결과로 가장 적절한 것은?

> 1931년 일제가 만주 사변을 일으켜 만주를 점령하자 대일 전선이 화북 지역으로 옮겨졌고, 중국 관내가 무장 투쟁의 거점으로 떠올랐다. 이에 만주의 무장 독립운동 단체들은 중국 관내로 이동하였고, 중국 관내의 독립운동 세력들 사이에서는 항일 전선을 하나로 통합하려는 노력이 나타났다.

① 민족 혁명당이 조직되었다.
② 조국 광복회가 결성되었다.
③ 신간회의 해소가 결정되었다.
④ 국민부와 혁신 의회가 조직되었다.
⑤ 대한민국 임시 정부가 충칭에 정착하였다.

05 (가) 단체에 대한 설명으로 옳은 것을 〈보기〉에서 고른 것은?

중일 전쟁 발발 후 우리 당은 …… ┌ (가) ┐을/를 조직하여 직접 중국의 대일 항전에 참가해 빛나는 전적을 창조하였고, …… 이것은 우리 당이 조선 민족의 자유 해방을 위해 영웅적 투쟁을 할 뿐만 아니라, 중국의 승리를 위해 마땅히 노력을 다함을 증명하는 것이다.
– 민족 혁명당 창립 8주년 기념 선언, 1943

보기
ㄱ. 동북 항일 연군으로 개편되었다.
ㄴ. 중국 국민당 정부의 지원을 받았다.
ㄷ. 영릉가, 흥경성에서 일본군을 격퇴하였다.
ㄹ. 부대원 중 일부가 화북 지역으로 이동하였다.

① ㄱ, ㄴ   ② ㄱ, ㄷ   ③ ㄴ, ㄷ
④ ㄴ, ㄹ   ⑤ ㄷ, ㄹ

B 국외 이주 동포들의 생활

06 (가) 지역으로 이주한 동포들에 대한 설명으로 옳은 것은?

초대장
우리 학회에서는 ┌ (가) ┐ 지역에서 전개된 민족 운동을 살펴보는 답사를 진행하고자 합니다. 관심 있는 분들의 많은 참여 바랍니다.
• 기간: 20□□년 □□월 □□일~□□일
• 답사 코스
구개척리 → 신한촌 기념탑 → 권업신문사 → 안중근 의사 단지동맹비 → 고려인 문화 센터 → 이상설 유허비 → 대한 국민 의회 결성지 → 한인 사회당 터
• 주관: ○○ 학회

① 미쓰야 협정으로 많은 피해를 입었다.
② 사할린 지역에 끌려가 강제 노역에 시달렸다.
③ 관동 대지진 이후 많은 사람들이 학살당하였다.
④ 재미 한족 연합 위원회 등의 단체를 결성하였다.
⑤ 소련이 수십만 명을 중앙아시아로 강제 이주시켰다.

C 건국 준비 활동

07 (가)에 들어갈 내용으로 가장 적절한 것은?

퀴즈: 지도에 표시된 경로로 이동한 단체는?

힌트 1	힌트 2	힌트 3
한국 독립당 결성	(가)	조선 민족 혁명당 합류

① 조선 의용군 편성
② 한인 국방 경비대 조직
③ 코민테른의 노선 변화로 해소
④ 중국 관내 최대의 통일 전선 정당
⑤ 태평양 전쟁 발발 이후 일본에 선전 포고

출제가능성 90%
08 다음 자료에 대한 설명으로 옳은 것을 〈보기〉에서 고른 것은?

2. 삼균 제도를 골자로 한 헌법을 실시하여 정치·경제·교육의 민주적 시설로 실제상 균형을 도모하며, 전국의 토지와 생산 기관의 국유화가 완성되고, 전국의 학령 아동 전체를 대상으로 한 고등 교육의 무상 교육이 완성되고, 보통 선거 제도가 구속 없이 완전히 시행되어 …….
4. 보통 선거에는 만 18세 이상 남녀로 선거권을 행사하되 신앙, 교육, 거주 연수, 사회 출신, 재정 상황 등을 분별치 아니한다.

보기
ㄱ. 대한민국 임시 정부에서 발표하였다.
ㄴ. 조선 건국 동맹의 건국 강령에 영향을 받았다.
ㄷ. 보통 선거를 통한 민주 공화정 수립을 추구하였다.
ㄹ. 민중의 직접 혁명을 통해 독립을 달성하고자 하였다.

① ㄱ, ㄴ   ② ㄱ, ㄷ   ③ ㄴ, ㄷ
④ ㄴ, ㄹ   ⑤ ㄷ, ㄹ

09 (가) 부대에 대한 설명으로 옳은 것을 〈보기〉에서 고른 것은?

1940년 충칭에서 창설된 (가) 부대의 사진입니다. 태극기와 함께 중화민국 국기가 보이는데, 이는 (가) 부대가 중국 국민당의 군사 원조를 받았음을 보여줍니다.

보기

ㄱ. 조선 민족 전선 연맹의 군사 조직이다.
ㄴ. 호가장 전투, 반소탕전 등에 참가하였다.
ㄷ. 중국 군사 위원회의 간섭을 받기도 하였다.
ㄹ. 영국군의 요청으로 미얀마·인도 전선에 참여하였다.

① ㄱ, ㄴ ② ㄱ, ㄷ ③ ㄴ, ㄷ
④ ㄴ, ㄹ ⑤ ㄷ, ㄹ

10 밑줄 친 '의용군'에 대한 설명으로 옳은 것은?

"우리는 의용군이다. 너희 토치카 뒤에는 우리 군 수십 명이 포위하고 있는데 총을 쏘면 다 죽는 줄 알아라. 그러나 오늘은 너희들과 싸우러 온 것이 아니다. 할 말이 있어서 왔으니 들어 보아라." 이렇게 말을 건네면 일본 놈들은 처음에는 대적도 잘 않으려고 하고 혹은 욕설만 해오고 이쪽 말을 들으려 하지 않는다. 그러나 총은 못 쏜다. …… 첫날은 이렇게 헤어지고 다음 날 밤에 또 간다. 이번에는 평화로웠던 옛날의 유행가나 또는 고국을 그리는 슬픈 노래를 해 준다. …… 이 정치 공세가 끝나면 투항하여 오는 일본군과 조선인 지원병과 학도병들이 적지 않았다.
– 김학철, 『항전별곡』

① 조선 혁명당의 군사 조직이다.
② 하와이에서 박용만이 조직하였다.
③ 대한민국 임시 정부가 한국 광복군의 일원으로 인정하였다.
④ 중국 공산당의 팔로군과 연합하여 대일 항전을 전개하였다.
⑤ 중국 공산당이 만주 일대의 항일 유격대를 통합하여 조직한 부대이다.

11 지도는 광복 직전에 활동한 항일 단체의 분포를 나타낸 것이다. (가)~(다) 단체에 대한 설명으로 옳은 것은?

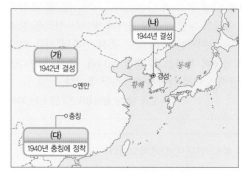

① (가) – 산하에 농민 동맹을 조직하였다.
② (나) – 군사 조직 일부가 한국 광복군에 편입되었다.
③ (다) – 화북 지방 사회주의 계열의 주도로 결성되었다.
④ (가), (나) – 미국과 합작하여 국내 진공 작전을 계획하였다.
⑤ (가), (다) – 보통 선거에 의한 민주 공화국 수립을 추구하였다.

12 다음 건국 강령을 발표한 단체에 대한 설명으로 옳지 않은 것은?

1. 각인 각파를 대동단결하여 거국일치로 일본 제국주의 모든 세력을 몰아내고 조선 민족의 자유와 독립을 회복할 것
3. 건설 부면에 있어서 일체 시정을 민주주의적 원칙에 의거하고, 특히 노농 대중의 해방에 치중할 것

① 전국에 조직망을 만들었다.
② 여운형 등의 주도로 국내에서 결성하였다.
③ 주석 중심의 단일 지도 체제를 마련하였다.
④ 국외 독립운동 세력과의 연계를 모색하였다.
⑤ 무장 봉기를 목적으로 군사 위원회를 설치하였다.

13 다음 선언이 발표된 국제 회담을 쓰시오.

3대 연합국은 한국 인민의 노예 상태에 유의하여 적당한 시기(in due course)에 한국이 자유롭게 되고 독립하게 될 것을 결의한다. 이와 같은 목적으로 일본과 교전 중인 여러 국가와 협조하여 일본의 무조건 항복을 촉진하는 데 필요한 중대하고도 장기적인 행동을 속행한다.

3단계 등급 올리기

01 밑줄 친 '전사들'이 속한 독립군 부대에 대한 탐구 활동으로 가장 적절한 것은?

> 소자강은 수심이 깊었다. 게다가 얼음덩어리가 뗏목처럼 흘러내렸다. 하지만 이 강을 건너지 못하면 영릉가로 쳐들어갈 수 없었다. 밤 12시 정각까지 영릉가에 들어가 공격을 알리는 신호탄을 올려야만 했다. 양세봉 사령관은 전사들에게 소자강을 건너라고 명령하고 나서 먼저 강물에 뛰어들었다.

① 조선 혁명 선언의 내용을 분석한다.
② 남만주에서 전개된 한중 연합 작전을 알아본다.
③ 쌍성보 전투, 대전자령 전투의 내용을 정리한다.
④ 중국 공산당이 독립군을 지원하게 된 배경을 조사한다.
⑤ 국내 정진군의 국내 진공 작전 계획의 결과를 검색한다.

최고난도

02 밑줄 친 부분에 해당하는 활동으로 가장 적절한 것은?

이달의 독립운동가 | 김원봉(1898~1958)

🔺 김원봉

〈차례〉
1. 의열단을 결성하다.
2. 개별 투쟁에 한계를 느끼다.
3. 독립운동 세력을 통합하다.
4. 조선 의용대를 창설하다.
5. 임시 정부에 합류하다.

① 의열단을 중심으로 민족 혁명당을 만들었다.
② 신채호에게 조선 혁명 선언 작성을 요청하였다.
③ 조선 의용대를 이끌고 한국 광복군에 합류하였다.
④ 중국의 황푸 군관 학교에 들어가 정규 군사 교육을 받았다.
⑤ 중국 국민당 정부의 대일 전선에 배치되어 군사 작전을 전개하였다.

2020 평가원 응용

03 (가)에 들어갈 내용으로 옳은 것은?

> **역사 다큐**
>
> **시청자 평점** ★★★★★
>
> 대한민국 임시 정부 수립 100주년 특집
> 제3부 충칭에 정착하다
> **미리 보기**
> 윤봉길 의거 이후 상하이를 떠나 항저우, 창사 등으로 이동하며 조직을 보존하기 위해 노력하던 대한민국 임시 정부는 1940년부터 충칭에서 독립운동을 이어 나갔다. 대표적으로 ___(가)___ 등의 활동을 하게 되는데…….

① 연통제 조직
② 국민대표 회의 개최
③ 대한민국 건국 강령 발표
④ 대한민국 임시 헌법 공포
⑤ 파리 강화 회의에 독립 청원서 제출

🌱 서술형 문제

04 다음 성명서가 발표된 이후 한국 광복군이 전개한 활동을 두 가지 서술하시오.

> 우리는 삼천만 한국 인민과 정부를 대표하여 삼가 중국, 영국, 미국 및 기타 모든 나라의 대일 선전이 일본을 물리치고 동아시아를 재건하는 가장 유효한 수단이 됨을 축하하여 이에 특히 다음과 같이 성명한다.
> 1. 한국 전 인민은 현재 이미 반침략 전선에 참가하였으니 추축국에 선전한다.
> 3. 한국·중국 및 서태평양으로부터 왜구를 완전히 몰아내기 위하여 최후 승리를 거둘 때까지 혈전한다.

01 8·15 광복과 통일 정부 수립을 위한 노력

A 냉전 체제의 형성

1. 제2차 세계 대전 이후의 세계

평화를 위한 논의	제2차 세계 대전 중 연합국은 카이로, 얄타, 포츠담에서 회담 개최 → 전후 처리 문제 논의
전후 처리	독일이 서독(미국·영국·프랑스가 관리)과 동독(소련이 관리)으로 분리, 일본이 미국의 감시를 받음, 독일 뉘른베르크와 일본 도쿄에서 군사 재판 개최
국제 연합 창설(1945)	전쟁 방지와 세계 평화 유지 목적 → 안전 보장 이사회(5개 상임 이사국에 안건 거부권 부여) 등 조직, 국제 분쟁을 해결하기 위한 유엔군 창설 허용

↳ 직접적인 무력 충돌은 발생하지 않지만, 군사적·경제적·외교적 대립이 큰 상태를 말한다.

2. 냉전 체제의 형성과 심화

(1) 냉전 체제의 형성: 미국 중심의 자본주의 진영과 소련 중심의 공산주의 진영의 대립

↳ 미국 대통령 트루먼이 발표한 외교 정책 선언으로 그리스와 터키에 대한 원조를 통해 공산주의 세력의 확대를 막고자 하였다.

미국 중심의 자본주의 진영	트루먼 독트린 발표, 유럽 부흥 계획(마셜 플랜) 수립, 북대서양 조약 기구(NATO) 설립
소련 중심의 공산주의 진영	코민포름(공산당 정보국)과 공산권 경제 상호 원조 회의(COMECON) 조직, 바르샤바 조약 기구(WTO) 설립

(2) 냉전 체제의 심화: 베를린 봉쇄(→ 독일 분단), 6·25 전쟁, 쿠바 미사일 위기, 베트남 전쟁

3. 동아시아의 변화

중국	국민당과 공산당의 내전 → 마오쩌둥의 공산당 승리, 중화 인민 공화국 수립 선포(1949)
일본	샌프란시스코 강화 조약 체결(1951)로 주권 회복

↳ 일본을 공산주의 세력의 확산을 막는 전초 기지로 활용하려 한 미국이 조약 체결을 주도하였다.

B 광복과 정부 수립 논의

★ **1. 8·15 광복** 우리 민족의 끈질긴 독립운동 전개, 연합국의 독립 약속(카이로 선언, 포츠담 선언) → 일본의 항복, 연합국의 승리 → 광복(1945. 8. 15.)

↳ 소련은 얄타 회담 이후 대일전에 참전하여 한반도 문제에 개입할 명분이 생겼다.

2. 미·소 군정과 국토 분단 소련군의 한반도 북부 지역 점령 → 미국이 38도선을 기준으로 분할 점령 제안 → 소련의 수용 → 분단(38도선 이북에 소련군, 이남에 미군 주둔)

미 군정의 정책	군정청 설치 후 남한 지역 직접 통치, 조선 인민 공화국과 대한민국 임시 정부 등 불인정, 조선 총독부에서 일하였던 관료와 경찰 기용(기존의 행정 체제 활용)
소 군정의 정책	인민 위원회에 행정권 이양 후 북한 지역 간접 통치, 사회주의 세력의 정권 장악 지원

↳ 훗날 친일파를 청산하는 데 큰 걸림돌이 되었다.

★ **3. 조선 건국 준비 위원회**

조직	광복 직후 여운형, 안재홍 등이 조선 건국 동맹을 중심으로 좌우익 세력을 모아 조직
활동	전국에 145개 지부 조직, 치안대 설치(질서 유지)
해체	좌익 세력의 위원회 주도권 장악으로 일부 우익 세력 이탈 → 중앙 조직을 정부 형태로 개편, 각 지부를 인민 위원회로 교체, 조선 인민 공화국 수립 선포 → 미 군정 불인정

↳ 미군과의 협상에서 유리한 입장을 차지하기 위해서였다.

> **조선 건국 준비 위원회 강령(1945)**
> - 우리는 완전한 독립 국가의 건설을 기함
> - 우리는 전 민족의 정치적·경제적·사회적 기본 요구를 실현할 수 있는 민주주의적 정권의 수립을 기함
> - 우리는 일시적 과도기에 있어 국내 질서를 자주적으로 유지하며 대중 생활의 확보를 기함
>   – 매일신보, 1945. 9.

조선 건국 준비 위원회는 치안과 행정을 담당하는 등 사회 안정에 힘을 기울였다. 이후 좌익 세력은 미군의 한반도 진주에 대비해 조선 인민 공화국 수립을 선포하여 한국인을 대표하고자 하였다.

4. 광복 후 남한의 여러 정치 세력

↳ 한국 민주당은 대한민국 임시 정부 지지를 선언하였으며, 미 군정청과 긴밀한 관계를 유지하였다.

우익	• 송진우, 김성수를 중심으로 한국 민주당 결성 • 이승만 귀국 → 독립 촉성 중앙 협의회 조직 • 한국 독립당(김구, 대한민국 임시 정부 세력) 활동
좌익	박헌영 등이 남조선 노동당(남로당) 결성

★ 5. 모스크바 3국 외상 회의와 미소 공동 위원회

(1) 모스크바 3국 외상 회의

개최	미국, 영국, 소련의 외무 장관이 모스크바에 모여 제2차 세계 대전의 전후 처리 문제 논의(1945. 12.)
결의 내용	한반도에 민주주의 임시 정부의 수립, 미소 공동 위원회 개최, 최고 5년간 신탁 통치 실시 등

↳ 자치 능력이 부족한 지역을 국제 연합의 위임을 받은 나라가 통치하는 제도

(2) 우리 민족의 반응

① 우익 세력: 김구, 이승만, 한국 민주당 등 신탁 통치 반대 운동 전개

② 좌익 세력: 조선 공산당 등 신탁 통치 반대 → 모스크바 3국 외상 회의 결정의 본질이 민주주의 임시 정부 수립에 있다고 보고 총체적 지지로 입장을 바꿈

(3) 제1차 미소 공동 위원회(1946. 3.): 민주주의 임시 정부 수립에 관한 협의에 참여할 단체의 범위를 두고 미국과 소련의 의견 대립(미국은 모든 단체의 참여 주장, 소련은 모스크바 3국 외상 회의 결정에 찬성한 단체만 참여 주장) → 협상 결렬 및 무기한 휴회

↳ 미국과 소련이 자국에 우호적인 정부를 수립하려는 목적으로 대립하였다.

(4) 이승만의 정읍 발언(1946. 6.): 남한만의 단독 정부 수립 주장

★ 표시는 시험 전에 확인해 주세요.

C 통일 정부 수립을 위한 노력

★ 1. 좌우 합작 운동(1946~1947)

배경	제1차 미소 공동 위원회의 결렬, 이승만의 단독 정부 수립 주장
전개	• 중심 세력: 여운형, 김규식 등 중도 세력 • 주요 활동: 미 군정의 지원과 대중적 지지 속에 좌우 합작 위원회 결성, 좌우 합작 7원칙 발표 → 이 원칙을 근거로 미 군정이 남조선 과도 입법 의원을 출범시킴 • 좌우 합작 7원칙: 좌우익 세력의 주장을 절충하여 작성 → 민주주의 임시 정부 수립, 미소 공동 위원회 속개, 유상 매수·무상 분배의 토지 개혁, 주요 산업 국유화, 친일파·민족 반역자 처단 조례 제정 등 결정
한계	김구·이승만·조선 공산당 등 불참, 좌우 합작 7원칙 중 신탁 통치·토지 개혁·친일파 처벌 문제 등에서 좌익과 우익의 의견 충돌
결과	냉전 체제 격화로 미 군정이 좌우 합작 운동 지원 철회, 여운형 암살 → 활동 중단

2. 유엔의 한반도 문제 논의

(1) 한반도 문제의 유엔 이관: 제2차 미소 공동 위원회 결렬 → 미국의 제안으로 한반도 문제 유엔 총회에 상정 → 유엔 총회에서 유엔 한국 임시 위원단의 감시 아래 인구 비례에 의한 남북한 총선거 실시 결정(1947. 11.) → 소련이 유엔 한국 임시 위원단 입북 거부 ┌ 소련은 남북한 총선거는 인구가 적은 북한에 불리하다고 생각하였다.

(2) 남한 단독 선거 결정: 유엔이 선거 가능한 지역에서 총선거 실시 결정(1948. 2.)

★ 3. 남북 협상(1948)

배경	이승만·한국 민주당 등이 남한만의 단독 선거 결정 환영, 좌익 세력은 반대 → 김구와 중도 세력이 통일 정부 수립을 위한 남북한 정치 지도자 회담 제의
전개	김구, 김규식 등이 평양 방문(1948. 4.) → 북한의 김일성·김두봉 등과 남북한 주요 정당·사회단체 연석회의와 남북 지도자 회의 개최 → 결의문 채택(단독 정부 수립 반대, 미소 양국 군대 철수 요구 등)
결과	미국과 소련이 합의안 미수용, 남북에서 각각 단독 정부 수립 절차 진행 → 남북 협상 중단

┌ 김구가 1949년 6월에 암살당하면서 남북 협상을 위한 움직임이 중단되었다.

4. 단독 정부 수립 반대 운동

제주 4·3 사건 (1948)	1947년 제주도에서 3·1절 기념식 후 군중과 경찰 사이의 충돌, 경찰의 발포로 사상자 발생 → 1948년 제주도의 좌익 세력과 일부 주민이 단독 정부 수립에 반대하며 무장봉기 → 군대와 경찰의 무력 진압으로 수많은 민간인 피해 발생 ┌ 이로 인해 제주 일부 지역에서 5·10 총선거가 무산되었다.
여수·순천 10·19 사건 (1948)	정부 수립 이후 이승만 정부가 제주 4·3 사건의 잔여 세력 진압 시도 → 파견 명령을 받은 여수 주둔 군대 내 좌익 세력이 출동 거부, 여수와 순천 일시 점령 → 반란 진압

┌ 반란군의 잔여 세력은 지리산에서 활동을 전개하였다.

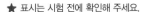
01 제2차 세계 대전 이후 미국 중심의 자본주의 진영과 소련 중심의 공산주의 진영이 대립하는 (   ) 체제가 형성되었다.

02 다음 설명이 맞으면 ○표, 틀리면 ×표를 하시오.

(1) 미국과 소련의 의견 대립으로 제1차 미소 공동 위원회가 결렬되었다. (   )

(2) 모스크바 3국 외상 회의에서 한반도와 관련하여 남한만의 총선거 실시를 결정하였다. (   )

(3) 광복 이후 38도선을 기준으로 이북 지역은 미군이, 이남 지역은 소련군이 통치하게 되었다. (   )

(4) 제2차 세계 대전이 끝난 후 전쟁을 방지하고 세계 평화를 유지하기 위해 국제 연합(UN)이 창설되었다. (   )

03 조선 건국 준비 위원회는 중앙 조직을 정부 형태로 개편하고, 각 지부를 인민 위원회로 바꾸어 (   ) 수립을 선포하였다.

04 모스크바 3국 외상 회의 이후 좌우익 세력의 입장을 옳게 연결하시오.

(1) 좌익 세력 •   • ㉠ 신탁 통치 반대 운동 전개

(2) 우익 세력 •   • ㉡ 회의 결정에 대한 총체적 지지

05 통일 정부 수립과 관련하여 다음 주장을 한 인물을 〈보기〉에서 골라 기호를 쓰시오.

> **보기**
> ㄱ. 김구   ㄴ. 여운형   ㄷ. 이승만

(1) 남북 협상을 통해 통일 정부를 수립해야 한다. (   )

(2) 통일 정부 수립이 어렵다면 남한만이라도 단독 정부를 수립해야 한다. (   )

06 1948년 제주도의 좌익 세력과 일부 주민들이 단독 정부 수립 반대를 내세우며 무장봉기하였는데 이를 (   )이라고 한다.

A 냉전 체제의 형성

01 다음 헌장을 바탕으로 활동하는 국제기구에 대한 설명으로 옳은 것은?

> 제42조 안전 보장 이사회는 규정된 조치가 불충분할 것으로 인정하거나 또는 불충분한 것으로 판명되었다고 인정하는 경우에는 국제 평화와 안전의 유지 또는 회복에 필요한 공군, 해군, 또는 육군에 의한 조치를 취할 수 있다.

① 사회주의 국가들은 참여하지 않았다.
② 미국 대통령 윌슨의 제안으로 창설되었다.
③ 스위스의 제네바에 본부를 두고 활동하였다.
④ 군사적 침략에 대비하기 위해 북대서양 조약 기구를 창설하였다.
⑤ 안전 보장 이사회의 5개 상임 이사국이 안건에 대한 거부권을 가졌다.

02 (가)에 들어갈 조약을 쓰시오.

> 1951년 미국의 중재로 연합국과 일본 간에 체결된 조약이다. 미국은 아시아 지역에서 공산주의 세력의 확대를 막기 위해 일본을 반공 거점으로 삼고자 하였다. 이를 위해 미국은 연합국과 일본 사이에 [(가)] 체결을 주도하여 일본의 주권을 회복시키고 경제 부흥을 적극 지원하였다.

03 다음과 같은 탐구 활동을 수행하기 위해 조사할 내용으로 적절하지 않은 것은?

> 제2차 세계 대전 이후에 자본주의 진영과 공산주의 진영이 이념과 체제의 우위를 다투면서 냉전 체제가 격화된 모습을 알아본다.

① 소련 해체의 영향
② 6·25 전쟁의 배경
③ 베를린 봉쇄와 그 영향
④ 베트남 전쟁의 배경과 전개 과정
⑤ 쿠바 미사일 위기가 발생한 원인

B 광복과 정부 수립 논의

04 다음 자료를 통해 알 수 있는 내용으로 옳은 것은?

> 제1조 북위 38도 이남의 조선 영토와 인민에 대한 통치의 모든 권한은 본관의 권한 아래에서 시행한다.
> 제2조 정부 등 모든 공공 기관에 종사하는 유급 또는 무급 직원과 고용인, 그리고 기타 제반 중요한 사업에 종사하는 자는 별도의 명령이 있을 때까지 종래의 정상 기능과 업무를 수행할 것이며 모든 기록 및 재산을 보존·보호하여야 한다.
> ─ 「태평양 미 육군 총사령관 맥아더 포고령 제1호」

① 미국이 남한 내 사회주의 세력의 활동을 지원하였다.
② 우리 민족의 통일 정부 수립에 긍정적으로 작용하였다.
③ 조선 총독부의 치안권을 조선 인민 공화국에 이양하였다.
④ 대한민국 임시 정부 요인들이 정권을 장악하는 기반이 되었다.
⑤ 미국이 조선 총독부의 기존 행정 체제를 활용하면서 남한 지역을 직접 통치하게 되었다.

05 다음 강령을 발표한 단체에 대한 설명으로 옳지 않은 것은?
출제가능성 90%

> • 우리는 완전한 독립 국가의 건설을 기함
> • 우리는 전 민족의 정치적·경제적·사회적 기본 요구를 실현할 수 있는 민주주의적 정권의 수립을 기함
> • 우리는 일시적 과도기에 있어 국내 질서를 자주적으로 유지하며 대중 생활의 확보를 기함 ─ 매일신보, 1945. 9.

① 좌우 합작 7원칙을 발표하였다.
② 여운형, 안재홍 등이 중심인물이었다.
③ 조선 건국 동맹을 중심으로 조직되었다.
④ 좌익이 주도권을 장악하면서 조선 인민 공화국 수립을 선포하였다.
⑤ 전국 각지에 지부를 조직하고 치안대를 설치하여 질서를 유지하였다.

06 다음 결정 사항이 알려진 이후 국내에 전개된 상황으로 옳은 것은?

> 1. 조선을 독립 국가로 재건설하며 그 나라를 민주주의적 원칙 아래 발전시키는 조건을 조성하고 가급적 속히 장구한 일본의 조선 통치의 참담한 결과를 청산하기 위해 …… 조선 민주주의 임시 정부를 수립할 것이다.
> 2. 조선 민주주의 임시 정부 구성을 원조할 목적으로 먼저 그 적당한 방책을 도출하기 위해 남조선 미군 사령부 대표자와 북조선 소련군 사령부의 대표자들로 공동 위원회가 설치될 것이다.
> 3. 공동 위원회의 제안은 최고 5년 기한의 4개국 후견의 협약을 작성하기 위해 미·영·소·중 정부의 공동 참작에 이바지하도록 조선 민주주의 임시 정부와 협의한 후 제출되어야 한다.

① 대한민국 임시 정부가 수립되었다.
② 일제의 항복으로 한국이 광복을 맞이하였다.
③ 좌익과 우익이 신탁 통치 문제로 대립하였다.
④ 미군정이 대한민국 임시 정부를 인정하지 않았다.
⑤ 미국, 영국, 소련 외무 장관이 모스크바에서 회의를 개최하였다.

07 다음 논의가 이루어진 위원회에 대한 옳은 설명을 〈보기〉에서 고른 것은?

협의에 참여하는 단체는 3국 외무 장관 회의 결정을 지지하는 단체로 국한해야 합니다.

아닙니다. 신탁 통치에 반대하는 단체라고 해서 협의에서 제외하는 것은 부당합니다.

> **보기**
> ㄱ. 여운형의 암살로 활동이 중지되었다.
> ㄴ. 미국과 소련의 대립으로 의견 조율에 실패하였다.
> ㄷ. 모스크바 3국 외상 회의의 결정 사항을 이행하기 위해 개최되었다.
> ㄹ. 한반도 내 선거가 가능한 지역에서만 총선거를 실시하기로 결정하였다.

① ㄱ, ㄴ ② ㄱ, ㄷ ③ ㄴ, ㄷ
④ ㄴ, ㄹ ⑤ ㄷ, ㄹ

08 다음 두 사건 사이에 있었던 사실로 옳지 않은 것은?

> • 일제의 항복과 함께 우리 민족은 광복을 맞이하였다.
> • 미국과 소련이 모스크바 3국 외상 회의의 결정 사항을 이행하기 위해 제1차 미소 공동 위원회를 개최하였다.

① 조선 인민 공화국이 수립되었다.
② 미국에서 활동하던 이승만이 귀국하였다.
③ 소련이 각지의 인민 위원회에 행정권을 이양하였다.
④ 미국이 군정청에 조선 총독부의 관료들을 기용하였다.
⑤ 미 군정이 좌우 합작 7원칙을 근거로 남조선 과도 입법 의원을 출범시켰다.

09 다음에서 설명하는 정당으로 옳은 것은?

> • 송진우, 김성수 등을 비롯한 지주·자본가 출신 인사들이 참여하였다.
> • 대한민국 임시 정부 지지를 선언하였으며, 미 군정청과 긴밀한 관계를 유지하였다.
> • 모스크바 3국 외상 회의 이후 신탁 통치 반대 운동을 전개하였다.

① 한국 국민당   ② 한국 독립당
③ 한국 민주당   ④ 남조선 노동당
⑤ 조선 민족 혁명당

C 통일 정부 수립을 위한 노력

10 (가)에 들어갈 위원회에 대한 탐구 활동으로 가장 적절한 것은?

> _____(가)_____
> • 배경: 제1차 미소 공동 위원회 결렬, 이승만의 단독 정부 수립 주장
> • 전개: 여운형과 김규식 등을 중심으로 위원회 구성

① 제주 4·3 사건의 과정을 파악한다.
② 좌우 합작 7원칙의 내용을 정리한다.
③ 북한 토지 개혁의 특징에 대해 조사한다.
④ 제헌 헌법에 규정된 내용에 대해 알아본다.
⑤ 반민족 행위 처벌법이 제정된 배경을 찾아본다.

출제가능성 90%

11 다음 원칙을 읽고 학생들이 나눈 대화 내용으로 적절하지 않은 것은?

> 1. 모스크바 3국 외상 회의의 결정에 따라 남북의 좌우 합작으로 민주주의 임시 정부를 수립할 것
> 2. 미소 공동 위원회의 속개를 요청하는 공동 성명을 발표할 것
> 3. 토지는 몰수, 유조건 몰수, 매수하여 농민에게 무상으로 분배하고, 중요 산업을 국유화할 것
> 4. 친일파, 민족 반역자를 처단할 조례를 제정할 것
> 7. 언론, 집회, 결사, 출판, 교통, 투표의 자유를 보장할 것

① 조소앙의 삼균주의에 기초하였어.
② 모스크바 3국 외상 회의의 결정 사항을 수용하였어.
③ 좌익 세력과 우익 세력의 주장을 절충하여 작성되었어.
④ 민주주의 임시 정부 수립을 지향한 중도 세력이 발표하였어.
⑤ 토지 개혁, 친일파 처벌 문제 등에서 좌우익의 의견이 대립하였어.

12 (가)에 들어갈 내용으로 옳은 것을 〈보기〉에서 고른 것은?

| 1946년 3월 | 제1차 미소 공동 위원회가 개최되었다. |

↓

| (가) |

↓

| 1948년 2월 | 유엔 소총회에서 유엔 한국 임시 위원단의 접근이 가능한 지역에서 총선거를 실시하기로 결정하였다. |

> **보기**
> ㄱ. 좌우 합작 7원칙이 발표되었다.
> ㄴ. 평양에서 남북 지도자 회의가 개최되었다.
> ㄷ. 이승만이 남한만의 단독 정부 수립을 주장하였다.
> ㄹ. 군대 내의 좌익 세력이 반발하여 여수와 순천 지역을 점령하였다.

① ㄱ, ㄴ   ② ㄱ, ㄷ   ③ ㄴ, ㄷ
④ ㄴ, ㄹ   ⑤ ㄷ, ㄹ

13 다음과 같이 주장한 인물에 대한 설명으로 옳은 것은?

> 나는 통일된 조국을 건설하려다 38선을 베고 쓰러질지언정, 일신에 구차한 안일을 취하여 단독 정부를 세우는 데는 협력하지 아니하겠다.

① 조선 혁명 선언을 작성하였다.
② 좌우 합작 7원칙을 발표하였다.
③ 한국 민주당을 중심으로 활동하였다.
④ 비밀 결사 단체인 신민회를 조직하였다.
⑤ 김규식과 함께 남북 협상을 전개하였다.

14 다음 성명서가 발표된 시기를 연표에서 옳게 고른 것은?

> 1. 남과 북에서 외국 군대는 즉시 철수해야 한다.
> 2. 외국군 철수 후 남북은 내전과 무질서를 반대한다.
> 3. 남북 정당 사회단체 협의회를 소집하여 임시 정부를 수립하고 총선거를 통해 입법 기관을 선출한 다음 헌법을 제정하고 통일 정부를 수립한다.
> 4. 남한의 단독 선거를 반대한다.

1945. 8.	1945. 12.	1946. 3.	1947. 5.	1948. 5.	1948. 8.
	(가)	(나)	(다)	(라)	(마)
광복	모스크바3국 외상 회의	제1차 미소 공동 위원회	제2차 미소 공동 위원회	5·10 총선거	대한민국 정부 수립

① (가)   ② (나)   ③ (다)   ④ (라)   ⑤ (마)

15 다음 사건이 일어난 배경으로 가장 적절한 것은?

> 1947년 제주도에서 3·1절 기념식 후 군중과 경찰 사이에서 충돌이 일어났고, 이 때 경찰의 발포로 사상자가 발생하자 제주도민들은 이를 규탄하는 항의 시위를 벌였다. 그러나 시위자를 검거하는 과정에서 경찰이 강압적으로 대응하면서 제주도의 좌익 세력과 일부 주민이 무장봉기하였다.

① 이승만이 정읍 발언을 하였다.
② 평양에서 남북 지도자 회의가 열렸다.
③ 모스크바 3국 외상 회의가 개최되었다.
④ 남한만의 단독 정부 수립이 추진되었다.
⑤ 미국이 군정청을 설치하여 남한을 직접 통치하였다.

01 다음 주장이 발표된 배경으로 옳은 것은?

"오늘날 전 세계의 거의 모든 나라는 두 가지 생활 방식 중 하나를 선택해야 합니다. …… 저는 모든 민족이 자유로운 상황에서 운명을 스스로 결정할 수 있도록 우리가 도와야 한다고 믿습니다."

① 소련이 베를린을 봉쇄하였다.
② 베트남 전쟁으로 베트남이 공산화되었다.
③ 바르샤바 조약 기구(WTO)가 결성되었다.
④ 연합국과 일본 간에 샌프란시스코 강화 조약이 체결되었다.
⑤ 동유럽 지역에서 소련의 지원을 받은 공산 정권이 수립되었다.

★★ 최고난도
02 다음 상황에 대한 보고서를 작성할 때, 그 제목으로 가장 적절한 것은?

"동포여, 3천만의 총역량을 발휘하여 신탁 관리제를 배격하는 국민운동을 전개하여 자주독립을 완전히 획득하기까지 피 한 방울까지라도 흘려서 싸우는 항쟁 개시를 선언한다."

"이번 모스크바 결정은 카이로 결정을 더욱 발전시키고 구체화한 것이다. 그러므로 우리의 할 일은 무엇보다도 먼저 통일의 실현에 있다."

① 농지 개혁의 단행
② 5·10 총선거의 실시
③ 3부 통합 운동의 전개
④ 친일파 청산을 위한 노력
⑤ 모스크바 3국 외상 회의에 대한 반응

03 (가)에 들어갈 내용으로 옳은 것은?

역사 인물 보고서

3학년 △반 ○○○

1. 이름: □□□
2. 선정 이유: 독립 운동에 헌신하였으며, 광복 이후 통일 정부 수립을 위해 많은 노력을 기울임.
3. 주요 약력
   ○ 1919년: 파리 강화 회의에 파견되어 독립 청원서를 제출하다.
   ○ 1935년: 김원봉의 주도로 결성된 민족 혁명당에 참여하다.
   ○ 1944년: 대한민국 임시 정부의 부주석으로 선임되다.
   ○ 1946년: ___(가)___
   ○ 1948년: 김구와 함께 평양에서 개최된 남북 협상에 참가하다.

---

① 갑신정변을 주도하다.
② 조선 혁명 선언을 작성하다.
③ 좌우 합작 운동에 앞장서다.
④ 홍커우 공원에서 의거를 일으키다.
⑤ 대한민국 초대 대통령으로 선출되다.

🌱 **서술형**문제

04 다음을 읽고 물음에 답하시오.

이제 우리는 무기 휴회된 미소 공동 위원회가 재개될 기색도 보이지 않으며 통일 정부를 고대하나 여의치 않으니 우리는 남방만이라도 임시 정부 혹은 위원회 같은 것을 조직하여 38 이북에서 소련이 철퇴하도록 세계 공론에 호소하여야 될 것이니 여러분도 결심해야 할 것이다.

(1) 위 주장을 제기한 인물을 쓰시오.

(2) 밑줄 친 '미소 공동 위원회'가 결렬된 이유를 서술하시오.

02 대한민국 정부의 수립
~03 6·25 전쟁과 남북 분단의 고착화

A 대한민국 정부의 수립

★ 1. 대한민국 정부 수립 과정

> 21세 이상 모든 국민에게 투표권을 부여하였고, 보통·평등·직접·비밀 선거 원칙에 따라 치러진 우리나라 최초의 민주주의 선거였다.

5·10 총선거 (1948. 5. 10.)	38도선 이남 지역에서 총선거 실시(김구와 김규식 등 남북 협상 참가 세력 불참, 좌익 세력의 선거 반대 투쟁 전개) → 제헌 국회 구성

↓ ● 임기 2년의 제헌 국회 의원 198명이 선출되었다.

제헌 헌법 제정·공포 (1948. 7. 17.)	국호 '대한민국' 결정, 제헌 헌법 제정(삼권 분립과 대통령 중심제 채택, 평등과 공공복리 강조), 대통령에 이승만, 부통령에 이시영 선출

↓

대한민국 정부 수립	이승만 대통령의 내각 조직 → 대한민국 정부 수립 선포(1948. 8. 15.) → 유엔(UN) 총회에서 대한민국 정부를 한반도 유일의 합법 정부로 승인(1948. 12.)

제헌 헌법(1948. 7. 17.)

제1조 대한민국은 민주 공화국이다. → 민주 공화제 채택

제2조 대한민국의 주권은 국민에게 있고 모든 권력은 국민으로부터 나온다. → 국민 주권 규정

제5조 대한민국은 정치, 경제, 사회, 문화의 영역에서 각인의 자유, 평등, 창의를 존중하고, 공공복리의 향상을 위하여 이를 보호하고 조정하는 의무를 진다. → 평등과 공공복리 강조

제16조 모든 국민은 균등하게 교육을 받을 권리가 있다. 적어도 초등 교육은 의무적이며 무상으로 한다. → 조소앙의 삼균주의 반영

제86조 농지는 농민에게 분배하며 그 분배의 방법, 소유의 한도, 소유권의 내용과 한계는 법률로써 정한다.

제87조 중요한 운수, 통신, 금융, 보험, 전기, 수리, 수도 및 공공성을 가진 기업은 국영 또는 공영으로 한다.

제헌 헌법은 '3·1 운동으로 대한민국을 건립하여 세계에 선포한 독립 정신을 계승하여 민주 독립 국가를 재건한다.'라고 명시함으로써 대한민국 정부가 대한민국 임시 정부의 법통을 계승한 민주 공화국임을 밝혔다.

2. 북한 정권의 수립

(1) 광복 직후의 북한: 평안남도 건국 준비 위원회 결성(조만식 주도), 소련군이 인민 위원회에 행정권 이양 → 소련군이 조만식 등 우익 세력 축출

● 조선 총독부와 일본인 소유 토지, 친일 민족 반역자와 지주의 5정보가 넘는 토지를 몰수하여 농민에게 나누어 주었다.

(2) 북한 정권의 수립

① 북조선 임시 인민 위원회 출범(1946. 2.): 김일성이 위원장이 됨, 토지 개혁 실시(무상 몰수·무상 분배), 주요 산업과 지하자원 국유화, 노동법·남녀평등권법 시행

② 정권 수립 과정: 북조선 인민 위원회 수립(1947) → 헌법 초안 작성, 조선 인민군 창설, 남북 협상 참여 → 최고 인민 회의 대의원 선거 실시(1948) → 제1차 최고 인민 회의 개최, 헌법 제정, 김일성을 수상으로 하는 조선 민주주의 인민 공화국 수립 선포(1948. 9. 9.)

B 친일파 청산과 농지 개혁의 추진

★ 1. 반민족 행위자 처벌을 위한 노력

(1) 반민족 행위 처벌법 제정(1948. 9.)

배경	친일파 청산을 통한 사회 정의와 민족정기 확립 요구, 미 군정의 친일 관료 유지 정책
과정	일제 강점기의 반민족 행위자 처벌 및 재산 몰수 → 반민족 행위 특별 조사 위원회(반민 특위) 설치

(2) 반민족 행위 특별 조사 위원회의 활동

활동	1949년 1월부터 활동 시작, 친일 혐의자(이광수, 박흥식, 노덕술, 최린, 최남선 등) 체포·조사
위기 활동 제약	반공을 중시하는 이승만 정부의 비협조적인 태도, 국회 프락치 사건, 일부 경찰의 반민 특위 사무실 습격 등으로 반민 특위의 ● 반민 특위 소속 국회 의원들 중 일부가 공산당과 접촉하였다는 구실로 구속되었다.

(3) 결과: 반민족 행위 처벌법 개정으로 친일파 처벌 기한 단축, 반민족 행위자의 범위 축소, 반민 특위 해체(1949) → 친일파 청산 좌절

반민족 행위 처벌법(1948)

제1조 일본 정부와 통모하여 한일 합병에 적극 협력한 자, 한국의 주권을 침해하는 조약에 조인한 자와 모의한 자는 사형 또는 무기 징역에 처하고 그 재산과 유산의 전부 혹은 2분의 1 이상을 몰수한다.

★ 2. 농지 개혁의 실시

(1) 농지 개혁의 배경

● 농사짓는 사람이 땅을 소유하는 원칙

① 토지 개혁 요구: 대다수 농민들이 경자유전의 원칙 실현 요구, 북한의 토지 개혁 실시(1946)

② 미 군정청의 농지 분배: 일본인 소유의 토지만 농민들에게 유상 분배, 한국인 지주의 토지 미분배

(2) 농지 개혁의 실시

● 한국 민주당 등 지주들을 대변하는 정치 세력의 반대로 농민들에게 분배하지 못하였다.

과정	제헌 국회의 농지 개혁법 제정(1949) → 농지 개혁 시행(1950)
내용	• 유상 매수·유상 분배 방식으로 진행 • 한 가구당 3정보 이상의 농지 소유 제한 → 3정보 이상의 토지는 지가 증권을 발급하여 정부가 매입 • 농지를 받은 농민들은 매년 평균 수확량의 30%씩 5년 동안 분할 상환 ● 정부가 보상 기간, 지급액, 지급 기일, 지급 장소 등이 기재되어 있는 지가 증권을 지주에게 발급하였다.

(3) 농지 개혁의 성과와 한계

성과	지주·소작제의 소멸, 경작자 중심의 토지 소유 확립(대부분의 농민이 농지 소유)에 기여
한계	농민들의 경제적 부담, 6·25 전쟁으로 농지 개혁 일시 중단, 지주들이 사전에 토지를 매각하여 농지 개혁 대상 토지 감소

● 유상 분배에 따른 부담으로 농민이 토지를 되팔고 다시 소작농이 되기도 하였다.

C 6·25 전쟁

1. 6·25 전쟁의 배경

(1) 한반도와 주변 정세의 변화

미소 군대 철수	한반도에서 미군과 소련군의 철수 → 남한과 북한에 각각 군사적·경제적 지원 계속
남북의 충돌	38도선 부근에서 남북 간의 잦은 무력 충돌 지속
남한 사회의 혼란	지리산 주변에서 좌익 세력의 무장 활동
애치슨 선언 발표	미국 국무 장관 애치슨이 한반도와 타이완을 미국의 태평양 방위선에서 제외함을 발표(1950. 1.)

(2) 북한의 전쟁 준비: 소련이 전차·비행기 등 무기 지원 및 북한의 남침 계획 승인, 중국 내전에 참여한 조선 의용군이 인민군에 편입되어 북한의 군사력 강화

★ 2. 6·25 전쟁의 전개 과정

유엔 안전 보장 이사회는 북한의 남침을 평화에 대한 파괴 행위로 규정하고 남한에 대한 군사 지원을 결의하였다.

북한의 남침 (1950. 6. 25.) → 서울 함락 → 낙동강 유역까지 후퇴 → 유엔군 참전 →

국군·유엔군의 인천 상륙 작전 → 서울 수복 → 국군·유엔군의 압록강 유역 진출 → 중국군 개입 →

흥남 철수 → 서울 재함락 (1·4 후퇴) → 서울 재수복 (1951. 3. 14.) → 38도선 부근에서 전선 교착 →

정전 협상 시작 → 이승만 정부의 반공 포로 석방 → 정전 협정 체결 (1953. 7. 27.)

군사 분계선 설정, 포로 송환 문제 등에서 이견을 좁히지 못해 2년여 동안 계속되었다.

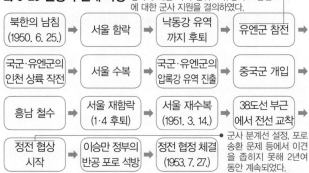

↑ 북한군의 남침 　↑ 국군·유엔군의 반격 　↑ 중국군의 참전 　↑ 전선의 고착과 휴전

3. 6·25 전쟁의 영향

(1) 인적·물적 피해 발생

인명 피해	수백만 명의 사상자와 전쟁고아·이산가족 발생
물적 피해	남한과 북한의 대다수 산업 시설·도로·주택·철도 등 파괴, 농토의 황폐화, 식량과 생활필수품 부족

(2) 분단의 고착화

① 민간인 희생: 전쟁 중 좌익 세력의 인민 재판, 국군과 경찰의 국민 보도 연맹원 처형 등 → 남북한 간의 이념 대립 및 적대 감정 확대

② 기타: 한미 상호 방위 조약 체결(1953, 주한 미군 주둔, 한·미의 동맹 관계 강화), 북한에서 중국의 영향력 강화

D 전후 독재 체제의 강화

1. 전후 남한의 정치와 경제

★ (1) 이승만 정부의 독재 체제 강화

발췌 개헌 (1952)	• 배경: 제2대 국회 의원 선거 결과 이승만 정부 비판 세력 다수 당선 → 간선제를 통한 이승만의 재선 가능성 희박 → 이승만의 자유당 창당 • 내용: 양원제 개헌안을 발췌하여 대통령 직선제로 개헌 • 전개: 비상 계엄령 선포, 폭력 조직을 동원하여 야당 의원 협박 → 대통령 직선제 개헌안(발췌 개헌) 통과 → 제2대 대통령 선거에서 이승만 당선
사사오입 개헌(1954)	• 목적: 이승만 대통령의 장기 집권 도모 • 내용: 개헌 당시 대통령에 한해 중임 제한 조항 미적용 • 전개: 개헌 통과 정족수에 1표가 부족하여 부결 → 사사오입(반올림) 논리를 내세워 개헌안 통과 → 제3대 대통령 선거에서 이승만 당선
독재 강화	무리한 개헌으로 국민 여론 악화 → 반공을 내세워 반대 세력 탄압 → 진보당 사건 조작, 국가 보안법 개정(사회 통제 강화), 언론 억압(경향신문 폐간 등)

평화 통일론을 주장하였던 조봉암과 진보당 간부들에게 간첩 혐의를 씌워 탄압하고, 조봉암을 사형에 처하였다.

(2) 전후 복구와 원조 경제 체제

① 전후 복구

전후 상황	대부분 산업 시설 파괴 → 생활필수품 부족, 실업자 증가
복구 노력	귀속 재산과 미국의 원조 물자를 민간 기업에 헐값에 팔아 전후 복구 자금 마련

미 군정에 몰수된 일제 강점기 때 일본인 소유의 농지, 주택, 기업 등의 재산

② 미국의 경제 원조: 미국의 원조 물자는 소비재 산업의 원료에 집중 → 삼백 산업(제분업, 제당업, 면방직 공업) 발달, 대량의 농산물 유입으로 농업 기반 약화 → 미국의 경제 불황으로 1950년대 말 원조 감소, 유상 차관 전환으로 경제 위기

국내 농산물 가격이 폭락하여 농가 소득이 크게 줄었다.

2. 전후 북한의 정치와 경제

(1) 김일성의 독재 체제 강화: 6·25 전쟁 기간 김일성이 박헌영 등 남조선 노동당 출신 및 연안파, 소련파의 주요 인물 제거 → 반대파 숙청(8월 종파 사건, 1956) → 김일성 1인 독재 체제 강화

전후 복구와 김일성 개인숭배 문제를 둘러싸고 김일성파와 반대파가 대립한 사건이다.

(2) 전후 복구와 사회주의 경제 체제의 확립

① 전후 복구: 전후 복구 3개년 계획(1954~1956) 및 경제 개발 5개년 계획(1957~1961) 실시

② 사회주의 경제 체제의 확립

천리마운동 (1956)	노동력을 최대한 동원하여 생산력 향상 도모 → 대중 노동력에 의존, 기술 혁신·물질적인 뒷받침 부재
농업 협동화 (1958)	토지를 비롯한 모든 생산 수단 통합, 투입한 노동량에 따라 수확물 분배

01 ㉠, ㉡에 들어갈 내용을 각각 쓰시오.

> 1948년 7월 17일 공포된 제헌 헌법에 따라 제헌 국회는
> 대통령에 (㉠   ), 부통령에 (㉡   )을 선출하
> 였다.

02 다음 설명이 맞으면 ○표, 틀리면 ×표를 하시오.

(1) 제헌 헌법은 삼권 분립과 내각 책임제를 채택하였다.
　　　　　　　　　　　　　　　　　　　　　　　　(　　)
(2) 반민족 행위 특별 조사 위원회의 활동으로 친일파 청산
　　이 철저하게 이루어졌다.　　　　　　　　　　(　　)
(3) 농지 개혁의 실시로 지주·소작제가 소멸하고 농민
　　중심의 토지 소유가 확립되었다.　　　　　　(　　)

03 남북한의 토지 개혁 방법을 옳게 연결하시오.

(1) 남한 •　　　　　　　　• ㉠ 무상 몰수, 무상 분배
(2) 북한 •　　　　　　　　• ㉡ 유상 매수, 유상 분배

04 6·25 전쟁의 전개 과정을 순서대로 나열하시오.

> ㄱ. 중국군의 개입　　　ㄴ. 정전 협정 체결
> ㄷ. 북한의 기습 남침　　ㄹ. 인천 상륙 작전 전개

05 6·25 전쟁 이후 체결된 (　　　　　) 조약에 따라 미군이
한국에 계속 주둔하였다.

06 전후 남한에서 이루어진 개헌안을 정리한 표이다. ㉠, ㉡에
들어갈 개헌의 명칭을 각각 쓰시오.

개헌안	내용
(㉠　　　)	비상계엄을 선포한 후 대통령 직선제 개헌안 통과
(㉡　　　)	반올림 논리를 내세워 개헌 당시의 대통령에 한해서 연임 횟수 제한을 없애는 개헌안 통과

Ⓐ 대한민국 정부의 수립

01 밑줄 친 '총선거'에 대한 설명으로 옳지 않은 것은?

> 포스터는 우리나라 최초로 치러진 총선거를 홍보하기 위해 제작된 것이다. 포스터의 윗부분에는 총선거 실시 날짜가 기록되어 있으며, '기권은 국민의 수치, 투표는 애국민의 의무'라는 문구를 적어 국민의 선거 참여를 독려하였다.

① 유엔 한국 임시 위원단의 감시 아래 시행되었다.
② 임기 4년의 제헌 국회 의원 300명이 선출되었다.
③ 21세 이상의 모든 국민에게 투표권을 부여하였다.
④ 우리나라 최초로 민주주의 절차에 따라 시행되었다.
⑤ 남북 협상 참가 세력과 좌익 세력은 참가하지 않았다.

02 교사의 질문에 대한 학생의 답변으로 적절한 것을 〈보기〉
에서 고른 것은?

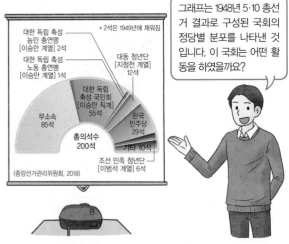

그래프는 1948년 5·10 총선거 결과로 구성된 국회의 정당별 분포를 나타낸 것입니다. 이 국회는 어떤 활동을 하였을까요?

> **보기**
> ㄱ. 농지 개혁법을 제정하였어요.
> ㄴ. 국호를 대한민국으로 정하였어요.
> ㄷ. 대통령 직선제 개헌안을 통과시켰어요.
> ㄹ. 남북한 정치 지도자 회담을 추진하였어요.

① ㄱ, ㄴ　　② ㄱ, ㄷ　　③ ㄴ, ㄷ
④ ㄴ, ㄹ　　⑤ ㄷ, ㄹ

출제가능성 90%
03 다음 헌법이 갖는 특성으로 옳지 <u>않은</u> 것은?

> 제1조 대한민국은 민주 공화국이다.
> 제2조 대한민국의 주권은 국민에게 있고 모든 권력은 국민으로부터 나온다.
> 제5조 대한민국은 정치, 경제, 사회, 문화의 영역에서 각인의 자유, 평등, 창의를 존중하고, 공공복리의 향상을 위하여 이를 보호하고 조정하는 의무를 진다.
> 제16조 모든 국민은 균등하게 교육을 받을 권리가 있다. 적어도 초등 교육은 의무적이며 무상으로 한다.
> 제87조 중요한 운수, 통신, 금융, 보험, 전기, 수리, 수도 및 공공성을 가진 기업은 국영 또는 공영으로 한다.

① 대통령 직선제를 규정하였다.
② 삼균주의 정신이 반영되었다.
③ 평등과 공공복리를 강조하였다.
④ 삼권 분립의 원칙이 적용되었다.
⑤ 대한민국 임시 정부의 법통을 계승하였다.

04 (가) 시기에 북한에서 있었던 일로 옳은 것을 〈보기〉에서 고른 것은?

> 북조선 임시 인민 위원회 출범
> ↓
> (가)
> ↓
> 조선 민주주의 인민 공화국 수립 선포

> **보기**
> ㄱ. 주요 산업과 지하자원을 국유화하였다.
> ㄴ. 천리마운동과 경제 개발 5개년 계획이 실시되었다.
> ㄷ. 무상 몰수, 무상 분배 방식의 토지 개혁이 실시되었다.
> ㄹ. 김일성이 남조선 노동당 출신의 주요 인물을 제거하였다.

① ㄱ, ㄴ   ② ㄱ, ㄷ   ③ ㄴ, ㄷ
④ ㄴ, ㄹ   ⑤ ㄷ, ㄹ

B 친일파 청산과 농지 개혁의 추진

출제가능성 90%
05 다음 법령을 읽고 나눈 학생들의 대화 내용으로 적절하지 <u>않은</u> 것은?

> 제1조 일본 정부와 통모하여 한일 합병에 적극 협력한 자, 한국의 주권을 침해하는 조약에 조인한 자와 모의한 자는 사형 또는 무기 징역에 처하고 그 재산과 유산의 전부 혹은 2분의 1 이상을 몰수한다.

① 제헌 국회가 제정한 반민족 행위 처벌법이야.
② 사회 정의를 바로 세우려는 목적에서 제정되었어.
③ 이 법령을 토대로 반민족 행위 특별 조사 위원회가 활동하였어.
④ 반공을 중시한 이승만 정부는 이 법령을 토대로 한 활동에 비협조적이었어.
⑤ 이 법령의 시행으로 반민족 친일 행위자를 모두 색출하여 민족정기가 확립되었어.

06 (가)에 들어갈 내용으로 적절하지 <u>않은</u> 것은?

> 오른쪽은 1949년 농지 개혁 당시 발급된 지가 증권입니다. 우리의 농지 개혁은 (가)

① 경자유전의 원칙에 따라 진행되었습니다.
② 유상 매입, 유상 분배의 방식으로 진행되었습니다.
③ 지계를 발급하여 토지 소유권을 인정해 주었습니다.
④ 한 가구당 농지 소유 상한을 3정보로 제한하였습니다.
⑤ 6·25 전쟁 등으로 농지 개혁이 한동안 중단되면서 농지 개혁 대상 토지가 감소하였습니다.

C 6·25 전쟁

07 다음 선언이 발표된 이후 국내 정치적 상황으로 적절한 것은?

> 이 방위선은 알류샨 열도에서 일본을 거쳐 오키나와, 필리핀 군도로 이어진다. …… 기타 태평양 지역은 …… 군사적 공격으로부터 안전을 보장할 수 없다는 점을 명백히 밝힌다.

① 북한의 남침으로 6·25 전쟁이 발발하였다.
② 북한에서 북조선 임시 인민 위원회가 수립되었다.
③ 미국이 군정청을 설치하여 남한 지역을 직접 통치하였다.
④ 김구와 김규식이 남북한 정치 지도자 회담을 제안하였다.
⑤ 이승만이 정읍에서 남한만의 단독 정부 수립을 주장하였다.

08 (가), (나) 두 선언 사이에 볼 수 있는 모습으로 가장 적절한 것은?

> (가) …… 북한군의 대한민국에 대한 무력 공격을 심각하게 우려하며 이 행동이 평화 파괴를 조성하는 것으로 공식적으로 간주하며
>   1. 전쟁 행위의 즉시 정지를 요구하고 또한, 북한군을 즉시 북위 38도선까지 철수시킬 것을 북한 당국에 요구하고 …….
> (나) 1조 1항 한 개의 군사 분계선을 확정하고 쌍방이 이 선으로부터 각기 2km씩 후퇴하여 적대 군대 간에 한 개의 비무장 지대를 설정한다.

① 수도 탈환식에서 연설하는 대통령
② 농지 개혁법안을 상정하는 국회 의원
③ 간첩 혐의로 재판을 받고 있는 조봉암
④ 미국의 극동 방위선을 발표하는 애치슨
⑤ 스탈린과 비밀 회담을 하고 있는 김일성

09 지도는 6·25 전쟁의 전선 이동을 나타낸 것이다. (가), (나) 시기 사이에 있었던 사실로 옳은 것은?

① 미국이 애치슨 선언을 발표하였다.
② 이승만 정부가 반공 포로를 석방하였다.
③ 중국군의 공세에 밀려 서울이 다시 함락되었다.
④ 국군과 유엔군이 인천 상륙 작전을 전개하였다.
⑤ 유엔군과 북한군 사이에서 정전 회담이 시작되었다.

10 다음 조약의 체결에 따른 변화로 옳은 것은?

> 제4조 상호적 합의에 의하여 미합중국의 육군, 해군과 공군을 대한민국의 영토 내와 그 부근에 배치하는 권리를 대한민국은 허락하고 미합중국은 수락한다.

① 유엔군이 남한에 파병되었다.
② 미국이 애치슨 선언을 발표하였다.
③ 미군이 한국에 계속 주둔하게 되었다.
④ 유엔군과 북한군 사이에 정전 협정이 체결되었다.
⑤ 사회주의권 내에서 중국의 정치적 영향력이 커졌다.

11 (가)에 들어갈 내용으로 적절하지 않은 것은?

> **서술형 수행 평가 문항**
>
>   ○학년 ○반 ○○○
> 1. 6·25 전쟁의 결과와 영향에 대해 서술하시오.
> 답 [(가)   ]

① 남북한 독재 체제가 강화되었다.
② 남한과 북한 간에 적대감이 심화되었다.
③ 수많은 전쟁고아와 이산가족이 발생하였다.
④ 남한과 북한의 대다수 산업 시설이 파괴되었다.
⑤ 유엔 소총회의 결정으로 남한에서 총선거가 실시되었다.

D 전후 독재 체제의 강화

출제가능성 90%

12 그래프는 제2대 국회 의원 선거 결과이다. 이를 배경으로 발의된 개헌안과 관련된 내용으로 옳은 것은?

전체 의석 210석
무소속 126석(60.0%)
이승만 계열 30석(14.3%)
민주 국민당 24석(11.4%)
기타 30석(14.3%)

(중앙 선거 관리 위원회, 2018)

① 대통령 직선제를 규정하였다.
② 제헌 국회에서 제정된 헌법이다.
③ 초대 대통령의 연임 횟수에 제한을 두지 않았다.
④ 국회에서 대통령과 부통령을 선출하기로 결정하였다.
⑤ 국회의 의결 정족수에 1명이 모자라 부결이 선언되었다.

13 밑줄 친 '개헌안'이 통과된 시기를 연표에서 옳게 고른 것은?

개헌 정족수는 재적 의원 203명 중 3분의 2 이상인 136명이었으므로 1표가 부족하여 개헌안은 부결되었다. 그러나 자유당은 203명의 3분의 2는 135.333…이므로 135명이 정족수가 된다며 개헌안이 통과되었다고 선포하였다.

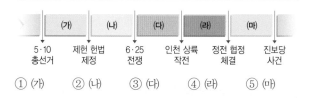

(가)	(나)	(다)	(라)	(마)
5·10 총선거	제헌 헌법 제정	6·25 전쟁	인천 상륙 작전	정전 협정 체결	진보당 사건

① (가)　② (나)　③ (다)　④ (라)　⑤ (마)

14 밑줄 친 부분에 해당하는 사건으로 옳은 것을 〈보기〉에서 고른 것은?

6·25 전쟁 이후 이승만 정부는 반공을 앞세워 정권 연장을 꾀하였다. 특히 두 차례의 무리한 개헌으로 인해 여론이 악화되자 정치적 반대 세력을 탄압하면서 독재 체제를 강화해 갔다.

보기
ㄱ. 진보당 사건　　ㄴ. 경향신문 폐간
ㄷ. 8월 종파 사건　　ㄹ. 반공 포로 석방

① ㄱ, ㄴ　② ㄱ, ㄷ　③ ㄴ, ㄷ
④ ㄴ, ㄹ　⑤ ㄷ, ㄹ

15 그래프는 한국의 쌀 부족량과 외국 도입량을 나타낸 것이다. 이 시기 국내의 경제 상황으로 옳은 것은?

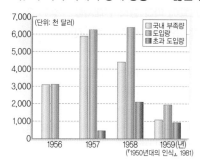

(단위: 천 달러)
□ 국내 부족량
□ 도입량
□ 초과 도입량

(『1950년대의 인식』, 1981)

① 농지 개혁법이 제정되었다.
② 농촌 진흥 운동이 전개되었다.
③ 국내 농산물 가격이 폭락하였다.
④ 전후 복구 3개년 계획이 전개되었다.
⑤ 국가 총동원 체제에서 식량 배급제가 실시되었다.

주관식

16 (가)에 들어갈 용어를 쓰시오.

6·25 전쟁 이후 미국이 남한의 경제 복구를 위해 경제 원조를 하였다. 미국의 원조 물자는 대개 밀, 사탕수수, 면화 등 소비재 산업의 원료에 집중되어 밀가루, 설탕, 면화 등 이른바 [(가)]이/가 발달하였다.

17 (가) 시기 북한의 경제 정책에 대한 설명으로 옳은 것은?

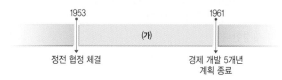

1953 　　　(가)　　　 1961
정전 협정 체결　　　경제 개발 5개년 계획 종료

① 농업 우선 정책을 실시하였다.
② 농민의 사유 재산을 상당 부분 인정하였다.
③ 생산성 향상을 위해 천리마운동을 전개하였다.
④ 무상 몰수·무상 분배 방식의 토지 개혁을 실시하였다.
⑤ 주요 산업과 각종 자원에 대한 국유화 조치가 처음 시행되었다.

01 다음은 시간의 흐름에 따라 한국 현대사를 구성한 연극 대본이다. (가)에 들어갈 장면으로 가장 적절한 것은?

> 장면 #1. 유엔 소총회에서 대화하는 사람들
> • 남자1: 소련 측의 거부로 유엔 한국 임시 위원단이 북한에 들어갈 수 없게 되었소. 어찌하면 좋겠소?
> • 남자2: 그렇다면 우선 가능한 지역에서만이라도 선거를 실시하는 것으로 합시다.
>
> 장면 #2.   (가)
>
> 장면 #3. 대통령 취임 선언서 낭독 현장
> • 시민1: 이번 국회에서 선출된 이승만 대통령이군. 부통령에는 이시영 씨가 선출됐다지?
> • 시민2: 그렇다네. 드디어 오늘 대한민국 정부 수립을 국내외에 선포하는군.

① 반민 특위에 체포되는 반민족 행위자들
② 북한군의 남침으로 피란길에 오르는 가족
③ 농지 개혁법 시행에 불만을 표시하는 지주
④ 7월 17일, 대한민국 헌법을 공포하는 국회 의장
⑤ 일본의 항복과 연합국의 승리를 기뻐하는 시민

02 밑줄 친 '이 헌법'에 대한 옳은 설명을 〈보기〉에서 고른 것은?

> 유구한 역사와 전통에 빛나는 우리 대한 국민은 기미 3·1 운동으로 대한민국을 건립하여 세계에 선포한 위대한 독립 정신을 계승하여 이제 민주 독립 국가를 재건함에 있어서 …… 우리들의 정당 또 자유로이 선거된 대표로서 구성된 국회에서 단기 4281년 7월 12일 이 헌법을 제정한다.

보기
ㄱ. 대통령의 연임 횟수 제한을 없앴다.
ㄴ. 국민이 직접 대통령을 선출하게 하였다.
ㄷ. 삼권 분립과 대통령 중심제를 채택하였다.
ㄹ. 5·10 총선거로 구성된 국회에서 제정하였다.

① ㄱ, ㄴ   ② ㄱ, ㄷ   ③ ㄴ, ㄷ
④ ㄴ, ㄹ   ⑤ ㄷ, ㄹ

03 (가), (나) 법령에 대한 설명으로 옳지 않은 것은?

> (가) 제1조 일본 정부와 통모하여 한일 합병에 적극 협력한 자, 한국의 주권을 침해하는 조약에 조인한 자와 모의한 자는 사형 또는 무기 징역에 처하고 그 재산과 유산의 전부 혹은 2분지 1 이상을 몰수한다.
> (나) 제5조 정부는 다음에 의하여 농지를 취득한다.
>   2. 다음 농지는 적당한 보상으로 정부가 매수한다.
>   (가) 농가가 아닌 자의 농지
>   (나) 자경하지 않는 자의 농지
>   (다) 본 법 규정의 한도를 초과하는 부분의 농지

① (가)는 6·25 전쟁으로 중단되었다가 다시 시행되었다.
② (가)를 토대로 한 활동은 정부의 소극적인 태도로 인해 목적을 달성하지 못하였다.
③ (나)를 통해 경자유전의 원칙을 실현하고자 하였다.
④ (나)의 시행을 앞두고 지주들이 미리 토지를 팔아버리기도 하였다.
⑤ (가), (나)는 모두 제헌 국회에서 제정되었다.

04 그래프에 나타난 상황을 조사하기 위한 탐구 활동으로 가장 적절한 것은?

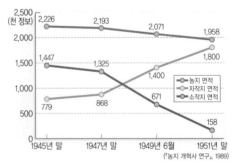

↑ 자·소작지 면적 변화

① 토지 조사 사업의 목적을 살펴본다.
② 농지 개혁을 실시한 결과를 조사한다.
③ 북한이 추진한 토지 개혁의 원칙을 살펴본다.
④ 6·25 전쟁이 남한 경제에 미친 영향을 알아본다.
⑤ 미국의 경제 원조가 한국에 미친 영향을 알아본다.

2020 수능 응용

05 (가)에 들어갈 내용으로 옳은 것은?

〈수행 평가: 한국사 카드 만들기〉

6·25 전쟁의 전개 과정

3학년 ○반 ○모둠

• 제작 의도: 6·25 전쟁 중 있었던 주요 사건들을 시간 순으로 알아보고 전쟁의 참상과 평화의 소중함을 생각해 본다.

I	II	III	IV
북한군의 남침과 낙동강 방어선 구축	(가)	중국군의 개입과 1·4 후퇴	전선의 교착과 정전 협정 체결

① 제주 4·3 사건 발생
② 인천 상륙 작전과 서울 수복
③ 5·10 총선거와 제헌 국회 구성
④ 운요호 사건과 강화도 조약 체결
⑤ 반민족 행위 특별 조사 위원회 조직

★최고난도★
06 (가), (나) 두 개헌안을 발표한 시기 사이에 있었던 사실로 옳은 것은?

(가) 제31조 국회는 민의원과 참의원으로써 구성한다.
　　제53조 대통령과 부통령은 국민의 보통·평등·직접·비밀 투표에 의하여 각각 선거한다.
　　부칙 　이 헌법은 공포한 날로부터 시행한다. 단, 참의원에 관한 규정과 참의원의 존재를 전제로 한 규정은 참의원이 구성된 날로부터 시행한다.
(나) 제55조 대통령과 부통령의 임기는 4년으로 한다. 단, 재선에 의하여 1차 중임할 수 있다. 대통령이 궐위된 때에는 부통령이 대통령이 되고 잔임 기간 중 재임한다.
　　부칙 　이 헌법 공포 당시의 대통령에 대하여는 제55조 제1항 단서의 제한을 적용하지 아니한다.

① 총선거에서 자유당이 제1당이 되었다.
② 조봉암이 간첩 혐의로 재판을 받았다.
③ 민주당의 장면이 부통령에 당선되었다.
④ 정부에 비판적인 경향신문이 폐간되었다.
⑤ 북한의 남침으로 6·25 전쟁이 발발하였다.

🌱 **서술형**문제

07 다음 자료를 보고 물음에 답하시오.

• 사형 1건	• 공민권 정지 18건
• 징역 10건	• 무죄 6건
• 무기 징역 1건	• 형 면제 2건

⬆ **반민 특위의 실적**
반민 특위에 의해 실형을 선고받았던 12건에 관련된 반민족 행위자는 1950년 3월까지 형 집행 정지 등으로 전원 석방되었다.

(1) 위와 같은 결과를 얻은 법률의 명칭을 쓰시오.

(2) (1)을 통한 친일파 청산이 제대로 이루어지지 못한 이유를 세 가지 서술하시오.

08 다음 포스터를 보고 물음에 답하시오.

(1) 위 포스터와 관련된 북한의 대중 동원 운동의 명칭을 쓰시오.

(2) (1)의 목적과 한계를 각각 서술하시오.

04 4·19 혁명과 민주화를 위한 노력

A 4·19 혁명

○ 이승만에게 건강상의 문제가 생길 경우 부통령이 대통령직을 승계해야 했기 때문이다.

1. 3·15 부정 선거 1960년 정부통령 선거에서 자유당 정권은 대통령에 이승만, 부통령에 이기붕을 당선시키기 위해 사전 투표, 대리 투표, 투표함 바꿔치기 등 부정 선거 자행

★ 2. 4·19 혁명(1960)

배경	이승만 정부의 부정부패, 미국의 경제 원조 감축에 따른 경기 침체로 국민의 불만 고조, 3·15 부정 선거
전개	전국 각지에서 부정 선거 규탄 시위(3. 15.) → 마산에서 경찰의 발포로 사상자 발생 → 김주열 학생의 시신 발견(4. 11.) → 전국으로 시위 확산 → 고려대 학생들이 시위 후 귀교 중 피습(4. 18.) → 학생과 시민들이 대규모 시위 전개, 경찰의 발포로 다수의 사상자 발생, 정부의 계엄령 선포(4. 19.) → 대학교수단의 시국 선언(4. 25.)
결과	이승만 대통령의 하야 성명 발표(4. 26.), 허정 과도 정부 구성
의의	학생과 시민의 힘으로 독재 정권을 무너뜨린 민주주의 혁명

○ 한 정치 체제에서 다른 정치 체제로 넘어가는 과정에서 임시로 구성된 정부

3. 장면 내각의 수립

(1) 과도 정부: 헌법 개정(양원제 국회 구성, 내각 책임제) → 총선거 실시, 민주당 승리 → 국회에서 대통령에 윤보선, 국무총리에 장면 당선(1960. 8.)

○ 대통령은 상징적인 존재였고, 정부를 운영하는 실질적인 권한은 국무총리가 행사하였다.

(2) 장면 내각

정책	정치적·사회적 민주화와 경제 발전 등을 국정 과제로 제시
내용	지방 자치제 실시, 경제 개발 5개년 계획 마련, 도로·교량 건설 등 국토 건설 사업 추진, 학생·노동 운동 전개, 통일 논의 활성화
한계	민주당 내 정치적 대립 심화, 시민들의 다양한 민주화 요구 수용 미흡, 부정 축재자·부정 선거 책임자 처벌에 소극적

B 5·16 군사 정변과 박정희 정부

1. 5·16 군사 정변(1961. 5. 16.)

(1) 발생: 박정희 중심의 일부 군인들이 군사 정변을 일으켜 정권 장악 → 장면 내각 붕괴

○ 장면 내각의 무능과 사회 혼란을 구실로 삼았다.

(2) 군정 실시: 반공을 국시로 한 '혁명 공약' 발표, 비상계엄 선포 → 국가 재건 최고 회의를 통해 군정 실시, 모든 정당과 사회단체 해산, 부패 공직자와 폭력배 처벌, 농가 부채 탕감, 농산물 가격 안정화 정책 추진

(3) 박정희 정부 수립: 중앙정보부 설치, 민주 공화당 조직 → 헌법 개정(대통령 중심제, 단원제 국회 구성) → 민주 공화당의 후보로 출마하여 제5대 대통령 선거에서 박정희 당선(1963)

○ 박정희가 군에서 전역한 이후 일반인 신분으로 대통령이 되어 형식적인 민정 이양이 실시되었다.

2. 박정희 정부의 활동

(1) 한일 국교 정상화(1965)

목적	경제 개발 자금 마련
전개	미국의 한일 국교 정상화 요구 → 한일 회담 추진 → 학생·시민의 한일 회담 반대 집회 전개(6·3 시위, 1964) → 정부의 휴교령·계엄령 선포, 시위 진압 → 한일 협정 체결(1965)
영향	• 일본으로부터 경제 개발에 필요한 일부 자금 확보 • 식민 지배에 대한 사과, 일본군 '위안부'·원폭 피해자 등에 대한 배상, 독도 문제 등 과거사 문제 미해결

(2) 베트남 파병(1964~1973)

전개	미국의 한국군 파병 요청 → 비전투 부대 파견(1964) → 전투 부대 파견 → 미국의 추가 파병 요청, 박정희 정부는 미국의 경제·군사 지원을 약속받고 추가 파병(브라운 각서, 1966)
성과	미군의 차관 제공, 파병 군인들의 송금·군수 물자 수출·건설 업체의 베트남 진출 등으로 외화 획득, 한미 동맹 관계 강화
문제점	파병 군인의 인명 피해 및 부상, 라이따이한 문제 발생

(3) 3선 개헌: 박정희 정부가 대통령 3회 연임을 허용하는 3선 개헌 추진 → 야당 의원과 학생들의 3선 개헌 반대 운동 → 편법적인 방법으로 3선 개헌안 통과(1969) → 제7대 대통령 선거에서 박정희 당선(1971)

C 유신 체제

★ 1. 유신 체제의 성립

○ 반공과 경제 성장을 강조하며 정권을 유지하던 박정희 정부에 불리하게 작용하였다.

배경	닉슨 독트린 발표 후 냉전 체제 완화, 장기 집권과 경기 침체에 대한 국민의 불만, 대북 정책 변경(7·4 남북 공동 성명 발표)
전개	비상계엄 선포, 국회 해산 → 비상 국무 회의에서 헌법 개정안(유신 헌법) 마련 → 국민 투표로 유신 헌법 확정(10월 유신, 1972) → 통일 주체 국민 회의에서 제8대 대통령으로 박정희 선출
유신 헌법	• 장기 집권 추구: 대통령 임기 6년, 통일 주체 국민 회의에서 대통령 선출(간선제), 중임 제한 철폐 • 대통령의 권한 강화: 대통령에게 국회 의원 3분의 1 추천권, 국회 해산권, 대법원장과 법관의 인사권, 긴급 조치권 부여

> **유신 헌법(1972. 12. 27.)**
> 제39조 대통령은 통일 주체 국민 회의에서 토론 없이 무기명 투표로 선거한다.
> 제53조 대통령은 …… 국가의 안전 보장 또는 공공의 안녕질서가 중대한 위협을 받을 우려가 있어, 신속한 조치를 할 필요가 있다고 판단할 때에는 내정·외교·국방·경제 등 국정 전반에 걸쳐 필요한 긴급 조치를 할 수 있다.

유신 헌법은 삼권 분립의 원칙과 국민의 기본권을 보장하는 헌법의 기본 정신에 벗어난 헌법으로, 박정희의 영구 집권과 독재 체제를 뒷받침하였다.

★ 표시는 시험 전에 확인해 주세요.

2. 유신 체제의 전개와 붕괴

유신 반대 운동	김대중 납치 사건을 계기로 장준하·백기완 등이 개헌 청원 100만 인 서명 운동 전개 → 정부의 긴급 조치 발표, 제2차 인혁당 사건 조작 → 재야인사들이 명동 성당에 모여 유신 체제를 비판하는 3·1 민주 구국 선언 발표(1976)
유신 체제의 붕괴	• 배경: YH 무역 사건에 항의하는 신민당 총재 김영삼을 국회 의원직에서 제명, 부마 민주 항쟁 발생(1979) • 전개: 시위 진압 방법에 대한 정권 내부의 갈등 발생 → 중앙 정보부장 김재규의 총에 맞아 박정희 사망(10·26 사태, 1979) → 유신 체제 붕괴

D 5·18 민주화 운동과 전두환 정부

1. 신군부의 등장과 서울의 봄

(1) 신군부의 등장: 통일 주체 국민 회의에서 국무 총리 최규하가 대통령으로 선출 → 전두환·노태우 등 신군부 세력이 쿠데타로 군사권 장악(12·12 사태, 1979)

(2) 서울의 봄(1980): 계엄령 유지 및 헌법 개정 지연 → 학생·시민들이 신군부 퇴진, 계엄령 철폐, 유신 헌법 폐지 등을 요구하며 민주화 운동 전개

(3) 비상계엄 확대: 전국으로 계엄령 확대, 모든 정치 활동 금지, 국회·대학 폐쇄, 민주화 운동 탄압

★ 2. 5·18 민주화 운동(1980)

전개	광주에서 비상계엄 확대와 휴교령에 반대하는 시위 발생(5. 18.) → 신군부의 공수 부대원 투입·무력 진압 → 시민들이 시민군을 조직하여 저항 → 신군부가 무력으로 시민군 진압
의의	1980년대 이후 민주화 운동의 원동력, 아시아의 민주화 운동에 영향, 관련 기록물이 유네스코 세계 기록 유산에 등재(2011)

계엄군은 언론을 통제하여 광주 시민을 폭도로 몰아갔다.

3. 전두환 정부

(1) 신군부의 집권: 신군부가 5·18 민주화 운동 무력 진압 후 국가 보위 비상 대책 위원회 설치, 국정 장악 → 통일 주체 국민 회의에서 전두환을 대통령으로 선출(1980) → 헌법 개정(7년 단임, 대통령 선거인단에 의해 대통령 간접 선출) → 민주 정의당을 창당한 전두환을 제12대 대통령에 당선(1981)

(2) 전두환 정부의 정책

보도 방향, 내용, 형식 등을 구체적으로 제시하였다.

강압 정책	삼청 교육대 운영, 언론사 통폐합, 보도 지침 등을 통해 신문 기사 검열·단속, 학생 운동과 노동 운동 등 민주화 요구 탄압
유화 정책	대입 본고사 폐지와 과외 금지, 중고생의 두발과 교복 자율화, 야간 통행금지 해제, 해외여행 자유화, 프로 스포츠 육성 등

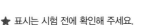
01 다음 설명이 맞으면 ○표, 틀리면 ×표를 하시오.

(1) 3·15 부정 선거에 대항하여 5·18 민주화 운동이 일어났다. ( )

(2) 장면 내각은 지방 자치제를 실시하고 경제 개발 5개년 계획을 마련하였다. ( )

02 ㉠, ㉡에 들어갈 내용을 각각 쓰시오.

> 이승만이 대통령직에서 물러난 이후 수립된 과도 정부는 (㉠) 국회 구성과 (㉡)를 핵심으로 하는 헌법을 제정하였다.

03 다음 빈칸에 들어갈 내용을 쓰시오.

(1) 박정희 정부는 1965년 ( )과 국교를 정상화하였다.

(2) 박정희는 '혁명 공약'을 발표하고 ( )를 구성하여 군정을 실시하였다.

(3) 박정희 정부는 베트남 전쟁에 한국 군대를 파견하여 ( )으로부터 차관을 제공받았다.

04 유신 헌법에 따라 대통령은 ( )에서 간접 선거로 선출하였다.

05 다음 사건을 일어난 순서대로 나열하시오.

> ㄱ. 6·3 시위　　　　　ㄴ. 4·19 혁명
> ㄷ. 부마 민주 항쟁　　ㄹ. 5·18 민주화 운동

06 1979년 전두환과 노태우 등이 주도하는 신군부 세력이 쿠데타를 일으켜 군사권을 장악한 사건은?

A 4·19 혁명

01 다음과 같은 부정 선거로 일어난 민주화 운동에 대한 설명으로 옳은 것은?

> • 지역별로 4할 정도를 사전 기표하여 투표함에 미리 넣어 둘 것
> • 3~9인조를 편성하여 조장이 조원의 표를 확인하고 자유당 선거 운동원에게 보여 주고 투표함에 넣도록 할 것

① 6·29 민주화 선언으로 이어졌다.
② 내각 책임제 개헌의 계기가 되었다.
③ 6·3 시위가 일어나는 원인이 되었다.
④ 국가 보안법을 개정하는 계기가 되었다.
⑤ 신군부 세력이 시위대를 무자비하게 탄압하였다.

출제가능성 90%

02 다음 선언 이후 일어난 사실로 옳은 것은?

> 1. 마산, 서울, 기타 각지의 학생 데모는 …… 학생들의 순진한 정의감의 발로이며 부정과 불의에 항거하는 민족정기의 표현이다.
> 4. 누적된 부패와 부정과 횡포로써 민권을 유린하고 민족적 참극과 국제적 수치를 초래케 한 현 정부와 집권당은 그 책임을 지고 속히 물러가라.

① 남북 협상이 개최되었다.
② 천리마운동이 실시되었다.
③ 박정희가 5·16 군사 정변을 일으켰다.
④ 초대 대통령의 3선 제한이 철폐되었다.
⑤ 이승만 대통령 중심의 독재 체제가 붕괴되었다.

03 (가) 시기에 일어난 사건으로 옳은 것은?

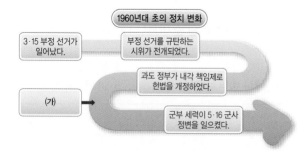

1960년대 초의 정치 변화

3·15 부정 선거가 일어났다. → 부정 선거를 규탄하는 시위가 전개되었다. → 과도 정부가 내각 책임제로 헌법을 개정하였다. → (가) → 군부 세력이 5·16 군사 정변을 일으켰다.

① 6·3 시위
② 진보당 사건
③ 부마 민주 항쟁
④ 장면 내각 출범
⑤ 통일 주체 국민 회의 구성

04 다음 상황이 나타난 정부 시기에 대한 설명으로 옳은 것은?

> 4·19 혁명 이후 통일이 필요하다고 여기는 사람들이 늘어나면서 통일 운동이 활발하게 전개되었다. 1961년에는 대학생들을 중심으로 남북 학생 회담을 요구하는 통일 운동이 추진되기도 하였다.

↑ 남북 학생 회담 지지 집회

① 여당인 민주당 내부에서 갈등이 심하였다.
② 국가 보위 비상 대책 위원회가 설치되었다.
③ 반민 특위가 반민족 행위자 처벌 활동을 하였다.
④ 정치인의 활동이 금지되고 폭력배가 처벌을 받았다.
⑤ 초대 대통령의 연임 횟수 제한을 없애는 개헌이 이루어졌다.

B 5·16 군사 정변과 박정희 정부

주관식

05 밑줄 친 '공약'의 명칭을 쓰시오.

> 1961년 5월 16일 박정희와 일부 군인들이 주요 정부 기관을 점령하였다. 이들은 반공을 국시로 내건 공약을 발표하고 전국에 비상계엄을 선포하였다.

06 (가) 시기에 있었던 사실로 옳은 것을 〈보기〉에서 고른 것은?

5·16 군사 정변 ─── (가) ─── 한일 국교 정상화

보기

ㄱ. 국가 재건 최고 회의가 구성되었다.
ㄴ. 재야인사들이 3·1 민주 구국 선언을 발표하였다.
ㄷ. 대통령 중심제, 단원제 국회를 골자로 한 개헌안이 국회에서 통과되었다.
ㄹ. 평화 통일론을 주장하던 진보당의 조봉암이 간첩 혐의로 사형을 당하였다.

① ㄱ, ㄴ
② ㄱ, ㄷ
③ ㄴ, ㄷ
④ ㄴ, ㄹ
⑤ ㄷ, ㄹ

07 다음과 같은 사실이 일어난 시기를 연표에서 옳게 고른 것은?

- 중앙정보부를 설치하였다.
- 부패 공직자와 폭력배를 처벌하였다.
- 농가 부채 탕감, 농산물 가격 안정화 정책을 추진하였다.

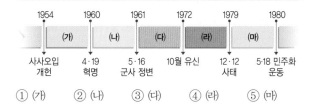

1954	1960	1961	1972	1979	1980
(가)	(나)	(다)	(라)	(마)	
사사오입 개헌	4·19 혁명	5·16 군사 정변	10월 유신	12·12 사태	5·18 민주화 운동

① (가) ② (나) ③ (다) ④ (라) ⑤ (마)

08 밑줄 친 '협정'에 대한 설명으로 옳은 것은?

- 배경: 정부의 경제 개발 자금 부족, 미국의 한·미·일 3각 안보 체제 강화 요구
- 전개: 한일 회담 → 한일 회담 반대 시위 전개 → 박정희 정부가 시위 탄압 후 일본과 <u>협정</u> 체결

① 중국의 요구로 체결되었다.
② 한·일 간의 영토 분쟁 문제를 해결하였다.
③ 한국은 일본으로부터 식민 지배에 대한 사과를 받았다.
④ 일본군 '위안부', 원폭 피해자 등에 대한 배상 문제를 해결하지 못하였다.
⑤ 체결 과정에서 정부의 정책 비판 기사를 게재한 경향 신문이 폐간되었다.

09 다음 문서의 체결 결과로 가장 적절한 것은?

- 한국에 있는 대한민국 국군의 현대화 계획을 위하여 수년 동안 상당량의 장비를 제공한다.
- 이미 약속한 바 있는 1억 5,000만 달러 차관에 추가하여 차관을 제공한다.
  – 『한국외교관계자료집』, 1966

① 유신 헌법이 공포되었다.
② 한일 국교 정상화가 이루어졌다.
③ 한국군이 베트남에 추가 파병되었다.
④ 북한의 남침으로 6·25 전쟁이 발발하였다.
⑤ 박정희 중심의 일부 군인 세력이 5·16 군사 정변을 일으켰다.

10 다음 시위가 전개된 시기에 볼 수 있었던 모습으로 적절한 것은?

야당과 재야 세력은 3선 개헌 반대 범국민 투쟁 위원회를 결성하였고 학생들의 반대 시위는 전국으로 확산되고 있습니다.

① 베트남으로 파병되는 군인
② 6·3 시위에 참여하는 시민
③ 닉슨 독트린을 발표하는 미국 대통령
④ 발췌 개헌안 통과 소식을 알리는 기자
⑤ 3·1 민주 구국 선언을 발표하는 재야인사

C 유신 체제

[11~12] 다음 헌법을 읽고 물음에 답하시오.

제39조 대통령은 통일 주체 국민 회의에서 토론 없이 무기명 투표로 선거한다.

제53조 대통령은 …… 국가의 안전 보장 또는 공공의 안녕질서가 중대한 위협을 받을 우려가 있어, 신속한 조치를 할 필요가 있다고 판단할 때에는 내정·외교·국방·경제 등 국정 전반에 걸쳐 필요한 긴급 조치를 할 수 있다.

출제가능성 90%

11 위 헌법에 대한 설명으로 옳은 것은?

① 내각 책임제를 명시하였다.
② 대통령 간선제를 규정하였다.
③ 조소앙의 삼균주의에 기초하였다.
④ 4·19 혁명이 일어나는 계기가 되었다.
⑤ 대통령의 임기는 7년 단임제로 하였다.

12 위 헌법이 발표된 시기의 대통령에 대한 탐구 활동으로 적절한 것은?

① 사사오입 개헌의 내용을 살펴본다.
② 지방 자치제를 실시한 목적을 알아본다.
③ 삼청 교육대를 설치한 목적을 알아본다.
④ 3·15 부정 선거를 일으킨 배경을 살펴본다.
⑤ 긴급 조치권이 국민의 인권에 미친 영향을 조사한다.

13 다음 선언이 발표되었던 시기에 대한 설명으로 옳은 것을 〈보기〉에서 고른 것은?

> 우리는 이를 보고만 있을 수 없어 여야의 정치적인 전략이나 이해를 넘어 이 나라의 먼 앞길을 내다보면서 '민주 구국 선언'을 선포하는 바이다.
> 1. 이 나라는 민주주의 기반 위에 서야 한다.
> 2. 경제 입국의 구상과 자세가 근본적으로 재검토되어야 한다.
> 3. 민족 통일은 오늘 이 겨레가 짊어진 지상의 과업이다.

> 보기
> ㄱ. 서울의 봄이 신군부에 의해 진압되었다.
> ㄴ. 헌법에서 대통령의 임기를 7년으로 규정하였다.
> ㄷ. 대통령이 긴급 조치권을 발표하여 국민의 기본권을 제한하였다.
> ㄹ. 재야인사와 지식인들이 유신 체제를 비판하고 정권 퇴진을 요구하였다.

① ㄱ, ㄴ ② ㄱ, ㄷ ③ ㄴ, ㄷ
④ ㄴ, ㄹ ⑤ ㄷ, ㄹ

14 다음 두 사건 사이에 있었던 사실이 아닌 것은?

> • 대통령의 중임 제한을 철폐하는 개헌이 이루어졌다.
> • 박정희 대통령이 중앙정보부장 김재규에게 피살되었다.

① 긴급 조치 9호가 발동되었다.
② 부마 민주 항쟁이 발생하였다.
③ 제2차 인민 혁명당 사건이 일어났다.
④ 정부가 휴교령, 계엄령을 내려 6·3 시위를 진압하였다.
⑤ 신민당 당사에서 농성을 하던 YH 무역의 노동자가 사망하였다.

D 5·18 민주화 운동과 전두환 정부

15 다음 두 기관의 공통점으로 옳은 것은?

> • 국가 재건 최고 회의 • 국가 보위 비상 대책 위원회

① 4·19 혁명 이후 해체되었다.
② 대통령을 선출하는 기관이었다.
③ 내각 책임제 도입을 주장하였다.
④ 독재 정권에 반대하는 시민들이 조직하였다.
⑤ 군인들이 정권을 장악하기 위해 설치하였다.

출제가능성 90%
16 다음 궐기문이 나오게 된 배경으로 가장 적절한 것은?

> 우리는 왜 총을 들 수밖에 없었는가? 그 대답은 너무나 간단합니다. …… 정부 당국에서는 17일 야간에 계엄령을 확대 선포하고 일부 학생과 민주 인사, 정치인을 도무지 믿을 수 없는 구실로 불법 연행하였습니다. …… 20일 밤부터 계엄 당국은 발포 명령을 내려 무차별 발포를 시작하였다는 것입니다.

① 신군부가 계엄령을 전국으로 확대하였다.
② 국가 보위 비상 대책 위원회가 설치되었다.
③ 정부가 제2차 인혁당 사건 관련자들을 처벌하였다.
④ 부산과 마산에서 유신 체제에 저항하는 시위가 확산되었다.
⑤ 전두환 정부가 대통령 직선제 개헌을 하지 않겠다는 선언을 발표하였다.

[17~18] 다음 글을 읽고 물음에 답하시오.

> 5·18 민주화 운동 이후 신군부는 새로운 헌법을 마련하여 대통령의 임기를 7년 단임으로 하고 선거인단을 통한 간접 선거로 대통령을 선출하도록 하였다. 이 헌법에 따라 [(가)]이/가 대통령으로 선출되었다. 새롭게 출범한 [(가)] 정부는 ㉠ 강압 정책과 ㉡ 유화 정책을 함께 실시하였다.

17 (가)에 공통으로 들어갈 인물로 옳은 것은?

① 김영삼 ② 김대중 ③ 노태우
④ 전두환 ⑤ 최규하

18 밑줄 친 ㉠, ㉡의 사례로 적절하지 않은 것은?

① ㉠ - 야간 통행을 금지하였다.
② ㉠ - 사회 정화를 명분으로 삼청 교육대를 운영하였다.
③ ㉠ - 여러 언론사를 통폐합하고 기사 내용을 검열·단속하였다.
④ ㉡ - 해외여행을 자유화하였다.
⑤ ㉡ - 대입 본고사를 폐지하고, 중고생의 두발과 교복을 자유화하였다.

3단계 등급 올리기

2020 평가원 응용

01 (가)에 들어갈 내용으로 옳은 것은?

> ### 4·19 혁명
> 1. 배경: 자유당 정권의 독재와 부패
> 2. 원인: 3·15 부정 선거
> 3. 과정
> − 부정 선거 규탄 시위 발생
> − 김주열 시신 발견 후 전국으로 시위 확대
> − 경찰 발포로 사상자 다수 발생
> − 학생, 교수, 시민들의 참여로 시위 격화
> − ┌─────── (가) ───────┐
> 4. 결과
> − 허정 과도 정부 수립
> − 내각 책임제 개헌

① 유신 헌법 단행
② 제주 4·3 사건 발생
③ 이승만 대통령 하야
④ 인천 상륙 작전 개시
⑤ 한국군의 베트남 전쟁 파견

02 다음 조치가 발표된 시기를 배경으로 단막극을 만들고자 할 때 등장인물로 가장 적절한 것은?

> (1) 다음 각 호의 행위를 금한다.
> ㈎ 유언비어를 날조, 유포하거나 사실을 왜곡하여 전파하는 행위
> ㈏ 대한민국 헌법을 부정, 반대, 왜곡 또는 비방하거나 그 개정 또는 폐지를 주장, 선동 또는 선전하는 행위
> (8) 이 조치 또는 이에 의한 주무 장관의 조치에 위반한 자는 법관의 영장 없이 체포·구금·압수 수색할 수 있다.

① 진보당 사건으로 체포되는 정치인
② 농지 개혁법 제정 소식에 기뻐하는 농민
③ 3·1 민주 구국 선언을 발표하는 재야인사
④ 계엄군에 맞서 시민군을 조직하는 광주 시민
⑤ 굴욕적인 한일 회담에 저항하며 시위하는 학생

03 (가)에 들어갈 내용으로 적절하지 않은 것은?

> ### 다큐멘터리 기획안
>
> | 항목 | 세부 내용 |
> |---|---|
> | 주제 | 전두환 정부의 수립과 정책 |
> | 내용 | • 장면 1
− 주요 내용: 전두환이 대통령으로 선출되는 과정
− 구성 방안 1: 국가 보위 비상 대책 위원회의 활동을 조명한다.
− 구성 방안 2: 대통령 선거인단이었던 인물과 인터뷰를 진행한다.
• 장면 2
− 주요 내용: 전두환 정부의 강압 정책과 유화 정책
− 구성 방안: ┌── (가) ──┐ |
>
> ※ 유의 사항: 각 시기에 맞는 자료와 사건을 다룬다.

① 삼청 교육대에 다녀온 인물과 인터뷰를 한다.
② 민주화 운동을 진압하였던 인물과 면담을 진행한다.
③ 야간 통행금지 해제로 달라진 사회 모습을 살펴본다.
④ 서울 올림픽 대회 개막식 영상을 편집하여 보여 준다.
⑤ 자유복을 입고 등교하였던 학생들의 영상을 보여 준다.

🍃 서술형 문제

04 다음을 읽고 물음에 답하시오.

> 1972년 10월 박정희 정부는 남북통일을 위한 사회 질서 안정을 명분으로 전국에 비상계엄을 선포하여 억압적인 분위기를 조성하고 국회를 해산하였다. 그리고 비상 국무 회의가 마련한 새 헌법을 국민 투표를 거쳐 확정하였다.

(1) 밑줄 친 '새 헌법'에 규정된 대통령 선출 기구를 쓰시오.

(2) 밑줄 친 '새 헌법'이 부여한 대통령의 권한을 세 가지 서술하시오.

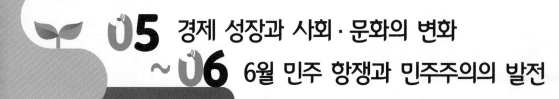

05 경제 성장과 사회·문화의 변화
~06 6월 민주 항쟁과 민주주의의 발전

A 산업화와 경제 성장

★ 1. 1960~1970년대의 경제 성장

(1) 제1, 2차 경제 개발 5개년 계획(1962~1971)

배경	박정희 정부가 장면 내각의 경제 개발 5개년 계획 보완 → 국가 주도의 경제 성장 정책 추진 ⟶ ⓔ 화학 비료, 시멘트, 정유 등
특징	노동 집약적 경공업 육성, 기간산업 육성, 대규모 산업 단지와 수출 자유 지역 조성, 경부 고속 국도 등 사회 간접 자본 확충, 미국·일본 등 외국 자본 유치 ⟶ ⓔ 의류, 합판, 가발, 신발 등
성과	연평균 약 9.2%의 성장률 달성, 수출 약 20배 이상 증가, 베트남 특수로 경제 성장 ⟶ 정치권과 경제계가 서로의 이익을 위해 밀접한 관계를 맺는 경우
문제점	산업 분야의 불균형 성장 초래, 정경 유착 현상 심화, 외채 증가로 외국 자본 의존 심화
경제 위기	1960년대 말 국제 경기 악화로 경공업 제품 수출 부진, 외채 상환 압력 → 부실기업 정리, 자유 무역 단지 조성

(2) 제3, 4차 경제 개발 5개년 계획(1972~1981)

배경	경공업 중심의 한 경제 성장 한계 인식
특징	중화학 공업 육성, 수출 주도형 정책 지속, 포항 제철소 건설, 울산·거제 조선소 설립, 원자력 발전소·공업 단지 건설
성과	중화학 공업 비중이 경공업 비중 초과, 2차 산업 비중이 1차 산업 추월, 수출액 100억 달러 달성(1977), 고도성장 이룩
경제 위기	• 제1차 석유 파동(1973) → 중동 건설 사업 진출로 획득한 오일 달러로 극복 • 제2차 석유 파동(1978), 중화학 공업에 대한 과잉 투자 → 경제 상황 악화(실업률 증가, 경제 성장률 감소)

⟶ 경제 불황은 박정희 정부에 정치적 위기로 작용하였다.

2. 1980년대의 경제 변화와 시장 개방

(1) 경제 상황: 중화학 공업에 대한 과잉·중복 투자, 제2차 석유 파동, 정치적 격변 등 → 1980년대 초반 마이너스 경제 성장률 기록

(2) 전두환 정부의 경제 정책: 경제 안정화 정책 실시(부실기업 정리), 국가 주도의 성장 우선 정책 부분적 수정(민간 경제의 자율적 운용 허용)

(3) 3저 호황: 1980년대 중반 저유가, 저달러, 저금리 상황으로 세계 경제 호황 → 자동차, 철강 등 중화학 공업의 발달로 고도성장, 반도체 산업 등 첨단 산업 육성 → 수출액 300억 달러 돌파, 1인당 국민 소득 5천 달러 달성

(4) 시장 개방 ⟶ 3저 호황을 맞아 원유와 수입 원자재의 가격이 큰 폭으로 떨어져 외환을 절약하였고, 국제 금리의 하락으로 외채 이자 부담이 줄어들었다.

배경	선진 자본주의 국가들의 보호 무역 강화, 후발 자본주의 국가들에 대한 개방 압력 증가
과정	다자간 무역 협상 개시를 위한 각료 선언(우루과이 라운드) 발표(1986) → 시장과 자본의 개방 압력 → 다국적 기업, 국제 금융 자본 등이 국내에 진출

3. 경제 성장 과정의 문제점
⟶ 원자재, 시설, 자본, 기술 등이 부족한 상황에서 경제 개발을 시작하였기 때문에 외국에 대한 경제 의존도가 높아졌다.

(1) 무역 의존도 심화: 외국에 대한 경제 의존도 심화, 외채 증가

(2) 대기업 육성 정책: 재벌 중심의 산업 구조 형성 → 대기업과 중소기업 간의 격차 심화, 정경 유착, 부실기업 증가

(3) 산업 불균형 심화: 정부의 공업 중심 경제 개발 정책 → 저임금·저곡가 정책 추진 → 노동자와 농민들의 경제적 어려움 가중 ⟶ 수출 경쟁력을 유지하기 위한 저임금 정책을 지속하고자 농산물 가격을 인하한 정책

B 경제 성장에 따른 사회 변화

1. 산업화와 도시화

(1) 배경: 제조업과 서비스 산업의 비중 확대 → 일자리를 찾아 도시로 인구 집중(도시화 현상)

(2) 문제점: 도시 빈민 증가, 교통·생활 환경·주택·실업 등 다양한 도시 문제 발생 ⟶ '달동네', '판자촌' 등 빈민촌이 등장하였다.

(3) 정부 대책: 고속 국도 확대, 대중교통 확장, 신도시 건설·대규모 아파트 단지 조성(광주 대단지 사건 발생 등), 의료 보험 제도 실시 등 ⟶ 1971년 서울의 판자촌 주민들을 경기도 광주로 강제 이주시키는 과정에서 일어났다.

(4) 일상생활의 변화: 분식·외식 문화 확산, 핵가족화로 사회적 유대·공동체적 가치 붕괴 등

★ 2. 농촌의 변화와 농민 운동

(1) 새마을 운동

배경	정부의 공업화·저곡가 정책으로 도시와 농어촌 간 소득 격차 심화
전개	주택 개량, 도로와 전기 시설 확충 등 농촌 환경 개선 추진 → 소득 증대 사업 지원 방식으로 전환 → 도시와 직장으로 확대, '근면·자조·협동'을 강조하는 국민 의식 개혁 운동으로 확대
결과	농어촌 근대화에 기여, 유신 체제 유지에 이용

(2) 농민 운동 ⟶ 정부가 시중 가격보다 비싸게 사서 소비자에게 싼값에 공급하는 정책

1970년대	추곡 수매 운동, 전남 함평 고구마 피해 보상 운동 등 전개
1980년대	정부의 이중 곡가제 중지, 수입 농산물 개방 압력 → 전국 농민 운동 연합 결성, 농산물 수입 개방 반대 운동 전개

★ 3. 노동 문제와 노동 운동 ⟶ 전태일은 근로 기준법 준수 등 노동 문제 개선을 요구하며 분신자살하였다.

노동 문제	정부의 저임금 정책 추진 → 낮은 임금과 열악한 작업 환경 속에서 장시간 노동으로 생존권 위협
노동 운동	• 1970년대: 전태일 분신 사건(1970) 이후 노동 조건에 대한 사회적 관심 고조, YH 무역 사건, 노동조합 설립 움직임 • 1980년대: 민주화 진전으로 노동 운동 활성화 → 노동조합 증가, 노동 운동 전개

⟶ 박정희 정부는 단체 행동권 제한 특별법 등으로 노동 운동을 탄압하였다.

C 문화의 변화

1. 교육의 변화

(1) 시기별 교육의 변화 ┌─ 국민 교육 헌장(1968)과 국기에 대한 맹세(1972) 등을 제정하여 학생들에게 암송하도록 강요하였다.

장면 내각	교육 자치제 시행 → 5·16 군사 정변으로 중단
박정희 정부	• 국가주의 교육(군사 교육, 반공 교육 등) 강화, 국사 교육 강화 • 중학교 무시험 진학 제도 실시(1969), 고교 평준화 제도 시행
전두환 정부	국민 윤리 교육 강조, 과외 전면 금지, 대학 졸업 정원제 시행

(2) 성과: 경제 성장과 사회 변화의 원동력, 교육 기회의 확대

(3) 문제점: 높은 교육열로 인한 입시 경쟁과 사교육비 증가 등

2. 언론 활동의 성장

이승만 정부	언론 탄압 강화 → 경향신문 폐간(1959)
박정희 정부	언론 규제 강화 → 유신 체제 성립 이후 정부 비판적인 언론인들 구속·해직, 기자 등록제인 프레스 카드제 시행 → 동아일보 기자들의 '자유 언론 실천 선언' 발표(1974), 언론 자유 운동 확산
전두환 정부	정부 비판적인 언론인 해직, 언론사 통폐합, 보도 지침을 통해 기사 검열 강화 → 6월 민주 항쟁 이후 언론의 자유 확대

3. 대중문화의 성장

┌─ 박정희 정부는 귀를 덮는 긴 머리와 미니스커트를 입은 사람을 경찰이 단속할 수 있게 하였다.

1960년대	신문, 라디오 보급 증가, 텔레비전 방송 시작
1970년대	정부가 문화·예술에 대한 검열 및 통제 강화(금서·금지곡 지정 등), 반공 의식 고취, 서구의 반전·저항 문화 유입으로 청년 문화 확산
1980년대	상업적 프로 스포츠 등장, 민중 문화 활동 전개, 6월 민주 항쟁 이후 언론과 대중문화에 대한 통제 완화

└─ 전두환 정부는 1982년 프로 야구를 시작으로 축구, 씨름 등 프로 스포츠를 잇달아 출범시켰다.

D 민주주의의 발달

★ 1. 6월 민주 항쟁(1987)

배경	전두환 정부의 강압 통치, 부천 경찰서 성 고문 사건(1986), 박종철 고문치사 사건(1987) 발생 → 전두환 대통령의 4·13 호헌 조치 발표(대통령 간선제 고수)
전개	직선제 개헌 및 전두환 정권 퇴진 운동 전개 → 대학생 이한열이 시위 도중 최루탄 피격 → 민주화에 대한 요구 확대, '호헌 철폐', '독재 타도'를 외치며 전국 주요 도시에서 시위 전개(6월 민주 항쟁, 6. 10.)
결과	여당 대통령 후보인 노태우가 6·29 민주화 선언 발표(5년 단임의 대통령 직선제 개헌 약속) → 노태우 대통령 당선

2. 민주주의의 진전

노태우 정부	여소 야대의 국면 형성, 청문회 개최(전두환 정부의 비리 및 5·18 민주화 운동에 대한 진상 규명), 지방 자치제 부분적 실시, 언론의 자유 확대, 북방 외교 추진(공산주의 국가와 외교 관계 체결 및 교류 확대), 3당 합당(1990)
김영삼 정부	공직자 윤리법 개정(고위 공무원의 재산 등록 의무화), 금융 실명제 실시, 지방 자치제 전면 실시, '역사 바로 세우기' 사업 진행, 외환 위기로 국제 통화 기금(IMF)의 구제 금융 지원 요청

└─ 여당인 민주 정의당이 김영삼, 김종필이 이끄는 두 야당과 연합하여 거대 여당인 민주 자유당을 창당함으로써 여소 야대를 극복하려 하였다.

3. 평화적 정권 교체의 정착

김대중 정부	헌정 사상 최초로 여야 간 평화적 정권 교체 실현, 남북 정상 회담 개최(2000), 김대중 대통령의 노벨 평화상 수상, 국제 통화 기금(IMF) 관리 체제 극복
노무현 정부	제2차 남북 정상 회담 개최(2007), 수도권 소재 주요 공공 기관의 지방 이전과 과거사 정리 사업 추진, 권위주의 청산 노력
이명박 정부	자유 무역 협정(FTA) 체결 확대, 기업 활동의 규제 완화, 친환경 녹색 성장 등의 정책 추진
박근혜 정부	민간인에 의한 국정 농단 의혹 사건으로 국회에서 대통령 탄핵 소추안 가결 → 헌법 재판소의 탄핵 인용 결정
문재인 정부	국민의 나라·정의로운 대한민국을 국정 지표로 삼음, 복지·지역 발전·남북 평화에 중점을 둔 정책 표방

E 시민 사회의 성장

1. 시민운동의 성장

┌─ 시민들이 자발적으로 모여서 공공의 이익을 위해 활동하는 단체

배경	6월 민주 항쟁 이후 민주화 진전 → 비정부 기구(NGO)인 시민 단체 성장 ┌─ 예 경제 정의 실천 시민 연합, 참여 연대 등
과정	시민 단체가 경제 정의, 환경, 여성, 인권 등 다양한 영역에서 활동하며 사회 문제 제기 └─ 예 환경 운동 연합 등

2. 시민의 정치 참여 확대

배경	선거 공영제와 지방 자치제 등을 통해 시민의 정치 참여 확대
과정	시민들의 '촛불 집회'(2008년 미국산 쇠고기 수입 반대 집회, 2016년 국정 농단에 대한 진상 규명과 박근혜 대통령 퇴진을 요구하는 집회), 총선 연대의 낙선 운동 등

└─ 부패 행위나 불성실한 의정 활동과 관련된 부적격자를 정당 후보로 공천하지 않도록 각 정당에 요구하였다.

3. 인권 증진과 사회 복지의 확대

(1) 인권 증진 노력: 헌법 소원 심판 청구 제도 마련, 국가 인권 위원회 설치 등

(2) 사회 복지 확대: 의료 보험 제도, 국민연금 제도, 국민 기초 생활 보장법 등 사회 보장 제도 확충

└─ 빈곤층, 노인, 장애인 등 취약 계층을 위한 사회 보장 제도가 확대되고 있다.

🌱 정답과 해설 47쪽

01 다음 설명이 맞으면 ○표, 틀리면 ✕표를 하시오.

(1) 1970년대 저유가, 저달러, 저금리 상황을 배경으로 3 저 호황을 맞았다. ( )

(2) 정부의 저임금·저곡가 정책으로 노동자와 농민들의 생활이 윤택해졌다. ( )

(3) 한국 경제는 제3·4차 경제 개발 5개년 계획이 추진 되는 동안 두 차례의 석유 파동으로 경제 위기를 겪 었다. ( )

02 다음 괄호 안의 내용 중 알맞은 말에 ○표를 하시오.

(1) 박정희 정부는 (저임금, 고임금)·저곡가 정책으로 수 출품의 가격 경쟁력을 유지하였다.

(2) 6월 민주 항쟁의 결과 5년 단임의 대통령 (간선제, 직선제)로의 헌법 개정이 이루어졌다.

03 다음 사건을 일어난 순서대로 나열하시오.

> ㄱ. 박종철 고문치사 사건
> ㄴ. 6·29 민주화 선언 발표
> ㄷ. 정부의 4·13 호헌 조치
> ㄹ. 이한열의 최루탄 피격 사건

04 다음과 같은 활동을 한 정부를 〈보기〉에서 골라 기호를 쓰 시오.

> **보기**
> ㄱ. 노태우 정부   ㄴ. 김영삼 정부
> ㄷ. 김대중 정부   ㄹ. 노무현 정부

(1) 수도권 소재 공공 기관을 지방으로 이전하였다. ( )

(2) 평양을 방문하여 최초의 남북 정상 회담을 성사시켰다. ( )

(3) 공산주의 국가와 외교 관계를 맺어 교류를 확대하는 북방 외교를 추진하였다. ( )

05 2000년대 이후 시민들은 ( )라는 평화적 시위를 통해 사회의 다양한 사안에 의견을 표출하였다.

A 산업화와 경제 성장

01 다음은 제1, 2차 경제 개발 5개년 계획을 정리한 것이다. ㉠~㉢ 중 옳지 않은 것은?

> **제1, 2차 경제 개발 5개년 계획**
> 1. 특징
>   – 화학 비료, 시멘트 등 기간산업 육성
>   – 합판, 가발과 같은 노동 집약적 경공업 육성 ─── ㉠
> 2. 추진
>   – 도로, 항만 등 사회 간접 자본 확충
>   – 대규모 산업 단지와 수출 자유 지역 조성 ─── ㉡
> 3. 성과
>   – 수출액 100억 달러 돌파 ─── ㉢
>   – 연평균 약 9.2%의 성장률 기록
> 4. 한계
>   – 외국 자본의 의존도 심화 ─── ㉣
>   – 산업 분야의 불균형 성장 ─── ㉤

① ㉠   ② ㉡   ③ ㉢   ④ ㉣   ⑤ ㉤

02 교사의 질문에 대한 학생의 답변으로 가장 적절한 것은?

이것은 포항 종합 제철 준공을 기념하기 위해 만든 우표입니다. 이 시기의 상황을 말해 볼까요?

① 농지 개혁법이 제정되었어요.

② 기간산업에 집중적으로 투자하였어요.

③ 제1차 경제 개발 5개년 계획을 시작하였어요.

④ 중화학 공업에 대한 집중 투자가 이루어졌어요.

⑤ 저유가, 저달러, 저금리 상황을 배경으로 3저 호황이 나타났어요.

출제가능성 90%

03 그래프는 우리나라 공업 구조의 변화를 나타낸 것이다. (가) 시기에 있었던 사실로 옳은 것을 〈보기〉에서 고른 것은?

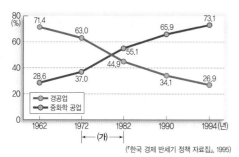

(「한국 경제 반세기 정책 자료집」, 1995)

> **보기**
> ㄱ. 미국의 경제 원조에 의존하였다.
> ㄴ. 1인당 국민 소득이 5천 달러를 넘어섰다.
> ㄷ. 제1차 석유 파동으로 인한 경제 위기를 중동 건설 사업 진출로 극복하였다.
> ㄹ. 철강, 화학, 비철 금속, 기계, 조선, 전자 등을 전략 업종으로 선정하여 집중 육성하였다.

① ㄱ, ㄴ   ② ㄱ, ㄷ   ③ ㄴ, ㄷ
④ ㄴ, ㄹ   ⑤ ㄷ, ㄹ

04 (가)에 들어갈 내용으로 옳지 않은 것은?

> 5·16 군사 정변으로 집권한 박정희 정부는 국가 주도의 경제 개발 5개년 계획을 추진하였다.
> ↓
> (가)
> ↓
> 중화학 공업에 대한 과잉·중복 투자와 제2차 석유 파동 등의 영향으로 물가가 폭등하고 마이너스 경제 성장률을 기록하였다.

① 수출액 100억 달러를 이룩하였다.
② 중화학 공업 육성을 위해 포항 제철소를 건설하였다.
③ 저유가, 저달러, 저금리 상황을 배경으로 경제 호황을 맞았다.
④ 베트남 파병 군인들의 송금, 군수품 수출 등으로 외화를 획득하였다.
⑤ 일본과 국교를 정상화하여 경제 개발에 필요한 자금을 일부 유치하였다.

05 (가)에 들어갈 내용으로 적절하지 않은 것은?

> 경제 개발 정책의 추진 결과 우리나라는 '한강의 기적'이라고 불릴 정도로 경제 발전을 이루었다. 그러나 성장 위주의 경제 정책으로 인해 등 많은 문제가 나타났다.

① 정경 유착이 나타나는
② 노동자에 대한 저임금이 강요되는
③ 외국에 대한 경제 의존도가 높아지는
④ 도시와 농촌 사이에 소득의 격차가 발생하는
⑤ 재벌이 정부의 수출 지원 정책에서 소외되는

B 경제 성장에 따른 사회 변화

주관식

06 다음에서 설명하는 사건을 쓰시오.

> 서울 도심을 정비하기 위해 10만여 명을 경기도 광주로 이주시키는 과정에서 편의 시설 정비를 약속한 서울시가 이를 지키지 않자, 생존권을 위협받은 이주민이 1971년 대규모 시위를 벌였다.

07 그래프는 도시와 농촌 인구의 변화를 나타낸 것이다. 1970년대 이후의 사회 상황을 추론한 내용으로 옳지 않은 것은?

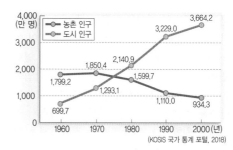

(KOSIS 국가 통계 포털, 2018)

① 도시화가 빠르게 진행되었을 것이다.
② 농업의 비중이 공업과 서비스업을 앞질렀을 것이다.
③ 대도시의 변두리와 높은 지대에는 판자촌이 형성되었을 것이다.
④ 도시의 주택난이나 도시 빈민 문제가 시급한 과제로 떠올랐을 것이다.
⑤ 도시 주민들이 전기, 상하수도 시설 부족으로 어려움을 겪었을 것이다.

08 (가)에 대한 설명으로 옳지 <u>않은</u> 것은?

(가)에 대해 검색해 줘.

검색 결과입니다.

2013년 6월 유네스코 세계 기록 유산으로 등재된 기록물

유네스코는 1970년부터 1979년까지 전개된 (가) 의 과정과 성과가 담긴 기록물을 세계 문화유산으로 등재하였다.

더 보기>

① '근면, 자조, 협동'을 강조하였다.
② 도시와 농촌의 균형 있는 발전을 추구하였다.
③ 정부의 농업 정책에 맞서 전개된 농민 운동이다.
④ 점차 도시로 확산되어 국민 의식 개혁 운동으로 이어졌다.
⑤ 유신 체제를 정당화하는 데 이용되었다는 지적을 받기도 한다.

출제가능성 90%
09 다음 자료를 활용한 탐구 활동으로 가장 적절한 것은?

저희들은 근로 기준법의 혜택을 조금도 못 받으며 더구나 2만 명이 넘는 종업원의 90% 이상이 평균 18세의 여성입니다. …… 40%를 차지하는 시다공들은 평균 연령 15세의 어린이들로서, …… 1주 98시간의 고된 작업에 시달립니다. …… 1일 15시간의 작업 시간을 1일 10~12시간으로 단축해 주십시오. 1개월 휴일 2일을 늘려서 일요일마다 쉬기를 원합니다. 건강 진단을 정확하게 하여 주십시오. …… 절대로 무리한 요구가 아님을 맹세합니다. 인간으로서의 최소한의 요구입니다.
– 박정희 대통령에게 드리는 글, 1969. 12.

① 전태일 분신 사건이 발생한 이유를 조사한다.
② 광주 대단지 사건이 일어난 배경을 알아본다.
③ 정부가 새마을 운동을 추진한 목적을 살펴본다.
④ 함평 고구마 피해 보상 투쟁의 과정을 살펴본다.
⑤ 제2차 석유 파동이 한국 경제에 미친 영향을 분석한다.

C 문화의 변화

10 밑줄 친 부분을 해결하기 위한 정부의 노력으로 적절하지 <u>않은</u> 것은?

우리나라는 높은 교육열을 바탕으로 교육의 발전을 이루었다. 그러나 과도한 교육열은 <u>입시 경쟁의 과열, 사교육비 증가 등의 문제</u>를 발생시켰다.

① 과외를 전면 금지하였다.
② 국민 교육 헌장을 선포하였다.
③ 대학 졸업 정원제를 시행하였다.
④ 고교 평준화 제도를 시행하였다.
⑤ 중학교 무시험 진학 제도를 실시하였다.

11 다음 선언이 발표된 배경으로 옳은 것은?

1. 신문·잡지·방송에 대한 어떠한 외부 간섭도 우리의 일치된 단결로 강력히 배제한다.
3. 언론인의 불법 연행을 거부한다. 불법 연행을 자행하는 경우 기자가 귀사할 때까지 퇴근하지 않는다.
– 자유 언론 실천 선언

① 경향신문이 폐간되었다.
② 5·18 민주화 운동이 전개되었다.
③ 신문에 대한 발행 허가제가 폐지되었다.
④ 박정희 정부가 기자 등록제를 시행하였다.
⑤ 전두환 정부가 보도 지침을 통해 기사를 검열하였다.

12 다음과 같은 상황이 나타나던 시기에 볼 수 있었던 모습으로 적절하지 <u>않은</u> 것은?

정부는 문화, 예술에 대한 검열과 통제를 강화하였다. 수많은 금서와 금지곡을 지정하였으며, 방송에서는 정부 정책을 홍보하는 프로그램을 방영하도록 하였다.

① 프로 야구 경기를 관람하는 시민
② 국민 교육 헌장을 발표하는 대통령
③ 영화 관람 전 '대한 뉴스'를 상영하는 극장 직원
④ 귀를 덮는 긴 머리와 미니스커트 길이를 단속하는 경찰
⑤ 프레스 카드를 발급받지 못해 취재 활동을 제한받는 기자

D 민주주의의 발달

출제가능성 90%

13 다음 선언문이 발표될 당시 등장한 구호로 적절한 것은?

> 오늘 우리는 전 세계 이목이 우리를 주시하는 가운데 40년 독재 정치를 청산하고 희망찬 민주 국가를 건설하기 위한 거보를 전 국민과 함께 내딛는다. 국가의 미래요 소망인 꽃다운 젊은이를 야만적인 고문으로 죽여 놓고 그것도 모자라 뻔뻔스럽게 국민을 속이려 했던 현 정권에게 국민의 분노가 무엇인지를 분명히 보여 주고, 국민적 여망인 개헌을 일방적으로 파기한 4·13 폭거를 철회시키기 위한 민주 장정을 시작한다.

① 유신 철폐! 독재 타도!
② 굴욕적인 한일 회담에 반대한다!
③ 신군부는 계엄을 철폐하고 퇴진하라!
④ 3·15 선거는 불법 선거! 공명 선거 실시하라!
⑤ 호헌 주장 철회하라! 민주 헌법 쟁취하여 민주 정부 수립하자!

14 밑줄 친 '새 헌법'의 특징으로 옳은 것을 〈보기〉에서 고른 것은?

> 첫째, 여야 합의하에 대통령 직선제로 개헌하고, 새 헌법에 의한 대통령 선거로 1988년 2월 평화적인 정권 이양
> 셋째, 국민적 화해와 대단결을 도모하기 위해 김대중 등의 사면 복권과 극소수를 제외한 시국 사범 석방
> 다섯째, 언론 자유의 창달을 위해 관련 제도와 관행을 획기적으로 개선하며 언론의 자율성을 최대한 보장

보기
ㄱ. 대통령 직선제를 규정하였다.
ㄴ. 대통령의 임기를 5년으로 하였다.
ㄷ. 대통령의 중임 제한을 두지 않는다.
ㄹ. 통일 주체 국민 회의에서 대통령을 선출한다.

① ㄱ, ㄴ   ② ㄱ, ㄷ   ③ ㄴ, ㄷ
④ ㄴ, ㄹ   ⑤ ㄷ, ㄹ

15 ㈎에 들어갈 내용으로 적절한 것은?

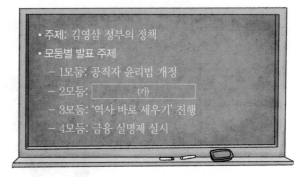

> • 주제: 김영삼 정부의 정책
> • 모둠별 발표 주제
> - 1모둠: 공직자 윤리법 개정
> - 2모둠: ㈎
> - 3모둠: '역사 바로 세우기' 진행
> - 4모둠: 금융 실명제 실시

① 삼청 교육대 설치
② 남북 정상 회담 개최
③ 친환경 녹색 성장 추진
④ 지방 자치 제도 전면 실시
⑤ 주요 공공 기관의 지방 이전

16 ㈎~㈐ 시기에 있었던 사실로 옳지 않은 것은?

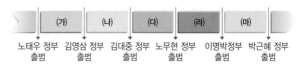

㈎ 노태우 정부 출범 / ㈏ 김영삼 정부 출범 / ㈐ 김대중 정부 출범 / ㈑ 노무현 정부 출범 / ㈒ 이명박정부 출범 / 박근혜 정부 출범

① ㈎ - 고위 공무원의 재산 등록을 의무화하였다.
② ㈏ - 불법 자금 유통을 막기 위해 금융 실명제를 실시하였다.
③ ㈐ - 외환 위기를 극복하고 국제 통화 기금(IMF)의 관리 체제에서 벗어났다.
④ ㈑ - 과거사 정리 사업을 추진하고, 권위주의 청산을 위해 노력하였다.
⑤ ㈒ - 실용주의를 앞세워 자유 무역 협정(FTA) 체결 확대와 기업 활동의 규제 완화 정책을 추진하였다.

E 시민 사회의 성장

17 다음 주장을 뒷받침하는 사례로 적절하지 않은 것은?

> 민주화가 진행되면서 사회적 약자에 대한 배려와 복지에 대한 관심이 커졌고 사회 보장 제도가 확충되었다.

① 총선 연대가 낙선 운동을 벌였다.
② 국민 기초 생활 보장법이 제정되었다.
③ 의료 보험 제도가 본격적으로 시행되었다.
④ 국민연금 제도가 모든 국민에게 확대 적용되었다.
⑤ 모든 국민이 동일한 의료 보험 서비스를 받게 되었다.

01 밑줄 친 부분을 해결하기 위한 정부의 대책으로 가장 적절한 것은?

> 1973년에 제4차 아랍·이스라엘 전쟁이 일어나자 석유 수출국 기구(OPEC)는 원유 가격을 크게 올렸다. 이로 인해 석유를 경제 발전의 원동력으로 하는 나라들이 큰 타격을 받고 있다. 특히 석유 전량을 수입에 의존하던 우리 경제에 직접적인 영향을 끼쳐 무역 적자가 심화하는 원인이 되었다.

↑ 석유를 구매하고자 길게 줄을 서 있는 사람들

① 한일 협정을 체결하였다.
② 중동 건설 사업에 참여하였다.
③ 반도체 산업 등 첨단 산업을 육성하였다.
④ 제1차 경제 개발 5개년 계획을 추진하였다.
⑤ 상품과 자본 시장의 전면적인 개방을 추진하였다.

02 (가), (나) 사건 사이에 있었던 사실로 옳은 것은?

(가)   (나)

↑ 경부 고속 국도 준공

↑ 수출 100억 달러 달성

① 이중 곡가제가 중지되었다.
② 5·18 민주화 운동이 일어났다.
③ 전국 농민 운동 연합이 결성되었다.
④ 국제 통화 기금의 구제 금융을 받았다.
⑤ 제3차 경제 개발 5개년 계획이 추진되었다.

03 그래프는 우리나라의 무역 의존도 변화를 나타낸 것이다. (가) 시기에 변화가 생긴 배경으로 가장 적절한 것은?

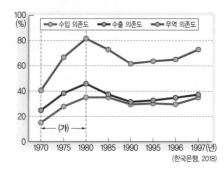
(한국은행, 2018)

① 정부가 저임금·저곡가 정책을 추진하였다.
② 제분업, 면방직 공업 등 삼백 산업이 발달하였다.
③ 정부가 균형 발전 위주의 경제 정책을 추진하였다.
④ 대기업 중심의 지원 정책이 추진되어 재벌 중심의 산업 구조를 형성하였다.
⑤ 정부가 원자재, 시설, 자본, 기술 등이 부족한 상황에서 경제 개발을 시작하였다.

2018 수능 응용

04 밑줄 친 '이 운동'에 대한 설명으로 옳은 것은?

> 오늘 대담에서는 이 운동 30주년을 맞아 당시 시위에 참여했던 분을 모시고 말씀을 나눠 보겠습니다. 그 때 상황은 어떠했나요?

> 이한열 군이 최루탄을 맞고 쓰러지자 시민들의 저항 열기가 고조되었고, '호헌 철폐', '독재 타도'의 목소리는 더욱 커져 갔습니다.

① 대통령 직선제 개헌을 이끌어냈다.
② 3·15 부정 선거가 원인이 되어 일어났다.
③ 미소 공동 위원회가 개최되는 결과를 낳았다.
④ 일본과의 국교 정상화에 반대하여 전개되었다.
⑤ 반민족 행위 특별 조사 위원회가 설치되는 계기가 되었다.

05 다음 두 사건 사이에 있었던 사실로 옳은 것은?

한국사 신문	한국사 신문
3당 합당 보수 대연합	**15대 김대중 대통령 취임**
1988년 국회 의원 총선거에 따른 여소 야대의 상황을 벗어나기 위해 여당인 민주 정의당과 야당인 통일 민주당, 신민주 공화당이 합당하여 민주 자유당을 창당하였다.	제15대 대통령 선거에서 김대중 후보가 당선되면서 헌정 사상 최초로 여당과 야당 사이의 평화적 정권 교체가 이루어졌다. 김대중 정부는 국민의 정부를 표방하였다.

① 외환 위기를 극복하였다.
② 일본과 국교를 정상화하였다.
③ 서울 올림픽 대회를 개최하였다.
④ 제2차 남북 정상 회담을 성사하였다.
⑤ 역사 바로 세우기 사업을 진행하였다.

06 다음 사례를 활용한 탐구 활동 주제로 가장 적절한 것은?

- 2000년에 출범한 총선 연대가 부패 행위나 불성실한 의정 활동과 관련된 부적격자를 정당 후보로 공천하지 않도록 각 정당에 요구하고, 일반 유권자들에게는 부적격자에 표를 주지 말자는 낙선 운동을 벌였다.
- 2002년 미군 장갑차 사고로 숨진 여중생을 추모하기 위한 촛불 집회를 시작으로 2008년 미국산 쇠고기 수입 반대 집회, 2016년 국정 농단에 대한 진상 규명과 박근혜 대통령 퇴진을 요구하는 촛불 집회 등이 개최되었다.

① 인권 의식의 확립
② 사회 복지의 확대
③ 시민의 정치 참여 확대
④ 경제 성장 과정에서 국민의 역할
⑤ 정경 유착을 해결하기 위한 다양한 노력

🌱 서술형 문제

07 그래프는 우리나라 공업 구조의 변화를 나타낸 것이다. (가), (나) 시기 경제 개발 계획의 특징을 비교하여 서술하시오.

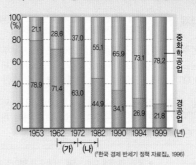

(「한국 경제 반세기 정책 자료집」, 1996)

08 다음에서 설명하는 농촌 운동의 명칭을 쓰고, 그 성과와 한계를 서술하시오.

> 박정희 정부는 1970년부터 도시와 농촌의 균형 있는 발전을 목표로 근면, 자주, 협동을 구호로 내건 운동을 추진하였다.

09 다음 사진을 보고 물음에 답하시오.

"4·13 호헌 조치는 무효이다. 전두환 독재 정권은 퇴진하라!"

(1) 위와 같은 주장을 한 민주화 운동의 명칭을 쓰시오.

(2) (1) 사건의 결과를 헌법 개정과 관련하여 서술하시오.

07 외환 위기와 사회·경제적 변화
~08 남북 화해와 동아시아 평화를 위한 노력

A 세계화에 따른 한국 경제의 변화

1. 시장 개방과 한국 경제
정부의 과도한 시장 개입을 비판하고 민간의 자유로운 경제 활동을 중시하는 경향이다.

세계 경제의 변화	선진 자본주의 국가들의 전면적 시장 개방 논의 → 우루 과이 라운드(UR) 타결(1993) → 세계 무역 기구(WTO) 체제 출범(1995) → 국제 교역량 증가, 세계 자본 시장 통합
한국 경제의 변화	시장 개방 압력 증가 → 상품과 자본 시장 개방으로 세계화 추진, 공기업 민영화, 금융 규제 완화, 경제 협력 개발 기구(OECD) 가입(1996) 등 신자유주의 정책 추진

★ 2. 외환 위기의 발생과 극복
● 국가 경제에 대한 국제 신뢰도가 떨어짐에 따라 외국 투자자들이 투자금을 회수하여 외환 보유액이 바닥나는 현상

배경	정경 유착으로 재벌 기업의 경쟁력 약화, 무분별한 사업 확장으로 인한 기업과 금융 기관의 부도 사태
발생	동남아시아에서 시작된 외환 위기 및 금융 불안 → 외환 보유고 고갈, 기업들의 연쇄 부도 → 김영삼 정부가 국제 통화 기금(IMF)에 구제 금융 요청(1997)
극복 노력	• 김대중 정부의 대책: 기업과 은행의 강도 높은 구조 조정 실시, 외국 자본 유치 노력, 공기업 민영화와 경영 혁신 추진, 노사정 위원회를 통한 정리 해고제와 근로자 파견제 도입 등 고용 유연화 정책 실시 등 • 금 모으기 운동: 국민들의 자발적인 참여로 전개
결과	국제 통화 기금(IMF)의 지원금 조기 상환(2001)
영향	• 노동자 대량 해고, 비정규직 노동자 급증 → 고용 안정성 저하, 소득 격차 심화 • 많은 자영업자의 도산으로 중산층의 비중 감소

IMF 대기성 차관 협약을 위한 양해 각서안
- IMF로부터 적절한 규모의 자금 지원
- 부실 금융 기관 구조 조정 및 인수, 합병 제도 마련
- 외국 금융 기관의 국내 자회사 설립 허용
- 외국인 주식 취득을 종목당 50%까지 확대
- 노동 시장의 유연성을 높임   – 국가기록원

1997년 말 외환 위기가 발생하자 김영삼 정부는 국제 통화 기금(IMF)에 구제 금융을 요청하여 긴급 자금을 지원받았다. 외환 위기를 극복하기 위해 김대중 정부는 강도 높은 구조 조정을 실시하고 외국 자본 유치에 힘썼다.

3. 외환 위기 이후의 한국 경제
● 국가 간의 자유로운 무역 활동을 위해 무역 장벽을 완화하거나 제거하는 협정

(1) 자유 무역 협정(FTA) 체결: 2004년 칠레를 시작으로 미국, 유럽 연합(EU) 등과 자유 무역 협정을 맺어 시장 확대

(2) 첨단 산업 발달: 반도체·액정 화면(LCD)·자동차 산업 등 약진, 정보 기술(IT)에 기반을 둔 첨단 산업 성장

(3) 국민 소득 증가: 1인당 국민 소득 3만 달러 돌파(2018년 기준)

(4) 한국 경제의 과제: 대외 무역 의존도 심화, 사회 계층 간 격차 심화, 대기업 중심의 경제 구조 형성 등

B 현대 사회의 변화

1. 가족 형태와 인구 구조의 변화
(1) 가족 형태의 변화: 산업화와 도시화의 진행으로 핵가족화, 1인 가구 증가

(2) 고령화 현상 가속화: 노인 인구가 빠르게 증가, 의료 기술 발달 → 혼자 사는 노년층 증가

(3) 저출산 증가: 청년 실업과 자녀 교육비 지출 증가로 결혼 및 출산 기피 현상 발생 → 비혼 인구의 비중 증가, 출산율 하락

2. 사회 양극화의 심화
● 정규직과 비정규직, 대기업과 중소기업 간의 임금 차이가 더욱 커졌기 때문이다.

배경	외환 위기 이후 실업 증가, 소득 격차 확대
현상	개인 간·계층 간 소득 불균형 심화, 도시와 농촌 간 지역 격차 심화, 부의 대물림 → 사회 전 영역에서 불평등 심화
해결 노력	사회 취약 계층 지원 정책 마련, 장학 제도 신설, 나눔 실천을 위한 노력 등

3. 다문화 사회로의 변화
(1) 다문화 사회로의 진입: 국제결혼을 통한 다문화 가정 증가, 외국인 이주 노동자와 북한 이탈 주민의 증가

(2) 문제점: 문화적 차이와 의사소통의 어려움, 사회적 차별과 편견으로 고통받음

(3) 과제: 다른 문화에 대한 이해와 존중, 다문화 구성원들과 소통하는 자세 함양, 각종 법률적인 정비 등 필요

4. 한국의 위상 강화
(1) '한류' 열풍: 1990년대 드라마를 중심으로 한국의 대중문화가 해외로 진출 시작 → 영화, 케이팝(K-Pop) 등이 주목받음

(2) 국제적 행사 개최: 1988년 서울 올림픽 대회, 2002년 한일 월드컵 대회, 2018년 평창 동계 올림픽 대회 등 성사

C 북한 사회의 변화

1. 북한의 정치적 변화
(1) 김일성 유일 지배 체제 확립
● 사상에서의 주체, 경제에서의 자립, 정치에서의 자주, 국방에서의 자위를 표방하였다.

주체사상 등장	1950년대 후반부터 중소 분쟁을 계기로 독자 노선 모색 → 주체사상 수립 → 사회주의 헌법 제정(1972), 주체사상을 국가 통치 이념으로 공식화
국가 주석제 채택	국가 주석제 도입·권한 강화 → 최고 인민 회의에서 김일성이 주석에 취임 → 김일성 1인 독재 체제 확립

(2) 3대 권력 세습 체제 확립

김정일	· 김일성 사망 이후 권력 승계 · 주석직을 폐지하고 국방 위원장 권한 강화 · 군대가 사회를 이끈다는 통치 방식인 '선군 정치' 추구 · 두 차례의 남북 정상 회담 진행
김정은	· 김정일 사망(2011) 이후 권력 승계 · 비핵화를 전제로 한 남북 정상 회담과 북·미 정상 회담 성사

2. 북한의 경제적 변화

1960년대	제1차 7개년 계획(1961~1967) 추진 → 중국과 소련의 경제 원조 축소, 군사비 증가로 목표 달성 실패
1970년대	6개년 계획(1971~1976) 수립, 공업 생산력 증대 목표 → 공업 총생산액 증가, 중공업 치중에 따른 소비재 부진, 대외 교역의 한계 발생
1980년대	외국 자본과의 합작 및 투자를 위한 합작 회사 경영법(합영법) 제정(1984) → 동유럽 사회주의 국가의 몰락과 자연재해 등으로 경제 위기
1990년대	나진·선봉 경제 무역 지대 설치(1991), 남한과의 경제 교류 확대(금강산 관광특구 지정, 개성 공단 건설 등)
2000년대 이후	7·1 경제 관리 개선 조치에 따른 시장 경제의 부분적 도입, 경제특구 확대 설치 등 개방 정책 추진 → 핵무기 개발로 인한 국제 사회의 제재 지속

기업소와 공장에 경영의 자율성을 확대하고, 수익에 따른 분배의 차등화와 배급제 폐지 등을 시행하였다.

D 남북 화해와 협력을 위한 노력

1. 남북 갈등의 심화 6·25 전쟁 이후 적대적 관계 지속 → 4·19 혁명 이후 평화 통일 운동 전개 → 5·16 군사 정변 이후 반공 정책 강화, 북한의 무력 도발로 남북 간 긴장 고조

★ 2. 남북 관계의 개선 남북한에서는 각각 유신 헌법과 사회주의 헌법을 공포하며 7·4 남북 공동 성명을 독재 체제 강화에 이용하기도 하였다.

박정희 정부	닉슨 독트린 이후 냉전 체제 완화 영향 → 남북 적십자 회담 개최(1971), 자주·평화·민족 대단결의 통일 원칙을 담은 7·4 남북 공동 성명 발표(1972), 남북 조절 위원회 설치
전두환 정부	민족 화합 민주 통일 방안 제시, 최초의 이산가족 상봉과 예술 공연단 교환 방문 성사(1985)

남한에 수해가 발생하자 북한이 원조 물자를 보낸 것이 계기가 되었다.

7·4 남북 공동 성명(1972)

첫째, 통일은 외세에 의존하거나 외세의 간섭을 받음이 없이 자주적으로 해결하여야 한다.

둘째, 통일은 상대방을 반대하는 무력행사에 의거하지 않고 평화적 방법으로 실현하여야 한다.

셋째, 사상과 이념, 제도의 차이를 초월하여 우선 하나의 민족으로서 민족적 대단결을 도모하여야 한다.

★ 3. 남북 관계의 변화와 진전

남북 상호 간의 체제 인정, 상호 불가침, 남북한 교류 협력 확대 등의 내용을 담고 있다.

노태우 정부	남북한 유엔 동시 가입, 남북한 정부 간 최초의 공식 합의서인 남북 기본 합의서(남북 사이의 화해와 불가침 및 교류·협력에 관한 합의서) 채택, '한반도 비핵화 공동 선언' 발표(1991)
김영삼 정부	북한의 핵 확산 금지 조약(NPT) 탈퇴(1993)로 남북 관계 악화 → '한민족 공동체 건설을 위한 3단계 통일 방안' 제시(1994)
김대중 정부	대북 화해 협력 정책(햇볕 정책) 추진 → 정주영의 소 떼 방북 → 금강산 관광 시작(1998), 남북 정상 회담 개최 및 6·15 남북 공동 선언 발표(2000) → 이산가족 방문, 경의선 철도 복구, 개성 공단 건설 등 남북 교류 활성화
노무현 정부	대북 화해 협력 정책 계승·발전, 제2차 남북 정상 회담 개최 및 6·15 남북 공동 선언의 이행 방안이 담긴 10·4 남북 공동 선언 채택(2007)
이명박 정부	금강산 관광 중단(2008), 연평도 포격 사건 발생(2010)
박근혜 정부	개성 공단 폐쇄(2016), 대북 강경 정책 지속
문재인 정부	남북 정상 회담 개최 및 '한반도 평화와 번영, 통일을 위한 판문점 선언' 발표(2018)

핵 없는 한반도 실현, 남북 공동 연락 사무소 개성 설치 등의 내용을 담고 있다.

E 영토와 역사 갈등 해결을 위한 노력

1. 일본의 독도 영유권 주장과 역사 왜곡 일본은 러시아와 북방 4도, 중국과 센카쿠 열도를 둘러싼 영토 갈등을 겪고 있다.

(1) **독도 문제**: 일본은 러일 전쟁 중 독도가 일본 영토에 편입되었다고 주장 ↔ 연합국 최고 사령관 각서 제677호 발표(1946), 샌프란시스코 강화 조약 체결(1951), 이승만 정부의 평화선 선언(1952) 등을 통해 우리 영토임을 명시

인접 해양에 대한 주권에 관한 대통령 선언이다.

(2) **일본의 역사 왜곡**: 일부 극우 세력의 주도로 침략 전쟁과 식민 지배를 미화하는 역사 교과서 발행, 일본 정치가의 야스쿠니 신사 참배 등

(3) **전쟁 피해자 배상 문제**: 일본이 침략 전쟁 당시 강제 징용 피해자, 일본군 '위안부'에 대한 사과 및 배상 거부

2. 중국의 역사 왜곡

배경	중국 내 소수 민족을 하나의 중화 민족으로 통합시키기 위해 '통일적 다민족 국가론' 주장
내용	중국 동북 지역의 역사를 자국 역사로 편입하려는 동북공정 진행 → 고조선, 고구려, 발해의 역사 왜곡

고조선, 고구려, 발해 등의 영토였던 곳으로 우리 역사와도 연관이 있다.

3. 동아시아의 역사 갈등 해결을 위한 노력 한국·중국·일본의 학자들과 교사들이 공동으로 역사 교재 집필, 대중문화의 교류, 청소년 역사 캠프 개최 등

01 다음 괄호 안의 내용 중 알맞은 말에 ○표를 하시오.

(1) (세계 무역 기구, 경제 협력 개발 기구) 출범 이후 국제 교역량이 증가하였고 세계 자본 시장이 통합되었다.

(2) 우리나라는 1997년 (석유 파동, 외환 위기)(으)로 인해 국제 통화 기금(IMF)에 구제 금융을 요청하였다.

02 다음 설명이 맞으면 ○표, 틀리면 ×표를 하시오.

(1) 산업화와 도시화의 영향으로 가족 구성의 형태가 핵가족에서 대가족으로 바뀌었다. ( )

(2) 우리나라는 2004년 칠레를 시작으로 미국, 유럽 연합(EU) 등과 자유 무역 협정(FTA)을 체결하여 무역 시장을 확대하고 있다. ( )

03 다음 빈칸에 들어갈 내용을 쓰시오.

(1) 김정일은 군대가 사회를 이끈다는 ( ) 정치를 내세웠다.

(2) 북한은 외국 자본과의 합작 및 투자를 위한 ( )을 제정하였다.

(3) 북한은 김정일이 사망하면서 권력이 ( )에게 승계되어 3대 권력 세습 체제가 확립되었다.

04 각 정부가 발표한 남북 합의문을 옳게 연결하시오.

(1) 박정희 정부 •   • ㉠ 남북 기본 합의서

(2) 노태우 정부 •   • ㉡ 7·4 남북 공동 성명

(3) 김대중 정부 •   • ㉢ 6·15 남북 공동 선언

05 다음과 같은 활동을 한 정부를 〈보기〉에서 골라 기호를 쓰시오.

보기
ㄱ. 전두환 정부   ㄴ. 노무현 정부
ㄷ. 이명박 정부   ㄹ. 박근혜 정부

(1) 최초의 이산가족 상봉과 예술 공연단 교환 방문을 이루었다. ( )

(2) 대북 화해 협력 정책을 계승하고 남북 정상 회담을 개최하였다. ( )

06 중국은 ( )을 추진하면서 고조선, 고구려, 발해의 역사가 모두 중국사라고 주장하고 있다.

A 세계화에 따른 한국 경제의 변화

01 ㈎에 들어갈 내용으로 적절한 것은?

> 전 세계적으로 시장 개방 압력이 거세지는 가운데 한국 경제는 1990년대 전반까지 성장을 지속하였다. 정부는 상품과 자본 시장을 개방하며 세계화를 추진하였고
>   ㈎

① 일본과 국교를 정상화하여 일본 자본을 유치하였다.

② 브라운 각서를 체결하여 미국으로부터 차관을 제공받았다.

③ 공기업 민영화, 금융 규제 완화 등 신자유주의 정책을 펼쳤다.

④ 노동 집약적 경공업 중심의 제1, 2차 경제 개발 5개년 계획을 실시하였다.

⑤ 수출 상품의 가격을 낮게 유지하기 위해 저임금·저곡가 정책을 추진하였다.

[02~03] 다음 양해 각서안을 읽고 물음에 답하시오.

>   ㈎ 대가성 차관 협약을 위한 양해 각서안
> •   ㈎ (으)로부터 적절한 규모의 자금 지원
> • 부실 금융 기관 구조 조정 및 인수, 합병 제도 마련
> • 외국 금융 기관의 국내 자회사 설립 허용
> • 외국인 주식 취득을 종목당 50%까지 확대
> • 노동 시장의 유연성을 높임
>   − 국가기록원

 주관식

02 ㈎에 공통으로 들어갈 국제 기구를 쓰시오.

출제가능성 90%
03 위 양해 각서안이 체결된 배경으로 옳은 것은?

① 제2차 석유 파동이 일어났다.

② 제3차 경제 개발 5개년 계획이 시작되었다.

③ 칠레와 자유 무역 협정(FTA)을 체결하였다.

④ 경제 협력 개발 기구(OECD)에 가입하였다.

⑤ 외환 보유고가 고갈되면서 외환 위기가 발생하였다.

04 그래프는 우리나라의 경제 성장률 추이를 나타낸 것이다. (가) 시기 위기 극복을 위해 정부가 시행한 정책으로 옳은 것을 〈보기〉에서 고른 것은?

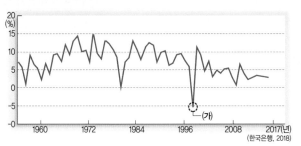

〈보기〉

ㄱ. 정리 해고제와 근로자 파견제를 도입하였다.
ㄴ. 미국의 원조 물자를 받아 삼백 산업을 육성하였다.
ㄷ. 부실기업과 은행을 통폐합하거나 외국에 매각하였다.
ㄹ. 유럽 연합(EU)과 자유 무역 협정(FTA)을 체결하였다.

① ㄱ, ㄴ   ② ㄱ, ㄷ   ③ ㄴ, ㄷ
④ ㄴ, ㄹ   ⑤ ㄷ, ㄹ

05 (가)에 들어갈 내용으로 적절하지 않은 것은?

① 대외 무역 의존도가 낮아졌어.
② 사회 계층 간의 격차가 커졌어.
③ 비정규직 노동자가 증가하였어.
④ 대기업과 중소기업 간의 격차가 더욱 크게 벌어졌어.
⑤ 외국산 농수산물 수입이 크게 늘면서 농어민이 어려움을 겪고 있어.

B 현대 사회의 변화

06 그래프는 우리나라의 소득 계층별 교육비 지출 추이를 나타낸 것이다. 이를 보고 학생들이 나눈 대화 내용으로 적절한 것은?

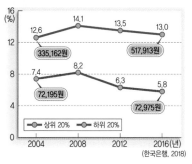

① 저출산·고령화 현상이 심화되고 있어.
② 도시와 농촌 간 소득 격차가 심해지고 있어.
③ 독거노인의 질병과 빈곤 등이 사회적 문제로 떠오르고 있어.
④ 다문화 가족에 대한 사회적 차별과 편견 문제가 나타나고 있어.
⑤ 소득 격차에 따른 실질적인 교육 기회의 불평등 문제가 나타나고 있어.

07 그래프를 통해 추론할 수 있는 우리 사회의 변화 모습으로 적절하지 않은 것은?

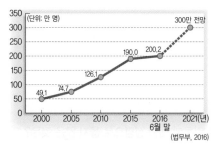

↑ 국내에 거주 중인 외국인의 수

① 다른 문화권에 속한 사람들 간 교류가 확대되고 있다.
② 국제결혼 이주민, 북한 이탈 주민 등의 유입이 증가하고 있다.
③ 외국인 근로자의 유입으로 노동력 부족 현상이 심화되고 있다.
④ 다른 문화를 존중하는 자세를 길러야 할 필요성이 커지고 있다.
⑤ 우리 사회 안에서 서로 다른 인종, 종교 등 다양한 문화가 공존하고 있다.

08 '오늘날 세계로 뻗어 나가는 한국'이라는 주제로 역사 신문을 제작하려고 할 때, 기사 제목으로 적절하지 <u>않은</u> 것은?

① 동남아시아를 강타한 '한류' 열풍
② 사물놀이와 난타에 대한 세계적 관심 증가
③ 2018 평창 동계 올림픽 대회의 성공적 개최!
④ 케이팝(K-Pop), 세계에서 하나의 문화로 자리 잡아
⑤ 미국의 반전·저항 문화 유입, 청년 문화로 이어지다

ⓒ 북한 사회의 변화

09 밑줄 친 '이 헌법'이 제정된 시기를 연표에서 옳게 고른 것은?

> 북한은 주체사상을 명문화한 <u>이 헌법</u>에서 국가 주석제를 도입하여 주석에게 모든 권력이 집중되도록 하였다. <u>이 헌법</u>에 따라 개최된 최고 인민 회의에서 김일성이 주석직에 취임하였다.

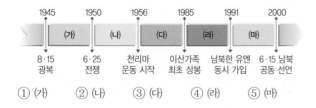

① (가) ② (나) ③ (다) ④ (라) ⑤ (마)

10 (가)에 들어갈 인물에 대한 설명으로 옳지 <u>않은</u> 것은?

> 　(가)　은/는 국방 위원장 자격으로 북한의 최고 권력자가 되었다. 1990년대 후반부터는 남한과의 관계를 개선하고 경제를 개혁하여 대내외적 위기를 극복하려고 하였다.

① 사회주의 헌법을 제정하였다.
② 헌법을 개정하여 주석직을 폐지하였다.
③ 두 차례의 남북 정상 회담에 참여하였다.
④ 김일성에 이어 2대째 권력을 세습하였다.
⑤ 선군 정치를 새로운 통치 방식으로 내세웠다.

11 다음 두 사건 사이에 있었던 사실로 옳은 것은?

> • 북한은 6개년 계획을 수립하여 경제 성장을 지속하고자 하였다. 그러나 중공업에 치중에 따른 소비재의 부진, 자립 경제 주장으로 인한 대외 교역의 한계 등으로 경제는 점차 어려워졌다.
> • 소련과 동유럽 사회주의 국가들의 몰락 이후 국제적인 교류가 급격히 줄어들었다. 또한 미국의 제재가 이어지고 자연재해가 지속적으로 겹치면서 북한 경제는 심각한 어려움을 겪었다.

① 천리마운동이 시작되었다.
② 농업 협동화를 시행하였다.
③ 7·1 경제 관리 개선 조치가 이루어졌다.
④ 합작 회사 경영법(합영법)을 제정하였다.
⑤ 개성 공업 지구, 금강산 관광특구 등을 지정하였다.

ⓓ 남북 화해와 협력을 위한 노력

12 (가)에 들어갈 내용으로 옳은 것은?

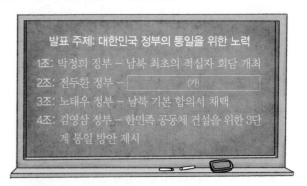

> **발표 주제: 대한민국 정부의 통일을 위한 노력**
> 1조: 박정희 정부 – 남북 최초의 적십자 회담 개최
> 2조: 전두환 정부 – 　　(가)　　
> 3조: 노태우 정부 – 남북 기본 합의서 채택
> 4조: 김영삼 정부 – 한민족 공동체 건설을 위한 3단계 통일 방안 제시

① 개성 공단 건설 합의
② 남북한 유엔 동시 가입
③ 10·4 남북 공동 선언 발표
④ 최초의 이산가족 상봉 실현
⑤ 한반도 비핵화 공동 선언 발표

13 다음 성명이 발표된 배경으로 옳은 것은?

> 첫째, 통일은 외세에 의존하거나 외세의 간섭을 받음이 없이 자주적으로 해결하여야 한다.
> 둘째, 통일은 상대방을 반대하는 무력행사에 의거하지 않고 평화적 방법으로 실현하여야 한다.
> 셋째, 사상과 이념, 제도의 차이를 초월하여 우선 하나의 민족으로서 민족적 대단결을 도모하여야 한다.

① 북미 정상 회담이 성사되었다.
② 닉슨 독트린 이후 냉전 체제가 완화되었다.
③ 정주영이 소 떼를 이끌고 북한을 방문하였다.
④ 평양에서 최초의 남북 정상 회담이 개최되었다.
⑤ 대북 화해 협력 정책인 햇볕 정책이 추진되었다.

14 다음 합의서에 대한 설명으로 옳은 것은?

> 제1조 남과 북은 서로 상대방의 체제를 인정하고 존중한다.
> 제15조 남과 북은 민족 경제의 통일적이며 균형적인 발전과 민족 전체의 복리 향상을 도모하기 위하여 자원 공동 개발, 민족 내부 교류로서의 물자 교류 등 경제 교류와 협력을 실시한다.

① 남북한의 독재 체제 강화에 이용되었다.
② 제1차 남북 정상 회담 이후 발표되었다.
③ 남북 조절 위원회가 설치되는 계기가 되었다.
④ 남북한 정부 간에 최초로 공식 합의한 문서이다.
⑤ 자주·평화·민족 대단결의 통일 원칙을 제시하였다.

◈출제가능성90%
15 다음 선언 발표 이후의 남북한에 대한 설명으로 옳은 것은?

> 1. 남과 북은 나라의 통일 문제를 그 주인인 우리 민족끼리 서로 힘을 합쳐 자주적으로 해결해 나가기로 하였다.
> 3. 남과 북은 올해 8·15에 즈음하여 흩어진 가족, 친척 방문단을 교환하며, 비전향 장기수 문제를 해결하는 등 인도적 문제를 조속히 풀어 나가기로 하였다.

① 남북한이 유엔에 동시 가입하였다.
② 한반도 비핵화 공동 선언이 채택되었다.
③ 북한이 핵 확산 금지 조약을 탈퇴하였다.
④ 분단 이후 최초로 이산가족 상봉이 실현되었다.
⑤ 경의선 철도 복구, 개성 공단 건설 등이 이루어졌다.

E 영토와 역사 갈등 해결을 위한 노력

16 (가)에 들어갈 내용으로 적절한 것을 〈보기〉에서 고른 것은?

> 1. 탐구 주제: 일본의 독도 영유권 주장의 반박
> 2. 탐구 활동: (가)

> **보기**
> ㄱ. 간도 협약의 내용을 알아본다.
> ㄴ. 백두산정계비 비문을 살펴본다.
> ㄷ. 연합국 최고 사령관 각서 제677호를 찾아본다.
> ㄹ. 인접 해양에 대한 주권에 관한 대통령 선언을 조사한다.

① ㄱ, ㄴ   ② ㄱ, ㄷ   ③ ㄴ, ㄷ
④ ㄴ, ㄹ   ⑤ ㄷ, ㄹ

17 밑줄 친 '이 국가'의 역사 왜곡 내용으로 옳지 않은 것은?

> 이 국가는 센카쿠 열도 영유권 문제, 쿠릴 열도의 북방 4개 섬 영유권 문제 등으로 주변국과 마찰을 빚고 있다.

① 침략 전쟁을 미화하고 있다.
② 독도 영유권을 주장하고 있다.
③ 주변국에 대한 식민 지배를 정당화하고 있다.
④ 정치인들이 야스쿠니 신사 참배를 강행하고 있다.
⑤ 고조선, 고구려, 발해의 역사를 자국의 역사라고 주장하고 있다.

18 밑줄 친 부분에 해당하는 사례로 옳은 것을 〈보기〉에서 고른 것은?

> 동아시아 삼국이 갈등을 해결하기 위해서는 화해와 협력이 필요하다. 이를 위해 한·중·일 시민 사회는 <u>학술적·문화적 교류를 활발하게 펼치고 있다.</u>

> **보기**
> ㄱ. 일본 총리가 야스쿠니 신사를 참배하였다.
> ㄴ. 민간단체가 동아시아 청소년 역사 캠프를 개최하였다.
> ㄷ. 중국이 동북공정을 통해 동북 지역의 역사를 왜곡하였다.
> ㄹ. 한·중·일 3국의 학자들과 교사들이 공동의 역사 연구를 통해 공동 역사 교재를 편찬하였다.

① ㄱ, ㄴ   ② ㄱ, ㄷ   ③ ㄴ, ㄷ
④ ㄴ, ㄹ   ⑤ ㄷ, ㄹ

3단계 등급 올리기

01 (가) 시기의 경제 상황에 대한 옳은 설명을 〈보기〉에서 고른 것은?

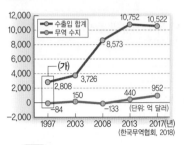

(단위: 억 달러)
(한국무역협회, 2018)

보기

ㄱ. 중동 건설 사업에 참여하여 오일 달러를 벌어 들였다.
ㄴ. 저유가, 저달러, 저금리 상황의 영향으로 수출이 증가하였다.
ㄷ. 정부가 공적 자금을 투입하여 부실 금융 기관을 정상화하였다.
ㄹ. 대기업의 무분별한 사업 확장, 국제 단기 자본 이탈 등으로 외환 위기를 맞았다.

① ㄱ, ㄴ   ② ㄱ, ㄷ   ③ ㄴ, ㄷ
④ ㄴ, ㄹ   ⑤ ㄷ, ㄹ

02 (가)에 들어갈 내용으로 옳은 것은?

남북 관계의 변화 과정

- 쌍방은 다음과 같은 조국 통일 원칙들에 합의를 보았다. 첫째, 통일은 외세에 의존하거나 외세의 간섭을 받음이 없이 자주적으로 해결하여야 한다.

↓

(가)

↓

- 남과 북은 …… 쌍방 사이의 관계가 나라와 나라 사이의 관계가 아닌 통일을 지향하는 과정에서 잠정적으로 형성되는 특수한 관계라는 것을 인정하고 평화 통일을 성취하기 위한 공동의 노력을 경주할 것을 다짐한다.

① 남북한이 유엔에 동시 가입하였다.
② 개성 공단 건설 사업이 추진되었다.
③ 10·4 남북 공동 선언이 발표되었다.
④ 한민족 공동체 건설 통일 방안이 제시되었다.
⑤ 분단 이후 최초로 남북 정상 회담이 개최되었다.

03 밑줄 친 '선언'의 결과로 옳은 것은?

한국사 신문   2000. ○○. ○○

눈물의 남북 이산가족 상봉

분단 이후 최초로 열린 남북 정상 회담에서 발표된 <u>선언</u>에 따라 남북 이산가족 상봉이 이루어졌다. 이와 더불어 앞으로 추진될 예정인 경제, 문화, 체육 등 다양한 분야의 남북 간 교류는 남북 관계 개선에 기여할 것으로 보인다.

① 남북 기본 합의서가 채택되었다.
② 공산권 국가와 수교를 추진하였다.
③ 평창 동계 올림픽 대회에 북한이 참여하였다.
④ 경제 협력을 위해 개성 공단 건설이 추진되었다.
⑤ 통일 원칙을 담은 7·4 남북 공동 성명이 발표되었다.

서술형 문제

04 다음을 읽고 물음에 답하시오.

중국은 2002년부터 5년 동안 동북 지역인 랴오닝성, 지린성, 헤이룽장성의 역사와 현재 상황을 연구하는 [(가)] 을/를 진행하였다. 이들 지역은 우리 민족이 세운 고조선, 고구려, 발해 등의 영토였던 곳으로 우리 역사와도 연관이 있다. 중국은 역사 교과서뿐만 아니라 박물관과 유적지 안내문 등에서 한국 고대사를 왜곡하고 있다.

(1) (가)에 들어갈 용어를 쓰시오.

(2) 중국이 (1)과 같은 역사 왜곡을 추진하는 배경을 제시된 단어를 활용하여 서술하시오.

- 소수 민족   • 통일적 다민족 국가론

내공 점검

01 다음 문화유산으로 대표되는 시대의 모습으로 가장 적절한 것은?

① 부여, 고구려, 삼한 등이 나타났다.
② 빗살무늬 토기가 널리 사용되었다.
③ 민족 최초의 국가인 고조선이 성립하였다.
④ 다양한 간석기와 토기가 처음 제작되었다.
⑤ 지배와 피지배의 관계가 없는 평등 사회였다.

02 (가) 국가에 대한 설명으로 옳은 것은?

> 철기 문화를 바탕으로 하여 만주 쑹화강 지역에서 등장한   (가) 은/는 5부족 연맹체의 정치 체제를 발전시켰으며, 순장·형사취수혼의 풍습이 있었다. 1세기 초에 이미 왕호를 사용하였다.

① 신지, 읍차 등이 다스렸다.
② 가족 공동 무덤을 만들었다.
③ 5월과 10월에 계절제를 지냈다.
④ 정사암 회의를 통해 중대사를 결정하였다.
⑤ 마가·우가·저가·구가가 사출도를 다스렸다.

03 다음 관등제를 실시한 나라에 대한 설명으로 옳은 것은?

> 6좌평은 모두 1품, 달솔은 2품, …… 진무는 15품, 극우는 16품이었다. …… 왕이 영(令)을 내려 6품 이상은 자줏빛 옷을 입고 은꽃으로 관을 장식하고, 11품 이상은 붉은 옷을, 16품 이상은 푸른 옷을 입게 하였다.

① 상대등을 설치하였다.
② 왕호를 마립간으로 바꾸었다.
③ 22담로에 왕족을 파견하였다.
④ 4세기 후반 태학을 설립하였다.
⑤ 신라에 침입한 왜를 격퇴하였다.

04 다음 상황이 벌어진 시기를 연표에서 옳게 고른 것은?

> 춘추가 무릎을 꿇고 아뢰기를 "…… 폐하께서 당의 군사를 빌려주어 흉악한 것을 잘라 없애지 않는다면 우리나라 백성은 모두 포로가 될 것이며, 산 넘고 바다 건너 행하는 조회도 다시는 바랄 수 없을 것입니다."라고 하였다. 태종이 옳다고 여겨 군사의 출동을 허락하였다.

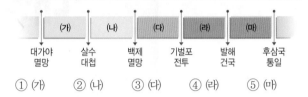

(가)	(나)	(다)	(라)	(마)
대가야 멸망	살수 대첩	백제 멸망	기벌포 전투	발해 건국	후삼국 통일

① (가)   ② (나)   ③ (다)   ④ (라)   ⑤ (마)

05 밑줄 친 '이 시기'에 신라에서 일어난 사실로 옳은 것은?

> 이 시기 155년 동안 20명의 왕이 교체될 정도로 왕위 쟁탈전이 치열하게 전개되었다. 그 결과 왕권은 점차 약화된 반면 귀족 세력을 대표하는 상대등의 정치적 위상이 다시 높아졌다.

① 김흠돌의 난이 일어났다.
② 우산국 일대를 복속시켰다.
③ 4개의 순수비가 건립되었다.
④ 지방에서 호족이 성장하였다.
⑤ 국학이 설립되어 유학 교육을 담당하였다.

06 (가) 종교에 대한 설명으로 옳은 것은?

> **수행 평가 보고서**
> • 명칭: 화순 쌍봉사 철감 선사 탑
> • 소재지: 전라남도 화순군 쌍봉사
> • 문화재 지정 번호: 국보 제57호
> • 설명: 신라 말   (가) 의 영향으로 승려의 사리를 봉안하는 승탑이 유행하였는데, 이 탑이 대표적이었다.

① 호족 세력의 후원을 받기도 하였다.
② 불로장생과 현세 구복을 추구하였다.
③ 도읍지, 사찰 터 등의 선정에 영향을 미쳤다.
④ 하늘에 있는 초인적인 신을 믿는 신앙이었다.
⑤ 충, 효 등 도덕규범을 강조하는 데 활용되었다.

07 다음 중앙 정치 기구를 운영한 나라에 대한 설명으로 옳은 것은?

① 주변국들로부터 해동성국이라고 불렸다.
② 폐쇄적인 신분 제도인 골품제를 실시하였다.
③ 한성, 웅진, 사비 순으로 수도를 이동하였다.
④ 풍부한 철을 바탕으로 연맹 왕국으로 발전하였다.
⑤ 자국 중심의 천하관을 드러낸 광개토 대왕릉비를 세웠다.

08 지도의 행정 구역을 갖춘 나라에 대한 설명으로 옳지 <u>않은</u> 것은?

① 5도에 안찰사를 파견하였다.
② 광종이 노비안검법을 실시하였다.
③ 태조가 사심관 제도를 시행하였다.
④ 3년마다 촌주가 촌락 문서를 작성하였다.
⑤ 양인 신분 이상이면 과거에 응시할 수 있었다.

09 (가)에 들어갈 내용으로 가장 적절한 것은?

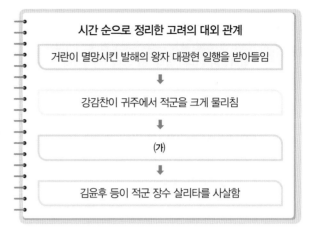

① 삼별초가 항쟁함
② 서희가 강동 6주를 확보함
③ 원이 공녀와 환관을 뽑아 감
④ 일본 원정을 위한 정동행성이 설치됨
⑤ 윤관이 별무반을 이끌고 여진을 정벌함

10 지도의 중앙 정치 조직을 갖춘 나라에 대한 설명으로 옳지 <u>않은</u> 것은?

① 4군 6진을 개척하였다.
② 전민변정도감을 설치하였다.
③ 3사가 언론 기능을 담당하였다.
④ 모든 군현에 수령을 파견하였다.
⑤ 유학 교육 기관으로 성균관을 두었다.

11 밑줄 친 세력에 대한 설명으로 옳은 것은?

김효원이 과거에 장원으로 합격하여 (이조) 전랑의 물망에 올랐으나, 그가 윤원형의 문객이었다 하여 심의겸이 반대하였다. 그 후에 (심의겸의 동생) 심충겸이 장원 급제를 하여 이조 전랑으로 천거되었으나, 외척이라 하여 김효원이 반대하였다. …… <u>동인, 서인이라는 말이 여기에서 비롯하였다.</u> 효원의 집은 동쪽 건천동에 있고, 의겸의 집은 서쪽 정릉동에 있었기 때문이다.

① 친원적 성향이 강하였다.
② 조세·공납·역의 부담을 졌다.
③ 조선 후기에 신향으로 성장하였다.
④ 조선 건국과 세조 즉위에 공을 세웠다.
⑤ 붕당을 형성하여 공론에 따른 정치를 하였다.

12 (가), (나) 사건 사이에 일어난 사실로 옳은 것은?

(가) 광해군이 명과 후금 사이에서 중립 외교를 펼쳤다.
(나) 효종은 송시열, 이완 등과 함께 청에 당한 치욕을 씻고 명에 대한 의리를 지키자는 북벌 운동을 추진하였다.

① 공민왕이 쌍성총관부를 공격하였다.
② 묘청이 서경 천도 운동을 전개하였다.
③ 최우가 정방을 설치하여 인사권을 장악하였다.
④ 인조가 남한산성으로 피신하여 청에 항전하였다.
⑤ 이순신의 수군이 울돌목에서 일본군을 격퇴하였다.

13 (가) 왕의 활동으로 옳은 것은?

"두루 사랑하고 편당하지 않는 것은 군자의 공정한 마음이요, 편당하고 두루 사랑하지 않는 것은 곧 소인의 마음이다." 이것은 탕평책을 펼쳐 붕당의 다툼을 없애려 한 ____(가)____ 이/가 세운 탕평비의 글귀이다. ____(가)____ 은/는 붕당의 기반인 서원을 대폭 정리하는 등 붕당의 뿌리를 뽑기 위해 노력하였다.

① 속대전을 편찬하였다.
② 집현전을 설치하였다.
③ 수원에 화성을 건설하였다.
④ 양전 사업과 호패법을 실시하였다.
⑤ 김종직이 쓴 조의제문을 문제 삼아 사림을 몰아냈다.

14 다음 격문을 발표한 사건에 대한 설명으로 옳은 것은?

평서 대원수는 급히 격문을 띄우노니 관서 지역의 부로 자제(父老子弟)와 공사천민(公私賤民)은 모두 이 격문을 들으라. …… 조정에서는 관서 지역을 썩은 흙과 같이 버렸다. 심지어 권세 있는 집의 노비들도 서토(평안도) 사람을 보면 반드시 '평안도 놈'이라고 말한다. 어찌 억울하고 원통하지 않은 자 있겠는가. …… 이제 격문을 띄워 먼저 여러 고을의 군후(君侯)에게 알리노니, 절대로 동요하지 말고 성문을 활짝 열어 우리 군대를 맞으라.

① 봉기가 전국적으로 확산되었다.
② 유교적 제사 의식을 거부하였다.
③ 김부식 등 개경 세력이 반발하였다.
④ 평안도민에 대한 차별로 발생하였다.
⑤ 경주의 몰락 양반인 최제우가 주도하였다.

📖 주관식+서술형 문제

15 밑줄 친 '이 기구'의 명칭을 쓰시오.

이 기구는 왜구와 여진의 침입에 대비하기 위한 임시 회의 기구였으나 양난을 거치며 군사 문제뿐만 아니라 외교, 재정, 인사 등 모든 업무를 총괄하였다.

16 다음을 읽고 물음에 답하시오.

• ____(가)____ 은/는 해동 천태종을 창시하여 교종을 중심으로 선종을 통합하려고 하였다.
• ____(나)____ 은/는 수선사 결사를 조직하고 독경과 참선, 노동에 고루 힘써야 한다는 개혁 운동을 벌였다.

(1) (가), (나)에 들어갈 인물을 각각 쓰시오.

(2) (가), (나)가 교종과 선종의 통합을 위해 제시한 방법론을 서술하시오.

내공 점검 Ⅱ. 근대 국민 국가 수립 운동

점수 /100점

01 밑줄 친 '경복궁 중건 비용'을 마련하기 위해 실시된 정책으로 가장 적절한 것은?

> 경복궁 중건 비용과 백성의 노역에 대한 절차를 의논하였는데, …… 선비와 서민층은 한성과 지방을 막론하고 스스로 납부하는 자는 상을 주기로 하고 이를 8도에 전달하였다. …… 한성의 원납전이 20만 냥이 되었다.
> – 『승정원일기』

① 사창제를 실시하였다.
② 고액 화폐인 당백전을 발행하였다.
③ 대전회통, 육전조례 등을 편찬하였다.
④ 의정부와 삼군부의 기능을 부활하였다.
⑤ 전국의 서원을 47개소만 남기고 철폐하였다.

02 다음 사건에 대한 설명으로 옳은 것은?

> 평양부에 와서 정박한 이양선이 더욱 미쳐 날뛰면서 포와 총을 쏘아 우리 쪽 사람들을 살해하였습니다. …… 일제히 불을 질러서 보내어 그 불길이 저들의 배에 번지도록 하였습니다. – 평안 감사 박규수의 장계, 『고종실록』

① 미군이 강화도를 공격하는 배경이 되었다.
② 삼랑성에서 양헌수가 프랑스군을 무찔렀다.
③ 오페르트가 남연군 묘의 도굴을 시도하였다.
④ 외규장각 의궤 등이 약탈당하는 계기가 되었다.
⑤ 흥선 대원군의 천주교 박해를 배경으로 일어났다.

03 밑줄 친 '이 조약'에 대한 설명으로 옳지 <u>않은</u> 것은?

> **한국사 신문**
>
> **강화도에서 열린 협상 종료, 그 결과는?**
>
> 운요호 사건의 대책을 논의한 이번 강화도에서의 협상 결과 조선은 일본과 개항을 결정하고, 이 조약을 체결할 것을 합의하였다. 부속 조약 체결은 추후 다시 논의하기로 하였다.

① 조선이 자주국임을 명시하였다.
② 일본에 유리한 불평등 조약이었다.
③ 조선책략의 주장을 바탕으로 체결되었다.
④ 조선이 3개의 항구를 개항하기로 합의하였다.
⑤ 일본의 조선 연안에 대한 측량권을 인정하였다.

04 교사의 질문에 대한 학생의 답변으로 가장 적절한 것은?

> 이 사료에서처럼 고종은 1881년 일본에 조사 시찰단을 비밀리에 파견하였습니다. 고종이 이들을 비밀리에 파견하였던 이유는 무엇일까요?

> 일본 사람의 조정 논의와 …… 다른 나라들과의 수교·통상 등의 대략을 한번 염탐하는 것이 아주 좋겠다. …… 이 밖에 뒷일은 별도 문서로 조용히 보고하라.
> – 이헌영, 『일사집략』

① 프랑스, 미국이 무력을 앞세워 통상을 요구하였기 때문입니다.
② 일본군이 영종도에 상륙하여 약탈과 방화를 하였기 때문입니다.
③ 유생들이 조선 정부의 개화 정책을 반대하는 운동을 전개하였기 때문입니다.
④ 영국이 거문도를 불법으로 점령하는 등 조선을 둘러싼 열강의 대립이 심화되었기 때문입니다.
⑤ 임오군란 이후 개화 정책의 추진 방향을 둘러싸고 개화파 내의 입장 차이가 커졌기 때문입니다.

05 다음 상황을 계기로 일어난 사건에 대한 설명으로 적절하지 <u>않은</u> 것은?

> 정부는 개화 정책 추진에 필요한 재원을 확보하기 위해 더 많은 세금을 거두어들였다. 이에 따라 백성의 세금 부담은 증가하였다. 한편, 신식 군대의 군인에 비해 구식 군대의 군인에 대한 대우가 열악하였다. 이러한 가운데 구식 군대의 군인에게 13개월 동안 밀려 있던 급료로 지급된 쌀에 겨와 모래가 섞여 있자, 이들의 불만이 고조되었다.

① 구식 군대의 군인이 궁궐을 공격하였다.
② 민씨 세력의 요청으로 청군이 개입하였다.
③ 흥선 대원군이 청에 끌려가는 계기가 되었다.
④ 일본의 군사적 지원 약속을 바탕으로 일어났다.
⑤ 조청 상민 수륙 무역 장정을 체결하는 배경이 되었다.

06 다음 자료를 발표한 세력의 활동으로 옳은 것을 〈보기〉에서 고른 것은?

> 1. 전운사를 혁파하고 이전과 같이 각 읍에서 조세를 상납하게 할 것
> 3. 탐관오리를 징계하고 쫓아낼 것
> 11. 각 읍에서 아전을 임용할 때 뇌물을 받지 말고 쓸 만한 사람을 골라 임용할 것

보기
> ㄱ. 공주 우금치에서 일본군과 맞서 싸웠다.
> ㄴ. 독립관에서 강연회와 토론회를 개최하였다.
> ㄷ. 집강소를 설치하여 폐정 개혁을 추진하였다.
> ㄹ. 관민 공동회를 개최하여 헌의 6조를 건의하였다.

① ㄱ, ㄴ ② ㄱ, ㄷ ③ ㄴ, ㄷ
④ ㄴ, ㄹ ⑤ ㄷ, ㄹ

07 다음은 어느 개혁의 내용을 분야별로 정리한 표이다. (가)에 들어갈 내용으로 옳지 <u>않은</u> 것은?

정치	(가)
경제	탁지아문으로 재정 일원화, 조세 금납화
사회	신분제 폐지, 가혹한 고문과 연좌제 폐지

① 내장원 설치 ② 사간원 폐지
③ 개국 기년 사용 ④ 6조를 8아문으로 개편
⑤ 왕실과 정부 사무 분리

08 사진의 건축물을 만든 단체를 주제로 연극을 할 때 포함될 장면으로 가장 적절한 것은?

① 을미사변에 분노하여 의병이 일어나는 장면
② 과거제 폐지를 요구하는 청년들의 시위 장면
③ 보은 집회에서 탐관오리 처벌을 요구하는 장면
④ 황토현에서 농민군이 관군을 기습 공격하는 장면
⑤ 종로에서 자유 민권을 요구하는 시민들의 시위 장면

09 (가) 개혁의 내용으로 옳은 것은?

> 　(가)　은/는 "옛 것을 기본으로 하고 새로운 것을 참작한다."라는 구본신참을 개혁의 원칙으로 삼았다.

① 원수부를 설치하였다.
② 사법권을 독립시켰다.
③ 종두법을 실시하였다.
④ 연호로 건양을 사용하였다.
⑤ 의정부를 내각으로 개편하였다.

10 다음 사건 이후 일어난 사실로 옳은 것은?

> 스티븐스는 미국 샌프란시스코에서 기자 회견을 열어 "일본이 한국을 보호하여 한국에 이익이 되는 일이 많다."라고 발언하였다. 이에 장인환·전명운이 스티븐스를 저격하였다.

① 이재명이 이완용을 습격하였다.
② 민종식, 최익현 등이 의병을 일으켰다.
③ 대구에서 국채 보상 운동이 시작되었다.
④ 일본이 독도를 시마네현 소속으로 고시하였다.
⑤ 일본이 한국에 재정 고문으로 메가타를 파견하였다.

11 밑줄 친 '이 단체'에 대한 설명으로 옳은 것을 〈보기〉에서 고른 것은?

> <u>이 단체</u>는 남만주로 집단 이주하려고 기도하고, …… 다수의 청년 동지들을 모집, 파견하여 한인 단체를 일으키고, 학교를 세워 민족 교육을 실시하고, 나아가 무관 학교를 설립하여 문무를 겸하는 교육을 실시하면서, 기회를 엿보아 독립 전쟁을 일으켜 구한국의 국권을 회복하고자 하였다.

보기
> ㄱ. 일제가 날조한 105인 사건으로 와해되었다.
> ㄴ. 서적의 출판·공급을 위해 태극 서관을 세웠다.
> ㄷ. 고종의 강제 퇴위를 반대하는 운동을 주도하였다.
> ㄹ. 입헌 군주제를 도입하는 것을 목표로 활동하였다.

① ㄱ, ㄴ ② ㄱ, ㄷ ③ ㄴ, ㄷ
④ ㄴ, ㄹ ⑤ ㄷ, ㄹ

12 밑줄 친 '이 나라'에 대한 설명으로 옳은 것은?

이 나라는 조선에서 영국산 면제품을 판매하고 곡물을 대량으로 수입해 갔어.

무관세, 영사 재판권 등의 특권으로 개항장에서 약탈적 무역을 전개하였지.

① 한성 전기 회사를 운영하였다.
② 거문도를 불법으로 점령하였다.
③ 조청 상민 수륙 무역 장정을 체결하였다.
④ 절영도에 조차할 수 있는 권리를 요구하였다.
⑤ 화폐 정리 사업의 자금을 차관으로 조달하였다.

13 다음 취지서를 발표한 경제적 구국 운동에 대한 설명으로 옳은 것은?

대한매일신보　　　　　　　　　　1907. 3. 8.

나라 위하는 마음과 백성의 도리에 어찌 남녀가 다르리오. 듣자 하니 국채를 갚으려고 이천만 동포가 석 달 동안 담배를 아니 피우고, 금전을 모은다 하니 족히 사람으로 감동케 할지요. 앞날에 아름다움 있으리.…… 우리는 여자인 까닭에 이 몸에 값진 것이 다만 패물뿐이다. …… 적은 것으로 큰 것을 도우리오.

① 일본의 황무지 개간권 요구를 철회시켰다.
② 방곡령을 선포하여 곡물 수출을 금지하였다.
③ 시전 상인들이 황국 중앙 총상회를 조직하였다.
④ 만민 공동회에서 한러 은행의 폐쇄를 요구하였다.
⑤ 대한매일신보 등 언론을 통해 전국으로 확산되었다.

14 다음 작품이 발표된 시기의 문예 동향으로 옳지 않은 것은?

이인직의 『혈의 누』는 신소설로 언문일치 문장을 사용하였고, 기존 고전 문학의 내용과는 달리 봉건적 관습을 비판하는 내용을 다루고 있다.

① 을지문덕전 등이 출판되었다.
② 서양 화풍이 소개되어 서양식 유화가 그려졌다.
③ 현대식 극장인 원각사에서 은세계 등이 공연되었다.
④ 단군을 민족의 시조로 기록한 제왕운기가 편찬되었다.
⑤ 서양식 악곡에 가사를 붙여 부르는 창가가 유행하였다.

📖 주관식+서술형 문제

15 다음 글에서 설명하는 기구를 쓰시오.

1880년에 개화 정책을 총괄하기 위해 설치된 기구이다. 소속 관청으로 사대사, 교린사, 군무사, 기계사 등 12개의 사(司)를 두었다.

16 (가), (나)를 바탕으로 을사늑약이 부당한 이유를 서술하시오.

(가) 이토는 군대를 인솔하여 입궐하였다. 총포와 창검을 궁전에 빽빽하게 늘어 세우고 여러 대신들과 협의하였다. 참정대신 한규설이 극력 반대하니 이토는 헌병에게 명해 그를 별실에 가두었다. …… 이토가 말하였다. "참정대신은 반대하였으나 여러 대신들이 좋다 하였으니 이 안(을사늑약)은 결정된 것이오."라고 하며 외무대신 도장을 빼앗아 조약에 날인하였다.　　　－ 박은식, 『한국독립운동지혈사』
(나) 을사늑약의 맨 앞장에는 조약의 명칭을 쓰는 칸이 비어 있다. 맨 뒷장에는 외무대신 박제순의 도장이 있지만 박제순은 고종의 위임을 받지 않았다. 이 조약이 효력을 가지려면 황제의 비준을 받아야 하는데, 고종은 이를 끝까지 거부하였다.

01 사진에 해당하는 시기의 일제의 식민 통치 정책으로 옳은 것은?

↑ 칼을 들고 있는 교사

↑ 토지 조사 사업을 위한 토지 측량

① 황국 신민 서사를 암송하게 하였다.
② 미곡 공출제와 식량 배급제를 실시하였다.
③ 조선 총독부의 자문 기관으로 중추원을 만들었다.
④ 언론·출판·집회·결사의 자유를 일부 허용하였다.
⑤ 식량 수탈을 목적으로 산미 증식 계획을 추진하였다.

02 다음 법령이 제정된 시기에 볼 수 있는 모습으로 가장 적절한 것은?

> 제1조 국체를 변혁하거나 사유 재산 제도를 부인할 목적으로 결사를 조직하거나 그 사정을 알고 가입한 자는 10년 이하의 징역 또는 금고에 처함

① 군수 공장에 끌려가는 청년
② 일본 궁성을 향해 절하는 학생
③ 기사가 삭제된 조선일보를 보는 청년
④ 한국인에게 태형을 집행하는 헌병 경찰
⑤ 관민 공동회에 참석하러 가는 정부 대신

03 (가) 지역에 대한 설명으로 옳은 것은?

> 1907년 헤이그 특사로 만국 평화 회의에 참석한 이상설은 1906년 ___(가)___ 지역에 서전서숙이라는 학교를 세웠다. 이 학교에서는 역사, 지리, 국제 공법 등의 교육과 항일 민족 교육을 하였다. 이상설은 교사의 급여, 교재비 등을 자신의 재산으로 충당하면서 학교를 운영하였다.

① 송죽회가 조직되었다.
② 신한청년당이 결성되었다.
③ 대한인 국민회가 결성되었다.
④ 대한 광복군 정부가 조직되었다.
⑤ 대종교 신자 중 일부가 중광단을 만들었다.

04 밑줄 친 '한이순'이 참여한 시위에 대한 설명으로 옳은 것을 〈보기〉에서 고른 것은?

> **판결**
> 피고를 보안법 위반으로 징역 1년에 처한다.
>
> **이유**
> 피고 <u>한이순</u> 등은 천안 사립 광명학교 학생으로 독립 만세 운동을 공모하고 3월 20일 학생 약 80명을 인솔하여 양대리 시장에 이르러 국기를 흔들고 조선 독립 만세를 불렀다. ……
>   – 공주 지방 법원, 1919. 4. 28.

보기
ㄱ. 국외의 한인 사회에서도 전개되었다.
ㄴ. 광주에서 시작하여 전국으로 확산되었다.
ㄷ. 중국의 5·4 운동이 일어나는 데 영향을 주었다.
ㄹ. 조선 공산당, 천도교 세력, 학생 단체의 계획으로 이루어졌다.

① ㄱ, ㄴ   ② ㄱ, ㄷ   ③ ㄴ, ㄷ
④ ㄴ, ㄹ   ⑤ ㄷ, ㄹ

05 밑줄 친 '비밀 정부'에 대한 설명으로 옳지 않은 것은?

> 한국에는 <u>비밀 정부</u>가 조직되어 연통제를 실시하였다. 이들은 흔히 소녀와 부인을 통해 법령을 반포하며 전달하지만, 실시 방법은 완전하게 비밀이다. 상하이, 영국, 미국, 기타 각 나라와 비밀리에 통신을 교환하며 자금을 모금하여 외국으로 보낸다. 이미 수백만 원이 압록강을 건너 멀리 만주로 갔고 중국으로도 갔다.
>   – C.W.켄들, 『한국 독립운동의 진상』

① 기관지로 독립신문을 발행하였다.
② 조선 혁명 군사 정치 간부 학교를 세웠다.
③ 파리 강화 회의에 독립 청원서를 제출하였다.
④ 미국에 구미 위원부를 두고 외교 활동을 하였다.
⑤ 만주 지역 독립군 단체를 정부의 산하로 편재하였다.

06 밑줄 친 독립운동 단체들에 대한 설명으로 옳은 것을 〈보기〉에서 고른 것은?

자유시 참변 이후 독립군은 만주에서 어떤 활동을 전개하였을까요?

남만주 지역에 참의부와 정의부를 조직하였어요.

북만주 지역에 신민부를 조직하였어요.

보기
ㄱ. 실력 양성 운동을 전개하였다.
ㄴ. 중국군과 연합 작전을 실시하였다.
ㄷ. 일종의 공화주의적 자치 정부의 성격을 띠었다.
ㄹ. 통합 운동의 결과 국민부와 혁신 의회로 재편되었다.

① ㄱ, ㄴ   ② ㄱ, ㄷ   ③ ㄴ, ㄷ
④ ㄴ, ㄹ   ⑤ ㄷ, ㄹ

07 (가), (나) 단체에 대한 설명으로 옳은 것은?

(가) 1919년 만주 지린성에서 김원봉 등이 중심이 되어 조직하였다. 폭력 투쟁을 통한 민중의 직접 혁명을 추구하였다.
(나) 1931년 상하이에서 김구가 대한민국 임시 정부에 활력을 불어 넣기 위해 조직하였다. 중국과 항일 전선을 구축하는 결정적인 계기를 마련하였다.

① (가) – 만보산 사건 이후 조직되었다.
② (가) – 기회주의자를 배격한다는 강령을 내세웠다.
③ (나) – 단원들이 중국의 황푸 군관 학교에 입교하였다.
④ (나) – 타이완에서 일본 왕족을 처단하는 의거를 일으켰다.
⑤ (가), (나) – 일제의 통치 기관을 파괴하고 친일파를 처단하였다.

08 다음 광고가 제작된 시기의 사회 모습으로 옳지 않은 것은?

↑ 경성 방직 주식회사의 국산품 애용 선전 광고

① 단발머리를 주제로 논쟁하는 여성
② 도시 외곽의 토막집에 거주하는 빈민
③ 지주에게 소작료를 내릴 것을 요구하는 농민
④ 일본인보다 낮은 임금을 지급받은 한국인 노동자
⑤ 조선 총독으로부터 회사의 설립 허가를 받는 자본가

09 밑줄 친 '본사'에 대한 설명으로 옳은 것은?

공평은 사회의 근본이고 사랑은 인간의 본성이다. 우리는 계급을 타파하고 모욕적인 칭호를 폐지하여 교육을 장려하고 우리도 참다운 인간으로 되고자 함이 본사(本社)의 중요한 뜻이다.

① 민립 대학 설립 운동을 전개하였다.
② 백정에 대한 평등한 대우를 요구하였다.
③ 사립 학교를 세워 민족 교육을 행하였다.
④ 어린이라는 용어를 사용할 것을 제안하였다.
⑤ 아는 것이 힘, 배워야 산다는 표어를 내걸었다.

10 다음 자료를 저술한 인물에 대한 설명으로 옳지 않은 것은?

역사란 무엇인가? 인류 사회의 아(我)와 비아(非我)의 투쟁이 시간부터 발전하며 공간부터 확대하는 심적 활동 상태의 기록이니 세계사라 하면 세계 인류의 그리되어 온 상태의 기록이며, 조선사라 하면 조선 민족이 그리되어 온 상태의 기록이다.   – 「조선상고사」

① 조선사연구초를 집필하였다.
② 대한매일신보에 독사신론을 연재하였다.
③ 의열단의 활동 지침이 된 글을 작성하였다.
④ 대한민국 임시 정부의 대통령을 역임하였다.
⑤ 국민대표 회의에서 창조파와 주장을 같이하였다.

11 노랫말에 나타난 정책이 실시된 배경으로 옳은 것은?

> 신고산이 우루루 화물차 가는 소리에 / 지원병 보낸 어머니 가슴만 쥐어뜯고요 / 어랑어랑 어허야 / 양곡 배급 적어서 콩깻묵만 먹고 사누나

① 일본이 침략 전쟁을 확대하였다.
② 3·1 운동이 전국으로 확산되었다.
③ 국내에 사회주의 사상이 유행하였다.
④ 일본이 제1차 세계 대전에 참여하였다.
⑤ 공업화로 일본에 쌀 부족 현상이 일어났다.

12 (가) 정책의 사례로 옳은 것을 〈보기〉에서 고른 것은?

> 1936년에 조선 총독으로 부임한 미나미 지로는 내선일체를 강조하면서 한국인을 일본인으로 만들려는 ____(가)____ 을/를 강화하였다.

보기
ㄱ. 한국인에게 태형을 실시하였다.
ㄴ. 보통학교의 수업 연한을 4년으로 하였다.
ㄷ. 한국인의 성명을 일본식으로 바꾸도록 강요하였다.
ㄹ. 학교에서 한국어 사용이 금지되고 모든 수업이 일본어로 진행되었다.

① ㄱ, ㄴ
② ㄱ, ㄷ
③ ㄴ, ㄷ
④ ㄴ, ㄹ
⑤ ㄷ, ㄹ

13 밑줄 친 '제2 지대'가 속한 군사 조직에 대한 설명으로 옳은 것은?

> 나는 목숨을 걸고 탈출하여 …… 충칭으로 가는 6,000리 장정의 길에 나섰고 …… 이범석 장군의 부관이 되어 시안에 있는 제2 지대로 찾아가서 OSS 특별 훈련을 받았다. 국내 지하 공작원으로 진입하려고 하던 때에 투항을 맞이하였다.
> ─ 김준엽, 「장정」

① 미얀마·인도 전선에 파견되었다.
② 중국 공산당의 팔로군과 연합하였다.
③ 호가장 전투, 반소탕전 등에 참가하였다.
④ 중국 호로군과 연합하여 대일 항전을 펼쳤다.
⑤ 무장 독립 단체인 중광단을 개편한 군사 조직이다.

14 다음은 일본이 일으킨 침략 전쟁의 전개를 나타낸 것이다. (가)에 들어갈 독립운동으로 옳은 것은?

만주 사변 발발 → 중일 전쟁 발발 → 태평양 전쟁 발발 (가) → 일본의 항복

① 국내에서 조선 건국 동맹이 결성되었다.
② 중국 관내에서 민족 혁명당이 만들어졌다.
③ 중국 상하이에서 국민대표 회의가 개최되었다.
④ 대한민국 임시 정부가 중국 충칭에 정착하였다.
⑤ 중국 화북 지방에서 조선 독립 동맹이 결성되었다.

📖 주관식+서술형 문제

15 (가), (나)에 들어갈 지역을 각각 쓰시오.

> 3·1 운동을 계기로 여러 지역에서 임시 정부가 수립되었다. …… 여러 임시 정부는 곧바로 통합을 논의하였다. 그 결과 한성 정부의 각료를 중심으로 새로운 정부를 조직하기로 합의하였다. 이 과정에서 임시 정부를 무장 독립 투쟁을 지도하는 데 유리한 ____(가)____ 와/과 외교 활동에 유리한 ____(나)____ 에 두어야 한다는 주장이 맞서기도 하였다.

16 다음은 1940년대 남북한 지역의 공업 생산 비율을 나타낸 그래프이다. 이를 바탕으로 일제의 병참 기지화 정책이 한국 경제에 끼친 영향을 서술하시오.

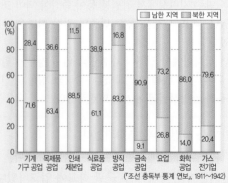

『조선 총독부 통계 연보』, 1911~1942

내공 점검   Ⅳ. 대한민국의 발전

01 다음 내용을 결정한 회의에 대한 설명으로 옳은 것은?

> 1. 한국의 독립을 위하여 임시 민주 정부를 수립한다.
> 2. 임시 정부 수립을 위하여 미소 공동 위원회를 설치하고 한국의 정당 및 사회단체와 협의한다.
> 3. 공동 위원회의 제안은 한국 임시 정부의 자문을 거쳐 미국·소련·영국·중국 정부에 제출되어, 최장 5개년 간의 4개국 신탁 통치에 관한 협정에 합의하게 될 것이다.

① 태평양 전쟁 중에 개최되었다.
② 좌우 대립의 극복을 위하여 조직되었다.
③ 한국에서 극심한 좌우 대립을 불러일으켰다.
④ 미국, 영국, 중국의 대표들이 모여 결정하였다.
⑤ 미국과 소련이 입장 차를 좁히지 못해 결렬되었다.

02 다음과 같은 주장을 한 인물에 대한 설명으로 옳은 것은?

> 나는 통일된 조국을 건설하려다가 38도선을 베고 쓰러질지언정 일신에 구차한 안일을 취하여 단독 정부를 세우는 데는 협력하지 아니하겠다.

① 대한 광복회를 조직하였다.
② 헤이그에 특사로 파견되었다.
③ 조선 건국 준비 위원회를 결성하였다.
④ 김규식과 함께 남북 협상을 추진하였다.
⑤ 정읍 발언을 통해 남한만의 정부 수립을 제안하였다.

03 다음 선거를 통해 구성된 국회에 대한 설명으로 옳지 <u>않은</u> 것은?

① 농지 개혁법을 제정하였다.
② 발췌 개헌안을 통과시켰다.
③ 반민족 행위 처벌법을 제정하였다.
④ 대통령에 이승만, 부통령에 이시영을 선출하였다.
⑤ 대통령 중심제를 근간으로 한 헌법을 공포하였다.

04 (가), (나) 시기 사이에 있었던 사실로 옳지 <u>않은</u> 것은?

(가)   (나)

⬆ 인천 상륙 작전   ⬆ 판문점에서 정전 협정 체결

① 소련이 정전 회담을 제기하였다.
② 이승만 정부가 반공 포로를 석방하였다.
③ 유엔 안전 보장 이사회가 긴급 소집되었다.
④ 국군과 유엔군이 평양과 원산을 점령하였다.
⑤ 중국군의 개입으로 서울이 다시 함락되었다.

05 다음 상황을 계기로 일어난 민주화 운동에 대한 설명으로 옳은 것은?

> 1960년 3월 15일 정·부통령 선거가 실시되었다. 당시 야당 대통령 후보인 조병옥의 갑작스러운 사망으로 이승만은 단독 후보로서 당선이 확실시되었다. 그러나 80대의 고령인 이승만에게 건강상의 문제가 생겨 국정 운영이 어려워질 경우 부통령이 대통령직을 승계해야 했기 때문에 자유당과 이승만 정부는 이기붕을 부통령으로 당선시키기 위해 대대적인 부정 선거를 벌였다.

① 6·29 민주화 선언으로 이어졌다.
② 내각 책임제 개헌의 계기가 되었다.
③ 국가 보안법을 개정하는 계기가 되었다.
④ 부산과 마산에서 유신 헌법과 독재 철폐를 요구하였다.
⑤ 광주 시민들이 신군부 세력의 권력 장악에 반대하였다.

06 다음 협정을 체결한 정부의 활동으로 옳은 것은?

> 제1조 양 체약 당사국 간에 외교 및 영사 관계를 수립한
> 다. 양 체약 당사국 간은 대사급 외교 사절을 지
> 체 없이 교환한다. 양 체약 당사국은 또한 양국
> 정부에 의하여 합의되는 장소에 영사관을 설치한
> 다.
> 제2조 1910년 8월 22일 및 그 이전에 대한 제국과 대일
> 본 제국 간에 체결된 모든 조약 및 협정이 이미
> 무효임을 확인한다.

① 지방 자치제를 전면 실시하였다.
② 베트남 전쟁에 국군을 파병하였다.
③ 경제 개발 5개년 계획안을 마련하였다.
④ 여성부를 신설하여 양성평등 실현에 힘썼다.
⑤ 보도 지침을 내려 언론의 보도 방향을 통제하였다.

07 다음 두 사건 사이에 있었던 사실로 옳은 것은?

> • 박정희 대통령은 전국에 비상계엄을 내려 국회를 해산
> 하고 일부 헌법 조항의 효력을 정지시켰다. 10월 27일
> 비상 국무 회의가 마련한 헌법 개정안(유신 헌법)을 국
> 민 투표를 거쳐 확정하였다.
> • 부산과 마산에서 유신 철폐와 독재 반대를 외치는 시위
> 가 격렬하게 전개되었다. 이 사건의 처리 방법을 두고
> 정권 내부에서는 갈등이 벌어졌는데, 이 과정에서 박
> 정희 대통령이 중앙정보부장 김재규의 총에 맞아 사망
> 하였다.

① 6·3 시위가 전개되었다.
② 5·18 민주화 운동이 일어났다.
③ 3·15 부정 선거가 자행되었다.
④ 6·29 민주화 선언이 발표되었다.
⑤ 3·1 민주 구국 선언이 발표되었다.

08 다음 자료를 활용한 탐구 활동으로 가장 적절한 것은?

> 1979년 12월 12일, 전두환 등 신군부 세력이 쿠데타를
> 일으켜 군사권을 장악하였다. 이에 학생과 시민들이 신
> 군부 퇴진을 요구하며 시위를 전개하였다. 이후 신군부
> 는 비상계엄을 전국으로 확대하였다.

① 브라운 각서의 내용을 조사한다.
② 5·16 군사 정변의 배경을 살펴본다.
③ 인천 상륙 작전의 전개 과정을 조사한다.
④ 5·18 민주화 운동의 발생 배경을 파악한다.
⑤ 반민족 행위 특별 조사 위원회의 활동을 알아본다.

09 다음 일기의 훼손된 부분에 들어갈 내용으로 적절한 것은?

> 19XX년 △△월 ○○일
> 제3차 경제 개발 5개년
> 계획이 시작되었다. 정부
> 는 수출 주도형 공업화를
> 추진한다고 하였다.
>
> 19○○년 XX월 △△일
> 수출액이 100억 달러를
> 돌파하자 정부가 '수출의
> 날'을 제정하였다.

① 동아일보가 광고란이 비워진 채 발행되었다.
② 근면·자조·협동을 강조한 새마을 운동이 시작되었다.
③ 전태일이 근로 기준법 준수를 요구하며 분신하였다.
④ 우리나라가 경제 협력 개발 기구(OECD)에 가입하였다.
⑤ YH 무역의 여성 노동자가 진압 과정에서 사망하였다.

10 (가) 민주화 운동에 대한 설명으로 옳은 것은?

> 이 사진은 (가) 이/가 전개될 당
> 시 시민들이 호헌 철폐와 독재 타도를
> 요구하며 시위에 나선 모습입니다.

① 유신 헌법 폐지를 주장하였다.
② 대통령이 하야하는 계기가 되었다.
③ 대통령 직선제 개헌을 요구하였다.
④ 3·15 부정 선거에 항의하여 발생하였다.
⑤ 계엄군의 진압에 맞서 시민군이 조직되었다.

11 다음 취임사를 발표한 정부에 대한 설명으로 옳은 것은?

> 오늘은 이 땅에서 처음으로 민주적 정권 교체가 실현되는 자랑스러운 날입니다. 또한 민주주의와 경제를 동시에 발전시키려는 정부가 마침내 탄생하는 역사적 순간이기도 합니다. …… 민주주의와 시장 경제가 조화를 이루면서 함께 발전하게 되면 정경 유착이나 관치 금융, 그리고 부정부패는 일어날 수 없습니다.

① 금융 실명제를 실시하였다.
② 과거사 정리 사업을 추진하였다.
③ 최초의 남북 정상 회담을 성사시켰다.
④ 역사 바로 세우기 사업을 진행하였다.
⑤ 소련과의 국교 수립 등 북방 외교를 추진하였다.

12 다음 운동이 전개된 시기의 경제 상황으로 옳은 것은?

> '제2의 국채 보상 운동'이라 불리는 '금 모으기 운동'이 전개되었다. 이 운동에는 1월부터 4개월 동안 350여만 명이 참여하여 200톤이 넘는 금을 모아 전 세계의 이목을 집중시켰다.

① 외환 위기가 발생하였다.
② 미국의 무상 원조가 중단되었다.
③ 칠레와 자유 무역 협정(FTA)이 체결되었다.
④ 제3차 경제 개발 5개년 계획이 추진되었다.
⑤ 제2차 석유 파동으로 경제가 위기를 맞았다.

13 (가)에 들어갈 내용으로 옳은 것은?

> 1960년대 이후 경제·군사 문제 등을 자주적으로 해결하려 한 북한의 정책은 한계에 직면하였다. 갈수록 부담이 커지는 국방비, 생산 활동의 제약과 비효율성, 뒤떨어진 기술 수준 등으로 경제는 점점 어려워졌다. 1984년 북한은 이러한 위기를 극복하기 위해 ____(가)____

① 3대에 걸친 권력 세습을 이루어냈다.
② 핵 확산 금지 조약(NPT)에서 탈퇴하였다.
③ 외국 자본과의 합작을 법제화한 합영법을 공포하였다.
④ 선군 정치를 내세워 위기 상황을 돌파하고자 하였다.
⑤ 주체사상을 사회 이념으로 공식화한 사회주의 헌법을 제정하였다.

14 밑줄 친 '성명'에 대한 설명으로 옳은 것은?

> 닉슨 독트린으로 냉전 체제가 완화되면서 반공을 앞세운 박정희 정권의 기반은 약화되었고, 장기 집권과 경기 침체에 대한 국민의 불만도 커졌다. 이런 가운데 박정희 정권은 1972년 서울과 평양에서 동시에 성명을 발표하였다.

① 제3차 남북 정상 회담 이후 발표되었다.
② 대북 화해 협력 정책(햇볕 정책)의 결과였다.
③ 서로의 체제를 인정하고 상호 불가침에 합의하였다.
④ 자주, 평화, 민족 대단결의 3대 통일 원칙에 합의하였다.
⑤ 경의선 철도 복구, 이산가족 방문 등 남북 간 교류 확대의 계기가 되었다.

✏️📖 주관식+서술형 문제

15 다음에서 설명하는 사건을 쓰시오.

> 1948년 4월 3일 제주도에서 좌익 세력과 일부 주민들이 무장봉기를 일으키자, 미군정이 군경을 동원하여 강경 진압에 나섰다. 정부 수립 이후까지 지속된 진압 과정에서 수만 명의 제주도민이 희생되었다.

16 다음을 읽고 물음에 답하시오.

> 1. 남과 북은 나라의 통일 문제를 그 주인인 우리 민족끼리 서로 힘을 합쳐 자주적으로 해결해 나가기로 하였다.
> 3. 남과 북은 올해 8·15에 즈음하여 흩어진 가족, 친척 방문단을 교환하며, 비전향 장기수 문제를 해결하는 등 인도적 문제를 조속히 풀어 나가기로 하였다.

(1) 위 선언의 명칭을 쓰시오.

(2) (1)의 발표 결과 나타난 남북 관계의 변화를 두 가지 서술하시오.

memo

핵심만 빠르게~ 단기간에

내신 공부의 힘을

기운다

내공의 힘

한국사

책 속의 가접 별책 (특허 제 0557442호)

답과 해설`은 본책에서 쉽게 분리할 수 있도록 제작되었으므로
통 과정에서 분리될 수 있으나 파본이 아닌 정상제품입니다.

우리는 남다른 상상과 혁신으로
교육 문화의 새로운 전형을 만들어
모든 이의 행복한 경험과 성장에 기여한다

ABOVE IMAGINATION

우리는 남다른 상상과 혁신으로
교육 문화의 새로운 전형을 만들어
모든 이의 행복한 경험과 성장에 기여한다

내공의 힘

정답과 해설

한국사

01 고대 국가의 지배 체제

1단계 개념 짚어 보기
본문 10쪽

01 (1) × (2) ○ (3) × (4) ○ (5) ○ **02** 소수림왕 **03** ㄴ, ㅁ
04 (1) 집사부 (2) 녹읍 (3) 상수리 제도 **05** (1) – ⓒ (2) – ㉠
(3) – ㉡

2단계 내신 다지기
본문 10~13쪽

01 ④	02 ③	03 ⑤	04 ①	05 ⑤
06 ③	07 ①	08 ⑤	09 ⑤	10 ④
11 ⑤	12 ③	13 ①	14 신라 촌락 문서	
15 ②	16 ④	17 ③		

01 (가)는 구석기 시대에 사용된 뗀석기인 주먹도끼이며, (나)는 신석기 시대에 주로 사용된 빗살무늬 토기이다. 구석기 시대는 지배와 피지배의 관계가 발생하지 않은 평등 사회였고, 신석기 시대 사람들은 움집을 짓고 정착 생활을 하였다.
바로 알기 ㄱ. 농경과 목축을 처음 시작한 것은 신석기 시대이다. ㄷ은 청동기 시대에 대한 설명이다.

02 지도와 같은 문화 범위를 가진 나라는 고조선으로, 탁자식 고인돌과 비파형 동검의 분포 지역은 고조선의 문화 범위를 짐작하게 해 준다. 고조선은 제정일치의 지배자인 단군왕검이 통치하였다. 기원전 4세기경 부왕과 준왕 등의 왕이 등장하여 왕위를 세습하였고, 왕 아래 상·대부·장군 등의 관직을 두었다. 기원전 2세기경 중국에서 건너온 위만이 집권하면서 중국의 철기 문화를 본격적으로 수용하여 크게 발전하였으나, 중국의 한과 대립하는 과정에서 멸망하였다.
바로 알기 ③ 고조선은 8조의 법을 두었으며, 한에 의해 멸망한 뒤에 법 조항이 60여 조로 증가하였다.

03 한반도 남부에서는 마한, 진한, 변한의 삼한이 성립하였다. 삼한은 여러 소국들의 연합으로 이루어졌으며, 각 소국은 신지·읍차라고 불리는 군장이 통치하였다. 또한 천군이라는 제사장이 소도에서 종교 의례를 주관하는 제정 분리 사회였다.
바로 알기 ① 불교는 삼국 시대에 전래되었다. ② 서옥제는 고구려의 풍습이다. ③, ④는 부여에 대한 설명이다.

04 (가)는 부여, (나)는 고구려, (다)는 옥저, (라)는 동예, (마)는 삼한이다. 부여는 1세기경부터 왕호를 사용하였고, 왕 아래에 가·사자 등의 통치 세력이 존재하였다. 왕은 중앙을 통치하였으며, 마가·우가·저가·구가는 사출도로 불리는 지역을 관장하며 독자적인 지배력을 행사하였다.
바로 알기 ②는 삼한 중 변한에 대한 설명이다. ③ 가야 연맹이 성장한 곳은 삼한 지역이다. ④는 신라에 대한 설명이다. ⑤는 옥저와 동예에 대한 설명이다.

05 (가)는 고구려의 소수림왕, (나)는 신라의 법흥왕이다. 소수림왕은 불교를 수용하고 율령을 반포하였으며, 태학을 설립하여 인재를 양성하였다. 법흥왕은 병부와 상대등을 설치하고 율령을 반포하였다. 두 왕은 공통적으로 율령을 반포하여 중앙 집권적 통치 기준을 마련하였다.
바로 알기 ②는 소수림왕에게만 해당하는 설명이다. ③은 고구려의 장수왕, 신라의 진흥왕에 해당하는 설명이다. ④는 고구려 고국천왕 시기의 사실이다.

06 (가)에 들어갈 왕은 고구려의 장수왕이다. 장수왕은 5세기에 남진 정책을 펼치며 평양으로 천도하고 백제를 공격하여 한강 유역을 장악하였다.
바로 알기 ①은 4세기 고구려 미천왕 시기의 사실이다. ②는 5세기 고구려 광개토 대왕 시기의 사실이다. ④는 4세기 백제 근초고왕 시기의 사실이다. ⑤는 6세기 신라 지증왕 시기의 사실이다.

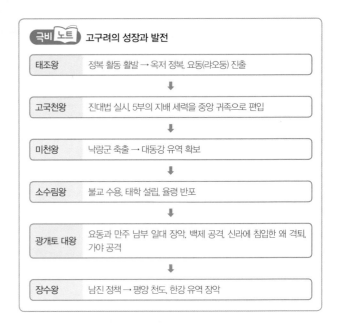

극비 노트 고구려의 성장과 발전

태조왕	정복 활동 활발 → 옥저 정복, 요동(라오둥) 진출
고국천왕	진대법 실시, 5부의 지배 세력을 중앙 귀족으로 편입
미천왕	낙랑군 축출 → 대동강 유역 확보
소수림왕	불교 수용, 태학 설립, 율령 반포
광개토 대왕	요동과 만주 남부 일대 장악, 백제 공격, 신라에 침입한 왜 격퇴, 가야 공격
장수왕	남진 정책 → 평양 천도, 한강 유역 장악

07 지도는 4세기 근초고왕 시기 백제의 발전을 나타내고 있다. 근초고왕 시기의 백제는 마한을 정복하고, 고구려의 평양을 공격하여 영토를 확장하였다. 또한 중국의 동진과 교역하고 왜와 교류하였다.
바로 알기 ②, ④는 신라 진흥왕 시기의 사실이다. ③은 고구려 고국천왕 시기의 사실이다. ⑤는 신라 내물왕 시기의 사실이다.

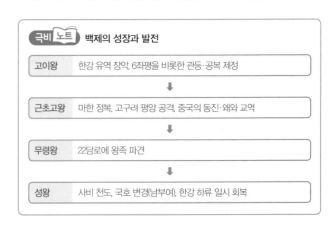

극비 노트 백제의 성장과 발전

고이왕	한강 유역 장악, 6좌평을 비롯한 관등·공복 제정
근초고왕	마한 정복, 고구려 평양 공격, 중국의 동진·왜와 교역
무령왕	22담로에 왕족 파견
성왕	사비 천도, 국호 변경(남부여), 한강 하류 일시 회복

08 자료는 고구려의 제가 회의에 대한 설명이다. 고구려는 4세기 후반 소수림왕 때 태학을 설립하여 인재를 양성하였다.

바로알기 ① 지방에 22담로를 설치하여 개혁을 추진한 것은 백제의 무령왕이다. ② 마립간을 왕호로 사용한 나라는 신라이다. ③ 국호를 남부여로 변경한 것은 백제 성왕 시기의 사실이다. ④ 제가들이 사출도를 통치한 나라는 부여이다.

09 밑줄 친 '이 왕'은 상대등이라는 관직을 처음 만든 신라의 법흥왕이다. 법흥왕은 병부를 설치하여 군사권을 왕에게 집중하고, 율령을 반포하였다. 또한 관리의 공복을 제정하고 불교를 공인하였으며, 금관가야를 정복하였다.

바로알기 ⑤ 국호를 '신라'로 정한 것은 지증왕 시기의 일이다.

극비노트 신라의 성장과 발전

내물왕	김씨의 왕위 계승 확립, '마립간' 칭호 사용, 광개토 대왕의 도움으로 왜구 격퇴(고구려의 간섭 초래)

↓

지증왕	'신라' 국호·'왕' 칭호 사용, 우산국 정복

↓

법흥왕	불교 공인, 율령 반포, 병부 및 상대등 설치, '건원' 연호 사용, 17 관등제 정비, 금관가야 정복

↓

진흥왕	화랑도 개편, 영토 확장(한강 유역 장악, 대가야 정복, 함경도 진출 → 단양 신라 적성비 및 서울 북한산 진흥왕 신라 순수비 건립)

10 도표는 신라의 골품제를 나타내고 있다. 신라는 골품제를 실시하여 지배층 내부의 위계를 엄격히 정하였고, 지배층을 성골과 진골, 6~1두품으로 구분하였다. 신라에서는 골품에 따라 정치 활동의 범위가 결정되었을 뿐만 아니라 가옥, 수레의 크기 등 일상생활도 규제를 받았다.

바로알기 ㄱ. 신라는 골품제를 통해 각 부의 지배 세력을 중앙 귀족으로 만들어 왕권을 강화하고자 하였다. ㄷ. 골품에 따라 관등이나 관직 승진에 제한을 두었다.

11 (가)는 김해의 금관가야, (나)는 고령의 대가야이다. 5세기 광개토 대왕은 신라에 침입한 왜구를 격퇴하는 과정에서 김해의 금관가야까지 공격하였다. 이 사건으로 금관가야는 쇠퇴하였고, 가야 연맹의 중심 세력은 고령의 대가야로 변화하였다.

바로알기 ① 백제는 고구려의 공격으로 수도를 빼앗기고 웅진으로 천도하였다. 이 사건은 가야 연맹의 주도권 재편과 관련이 없다. ② 진흥왕이 우산국을 정복한 일은 가야 연맹의 주도권 재편과 관련이 없다. ③ 법흥왕이 금관가야를 멸망시킨 것은 6세기의 사실이다. ④ 진흥왕이 대가야를 멸망시킨 것은 6세기의 사실이다.

12 고구려는 당 태종의 침략을 안시성에서 막아 내었고, 이로 인해 당의 한반도 침략이 지연되었다.

바로알기 ① 관산성 전투는 신라와 백제가 싸운 전투이다. ② 매소성 전투에서는 당과 신라가 격돌하였다. ④ 황산벌 전투는 백제와 신라가 싸운 전투이다. ⑤ 기벌포 싸움은 신라와 당의 전투이다.

13 통일 이후 신라는 통치 체제를 개편하며 왕권을 강화하였다. 왕의 직속 기구로 집사부를 두었고, 6두품은 왕의 정치적 조언자로 성장하였다. 국학을 설립하여 왕에게 충성하는 인재를 양성하였으며, 중앙군인 9서당에는 옛 고구려, 백제의 유민과 말갈인을 포용하여 민족 융합책을 펼쳤다.

바로알기 ① 왕권이 강화되면서 상대등의 권한은 약화되었다.

14 밑줄 친 '이 문서'는 신라 촌락 문서이다. 신라 촌락 문서에는 서원경(충북 청주) 부근의 촌을 비롯한 4개 촌의 이름과 소속 현, 토지의 종류와 면적, 인구와 가구, 소와 말의 수, 뽕나무·잣나무·가래나무의 수 등이 기록되어 있다. 인구는 남녀별로 연령에 따라 6등급으로 파악하였고, 가호는 9등급으로 구분하여 파악하였다. 이 문서는 통일 이후 신라의 경제 상황과 조세 행정을 알려 주는 자료이다.

15 지도의 행정 구역을 갖춘 나라는 통일 신라이다. 통일 신라는 촌주를 수도에 머물게 하는 상수리 제도를 시행하여 지방 세력을 견제하였다.

바로알기 ① 족외혼 풍습을 가진 나라는 동예이다. ③ 정사암 회의를 둔 나라는 백제이다. ④ 정당성의 장관인 대내상이 국정을 총괄한 나라는 발해이다. ⑤ 복신과 도침은 주류성에서 백제 부흥 운동을 전개하였는데, 이는 신라가 삼국을 통일하기 이전의 사실이다.

16 신문왕은 관료전을 지급하고, 녹읍을 폐지하였다. 관료전은 관리들에게 세금을 거둘 수 있는 수조권만 지급한 것이고, 녹읍은 수조권과 함께 백성들의 노동력을 징발할 수 있는 권리도 포함한 것이다. 신문왕은 녹읍을 폐지하여 귀족들의 경제적 기반을 약화시키고, 동시에 백성들에 대한 지배력을 강화하였다.

바로알기 ㄱ. 관료전 지급으로 왕권이 강화되었다. ㄷ. 녹읍의 혁파로 귀족들의 경제 기반이 약화되었다.

17 (가)는 발해이다. 발해는 당의 제도를 변형한 3성 6부제를 실시하였고, 5경 15부 62주로 지방을 통치하였다. 무왕 때 당의 산둥 지방을 공격하였으며, 문왕 때에는 당·신라와 친선 관계를 형성하였다.

바로알기 ③ 나당 연합군의 공격으로 멸망한 나라는 고구려와 백제이다.

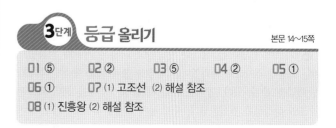

3단계 등급 올리기   본문 14~15쪽

01 ⑤	02 ②	03 ⑤	04 ②	05 ①
06 ①	07 (1) 고조선 (2) 해설 참조			
08 (1) 진흥왕 (2) 해설 참조				

01 밑줄 친 '이 시기'는 구석기 시대이고, 사진은 구석기 시대의 유물인 긁개이다. 충청남도 공주 석장리 유적은 우리나라의 대표적인 구석기 유적지로, 구석기 시대의 사람들은 주로 동굴이나 바위 그늘에서 거주하며 이동 생활을 하였다.

바로알기 ①, ②, ③은 청동기 시대에 대한 설명이다. ④는 신석기 시대에 해당한다.

02 (가)에 해당하는 나라는 동예이다. 동예는 강원도 북부의 동해안 지역에 위치하였으며, 책화라는 풍습이 있었다. 책화는 부족 간의 영역을 중시하여 다른 부족이 부족의 경계선을 침입하면 소나 말로 변상하는 제도였다.
바로알기 ① 제가 회의는 고구려의 회의체이다. ③은 부여와 고구려에 대한 설명이다. ④는 변한에 대한 설명이다. ⑤는 고조선에 대한 설명이다.

03 (가)는 4세기 백제의 근초고왕이 영토를 팽창하며 고구려의 평양성을 공격한 사실에 대한 설명이고, (나)는 6세기 백제 성왕이 백제의 중흥을 위해 실시한 여러 가지 정책에 대한 설명이다. ⑤ 무령왕은 성왕 이전 6세기에 22담로에 왕족을 파견하여 지방 통제를 강화하였다.
바로알기 ① 고구려 태조왕은 1세기경 옥저를 정복하였다. ② 백제 고이왕은 3세기경 6좌평을 비롯한 관등과 공복을 마련하여 위계질서를 세웠다. ③ 황산벌에서 계백의 결사대가 패배하여 백제가 멸망한 것은 7세기의 사실이다. ④ 고국천왕은 2세기경 진대법을 실시하였다.

04 (가)에 들어갈 사건은 나당 전쟁이다. 나당 전쟁이 일어나자 신라는 고구려 부흥 운동을 지원하였다. 나당 전쟁에서 신라가 승리함으로써, 신라는 한반도에서 당의 세력을 몰아내고 삼국 통일을 완성하여 민족 문화의 기틀을 마련할 수 있었다.
바로알기 ①은 통일 신라 때의 사실이다. ③은 백제 성왕 때의 사실이다. ④는 고구려 광개토 대왕이 금관가야를 공격한 결과이다. ⑤ 연개소문의 대당 강경책으로 인해 당이 고구려를 침입하였지만, 이는 나당 전쟁과는 관련이 없다.

05 (가)에 들어갈 문헌 자료 내용은 녹읍의 폐지에 관한 것이다. 신라가 삼국을 통일한 이후 신문왕은 수조권만 인정하는 관료전을 지급하고 수조권과 노동력 징발이 가능한 녹읍을 폐지하여 귀족들의 경제 기반을 약화시키고 왕권을 강화하였다.
바로알기 ② 단양 적성비를 건립한 것은 6세기 진흥왕 때이다. ③ 신라 촌락 문서는 조세와 노동력을 거두기 위해 활용한 것이다. ④ 국학을 설립하여 유학을 교육한 것은 왕에게 충성하는 인재를 양성하기 위함이었다. ⑤는 지방 세력을 견제하기 위해 만든 상수리 제도에 대한 설명이다.

06 자료에서 남쪽은 신라와 맞닿았고 서쪽은 거란과 접하였으며, '해동성국'이라고 불리었다는 내용을 통해 밑줄 친 '이 나라'가 발해임을 알 수 있다. 발해는 문왕 때 당의 장안성을 본떠 새로운 수도인 상경성을 건설하였다. 중앙 통치 조직은 3성 6부제로 정비하였는데, 정당성의 장관인 대내상이 국정을 총괄하게 하였다.
바로알기 ㄷ. 고구려 광개토 대왕은 신라에 침입한 왜를 격퇴하였다. 이 과정에서 금관가야가 피해를 입어 가야 연맹의 맹주가 고령의 대가야로 이동하였다. ㄹ. 고구려 미천왕은 낙랑군을 축출하여 대동강 유역을 확보하였다.

07 (2) **예시답안** 고조선은 개인의 노동력과 사유 재산을 중시하였으며, 형벌과 노비가 존재하는 계급 사회였음을 알 수 있다.

채점 기준	배점
개인의 노동력과 사유 재산의 중시, 계급 사회를 모두 서술한 경우	상
개인의 노동력과 사유 재산의 중시, 계급 사회 중 두 가지를 서술한 경우	중
개인의 노동력과 사유 재산의 중시, 계급 사회 중 한 가지만 서술한 경우	하

08 (2) **예시답안** (가) 시기에는 왕이 유력자와 중요한 사항을 의논하여 처리한 뒤 의결 사항을 공동으로 선포했다는 점에서 왕권이 약하였음을 알 수 있다. 반면 (나) 시기에는 왕이 중요 사항을 직접 결정한 내용이 기록되어 있는 것으로 보아 이전보다 왕권이 강화되었음을 알 수 있다.

채점 기준	배점
(가), (나)의 내용을 토대로 왕권의 변화 과정을 서술한 경우	상
(가), (나)의 내용에 근거하지 않고 왕권의 변화 과정을 서술한 경우	하

1단계 개념 짚어 보기
본문 17쪽

01 (1) × (2) × (3) ○ (4) ○ (5) ○ **02** (1) 불교 (2) 대중화 (3) 의상 (4) 고구려 **03** (1) ㄴ (2) ㄱ (3) ㄷ **04** (1) 오경박사 (2) 주자감 (3) 독서삼품과

2단계 내신 다지기
본문 18~20쪽

01 ②	**02** ④	**03** ③	**04** ①	**05** ②
06 ④	**07** 원효	**08** ⑤	**09** ③	**10** ④
11 ①	**12** ⑤	**13** 태학	**14** ②	**15** ③
16 ④				

01 (가) 시기는 신석기 시대이다. 신석기 시대에는 농경 생활의 시작으로 사람들이 자연에 대해 관심을 가지게 되면서 애니미즘, 토테미즘, 샤머니즘과 같은 원시 신앙이 등장하였다.

바로 알기 ①은 구석기 시대에 대한 설명이다. ③, ⑤는 고조선 등 초기 국가 성립 시기의 사실이다. ④는 삼한에 대한 설명이다.

02 제시된 자료는 고조선의 건국 이야기이다. 고조선의 건국 이야기에는 천신 신앙, 홍익인간의 이념 등이 드러나 있다. 또한 단군왕검이라는 이름에서 고조선이 제정일치 사회였음을 알 수 있고, 하늘을 섬기는 부족과 곰을 섬기는 부족 간의 통합이 이루어졌음을 알 수 있다.

바로 알기 ④ 12월에 영고라는 제천 행사를 열었던 나라는 부여이다.

03 고구려, 신라, 가야 등 고대 왕실은 천신 신앙을 바탕으로 자신들이 천신의 피를 이어받은 선택된 존재임을 내세우며 지배를 합리화하였다. 또한 부여, 고구려 등의 초기 국가는 천신을 섬기는 제천 행사를 개최하였다.

바로 알기 ①, ② 자료에서 불교와 관련된 내용은 확인할 수 없다. ④, ⑤는 도교와 관련된 내용으로 제시된 자료에 나타나 있지 않다.

04 5세기경에 건립된 고구려의 광개토 대왕릉비에는 광개토 대왕이 '대왕'·'태왕' 등으로 불렸고, 이 시기에 '영락'이라는 독자적 연호를 사용하였음이 기록되어 있다. 이를 통해 고구려가 독자적인 천하관을 확립하고 자국 중심의 국제 질서를 형성하였음을 알 수 있다.

바로 알기 ②, ④는 광개토 대왕릉비를 통해 알 수 없는 내용이다. ③ 불교를 받아들인 것은 소수림왕 때이다. ⑤는 신라에 대한 설명으로 광개토 대왕릉비와 관련 없는 내용이다.

05 제시된 자료는 삼국 시대 신라 불교에 대한 내용이다. 신라는 불교식 왕명을 사용하였고, 왕이 곧 부처라는 왕즉불 사상을 통해 왕실의 권위를 높여 왕권을 강화하고자 하였다.

바로 알기 ㄴ. 고구려는 태학을 세워 유교 경전과 역사서를 가르쳤다. ㄹ. 참선을 중시하는 선종이 유행한 것은 통일 신라 말이다.

06 신라 선덕 여왕은 불교를 통해 국가의 위기를 극복하고자 황룡사 9층 목탑을 세웠다. 이는 주위 9개 나라를 복속시키겠다는 호국 의지를 담은 것으로, 국가의 안녕과 발전을 비는 호국 불교의 성격을 보여 준다.

바로 알기 ① 통일 신라 때 원효가 아미타 신앙을 전파하여 불교가 대중화되었다. ②는 강수, 설총 등의 활동과 관련이 있다. ③은 통일 신라 말 선종의 발달과 관련이 있다. ⑤ 삼국의 도교는 늙지 않고 오래 산다는 불로장생을 추구하였다.

07 제시된 자료는 원효가 일심 사상을 주장하였음을 보여 준다. 원효는 모든 진리는 평등하고 차별 없는 한마음에서 나온다는 일심 사상을 바탕으로 불교계의 대립적 이론들을 통합하고자 하였다.

08 제시된 자료는 의상의 화엄 사상을 담은 「화엄일승법계도」이다. 의상은 당에 유학한 뒤 귀국하여 화엄종을 개창하였으며, 「화엄일승법계도」로 교리를 체계화하였다. 또한 부석사를 건립하고, 관음보살을 믿는 신앙인 관음 신앙을 전파하였다.

바로 알기 ①은 신라 역사서를 편찬한 거칠부에 대한 설명이다. ②는 원측에 대한 설명이다. ③은 원효에 대한 설명이다. ④ 9산선문은 통일 신라 말에 세워진 선종 사원이다.

극비 노트 통일 신라의 대표적인 불교 사상가

원효	• 일심 사상, 화쟁 사상 주장(종파 간 대립 완화) • 아미타 신앙 전파(불교 대중화에 기여)
의상	• 신라 화엄종 개창, 화엄 사상 정립(「화엄일승법계도」로 교리 체계화) • 부석사 건립, 관음 신앙 전파
원측	당에 건너가 법상종의 발전에 기여함
혜초	인도를 순례하고 「왕오천축국전」 저술

09 밑줄 친 '이 종파'는 선종이다. 통일 신라 말기에 유행한 선종은 독자적 세력을 형성하던 지방 호족들에게 큰 호응을 받아 확산되었으며, 사리를 봉인한 승탑과 승려의 일대기를 새긴 탑비가 유행하는 데 영향을 미쳤다.

바로 알기 ㄱ, ㄹ은 교종에 대한 설명이다.

10 자료는 고구려 불교의 영향을 받아 제작된 발해의 석등과 이불 병좌상이다. 발해는 왕실과 귀족을 중심으로 불교가 유행하였고 수도 상경성을 중심으로 많은 사찰을 건립하였다. 또한 문왕을 높여 부른 칭호인 '대흥보력효감금륜성법대왕'에는 '금륜'과 '성법' 등 불교의 전륜성왕 관념이 반영되어 있었다.

바로 알기 ④ 이차돈의 순교를 계기로 불교가 공인된 나라는 신라이다.

11 제시된 문화재는 강서대묘의 사신도 중 현무도와 백제 금동 대향로이다. 두 문화재는 모두 도교의 영향을 받아 제작되었다. 삼국 시대 초기에 귀족 사회를 중심으로 받아들여진 도교는 불로장생과 현세 구복을 추구하였다.

바로알기 ㄷ. 중앙 집권화 과정에서 왕권 강화에 쓰인 것은 불교이다. ㄹ. 도선과 같은 선종 승려에 의해 더욱 체계적으로 수용된 것은 풍수지리설이다.

12 밑줄 친 '이 사상'은 풍수지리설이다. 풍수지리설은 통일 신라 말에 수도 금성(경주)을 중심으로 한 지리 인식에서 탈피하여, 각 지방의 지리적 중요성을 일깨워 지방 호족들로부터 크게 환영받았다.
바로알기 ①, ④는 도교에 대한 설명이다. ②는 유교에 대한 설명이다. ③은 원효의 일심 사상과 화쟁 사상에 대한 설명이다.

13 (가)에 들어갈 교육 기관은 '태학'이다. 고구려는 소수림왕 때 수도에 태학을 세워 귀족 자제에게 유교 경전과 역사서를 가르쳤다.

14 제시된 자료는 「임신서기석」으로, 신라의 두 청년이 유교 경전에 대한 학습을 맹세한 내용이 새겨져 있다. 유학은 충·효·신 등의 도덕규범을 장려하는 역할을 하였다.
바로알기 ①은 풍수지리설에 대한 설명이다. ③은 통일 이후 신라의 교종에 대한 설명이다. ④는 불교에 대한 설명이다. ⑤는 도교에 대한 설명이다.

15 (가)는 신라 원성왕 때 시행된 독서삼품과이다. 독서삼품과는 유교 경전의 이해 수준을 3등급으로 나누어 평가하는 관리 선발 제도였지만, 진골 귀족들의 반발로 제대로 시행되지 못하였다.
바로알기 ㄱ. 독서삼품과는 신라 원성왕 때 시행된 제도이다. 신라 신문왕 때에는 국학을 설립하여 체계적인 유학 교육을 실시하였다. ㄹ은 독서삼품과와 관련이 없는 내용이다. 외국인을 상대로 실시한 과거 시험은 당의 빈공과이다.

16 유학 진흥 정책을 펼친 신라에서는 6두품 출신의 뛰어난 학자들이 많이 배출되었다. 설총은 이두를 체계적으로 정리하였고, 최치원은 당의 빈공과에 합격하였으며 『계원필경』을 저술하기도 하였다. 6두품 출신 유학생들은 당에서 귀국한 후 골품제 사회를 비판하고 새로운 정치 이념을 제시하였으며, 신라 말 호족과 연계하여 활동하였다. 발해는 유교 서적 관리를 위해 문적원을 설치하였다.
바로알기 ④ 유학 교육을 위해 국학을 설립한 것은 통일 신라이다. 발해는 주자감을 설립하여 유학을 교육하였다.

3단계 등급 올리기

본문 21쪽

01 ③　　**02** ④　　**03** ④　　**04** (1) (가) 선종
(나) 풍수지리설　(2) 해설 참조

01 제시된 자료에는 공통적으로 고대 사회의 천신 신앙이 드러나 있다. 천신 신앙은 하늘 자체를 신격화하거나 하늘에 있는 초월적 존재를 믿는 것으로, 지배 세력의 권위 강화에 이용되었다.
바로알기 ①은 풍수지리설에 대한 설명이다. ②는 도교의 특징에 대한 설명이다. ④는 삼국 시대 불교의 특징에 대한 설명이다. ⑤는 불교의 업설에 대한 설명이다.

02 (가)에 들어갈 인물은 통일 신라 시대의 승려인 원효이다. 원효는 누구나 부지런히 '나무아미타불'을 외면 내세에는 서방 정토(극락 세계)에서 태어날 수 있다고 설법하며 불교의 대중화에 기여하였다.
바로알기 ①은 통일 신라 시대의 최치원에 대한 설명이다. ② 『왕오천축국전』은 혜초가 저술하였다. ③ 선종은 통일 신라 말에 유행한 불교 종파이다. ⑤는 의상의 업적이다.

03 밑줄 친 '이 나라'는 발해이다. 발해는 유학 교육 기관으로 주자감을 설치하여 귀족 자제에게 유교 경전을 가르쳤다. 또한 발해는 고구려 불교를 계승하고 당의 문화를 수용하였다.
바로알기 ㄱ. 영고는 부여의 제천 행사이다. ㄷ. 경주 불국사는 신라의 불교 문화재이다.

서술형 문제

04 (2) **예시답안** 선종은 당시 지방 호족들의 취향에 부합하여 큰 호응을 얻어 확산되었고, 지방 문화 발달과 지방 세력이 성장하는 사상적 기반이 되었다. 풍수지리설 역시 각 지방의 지리적 중요성을 일깨워 수도인 금성 중심의 통치 질서를 깨고, 지방 세력이 성장하는 데 영향을 주었다.

채점 기준	배점
두 사상이 지방 세력의 성장에 끼친 공통적인 영향을 그 이유와 함께 서술한 경우	상
두 사상이 지방 세력의 성장에 영향을 주었다고만 서술한 경우	하

3 고려의 통치 체제와 국제 질서의 변동

1단계 개념 짚어 보기
본문 23쪽

01 (1) 서경 (2) 기인 제도 (3) 노비안검법 **02** (1) − ⓒ (2) − ⓐ (3) − ⓓ (4) − ⓒ (5) − ⓑ **03** (1) 5도 (2) 2군 (3) 과거제 **04** (1) ○ (2) ○ (3) × (4) × (5) ○ **05** ⑦ 정동행성 ⓒ 쌍성총관부 ⓒ 신진 사대부 ⓔ 전민변정도감

2단계 내신 다지기
본문 24~26쪽

01 ②	02 ⑤	03 ②	04 ①	05 ③
06 ①	07 ⑤	08 국자감(국학)		09 ③
10 ①	11 ④	12 ②	13 ①	14 ⑤
15 ③	16 ③	17 신진 사대부		

01 지도의 (가)는 고려, (나)는 후백제, (다)는 신라이다. 고려는 신라에 우호적인 정책을 취하고, 후백제는 격퇴하면서 후삼국을 통일하였다.
바로알기 ① 견훤이 건국한 것은 고려가 아니라 후백제이다. ③ 후백제는 신라가 아니라 고려에 의해 멸망하였다. ④ 연호를 '천수'로 정한 것은 고려를 건국한 왕건이다. ⑤ 후삼국을 통일한 것은 신라가 아니라 고려이다.

02 (가)는 훈요 10조를 남긴 고려의 태조 왕건이다. 태조 왕건은 지방 호족들을 통제하기 위해 중앙의 고위 관료를 출신 지역의 사심관으로 임명하여 그 지역을 통제하도록 하는 사심관 제도를 실시하였다.
바로알기 ① 과거제는 광종 때 시행되었다. ② 주자감은 발해의 교육 기관이다. ③ 전민변정도감은 공민왕 때 설치되었다. ④ 국호를 태봉으로 개칭한 것은 후고구려의 궁예이다.

극비 노트 태조 왕건의 업적

호족 포섭 정책	유력 호족과 혼인, 성(姓) 하사, 사심관 제도, 기인 제도
북진 정책	서경 중시(고구려 계승 의식 표방), 거란 배척, 청천강 유역까지 진출
민족 통합 정책	발해 유민 포용, 신라·후백제 인물 등용
민생 안정 정책	호족의 지나친 세금 수취 금지

03 제시된 자료는 광종의 왕권 강화 정책을 묻고 있다. 광종은 과거제를 실시하여 신진 세력을 등용하고 관리의 공복을 제정하였다. 또한 황제를 칭하고 독자적 연호를 사용하였으며, 노비안검법을 실시하여 호족과 공신들의 경제력을 약화시켰다.
바로알기 ① 불교 행사를 억제한 것은 성종이다. ③ 전시과는 고려 경종 때 실시되었다. ④, ⑤는 태조 왕건 때의 일이다.

04 제시된 자료는 최승로의 시무 28조이다. 최승로는 시무 28조에서 지방관을 파견할 것을 건의하였고, 그 결과 지방에 12목이 설치되고 지방관이 파견되었다.
바로알기 ② 교정도감은 무신 정권기 최충헌이 설치한 것이다. ③ 독서삼품과는 통일 신라 시대에 유교 정치 이념을 가진 인재를 선발하기 위해 실시하였다. ④ 상수리 제도는 통일 신라 시대에 지방 세력 견제를 위해 실시하였다. ⑤는 현종의 정책이다.

05 고려는 당의 3성 6부제와 송의 중추원·삼사 제도를 나라의 실정에 맞게 고쳐 중앙 정치 기구를 운영하였다. 최고 중앙 관서로 중서문하성을 두었고, 중추원은 군사 기밀과 왕명 출납을 담당하였다. 삼사는 곡식의 출납 등 회계를 담당하였고, 합의제 회의 기구인 도병마사는 국방 문제를 논의하고 식목도감은 법률과 제도를 제정하였다.
바로알기 ③ 사정부는 통일 신라 때 관리를 감찰하는 일을 맡아보던 기구이다.

06 (가)는 북계, (나)는 동계이다. 고려 시대에는 군사 행정 구역인 양계(북계와 동계)를 두어 병마사를 파견하고 진을 설치하였다.
바로알기 ② 2군 6위는 중앙군이다. ③, ④, ⑤는 일반 행정 구역인 5도에 대한 설명이다.

07 고려 시대의 과거 제도는 유교적 소양을 갖춘 인재를 선발하고자 광종 때부터 실시되었고, 원칙적으로 양인 신분 이상이면 응시할 수 있었다. 무과는 거의 실시되지 않았으며, 잡과에서는 기술관을 선발하였다.
바로알기 ③ 5품 이상의 고위 관리 자손에게만 적용되었던 관리 등용 제도는 음서로서, 음서를 통하면 과거를 거치지 않고도 관리가 될 수 있었다.

08 밑줄 친 '이 학교'는 고려의 최고 교육 기관인 국자감(국학)이다. 고려는 개경에 국립 대학인 국자감을 설립하였다.

09 제시된 신문의 내용은 거란의 1차 침입에 대한 것이다. 거란의 1차 침입 당시 고려의 서희는 거란의 소손녕과 회담하여 강동 6주를 획득하였다.
바로알기 ① 발해는 거란의 침략으로 그 이전 시기인 926년 멸망하였다. ② 별무반은 여진의 침입에 대비해 만들어졌다. ④ 고려는 여진에게 동북 9성을 반환하였다. ⑤ 귀주 대첩은 거란의 3차 침입 때(1019)의 일이다.

극비 노트 거란의 침입과 대응

1차 침입	서희의 외교 담판(993) → 강동 6주 확보
2차 침입	강조의 정변을 구실로 침입(1010) → 양규의 항전 → 거란군 퇴각
3차 침입	귀주 대첩(1019): 강감찬이 귀주에서 거란군 격파

10 제시된 자료에서 설명하는 민족은 여진이다. 고려는 별무반을 편성하여 여진을 정벌하고 동북 9성을 확보하기도 하였으나, 여

진이 강성해지자 동북 9성을 반환하였다. 또한 여진이 금을 건국하여 사대를 요구하자 이자겸 세력은 이를 수용하였다.
바로 알기 ②, ⑤는 거란족에 대한 설명이다. ③, ④는 몽골에 대한 설명이다.

11 밑줄 친 '이 인물'은 문벌 세력을 대표하는 이자겸이다. 문벌 세력은 여러 대에 걸쳐 고위 관리를 배출한 가문으로, 서로 혼인 관계를 맺어 결속을 강화하였고, 음서와 공음전의 혜택도 받았다.
바로 알기 ①은 신진 사대부에 대한 설명이다. ②, ⑤는 신라 말 호족에 대한 설명이다. ③은 권문세족에 대한 설명이다.

12 제시된 주장을 한 인물은 묘청이다. 서경을 중시하며 천도를 주장한 묘청 등 서경파는 칭제건원(황제 칭호와 연호 사용)과 금에 대한 정벌을 주장하였다. 그러나 요구가 받아들여지지 않자 묘청 등이 서경에서 난을 일으켰고, 이는 김부식 등 보수적 문벌 세력에 의해 진압되었다.
바로 알기 ① 신돈은 왕 간섭기에 공민왕이 등용하였다. ③은 신라 말 6두품 세력에 대한 설명이다. ④ 고려 시대 무신 정권 때의 일이다. ⑤는 이자겸에 대한 설명이다.

13 (가) 인물은 최충헌이다. 무신 정권기 중 최씨 정권이 수립된 최충헌 집권기에는 교정도감이 최고 정책 결정 기구로 작동하였으며, 사노비인 만적이 신분 해방 운동을 시도하기도 하였다.
바로 알기 ㄷ. 중방은 무신 정권 초기에 최고 회의 기구가 되었다. ㄹ은 최씨 정권이 수립되기 이전인 1170년에 일어난 무신 정변에 대한 설명이다.

14 (가)는 몽골이다. 제시된 자료는 충주성 전투에 대한 내용으로, 몽골이 침략해 오자 최우 정권은 강화로 천도하여 항쟁하였다.
바로 알기 ①은 거란의 1차 침입 때의 사실이다. ②는 고려 말 왜구의 침략에 대응하며 성장한 세력에 대한 설명이다. ③은 고려 말 공민왕 시기의 사실이다. ④는 고려 초 성종 시기의 사실이다.

15 (가) 시기는 원 간섭기이다. 원 간섭기 고려는 원의 부마국이 되면서 호칭과 관제가 격하되었다. 이 시기에 원은 다루가치라는 감찰관을 파견하여 고려의 내정에 간섭하였다.
바로 알기 ①은 몽골과 항쟁하던 시기의 사실이다. ②는 고려 초 성종 시기의 사실이다. ④는 고려 중기의 사실이다. ⑤는 묘청의 서경 천도 운동에 대한 설명이다.

16 (가) 왕은 쌍성총관부를 공격하여 철령 이북의 땅을 수복한 공민왕이다. 공민왕은 내정에 간섭하던 원의 정동행성을 폐지하였다.
바로 알기 ① 정방을 설치한 것은 무신 정권기의 최우이다. ② 과전법은 공민왕 사후 1391년에 시행되었다. ④ 김흠돌의 난은 통일 신라 신문왕 때에 일어났다. ⑤는 고려 초 성종 시기의 사실이다.

17 밑줄 친 '이 세력'은 고려 후기에 성장한 신진 사대부이다. 신진 사대부는 성리학을 근거로 권문세족을 비판하고, 명과 화친하고 원과 관계를 끊을 것을 주장하였다.

01 ③   **02** ②   **03** ②   **04** (1) 전민변정도감
(2) 해설 참조

01 태조 이후 호족 세력을 제압하며 왕권을 강화한 인물은 광종이다. 광종은 황제를 칭하고 독자적인 연호를 제정하였으며, 과거제를 실시하여 신진 세력을 등용하였다. 또한 노비안검법을 실시하여 호족들의 경제력을 제한하려고 하였다.
바로 알기 ①은 신라 신문왕 때의 사실이다. ② 교정도감은 무신 집권기에 최충헌이 설치하였다. ④ 12목은 성종 때 설치되었다. ⑤는 고려 중기 이자겸 세력에 대한 설명이다.

02 (가)에는 거란의 2차 침입(1010)과 이자겸의 금 사대 수용(12세기 초) 사이의 사실이 들어가야 한다. 이 시기에는 강감찬이 귀주에서 거란군을 크게 격파(1019)하였고, 이로 인해 고려는 동아시아에 다원적 국제 질서를 구축할 수 있었다.
바로 알기 ①, ⑤는 금의 사대 요구 수용 이후에 일어난 사실이다. ③은 고려의 개경 환도 이후의 사실이다. ④는 고려 초 태조 왕건 시기의 사실이다.

03 제시된 자료에는 원 간섭기에 원이 공녀를 수탈하는 모습이 묘사되어 있다. 이 시기에는 고려가 원의 부마국이 되어 왕실의 호칭과 관제의 격이 낮아졌고, 친원적 성향을 가진 권문세족이 성장하여 도평의사사를 장악하였다.
바로 알기 ㄴ은 고려 초 여진과의 관계에서 발생한 일이다. ㄹ은 이자겸의 난에 대한 설명이다.

서술형 문제

04 (2) **예시 답안** 권문세족이 불법적으로 빼앗은 토지를 본래의 주인에게 돌려주고, 강제로 노비가 된 사람을 양민으로 해방함으로써 권문세족의 세력을 약화하고 왕권을 강화하기 위함이다.

채점 기준	배점
권문세족의 세력 약화와 왕권 강화라는 목적을 모두 서술한 경우	상
권문세족의 세력 약화와 왕권 강화 중 한 가지 목적만 서술한 경우	하

04 고려의 사회와 사상

1단계 개념 짚어 보기
본문 29쪽

01 (1) ㄷ (2) ㄹ (3) ㄱ (4) ㄴ　**02** (1) × (2) ○ (3) × (4) ○
03 풍수지리설　**04** (1) 보수적 (2) 성리학 (3) 김부식　**05** (1) –
ⓒ (2) – ⓛ (3) – ⓔ (4) – ⓓ

2단계 내신 다지기
본문 30~32쪽

01 ④	02 ③	03 ①	04 ⑤	05 ④
06 향도	07 ⑤	08 ②	09 ②	10 ①
11 ②	12 ⑤	13 (가) 의천 (나) 교관겸수		14 ⑤
15 ⑤				

01 (가)는 고려의 최상위 지배층인 문무 양반이다. 이들은 여러 대에 걸쳐 고위 관료를 배출하며 문벌을 이루고, 비슷한 가문과 서로 혼인하여 세력을 유지하였다. (나)는 양인 중간 계층인 향리이다. 향리는 신분 세습을 할 수 있었고, 과거를 통해 중앙 관직에 진출할 수 있었다.
바로알기 ㄱ은 신라의 진골 귀족에 대한 설명이다. ㄷ. 향리는 신분을 세습할 수 있었다.

02 (가) 신분에 해당하는 사람들은 양인 피지배층인 농민, 상인, 수공업자, 향·부곡·소의 주민들이다. 이들은 조세, 공납, 역 등의 의무가 있었다.
바로알기 ①은 최상위 지배층인 문무 양반에 대한 설명이다. ②는 천인 노비 중 외거 노비에 대한 설명이다. ④는 양인 지배층 중 상급 향리에 대한 설명이다. ⑤는 천인 중 노비에 대한 설명이다.

03 (가)는 정호이다. 정호는 고려 시대에 토지를 받고 직역을 담당하였다. 이들은 과거에 합격하여 고위 관리가 되거나 군공을 세워 무관으로 출세할 수 있었다. 이를 통해 고려에서 양인 내부의 계층 이동이 이루어졌음을 알 수 있다.
바로알기 ㄷ은 향·부곡·소민에 대한 설명이다. ㄹ은 백정에 대한 설명이다.

04 밑줄 친 두 지역은 각각 특수 행정 구역인 소와 부곡에 해당한다. 향·부곡·소 등 특수 행정 구역 주민은 신분상 양인이었지만, 다른 지역으로 거주지를 옮길 수 없고 과거에 응시할 수 없는 등 일반 군현민에 비해 차별을 받았다. 그러나 이들 지역은 공을 세우면 군현으로 승격되기도 하였다.
바로알기 ⑤ 특수 행정 구역인 향·부곡·소의 주민들은 일반 군현의 주민보다 많은 조세와 역을 부담하였다.

05 고려에서는 농민 생활을 안정시키기 위해 다양한 시책을 시행하였다. 빈민 구제를 위한 의창이나 물가 조절을 위한 상평창을

설치하였고, 제위보를 두어 빈민 구제 기금을 마련하였다. 또한 환자 치료를 위해 동·서 대비원을 두기도 하였다.
바로알기 ④ 어려운 농민에게 곡식을 빌려주는 진대법은 고구려 고국천왕 때 시행된 정책이다.

06 밑줄 친 공동체 조직은 '향도'이다. 고려 시대의 지역민은 향도라는 공동체 조직을 만들었다.

07 제시된 자료에는 안찰사 손변이 남매의 재산 상속에 관해 재판하는 과정이 서술되어 있다. 이를 통해 고려에서는 아들과 딸에게 재산을 균등하게 분배하였음을 알 수 있다.
바로알기 ① 고려 시대에는 여성도 호주가 될 수 있었다. ② 고려 시대에 상피제는 부계와 모계에 모두 적용되었다. ③ 고려에서 여성의 재가는 허용되었다. ④ 고려에서는 성별이 아닌 태어난 순서대로 호적에 등재되었다.

08 (가) 사상은 도교로, 제시된 문화재는 도교 사상이 반영되어 있는 은제 도금 타출 신선무늬 향합이다. 고려 시대에 도교는 주로 왕실과 귀족들이 신봉하였으며, 독자적인 교리 체계와 교단을 갖추지는 못하였다.
바로알기 ①은 고려의 토착 신앙에 대한 설명이다. ③은 풍수지리설에 대한 설명이다. ④는 유학 사상에 대한 설명이다. ⑤는 성리학에 대한 설명이다.

09 밑줄 친 '이 사상'은 풍수지리설이다. 한양은 풍수지리설의 영향을 받아 남경으로 승격되었다.
바로알기 ① 12목은 성종이 유학자 최승로의 건의에 따라 전국에 설치한 것으로, 풍수지리설과는 관련이 없다. ③ 9재 학당에서는 과거 시험을 위해 유학을 공부하였다. ④ 국자감은 고려의 유학 교육 기관으로, 성균관으로 개칭한 것은 풍수지리설과 관련이 없다. ⑤ 광종은 불교를 숭상하여 명망 있는 승려를 국사, 왕사로 두어 우대하였다.

10 (가) 사상은 유교이다. 국자감은 유교의 영향으로 세워졌으며, 공민왕 때부터는 순수 유학 교육 기관으로 개편되었다.
바로알기 ②, ⑤는 풍수지리설에 대한 설명이다. ③ 초조대장경 간행에 영향을 준 사상은 불교이다. ④ 팔관회는 하늘의 신령과 산, 강, 용 등 토속신에게 제사를 지내던 의식이다.

극비노트 유교 사상의 발달

전기	특징	새로운 국가 건설과 사회 개혁을 추구 → 정치 이념화, 자주적·주체적
	발달	• 광종: 과거제 실시(유학 지식을 갖춘 인재 등용) • 성종: 국자감과 향교 설치, 유교 정치 확립(최승로의 시무 28조 수용)
중기	특징	사회 개혁보다 지배 체제의 안정 추구 → 보수화
	발달	• 최충: 사학 설립, 유학 교육 • 김부식 『삼국사기』 편찬
후기	특징	충렬왕 때 안향이 성리학을 본격적으로 소개
	발달	• 신진 사대부들이 개혁 사상으로 성리학 수용 • 『소학』, 『주자가례』 보급 → 유교적 생활 규범 확산

11 (가)는 김부식의 『삼국사기』, (나)는 이규보의 「동명왕편」이다. 김부식은 『삼국사기』를 유교적 합리주의 사관에 따라 서술하며 『구삼국사』의 신비한 내용을 대폭 삭제하였다. 이규보는 김부식의 역사 인식을 비판하며 「동명왕편」을 저술하였고, 이전 시기의 신화적 요소를 기록으로 남겼다.
바로알기 ① 『삼국사기』는 김부식이 저술하였다. ③ 「동명왕편」은 이규보가 저술하였다. ④ 선·교 일치 사상은 지눌이 제시하였다. ⑤는 『삼국사기』에 해당한다.

12 (가) 사상은 고려 말 수용된 성리학이다. 신진 사대부들은 성리학을 사회 개혁 사상으로 수용하였고, 이를 바탕으로 타락한 불교 세력과 권문세족을 비판하며 정치적으로 성장하였다.
바로알기 ① 성리학은 고려 말 연구된 학문으로, 『삼국사기』 저술 이후에 고려에 유입되었다. ②, ④는 도교에 대한 설명이다. ③은 불교와 관련된 내용이다.

13 (가)는 의천, (나)는 교관겸수이다. 의천은 화엄종을 중심으로 교종을 통합하고 해동 천태종을 창시하여 선종까지 포섭하고자 하였다. 그는 수련 방법으로 교관겸수를 제시하였다.

14 제시된 글은 고려의 승려 지눌의 주장이다. 지눌은 수선사(송광사)를 중심으로 결사 운동을 펼쳤고, 참선과 교학 공부를 병행하는 수행인 정혜쌍수와 돈오점수를 제안하였다.
바로알기 ㄱ. 화쟁 사상은 통일 신라의 원효가 제시하였다. ㄴ. 유불 일치설을 주장한 것은 혜심이다.

15 밑줄 친 '이것'은 팔만대장경이다. 팔만대장경은 외세(몽골)의 침략을 부처의 힘으로 물리치려는 염원을 담아 제작되었으며, 현재 합천 해인사에 보관되어 있다.
바로알기 ①, ②는 초조대장경에 대한 설명이다. ③은 이규보의 「동명왕편」에 대한 설명이다. ④는 유학에 대한 설명이다.

3단계 등급 올리기
본문 33쪽

01 ② 　 02 ③ 　 03 ⑤ 　 04 (1) (가) 『삼국사기』 (나) 『삼국유사』 (2) 해설 참조

01 장순룡의 경우처럼 외국인이 귀화하여 자신의 능력을 인정받고 관리로 등용되거나 이의민처럼 하층민이 공을 세워 무관으로 출세하는 경우가 있었던 것으로 보아, 고려는 신라의 골품제 사회보다 개방적이었음을 알 수 있다.
바로알기 ①, ③, ④, ⑤는 고려 시대의 사회 모습이지만, 자료와 관련이 없는 내용들이다.

02 성리학은 만권당에서 고려와 원의 학자들이 교류하면서 고려에 들어오게 되었다. 성리학은 신진 사대부에게 수용되어 개혁 사상으로 쓰이기도 했지만, 『소학』, 『주자가례』 등의 영향으로 유교적 생활 규범이 보급되는 데 영향을 주기도 하였다.

바로알기 ①은 고려 전기의 유학에 대한 설명이다. ②, ④는 고려 중기 유학에 대한 설명이다. 성리학은 고려 후기에 수용되었다. ⑤는 풍수지리설에 대한 내용이다.

03 밑줄 친 '그'는 교종을 중심으로 선종을 통합하여 해동 천태종을 창시한 의천이다.
바로알기 ㄱ은 통일 신라 원효에 대한 설명이다. ㄴ은 요세에 대한 설명이다.

서술형 문제

04 (2) 예시답안 『삼국사기』는 유교적 합리주의 사관에 입각하여 단군의 건국 이야기 등 신화적인 내용은 담지 않았으며, 신라 중심의 역사의식을 표출하였다. 『삼국유사』는 불교의 설화적 전승을 중심으로 다양한 이야기를 수집하여 저술하였으며, 단군을 민족의 시조로 기록하여 통합된 민족의식을 드러냈다.

채점 기준	배점
두 역사서의 사관의 차이를 바탕으로 각 사서의 특징을 명확히 서술한 경우	상
두 역사서 중 하나의 사관과 특징만을 서술한 경우	하

05 조선의 정치 운영과 세계관의 변화

1단계 개념 짚어 보기
본문 36쪽

01 (1) - ⓒ (2) - ② (3) - ③ (4) - ⓒ **02** (1) ㄱ (2) ㄷ (3) ㄹ
(4) ㄴ **03** 사림 **04** (1) 4군 6진 (2) 임진왜란 (3) 광해군 (4) 병
자호란 (5) 북벌론 **05** (1) × (2) ○ (3) ○ (4) ○

2단계 내신 다지기
본문 36~39쪽

01 ①	**02** ②	**03** ④	**04** ⑤	**05** ④
06 기묘사화	**07** ⑤	**08** ②	**09** ①	**10** ①
11 ③	**12** ⑤	**13** ③	**14** ⑤	**15** ②
16 ④				

01 밑줄 친 '왕'은 성종이다. 성종은 집현전을 계승한 홍문관을 설치하고, 홍문관 관원이 경연관을 겸하게 하여 경연을 활성화하였다.
바로알기 ②는 세조에 대한 설명이다. ③은 세종에 대한 설명이다. ④는 태조에 대한 설명이다. ⑤는 태종에 대한 설명이다.

02 자료는 위에서부터 사헌부, 사간원, 홍문관의 역할에 대한 설명이다. 사헌부, 사간원, 홍문관은 3사라고 불리었는데, 3사는 왕과 대신들을 견제하여 권력의 독점과 부정을 방지하기 위한 언론 기능을 담당하였다.
바로알기 ①은 춘추관에 해당한다. ③은 의정부에 해당한다. ④는 한성부에 해당한다. ⑤는 성균관에 해당한다.

극비노트 조선의 중앙 통치 기구

의정부	최고 정무 기구, 재상들의 합의로 정책 심의·결정
6조	직능에 따라 정책 집행
3사	• 구성: 사헌부, 사간원, 홍문관 • 역할: 언론 기능 담당 → 권력의 독점과 부정 방지
의금부	국가의 큰 죄인 처벌
승정원	국왕의 비서 기관(왕명 출납 담당)
한성부	수도 한성의 행정과 치안 담당
춘추관	역사서의 편찬과 보관 담당
성균관	최고 교육 기관, 유학 교육 담당

03 제시된 자료는 의정부의 권한을 축소하는 내용으로, 6조에서 의정부를 거치지 않고 국왕에게 직접 업무를 보고하도록 한 제도인 6조 직계제에 대한 설명이다. 6조 직계제는 왕권을 강화하기 위해 태종 때 처음 시행되었고, 세조 때 다시 시행되었다.
바로알기 ④ 태조 때 정도전은 재상 중심의 정치 운영 방식을 주장하였다.

04 지도는 조선 시대의 지방 행정 제도를 나타낸 것이다. 조선은 전국을 8도로 나누고 각 도에 관찰사를 파견하였다. 모든 군현에는 수령을 파견하였는데, 관찰사는 수령을 감독하는 역할을 하였다. 향리는 고려 시대에 비해 지위가 낮아졌고, 지방에는 유력 양반들로 구성된 유향소가 설치되어 수령을 보좌하고 향리를 감찰하였다.
바로알기 ⑤ 고려 시대에 특수 행정 구역으로 존재했던 향·부곡·소는 조선 시대에 일반 군현으로 승격되거나 주변 군현에 통합되었다.

05 밑줄 친 '이들'은 사림을 가리킨다. 사림은 성종 때 중앙 정계에 진출하기 시작하였는데, 김종직의 「조의제문」을 문제 삼은 훈구 세력에 의해 축출되기도 하였다. 여러 차례의 사화로 피해를 입은 사림은 지방에서 서원과 향약을 바탕으로 세력을 확장하였고, 선조 때에는 정치의 주도권을 장악하였다. 이후 사림은 척신 정치 청산과 이조 전랑 임명 문제로 동인과 서인으로 갈라졌다.
바로알기 ④ 세조 즉위 과정에서 공을 세워 고위직을 독점한 세력은 훈구이다.

06 제시된 글은 중종 시기에 일어난 기묘사화에 대한 설명이다. 사화는 훈구와 사림의 갈등 속에 사림이 큰 피해를 본 사건으로, 총 네 차례에 걸쳐 일어났다.

07 (가)는 동인, (나)는 서인이다. 사림 세력은 선조 때에 척신 정치의 잔재 청산과 이조 전랑의 임명 문제를 둘러싸고 갈등이 생겨 기성 사림 중심의 서인과 신진 사림 중심의 동인으로 나뉘게 되었다. 동인과 서인은 서로의 차이를 인정하고 공론을 내세우며 국정을 이끌어 나갔다.
바로알기 ①, ②는 서인에 대한 설명이다. ③은 북인에 대한 설명이다. ④는 동인에 대한 설명이다.

08 지도에 표시된 지역은 세종 때 개척한 4군 6진 지역이다. 세종은 여진에 대한 강경책으로 여진을 내몰고 4군과 6진을 설치하여 압록강과 두만강 일대를 개척하였다. 4군 6진 지역에는 남쪽 지역의 주민을 이주시키는 사민 정책을 실시하였다.
바로알기 ① 세종 때 이종무가 토벌한 것은 쓰시마섬(대마도)이다. ③ 통신사는 한성과 에도를 왕복하였다. ④ 태조 때 정도전은 요동 정벌을 추진하였으나 이루어지지는 못하였다. ⑤ 세종은 3포를 개항하고 일본 상인에게 제한적인 무역을 허락하였다.

09 밑줄 친 '전쟁'은 임진왜란이다. 임진왜란 당시 이순신의 수군은 한산도에서 크게 승리하였고, 전국 각지에서 곽재우·고경명 등의 의병이 일어났다. 명은 조선의 요청으로 군사를 보냈고, 조·명 연합군은 평양을 탈환하였다. 이후 3년에 걸친 휴전 회담을 전개하였으나 결렬되어 일본군이 조선에 다시 침입하였다.
바로알기 ① 인조가 남한산성으로 피신한 일은 청이 조선을 침략한 병자호란(1636) 때 있었다.

10 지도는 임진왜란 때 일어난 전투들을 나타낸 것이다. 임진왜란 이후 조선에서는 많은 문화재가 소실되었고, 일본에서는 도쿠가와 이에야스가 권력을 잡아 에도 막부가 성립되었다. 이때 조선의 도자기 기술과 성리학 등이 일본에 전파되었다.

① 중국에서는 전쟁의 영향으로 명의 국력이 약화된 틈을 타 여진이 급속히 성장하고 후금을 세우게 되었다.

11 (가) 왕은 강홍립이 이끄는 지원군을 파견하여 명과 후금 사이에서 중립 외교 정책을 추진한 광해군이다. 광해군은 명과 후금 사이에서 한 나라에 치우치지 않는 중립 외교를 펼쳐 실리를 추구하였지만, 이는 서인 세력이 광해군을 몰아내고 인조를 왕으로 세우는 계기가 되었다.

ㄱ. 청과 군신 관계를 체결한 것은 병자호란 때의 일이다. ㄹ은 서인 세력이 인조반정으로 광해군을 몰아낸 이후의 일이다.

12 제시된 주장은 청의 군신 관계 요구에 무력으로 대응하자는 주전론이다. 조선에서 청과 화의를 맺자는 주화론과 무력으로 대응하자는 주전론이 대립한 끝에 주전론이 승리하여 청의 군신 관계 요구를 거절하자, 청이 병자호란을 일으켰다. 병자호란 당시 인조는 남한산성에서 항전하였으나 결국 항복하고 삼전도에서 청과 강화를 맺었다.

①은 고려 시기 거란의 1차 침입에 대한 설명이다. ② 초조대장경은 고려 시기 몽골의 침입으로 소실되었다. ③ 조선이 명에 지원군을 요청한 전쟁은 임진왜란이다. ④ 의병장 정봉수가 활약한 전쟁은 정묘호란이다.

13 (가)는 북벌론, (나)는 북학론이다. 병자호란 이후 효종은 청에 당한 치욕을 씻고 명에 대한 의리를 지키자는 북벌 운동을 추진하였다. 반면 박제가와 같은 실학자들을 중심으로 청을 배척할 것이 아니라 청의 발전된 문물을 적극 수용해야 한다는 북학론이 제기되기도 하였다.

① 북벌론은 송시열, 이완 등 서인의 지지를 받았다. ② 을사사화는 명종 때 외척 간의 권력 갈등이 일어나 사림이 피해를 입은 사건으로 북벌론과 관련이 없다. ④는 북벌론에 대한 설명이다. ⑤ 동인과 서인은 조선 전기 척신 정치 청산과 이조 전랑 임명 문제로 대립하였다.

14 (가) 왕은 현종이다. 현종 때 효종의 계비인 자의 대비의 상복 입는 기간을 놓고 서인과 남인이 대립하여 두 차례 예송이 일어났다.

①는 성종 때의 사실이다. ②, ④는 영조 때의 사실이다. ③은 숙종 때의 사실이다.

15 제시된 자료는 영조가 탕평책의 의지를 알리기 위해 성균관 앞에 세운 탕평비이다. 영조는 『속대전』을 편찬하고, 군포 문제 해결을 위해 균역법을 실시하였다.

ㄴ, ㄹ은 정조의 업적이다.

16 (가)는 순조, 헌종, 철종 3대 60여 년간 이어진 세도 정치이다. 세도 정치 시기에는 삼정(전정·군정·환곡)의 운영이 문란하였고, 매관매직과 같은 부정부패나 과거 시험의 부정 사례가 증가하였다. 또한 안동 김씨, 풍양 조씨와 같은 세도 가문이 비변사를 비롯한 주요 관직을 독점하였다.

④ 망이·망소이의 난은 고려 무신 집권기에 발생한 봉기이다.

3단계 등급 올리기

본문 40~41쪽

01 ①　　02 ④　　03 ④　　04 ①　　05 ⑤
06 ④　　07 (1) 서인 (2) 해설 참조　　08 해설 참조

01 집현전 설치, 의정부 서사제 실시 등을 통해 자료의 밑줄 친 '왕'이 세종임을 알 수 있다. 세종은 4군 6진을 설치하여 압록강과 두만강 일대를 개척하였다.

② 천리장성은 고려 시대에 거란의 침입 후에 축조되었다. ③ 고려 시대 윤관이 별무반을 이끌고 여진을 몰아낸 뒤 동북 9성을 축성하였다. ④ 18세기 초 숙종 때 백두산정계비를 세워 국경을 확정하였다. ⑤ 고려 말 공민왕은 쌍성총관부를 무력으로 수복하였다.

02 자료의 제도는 의정부 서사제이다. 의정부 서사제는 6조에서 담당하는 모든 일을 의정부에서 논의한 뒤 국왕에게 보고하게 한 제도이다. 국왕의 국정 주도권을 강화한 6조 직계제와 달리 의정부 서사제는 왕권과 신권의 조화를 추구하였다.

① 세조 때 실시된 제도는 6조 직계제이다. ②, ③은 6조 직계제에 해당하는 설명이다. ⑤는 정조 때 실시된 탕평책에 대한 설명이다.

03 밑줄 친 '전쟁'은 임진왜란으로, 『징비록』은 임진왜란 때 일어난 일을 유성룡이 저술한 것이다. 임진왜란 중 이순신의 수군은 한산도 대첩, 명량 대첩 등의 전투에서 활약하였다. 또한 임진왜란 때 포로로 잡혀간 도공들이 일본의 도자기 문화 발전에 크게 기여하였다.

ㄱ. 인조는 병자호란 때 남한산성으로 피란하였다. ㄷ. 쓰시마섬 정벌은 세종 때의 사실이다.

04 청의 군신 관계 요구에 대한 거절로 인해 일어난 전쟁이라는 점에서 (가) 전쟁이 병자호란임을 알 수 있다. 병자호란이 일어나자 인조는 남한산성으로 피신하여 청군에 맞섰지만, 결국 청에 굴복하였다.

② 윤관의 건의로 별무반을 편성하여 여진을 정벌한 것은 고려 시기의 일이다. ③ 강홍립의 부대가 후금에 투항한 것은 광해군 시기의 일이다. ④ 송시열을 중심으로 북벌 운동이 제기된 것은 효종 시기의 일이다. ⑤ 곽재우 등의 의병 부대는 임진왜란 때 활약하였다.

05 자료는 조선 후기 국가의 최고 정책 결정 기구였던 비변사에 대한 묻고 답하기 내용이다. 비변사는 16세기 초 국경 방어를 위해 설치되었던 임시 기구였으나 을묘왜변으로 상설화되었고, 임진왜란을 거치면서 권한이 강화되었다.

①은 고려 원 간섭기의 도평의사사에 대한 설명이다. ②는 3사에 대한 설명이다. ③은 고려 최씨 무신 정권 때의 교정도감에 해당하는 내용이다. ④ 직능에 따라 정책을 나누어 맡은 것은 6조이다.

06 규장각을 설치한 왕은 정조이다. 정조는 젊고 재능 있는 관료들을 선발하여 규장각에서 학문을 연구하게 하는 초계문신제를 시행하였다. 또한 그는 친위 부대인 장용영을 설치하였으며, 수원 화성을 건설하기도 하였다.

바로알기 ㄱ, ㄷ. 균역법을 실시하고, 『속대전』을 편찬한 왕은 영조이다.

서술형 문제

07 (2) 예시답안 16세기 중반 정치의 주도권을 잡은 사림은 척신 정치의 잔재 청산과 이조 전랑의 임명 문제를 놓고 갈등하였다. 이 갈등으로 신진 사림을 중심으로 한 동인과 기성 사림을 중심으로 한 서인이 나뉘어 붕당을 형성하였고, 붕당 정치가 시작되었다.

채점 기준	배점
사건의 배경과 그 결과를 모두 서술한 경우	상
사건의 배경과 그 결과 중 한 가지만 서술한 경우	하

08 예시답안 영조는 환국의 전개 이후 붕당 간의 세력 균형이 무너지자 정치 세력 간의 균형을 유지하기 위해 탕평책을 실시하였다. 영조는 탕평파를 육성하고, 붕당의 기반인 서원을 정리하였으며, 3사의 관리를 추천하는 관행을 없애 이조 전랑의 권한을 약화시켰다.

채점 기준	배점
탕평책의 시행 배경을 쓰고, 개혁 방안을 두 가지 이상 서술한 경우	상
탕평책의 시행 배경을 쓰고, 개혁 방안을 한 가지만 서술한 경우	중
탕평책의 시행 배경만 서술한 경우	하

06 양반 신분제 사회와 상품 화폐 경제

1단계 개념 짚어 보기
본문 44쪽

01 (1) – ㉠ (2) – ㉣ (3) – ㉡ (4) – ㉢ **02** (1) 공인 (2) 균역법 (3) 영정법 **03** (1) 모내기법(이앙법) (2) 도고 (3) 상평통보 **04** (1) × (2) ○ (3) × **05** ㄴ, ㄷ **06** 홍경래의 난

2단계 내신 다지기
본문 44~47쪽

01 ②	**02** 신량역천	**03** ⑤	**04** ④	**05** ①
06 ⑤	**07** ⑤	**08** ③	**09** ①	**10** ②
11 ④	**12** ①	**13** ③	**14** ③	**15** ①

01 의원과 역관은 기술관으로서 중인 계층에 속하였다. 중인들은 전문 기술이나 행정 실무를 담당하고 직역을 세습하였다.

바로알기 ①은 양반에 대한 설명이다. ③은 시전 상인 등과 관련이 있다. ④는 공노비에 대한 설명이다. ⑤는 (지방) 양반에 대한 설명이다.

02 신량역천은 양인 신분이지만 수군·역졸 등의 천역을 담당하는 계층이었다.

03 (가)에 해당하는 신분은 노비이다. 노비는 천민에 속하였고, 재산으로 취급되어 매매, 상속, 증여의 대상이 되었다.

바로알기 ① 조선은 법제상 양인이면 과거 응시가 가능하였다. ② 서얼은 기술직 중인들과 같은 신분적 대우를 받았다. ③ 관청의 서리나 지방 향리들은 중인에 해당하였다. ④ 과거·음서·천거로 주요 관직을 차지한 신분은 양반이다.

04 (가)는 집집마다 토산물로 부과하던 공납을 쌀, 무명이나 베, 동전 등으로 납부하도록 바꾼 대동법이다. 대동법 실시로 정부에 관수품을 조달하는 공인이 등장하였다. 공인이 시장에서 물품을 대량으로 구매하면서 상품 화폐 경제가 발달하였다.

바로알기 ㄱ. 인조 때 전세로 토지 1결당 쌀 4~6두를 거두는 영정법이 시행되었다. ㄷ. 균역법을 시행하면서 부족한 세액은 선무군관포 등으로 보충하였다.

극비노트 **조선 후기 수취 체제의 개편**

대동법	• 배경: 방납의 폐단 심화 → 농민의 부담 가중 • 내용: 토지 결수에 따라 쌀(1결당 12두), 무명이나 베, 동전 등으로 징수 • 결과: 농민의 부담 감소, 공인 등장, 상품 화폐 경제 발달
영정법	• 내용: 풍흉에 관계없이 토지 1결당 쌀 4~6두 징수 • 결과: 지주의 전세 부담 감소, 각종 부가세 부과로 농민의 부담 증가
균역법	• 배경: 이중·삼중으로 군포 부과, 군역 이탈 농민 증가 → 농민의 군포 부담 과중 • 내용: 농민들의 군포 부담을 2필에서 1필로 줄여줌 → 부족한 재정은 결작(토지 1결당 쌀 2두)과 선무군관포, 어장세, 선박세, 염세 등을 징수하여 보충

05 자료는 군포 징수 과정에서 일어난 폐단을 지적한 내용으로, 영조 때 균역법을 시행하게 된 배경에 해당한다.
바로 알기 ② 탕평책은 정치 세력 간의 균형 유지를 위해 영조 때 본격적으로 실시하였다. ③ 6조 직계제는 왕이 의정부를 거치지 않고 6조에게 직접 명령하고 보고받는 조선의 정치 제도이다. ④ 숙종 때 환국이 여러 차례 행해지면서 붕당 정치가 변질되어 일당 전제화가 나타났다. ⑤ 정약용은 여전제를 실시해 토지 제도를 개혁하고 농촌 사회를 안정시키려 하였다.

06 (가)는 조선 후기에 확산된 농법인 모내기법(이앙법)이다. 모내기법의 확산으로 벼와 보리의 이모작이 가능해졌고, 쌀의 상품화가 촉진되었다. 또한 밭을 논으로 바꾸는 현상과 광작 현상이 나타났다.
바로 알기 ⑤ 권문세족의 농장 확대는 고려 후기에 있었던 사실이다.

07 자료는 상품 작물의 재배가 확산된 조선 후기의 상황을 보여 주고 있다. 당시에는 상업이 발달하면서 포구에서 선박을 이용하여 물건을 판매하는 경강상인이나 국가의 허락을 받지 않은 사상이 등장하였고, 국경에서의 대외 무역이 발달하였다. 또한 광산 개발 전문 경영인인 덕대가 물주의 자금을 지원받아 광산을 운영하였고, 상품 유통이 활발해지면서 상평통보가 전국적으로 유통되었다.
바로 알기 ⑤ 3포 왜란은 조선 전기 중종 때 발생한 사건이다.

08 자료는 박지원의 『허생전』으로, 주인공 허생의 활동은 조선 후기 독점적 도매상인인 도고의 상업 활동을 묘사한 것이다.
바로 알기 ①, ④, ⑤는 조선 전기에 해당하는 사실이다. ② 의창을 설치한 것은 고려 때이다.

09 제시된 사진은 공명첩이다. 공명첩은 이름이 비어 있는 관직 임명장이다. 임진왜란 이래로 공명첩이 다수 발급되어 조선 후기에 양반 수가 증가하였고, 이로 인해 조선 후기에는 양반 중심의 신분제가 동요하였다.
바로 알기 ② 성리학은 고려 때 보급되었다. ③은 조선 전기, ④는 조선 후기, ⑤는 조선 시대의 사실이지만 모두 공명첩과는 관계없는 내용이다.

10 제시된 자료는 기존 양반 세력인 구향과 부농층 출신인 신향이 대립한 향전 및 향회의 세력 약화에 대한 내용이다. 조선 후기에는 전통 사족인 구향이 약화되고, 향회는 수령의 세금 자문 기구로 전락하여 향촌 사회에서 양반의 권위가 하락하였다.
바로 알기 ①, ③, ④, ⑤는 모두 조선 전기의 향촌 사회에 대한 설명이다.

11 제시된 자료는 실학자인 박제가의 주장이다. 박제가는 상공업 중심의 개혁론자로, 청의 문물을 수용할 것과 상공업의 진흥을 주장하였다.
바로 알기 ① 여전론을 주장한 실학자는 농업 중심의 개혁론자인 정약용이다. ② 효종은 송시열, 이완 등과 함께 북벌 운동을 추진하였다. ③ 미륵 신앙은 조선 후기에 민간에서 유행한 사상이다. ⑤ 동학에 대한 설명이다.

12 밑줄 친 '이 종교'는 동학으로, 『동경대전』, 『용담유사』는 동학의 2대 교주인 최시형이 펴낸 경전이다. 동학은 사람이 곧 하늘이라는 인내천 사상을 바탕으로 인간 평등을 주장하였는데, 정부는 동학의 초대 교주인 최제우를 혹세무민 혐의로 처형하였다.
바로 알기 ㄷ, ㄹ. 17세기에 서학이라는 이름으로 전래된 천주교에 대한 설명이다.

13 (가) 종교는 조선 후기에 유입되어 유행한 천주교이다. 천주교는 내세에서의 영생, 이웃 사랑, 박애 정신 등을 강조하였고, 유교적 제사 의식을 거부하는 등 성리학적 질서를 무너뜨린다는 이유로 탄압받았다.
바로 알기 ①은 동학의 교리에 대한 설명이다. ②, ⑤는 조선 후기 실학에 대한 설명이다. ④는 삼국 시대 신라 불교에 대한 설명이다.

14 지도는 1811년에 일어난 홍경래의 난을 나타낸 것이다. 몰락 양반인 홍경래는 탐관오리의 수탈과 평안도 지역민에 대한 차별에 반대하여 난을 일으켰다.
바로 알기 ①은 고려 시대의 이자겸의 난에 해당한다. ②는 고려 시대 묘청의 난에 해당한다. ④는 임술 농민 봉기에 해당한다. ⑤는 고려 시대의 만적의 난 등에 해당한다.

극비 노트 조선 후기 농민 봉기의 발생

홍경래의 난(1811)	배경	평안도(서북) 지역민에 대한 차별, 세도 정치에 대한 불만
	전개	몰락 양반 홍경래를 중심으로 광산 노동자, 농민, 중소 상인 등이 합세하여 봉기 → 청천강 이북 지역 점령 → 5개월 만에 관군에게 진압됨(정주성 전투 패배)
	의의	세도 정권과 지방 수령에게 경각심을 불러일으킴
임술 농민 봉기(1862)	배경	삼정의 문란으로 인한 폐해 극심
	전개	경상 우병사 백낙신의 부정부패에 항의해 진주에서 몰락 양반 유계춘을 중심으로 봉기(진주 농민 봉기) → 전국으로 확대
	결과	봉기 수습을 위한 안핵사·암행어사 파견, 삼정의 문란 해결을 위해 삼정이정청 설치 → 농민 봉기의 근본적 원인을 파악하지 못해 성과를 거두지 못함
	영향	농민들의 저항 지속 → 농민의 사회의식 성장, 양반 중심의 통치 질서 붕괴

15 밑줄 친 '소동'은 임술 농민 봉기 중 진주 농민 봉기에 대한 내용이다. 진주 농민 봉기는 경상 우병사 백낙신의 부정부패에 반대하여 일어났다. 특히 삼정(전정, 군정, 환곡)의 하나인 환곡의 운영면에서 부정과 비리가 극심하였다.

3단계 등급 올리기

본문 48~49쪽

01 ④　　02 ①　　03 ⑤　　04 ④　　05 ③
06 ④　　07 ⑤　　08 (1) 도고 (2) 해설 참조
09 (1) 신향, 새롭게 양반으로 상승한 부농층 (2) 해설 참조

01 (가)는 양반, (나)는 중인과 같은 신분 대우를 받은 서얼이다. 조선 전기에 서얼은 문과에 응시할 수 없었다.
바로 알기 ① 신량역천으로 분류된 것은 칠반천역 등의 상민이었다. ② 양반 첩의 자식인 서얼은 중인에 해당한다. ③은 노비에 대한 설명이다. ⑤는 사노비 중 외거 노비에 대한 설명이다.

02 (가)는 대동법, (나)는 균역법에 대한 내용이다. 대동법 실시로 관청에서 필요한 물품을 조달하는 공인이 등장하여 상업 발달에 기여하였다.
바로 알기 ② 토지의 비옥도와 풍흉의 정도를 반영한 것은 세종 때부터 실시되었던 공법에 해당한다. ③, ④는 대동법에 관한 내용이다. ⑤ 권문세족이 대농장을 확대한 것은 고려 말의 사실이다.

03 자료는 조선 후기에 상공업의 활성화를 역설한 박제가의 주장이다. 이 시기에는 국가의 허락을 받지 않은 사상이 활동하였다. 또한 지주나 대상인들이 화폐를 재산 축적에 이용하여 동전이 유통되지 않아 시중에 동전이 부족해지는 전황이 발생하였다.
바로 알기 ㄱ. 『농사직설』이 편찬된 것은 조선 전기인 세종 때이다. ㄴ. 벽란도가 무역항으로 번성한 것은 고려 시대에 해당한다.

04 제시된 주장은 이익의 한전론과 정약용의 여전론에 관한 것이다. 이들은 조선 후기 토지 소유의 불균형을 농촌 문제의 원인으로 인식하고 토지 제도 개혁을 주장한 실학자였다.
바로 알기 ① 예송은 현종 때 발생한 예법 논쟁이다. ②는 통일 신라 말기의 일이다. ③은 영조의 업적에 해당한다. ⑤는 고려 시대의 서경 천도 운동에 해당한다.

05 밑줄 친 '이 화폐'는 조선 후기에 전국적으로 유통된 상평통보이다. 조선 후기에는 부유한 상민이 공명첩을 매입하는 등의 방법으로 신분 상승을 하여 양반의 인구가 점차 증가하였다. 서얼은 집단 상소 운동을 펼쳤고, 정조가 서얼을 규장각 검서관으로 임용하기도 하였다. 또한 정부는 양인 인구를 늘리기 위해 공노비를 해방하였다.
바로 알기 ③ 향촌에서 향회의 권한이 강화된 것은 조선 전기의 사실이다.

06 (가) 종교는 최제우가 창시한 동학이다. 동학은 사람이 곧 하늘이라는 인내천 사상을 주장하며, 인간 평등을 강조하고 신분제를 부정하였다.
바로 알기 ① 『정감록』은 조선 후기에 유행하였던 예언서이다. ②는 도교에 대한 설명이다. ③은 유교에 대한 설명이다. ⑤는 천주교에 대한 설명이다.

07 자료는 세도 정치 시기에 일어난 농민 저항으로, 진주, 밀양, 안동, 공주 등에서 발생한 것으로 보아 임술 농민 봉기임을 알 수 있다. 임술 농민 봉기는 삼정의 문란으로 농민의 불만이 높아지면서 발생하였다.
바로 알기 ① 만적의 난은 고려 무신 정권기에 발생하였다. ② 홍경래의 난은 평안도에서 일어났다. ③ 임진왜란 당시 전국 각지에서 의병이 일어났다. ④는 세도 정치 시기에 대한 내용이다.

서술형 문제

08 (2) **예시 답안** 18세기 말 정부가 육의전을 제외한 시전 상인의 금난전권을 폐지하는 통공 정책을 시행하면서 사상의 상업 활동이 더욱 자유로워져 도고가 성장할 수 있었다.

채점 기준	배점
통공 정책의 시행으로 사상의 활동이 자유로워져 도고가 성장하였다고 서술한 경우	상
사상의 활동이 자유로워져 도고가 성장하였다고만 서술한 경우	하

09 (2) **예시 답안** 신향과 구향이 대립한 향전의 과정 중 수령이 신향을 지원함으로써 향촌 사회에서 구향의 세력이 약화되었다. 또한 수령의 권한이 강화되어 향회는 수령의 세금 부과를 자문하는 기구로 전락하였다.

채점 기준	배점
구향의 세력 약화, 수령권의 강화, 향회의 기능 약화를 모두 서술한 경우	상
구향의 세력 약화, 수령권의 강화, 향회의 기능 약화 중 두 가지를 서술한 경우	중
구향의 세력 약화, 수령권의 강화, 향회의 기능 약화 중 한 가지만 서술한 경우	하

서구 열강의 접근과 조선의 대응

1단계 개념 짚어 보기
본문 51쪽

01 제국주의 **02** 비변사 **03** 호포제 **04** (1) ○ (2) × (3) ○
05 신미양요 **06** 척화비 **07** ㅁ - ㄴ - ㄹ - ㄷ - ㄱ

2단계 내신 다지기
본문 52~54쪽

01 ③	02 사회 진화론	03 ①	04 ⑤
05 ②	06 ⑤	07 ②	08 ②	09 ③
10 ⑤	11 ①	12 ②	13 ④	14 ⑤

01 밑줄 친 '정책'은 제국주의이다. 18세기 후반 유럽에서 독점 자본주의가 나타나고 배타적·침략적 민족주의가 대두하면서 서구 열강은 제국주의 정책을 추구하였다.
바로알기 ㄱ. 서구 열강의 제국주의 정책에 따라 청과 일본이 개항하였다. ㄹ. 백인 우월주의와 사회 진화론은 제국주의를 정당화하는 이론이다.

02 사회 진화론은 인간 사회에도 약육강식·적자생존의 법칙이 적용 가능하기 때문에 우월한 사회나 국가가 열등한 사회나 국가를 지배하는 것을 당연하다고 보았다. 이는 제국주의 국가의 식민 지배를 정당화하는 데 이용되었다.

03 (가)는 난징 조약, (나)는 미일 수호 통상 조약이다. 청은 난징 조약을 맺어 상하이 등 5개 항구를 개항하였다. 미일 수호 통상 조약으로 일본은 미국에 5개 항구를 개방하였고 영사 재판권을 허용하였다. 이와 같이 난징 조약과 미일 수호 통상 조약은 각각 청과 일본에 불리한 내용을 담은 불평등 조약이다.
바로알기 ① 난징 조약은 제1차 아편 전쟁의 결과 체결되었다.

04 양이가 황성(베이징)을 점령하였다는 내용을 통해 밑줄 친 사건이 제2차 아편 전쟁임을 알 수 있다. 제2차 아편 전쟁의 결과 청은 열강과의 중재를 주선한 러시아에 연해주를 할양하였다.
바로알기 ①, ②, ③, ④는 제1차 아편 전쟁의 결과이다.

극비 노트 중국과 일본의 개항

중국의 개항	• 난징 조약: 5개 항구 개항, 영국에 홍콩 할양
	• 톈진 조약·베이징 조약: 항구 개방, 외국 사절의 베이징 주재 허용
일본의 개항	• 미일 화친 조약: 2개 항구 개항, 미국에 최혜국 대우 인정
	• 미일 수호 통상 조약: 5개 항구 개항, 미국에 영사 재판권 허용

05 고종의 아버지라는 내용을 통해 (가) 인물은 흥선 대원군임을 알 수 있다. 흥선 대원군은 왕권 강화를 위해 세도 가문을 축출하고 인재를 고루 등용하였으며, 의정부와 삼군부의 기능을 회복하였다. 또한 『대전회통』과 『육전조례』 등의 법전을 편찬하였다. 이양선에 대비하기 위해 수군을 강화하고 신무기 제조에도 힘을 기울였다.

바로알기 ② 흥선 대원군은 세도 정치의 핵심 권력 기구인 비변사를 사실상 폐지하였다.

06 밑줄 친 '이 화폐'는 당백전이다. 흥선 대원군은 왕실의 위엄을 세우기 위해 경복궁 중건 사업을 추진하였고, 이 과정에서 공사비를 충당하기 위해 고액 화폐인 당백전을 발행하였다.
바로알기 ① 조선 후기에 대동법이 실시되면서 정부에 물품을 조달하는 공인이 성장하면서 상업과 수공업이 발달하게 되었다. ② 청이 아편 전쟁에서 패배하였다는 소식이 전해지면서 조선에서는 사회적 불안감이 확산되었다. ③, ④ 세도 정치와 삼정의 문란으로 전국적으로 일어난 농민 봉기는 흥선 대원군이 삼정의 폐단을 개혁하는 배경이 되었다.

07 제시된 자료는 서원의 폐단을 개선하기 위해 서원을 정리한 흥선 대원군의 정책을 보여 준다. 흥선 대원군은 민생 안정을 내세워 양반의 근거지인 서원을 47개소만 남기고 모두 철폐하였다. 양반 유생들은 서원 철폐에 격렬히 반발하였고, 이는 흥선 대원군이 정권에서 물러나는 배경이 되기도 하였다.
바로알기 ② 흥선 대원군은 서원의 면세 규정을 폐지하고 사액 서원을 수령이 직접 주관하도록 하였다.

08 (가) 제도는 호포제이다. 흥선 대원군은 국가 재정을 확충하기 위해 호포제를 실시하여 상민에게만 거두던 군포를 양반에게도 징수하였다.
바로알기 ① 호포제 실시 이후 양반의 군포 부담은 증가하였다. ③은 균역법, ④는 사창제, ⑤는 대동법에 대한 설명이다.

09 흥선 대원군은 환곡의 폐단을 해결하기 위해 민간에서 자율적으로 곡식을 대여해 주도록 하는 사창제를 실시하였다.
바로알기 ① 과전법은 고려 말에 실시되었다. ② 당백전은 경복궁 중건에 필요한 경비 마련을 위해 발행한 화폐이다. ④ 삼군부는 군사 업무를 총괄하던 최고 기관으로, 조선 초기에 한때 설치되었던 것을 흥선 대원군이 다시 부활시켰다. ⑤ 호패법은 태종 때부터 시행되었다.

극비 노트 흥선 대원군의 개혁 정책

통치 체제의 재정비	• 세도 가문 축출, 당파 관계없이 인재 등용 • 비변사 축소 → 의정부와 삼군부 기능 부활 • 법전 편찬(『대전회통』, 『육전조례』 등) • 군사력 강화(수군 강화, 신무기 제조) • 경복궁 중건 → 원납전 징수, 당백전 발행, 통행세 징수, 양반 묘지림 벌목 등 실시
민생 안정책	• 서원 철폐 → 전국에 47개소만 남김 • 삼정 개혁(양전 사업, 호포제, 사창제)

10 지도는 병인양요(1866)의 전개 과정을 나타낸 것이다. 흥선 대원군은 천주교를 금지하라는 여론이 높아지자 프랑스 선교사 9명과 신자 8천여 명을 처형하였다(병인박해, 1866). 같은 해 프랑스는 병인박해를 구실로 강화도를 침략하여 병인양요를 일으켰다.
바로알기 ①은 신미양요가 일어나게 된 배경이다. ② 오페르트의

남연군 묘 도굴 미수 사건(1868)은 병인양요 이후에 일어났다. ③은 신미양요 이후의 일이다. ④ 병인양요 때 퇴각하던 프랑스군이 외규장각 도서 등을 약탈하였다.

11 '양헌수의 부대가 정족산성에서 외적을 물리쳤다', '외적이 외규장각의 책을 훔쳐갔다'라는 내용을 통해 연극의 배경이 되는 사건이 프랑스가 강화도를 공격한 병인양요임을 알 수 있다.
바로 알기 ② 러시아는 연해주를 차지하여 조선과 국경을 마주하자 조선에 수차례 통상을 요구하였다. ③은 신미양요 중에 있었던 일이다. ④는 경복궁 중건, 서원 철폐 등의 정책과 관련이 있다. ⑤는 제너럴셔먼호 사건에 대한 설명이다.

12 '미국 상선이 평양에서 소란을 피우자 관민들이 상선을 불태웠다'라는 내용을 통해 (가) 사건이 제너럴셔먼호 사건임을 알 수 있다. 그리고 독일 상인 오페르트가 흥선 대원군의 아버지인 남연군의 묘를 도굴하려고 하였다는 내용을 통해 (나) 사건은 오페르트의 남연군 묘 도굴 미수 사건임을 알 수 있다. ② 미국은 제너럴셔먼호 사건을 빌미로 삼아 1871년 조선에 군함을 보내 강화도를 침략하여 신미양요를 일으켰다.
바로 알기 ① 신미양요 때 어재연 부대가 광성보에서 미군에 항전하였으나 결국 패하였다. ③ 두 차례의 양요를 겪으면서 흥선 대원군은 통상 수교 거부 정책을 널리 알리기 위해 전국 각지에 척화비를 세웠다. ④ 흥선 대원군은 러시아 견제를 위해 프랑스와 교섭을 시도하였으나 뜻대로 되지 않았다. 게다가 천주교를 금지하자는 여론이 고조되자 흥선 대원군은 천주교 신자들을 처형하는 병인박해를 일으켰다. ⑤ 오페르트의 남연군 묘 도굴 미수 사건으로 조선의 통상 수교 거부 정책이 더욱 강화되었다.

13 제시된 자료는 신미양요(1871)의 전개 과정을 나타낸 지도이다. 미국은 제너럴셔먼호 사건을 구실로 강화도를 침략하였다.
바로 알기 ①, ②는 병인양요에 해당한다. ③ 병자호란 이후 청이 명을 멸망시키자 조선이 중화 문명의 후계자라고 자부하는 조선 중화주의가 나타났다. ⑤ 흥선 대원군은 왕권을 강화하여 정치 질서를 재정비하고자 비변사를 축소시키고 의정부와 삼군부의 기능을 부활시켰다.

14 외규장각 의궤는 병인양요 때 프랑스군이 외규장각에서 약탈한 것이며, 광성보는 신미양요와 관련이 있다. 19세기 말 조선은 프랑스와 미국 등 서양 세력의 침입에 맞서 항전하며 이를 물리쳤다.
바로 알기 ① 정조의 탕평 정책은 흥선 대원군 집권 이전에 실시되었다. ② 제시된 자료는 서양 세력의 조선 침략과 흥선 대원군의 대외 정책만 다루고 있다. ③ 제시된 자료는 조선의 신분제 변화를 다루고 있지 않다. ④ 조선 후기 북벌 운동은 16~17세기에 전개되었다가 이후에 쇠퇴하였다.

01 ⑤   02 ⑤   03 ③   04 (1) 흥선 대원군
(2) 해설 참조

01 제시된 삽화는 원납전 징수와 당백전 발행에 대한 백성의 불만을 보여 준다. 흥선 대원군은 경복궁 중건에 필요한 재원을 마련하고자 백성에게 원납전을 징수하였으며, 당백전을 발행하였다.
바로 알기 ①, ②, ④ 흥선 대원군은 민생 안정과 재정 확충 등을 목적으로 서원 철폐, 삼정의 개혁을 실시하였다. ③ 흥선 대원군은 비변사를 축소·폐지하고 의정부와 삼군부를 부활하여 통치 체제를 재정비하였다.

02 대화창에서 서원 철폐, 병인년 천주교도 박해(병인박해) 등의 내용을 통해 (가) 인물은 흥선 대원군임을 알 수 있다. ⑤ 흥선 대원군은 『대전회통』, 『육전조례』 등의 법전을 편찬하여 통치 체제를 재정비하였다.
바로 알기 ①은 통일 신라의 신문왕, ②는 조선의 정조, ③은 고려의 서희, ④는 고려의 최충헌에 대한 설명이다.

03 첫 번째 사건은 1866년 9월에 일어난 병인양요, 두 번째 사건은 1871년에 일어난 신미양요이다. 1868년에 오페르트 일행은 흥선 대원군의 아버지인 남연군의 묘를 도굴하려 하였다.
바로 알기 ①은 1866년 7월에 일어난 제너럴셔먼호 사건이다. ②는 신미양요 이후의 일이다. ④ 흥선 대원군이 연해주에 진출한 러시아를 견제하기 위해 프랑스 선교사를 통해 프랑스와 교섭을 시도하였다. 그러나 프랑스와의 교섭이 실패로 돌아가고, 천주교 금지 여론이 고조되자 흥선 대원군은 병인박해를 일으켰다. 병인박해는 병인양요의 배경이 되었다. ⑤는 병인양요 때 프랑스군의 1차 침입에 대한 설명이다. 양화진까지의 수로를 탐색하고 돌아간 프랑스는 강화도를 공격하였다.

서술형 문제

04 (2) **예시 답안** 흥선 대원군의 통상 수교 거부 정책은 서양 세력의 침략을 일시적으로 저지하였으나, 조선의 근대화를 지연하였다는 평가를 받기도 한다.

채점 기준	배점
통상 수교 거부 정책의 의의(서양 세력의 일시적 침략 저지)와 한계(조선의 근대화 지연)를 모두 서술한 경우	상
통상 수교 거부 정책의 의의와 한계 중 한 가지만 서술한 경우	하

01 운요호 사건　**02** 최혜국 대우　**03** (1) – ㉡　(2) – ㉢　(3) – ㉠
04 위정척사 운동　**05** 임오군란　**06** ㉠ 양무운동　㉡ 문명개화론
07 (1) ○　(2) ✕　(3) ○

01 ③	**02** ⑤	**03** ④	**04** ①	**05** ④
06 ②	**07** ⑤	**08** ③	**09** 조선책략	**10** ⑤
11 ②	**12** ④	**13** ⑤	**14** ④	**15** ④
16 ⑤	**17** ⑤			

01 제시된 자료는 중국의 전통적인 체제는 유지하면서 서양의 과학과 기술을 도입하여 부국강병을 추구하자는 이홍장의 주장이다. 이는 중체서용을 바탕으로 근대화 정책을 추진한 양무운동과 관련이 있다.
바로알기 ①은 위정척사 운동에 대한 설명이다. ② 양무운동은 정치 제도의 개혁을 추구하지 않았다. ④는 메이지 유신에 대한 설명이다. ⑤ 양무운동은 지방관들이 지역별로 추진하는 등 통일성이 없었으며, 근본적인 제도의 개혁 없이 서양의 기술을 받아들이는 방식으로 이루어져 뚜렷한 성과를 거두지 못하였다.

02 메이지 정부는 부국강병과 문명개화를 내세우며 근대 개혁을 추진하였다(메이지 유신, 1868). 이 시기에 신분제를 폐지하고 국민에게 납세 의무를 지게 하였으며 의무 교육을 실시하였다. 또한 징병제를 실시하여 근대적 군사 제도를 마련하였으며, 미국과 유럽에 이와쿠라 사절단을 파견하였다.
바로알기 ⑤ 에도 막부는 임진왜란 이후 수립되었다. 일본에서는 개항 이후 에도 막부가 몰락하고 천황을 중심으로 하는 메이지 정부가 수립되었다.

03 박규수와 오경석은 청을 왕래하며 서양 기술의 우수성을 경험하고 문호 개방의 필요성을 역설한 개국 통상론자이다. 개국 통상론자들은 젊은 양반 자제들에게 세계정세와 서구 문물을 소개하였고, 조선도 자주적으로 문호를 개방하고 서양 문물을 받아들일 것을 역설하였다. 김옥균을 비롯한 젊은 양반 자제들은 개항 이후 개화파라 불리는 세력을 형성하였다.
바로알기 ①은 농업 중심 개혁론을 내세운 실학자들의 주장이다. 개국 통상론은 북학파 실학자들의 사상을 이어받았다. ②는 위정척사 운동에 대한 설명이다. ③ 통상 수교 거부 정책을 추진하던 흥선 대원군과 달리 개국 통상론자들은 자주적으로 문호를 열고 서양의 문물을 받아들여 부국강병을 이루어야 한다고 주장하였다. ⑤ 흥선 대원군은 왕실의 권위를 높이고 서양 세력을 배격하는 정책을 실시하였다.

04 (가)는 운요호 사건이다. 일본은 1875년 운요호를 강화도로 보내 무력시위를 전개하며 조선에 개항을 요구하는 운요호 사건을 일으켰다. 결국 조선 정부는 일본과 강화도 조약을 체결하고 문호를 개방하였다(1876).
바로알기 ②는 갑신정변(1884)에 대한 설명이다. ③ 정한론 대두는 운요호 사건의 배경이 되었다. ④, ⑤는 임오군란(1882)에 대한 설명이다.

05 제시된 자료는 강화도 조약(조일 수호 조규)이다. 강화도 조약은 조선이 외국과 맺은 최초의 근대적 조약이었으며, 영사 재판권(치외 법권)·해안 측량권 등을 인정한 불평등 조약이었다. 또한 강화도 조약 1조에는 조선에 대한 청의 간섭을 배제하려는 의도가 들어가 있었다.
바로알기 ㄱ은 한성 조약에 대한 설명이다. ㄷ. 강화도 조약에는 관세와 관련된 규정이 없다. 강화도 조약의 부속 조약인 조일 무역 규칙에서는 일본 선박의 항세를 면제한다는 규정이 있으며, 조약 체결 이후 양국은 수출입 상품에 대한 무관세를 허용하였다.

06 첫 번째 자료는 조일 수호 조규 부록, 두 번째 자료는 조일 무역 규칙이다. 조일 수호 조규 부록에는 일본인의 거류지를 설정하고(제4관), 개항장에서 일본 화폐의 유통을 허용한다는 조항(제7관)이 포함되었다. 또한 조일 무역 규칙은 쌀과 잡곡의 수출입 허용(제6칙)과 무항세를 규정(제7칙)하였다. 이에 따라 조선에서 일본 상인이 활동이 유리해져 일본 상품이 조선에 많이 유입되었다.
바로알기 ②는 강화도 조약 제7조에 따른 변화이다.

07 제시된 자료는 조미 수호 통상 조약이다. 조미 수호 통상 조약은 조선이 서양 국가와 체결한 최초의 근대적 조약으로, 거중 조정과 관세 부과 조항을 포함하였으나 최혜국 대우와 치외 법권을 인정한 불평등 조약이었다. 청은 조선에 대한 종주권을 확인하고 러시아와 일본을 견제하기 위해 조선과 미국의 조약 체결을 알선하기도 하였다.
바로알기 ⑤ 조선은 천주교를 공인하는 문제를 놓고 대립하여 프랑스와의 수교가 지연되기도 하였다.

08 조선 정부는 일본에 조사 시찰단, 청에 영선사 등 사절단을 파견하고 신식 군대인 별기군을 창설하였다. 별기군과의 차별에 불만을 품은 구식 군대 군인들이 임오군란을 일으켰다.
바로알기 수신사는 일본에 파견된 사절단이고, 통리기무아문은 개화 정책을 총괄하는 기구이다. 갑신정변은 급진 개화파가 근대 국가 수립을 도모하며 일으킨 사건이며, 위정척사 운동은 유생들을 중심으로 일어난 개항 및 개화 정책 반대 운동이다.

09 일본에 다녀온 2차 수신사 김홍집이 청의 외교관 황준헌이 쓴 『조선책략』을 조선에 유포하였다. 『조선책략』에서는 러시아의 남하 정책에 대응하기 위해 조선이 청, 일본, 미국과 긴밀한 관계를 형성하여 자강을 도모해야 한다고 주장하였다.

10 제시된 자료는 1881년 청에 파견된 영선사에 대한 내용이다. 조선 정부는 영선사 김윤식과 유학생, 기술자들을 청에 파견하여 근대식 무기 제조법과 군사 훈련법을 습득하도록 하였다.

11 조선 정부는 개화 정책을 총괄하기 위해 통리기무아문을 설치하고 아래에 12사를 두어 실무를 담당하도록 하였다. 또한 군제를 개편하여 5위를 무위영과 장어영의 2영으로 통합하였으며, 신식 군대인 별기군을 설치하여 근대식 군사 훈련을 실시하였다. 이 시기에 조선 정부는 화폐를 주조하는 전환국, 근대식 무기를 제조하는 기기창, 인쇄·출판을 담당하는 박문국, 우편 사무를 전담하는 우정총국 등의 근대 시설도 설치하였다.

바로알기 ②는 흥선 대원군 집권기에 실시한 정책이다.

12 (가)는 1860년대에 이항로 등이 전개한 통상 반대 운동을 보여 준다. 이 시기에는 조선에 천주교가 확산되었으며, 프랑스와 미국 등 서구 열강이 조선에 통상을 요구하였다. (나)는 1880년대에 작성된 영남 만인소로, 조선이 러시아를 견제하기 위해 미국, 일본과 수교해야 한다는 『조선책략』의 내용에 반발하는 내용을 담고 있다. 이 시기에는 정부가 개화 정책을 실시하고 일본, 청 등에 사절단을 파견하여 근대 문물을 시찰하였다.

바로알기 ④ 일본은 1875년 조선에 운요호를 보내 통상을 요구하며 무력시위를 벌였다.

13 제시된 내용은 제물포 조약의 규정이다. 일본은 임오군란 때 일본 공사관이 습격받은 일을 구실로 조선과 제물포 조약을 체결하고 조선에 군대를 주둔시켰다.

바로알기 ①, ②는 갑신정변(1884) 이후 체결된 조약이다. ③ 강화도 조약은 1876년 조선이 일본과 맺은 통상 조약으로, 조선이 외국과 체결한 최초의 근대적 조약이다. ④ 베이징 조약(1860)은 제2차 아편 전쟁 이후 청이 서구 열강과 체결한 강화 조약이다.

14 도표의 (가) 세력은 급진 개화파, (나) 세력은 온건 개화파이다. 임오군란 이후 개화 추진 방식과 외교 정책을 둘러싸고 개화파 간 의견 대립이 발생하였다. 결국 개화파는 김옥균을 중심으로 하는 급진 개화파와 김윤식 등이 속한 온건 개화파로 분화되었다. 급진 개화파는 메이지 유신을 개화 모델로 삼고 문명개화를 표방하며 급진적 개혁을 추구하였다. 온건 개화파는 양무운동을 개화 모델로 삼아 동도서기론에 입각한 점진적 개혁을 추구하였다.

바로알기 ㄱ. 급진 개화파는 청의 내정 간섭을 비판하고, 청으로부터 자주독립을 이루어야 한다고 주장하였다. ㄷ. 온건 개화파는 청의 양무운동을 본받아 전통적 유교 질서를 지키면서 서양의 과학 기술만을 수용하고자 하였다.

15 제시된 지도는 갑신정변의 전개 과정을 보여 주고 있다. 갑신정변은 청이 신속하게 개입하여 정변을 진압하고, 일본군이 약속을 어기고 철수하면서 3일 만에 막을 내렸다. 그 과정에서 일본 공사관이 불타고 일본인 사상자가 생기자 일본은 조선에게 책임을 물어 한성 조약을 맺고 배상금과 공사관 신축비를 받았다.

16 제시된 개혁안은 급진 개화파가 갑신정변을 일으킨 직후 발표한 14개조 개혁 정강이다. 개혁안에는 청의 간섭에서 벗어나 내각제를 수립하여 근대 국가를 건설하려는 급진 개화파의 생각이 담겨 있다. 또한 문벌을 폐지하고 인민 평등권을 제정한 것에서 평등 사회도 지향하였음을 알 수 있다. 급진 개화파들은 지조법을 개혁하여 국가 재정을 확충하고자 하였으며, 국가 재정을 모두 호조에서 관할하게 하여 재정 업무를 일원화하고자 하였다.

바로알기 ⑤ 14개조 개혁 정강에는 토지 제도 개혁안이 포함되지 않았다. 제3항의 지조법은 토지에서 발생한 이익에 세금을 거두는 방식을 규정한 법이다.

17 제시된 자료는 유길준의 조선 중립화론에 대한 내용이다. 갑신정변 직후 영국이 거문도를 점령하는 등 조선을 둘러싸고 청과 일본, 영국과 러시아가 각축을 벌이자, 미국 유학에서 돌아온 유길준은 조선을 중립국으로 만들자는 조선 중립화론을 제기하였다.

3단계 등급 올리기
본문 62~63쪽

01 ② **02** ⑤ **03** ② **04** ⑤ **05** ③
06 ② **07** (1) (가) 강화도 조약(조일 수호 조규) (나) 조미 수호 통상 조약 (2) 해설 참조 **08** (1) 양무운동 (2) 해설 참조

01 (가)는 영사 재판권(치외 법권), (나)는 거중 조정이다. 강화도 조약, 조청 상민 수륙 무역 장정, 조미 수호 통상 조약에는 모두 영사 재판권이 규정되어 있다. 또한 강화도 조약과 제물포 조약에는 거중 조정이 규정되어 있지 않다.

극비노트 조약에 자주 나오는 주요 용어

거중 조정	조약을 맺은 국가가 제3국과 분쟁이 있을 경우 조약을 맺은 상대국이 중간에서 해결을 추진할 의무 → 조미 수호 통상 조약에 규정
영사 재판권	외국인이 현재 거주하는 국가의 법을 적용받지 않고 자국의 영사에게 재판을 받을 권리(치외 법권) → 강화도 조약, 조미 수호 통상 조약, 조청 상민 수륙 무역 장정에 규정
최혜국 대우	다른 국가에 주어진 가장 유리한 대우를 조약을 체결한 상대국에게도 적용하는 권리 → 조미 수호 통상 조약 등 서양 열강과 체결한 통상 조약에 규정

02 1883년에 홍영식, 민영익, 유길준 등이 사절단으로 참여하였던 점을 미루어 수행 평가 보고서의 주제가 보빙사임을 알 수 있다. 조미 수호 통상 조약 체결 이후 고종은 미국이 조선에 공사를 보낸 것에 대한 답례로 1883년 미국에 보빙사를 파견하였다.

①은 2차 수신사에 대한 설명이다. ②, ③은 영선사와 관련된 설명이다. ④ 보빙사는 통리기무아문 설치 이후에 파견되었다.

03 서양의 종교는 배척하고 기계는 수용하자는 내용을 통해 (가)는 온건 개화파의 주장임을 알 수 있다. (나)는 왜양일체론의 내용으로, 위정척사 운동을 전개한 최익현의 주장임을 유추할 수 있다. 김윤식 등의 온건 개화파와 최익현 등의 보수적 유생층은 공통적으로 전통적인 사회 질서를 지켜야 한다고 주장하였다. 그러나 온건 개화파는 서양의 과학 기술만은 수용하여 점진적인 개혁을 이루어야 한다고 주장하였고, 최익현 등은 서양 문물의 유입을 경계하였다.

②는 김옥균 등 급진 개화파에 대한 설명이다.

04 밑줄 친 '이 사건'은 임오군란이다. 청은 임오군란을 진압한 뒤 조선에 군대를 주둔시키고, 마건상과 묄렌도르프를 고문으로 파견하여 조선의 내정과 외교 문제에 간섭하였다. 또한 조청 상민 수륙 무역 장정을 체결하여 조선에 경제적 침투를 강화하였다.

① 비변사는 흥선 대원군 집권기에 사실상 폐지되었다. ② 병인박해는 흥선 대원군 집권기인 1866년에 일어났다. ③ 영선사는 임오군란 이전인 1881년 청에 파견되었다. ④ 갑신정변(1884)의 결과 한성 조약이 체결되었다.

극비 노트 개화 정책의 추진과 반발

1876년	• 강화도 조약 체결, 1차 수신사 파견(김기수) • 최익현 등 위정척사 운동 전개(개항 반대 운동)
1880년	• 2차 수신사 파견(김홍집), 통리기무아문 설치 • 이만손 등 위정척사 운동 전개(개화 반대 운동)
1881년	일본에 조사 시찰단 파견, 청에 영선사 파견(김윤식), 군제 개편(5군영 → 무위영·장어영, 별기군 창설)
1882년	• 청의 알선으로 조미 수호 통상 조약 체결 • 임오군란 발발 → 통리기무아문·별기군 폐지
1883년	미국에 보빙사 파견, 기기창·전환국·박문국 설립
1884년	• 조러 수호 통상 조약 체결, 우정총국 설립 • 갑신정변 발발 → 실패 → 김옥균 등 일본으로 망명

---

05 지도의 (가)는 청, (나)는 러시아, (다)는 일본이다. 청은 임오군란과 갑신정변을 거치며 조선에 대한 영향력을 강화하였다. 갑신정변이후 청과 일본은 톈진 조약을 체결하여 조선에 군대를 파견할 때상대국에 미리 통보하도록 규정하였는데, 이는 이후 청일 전쟁이일어나는 원인이 되었다. 한편 고종은 청을 견제하기 위해 러시아와 비밀 협약을 체결하려 하였다. 그러자 영국이 러시아의 남하를견제한다는 명분을 내세워 거문도를 불법으로 점령하였다.

③ 조선을 중립국으로 만들자는 주장은 조선 주재 독일부영사 부들러와 조선의 유길준이 제기하였다.

06 갑신정변 이후 고종은 열강의 대립이 거센 상황에서 개화 정책을 펼쳤다. 그는 내무부를 설치하여 군사, 재정, 외교 등의 업무를 맡게 하였고 박문국을 재설치하여 한성주보를 간행하였다. 육영공원, 연무 공원을 설립하여 외국인 교사와 군사 교관을 초빙하였으며 미국에 공사관을 세워 청의 간섭에서 벗어나고자 하였다.

② 기기창은 1883년 설립되었다.

서술형 문제

07 (2) **예시 답안** 18세기 이후 조선은 근대적 조약을 체결하고 문호를 개방하였다. 이 시기 조선이 외국과 맺은 조약은 (가)의 영사재판권이나 (나)의 최혜국 대우를 인정하는 불평등한 조약이었다.

채점 기준	배점
18세기 이후 조선이 외국과 맺은 조약의 불평등성을 (가), (나) 조항과 연관 지어 서술한 경우	상
18세기 이후 조선이 외국과 맺은 조약의 불평등성만을 서술한 경우	중
(가)에 영사 재판권, (나)에 최혜국 대우 조항이 규정되었다고만 서술한 경우	하

08 (2) **예시 답안** 중국의 양무운동을 본받은 온건 개화파는 전통제도와 사상을 지키면서 서구의 근대 기술을 받아들이자는 동도서기론을 주장하였다.

채점 기준	배점
(1)의 근대화 운동을 본받은 정치 세력(온건 개화파)과 이들의 주요 주장(동도서기론)을 모두 서술한 경우	상
정치 세력(온건 개화파)과 주요 주장(동도서기론) 중 한 가지만 서술한 경우	하

1단계 개념 짚어 보기 본문 65쪽

01 (1) 황룡촌 (2) 집강소 (3) 탁지아문 **02** 단발령 **03** (1) × (2) ○ (3) ○ **04** 아관 파천 **05** 독립신문 **06** 구본신참 **07** (1) ㄴ (2) ㄱ (3) ㄷ

2단계 내신 다지기 본문 66~68쪽

01 ③	**02** ②	**03** ②	**04** ⑤	**05** ③
06 ③	**07** ①	**08** ①	**09** ②	**10** ④
11 ④	**12** ②	**13** 지계		

01 충청도 보은에서 일어난 집회라는 점, 교조 최제우의 억울함을 풀어 주고 포교의 자유를 얻어야 한다고 주장한 점 등을 통해 제시된 가상 일기는 교조 신원 운동의 상황임을 알 수 있다. 교조 신원 운동은 보은·금구 집회에서부터 탐관오리 처벌, 외세 배척 등의 구호가 제기되어 점차 정치적인 성격을 띠게 되었다.
바로 알기 ①은 아관 파천, ②는 병인박해, ④는 고부 농민 봉기, ⑤는 영남 만인소 사건에 대한 설명이다.

02 (가)에는 황토현 전투(1894. 4.) 이전의 내용이 들어가야 한다. 고부의 접주였던 전봉준은 고부 군수 조병갑의 학정에 저항하기 위해 사발통문을 돌려 봉기를 계획하였고, 1894년 1월 고부 농민 봉기를 일으켰다.
바로 알기 ①은 갑신정변에 대한 설명이다. ③ 동학의 창시자는 최제우이다. ④는 임오군란에 대한 설명이다. ⑤는 동학 농민군의 제2차 봉기에 대한 설명이다.

03 보국안민과 제폭구민의 사상이 담긴 것을 통해 제시된 자료는 농민군이 제1차 봉기 때 백산에서 발표한 격문임을 유추할 수 있다. 제1차 봉기 때 농민군은 황토현·황룡촌에서 관군을 격파하고 전주성을 점령하였다. 전주성 함락에 놀란 정부는 청에 지원을 요청하였다. 청군이 조선에 상륙하자 일본군도 톈진 조약과 거류민 보호를 구실로 조선에 상륙하였다. 이에 농민군은 폐정 개혁을 조건으로 정부와 화약을 맺었다.
바로 알기 ㄴ은 갑신정변 직후의 상황이다. ㄹ은 제1차 봉기의 배경이다.

04 지도는 제2차 동학 농민 운동의 전개 과정을 보여 준다. 손병희가 이끄는 북접 농민군과 전봉준이 이끄는 남접 농민군은 논산에 집결한 후 북상하여 관군과 일본군에 맞섰으나, 공주 우금치 전투에서 패하였다.
바로 알기 ① 삼정이정청은 임술 농민 봉기(1862)의 영향으로 설치되었다. ②는 을미의병(1895), ③은 홍경래의 난(1811)에 대한 설명이다. ④는 전주 화약을 체결한 상황과 관련이 있다.

05 군국기무처는 제1차 갑오개혁을 이끌었다. 제1차 갑오개혁 때는 차별적 신분 제도를 없애고 노비제를 폐지하였으며, 가혹한 고문 및 연좌제도 폐지하였다.
바로 알기 ①, ④, ⑤는 제2차 갑오개혁에 대한 설명이다. ② 내장원은 광무개혁 때 설치한 재정 기구이다.

06 제시된 자료는 고종이 1894년 12월에 제정한 홍범 14조이다. 김홍집·박영효 연립 내각이 수립된 후 고종은 제2차 갑오개혁의 기본 방향을 담은 홍범 14조를 발표하였다.
바로 알기 ① 내무부는 갑신정변 이후 고종이 자주적 개화 정책의 일환으로 설치한 기구이다. ② 폐정 개혁안은 동학 농민군이 제시한 개혁안이다. ④ 교정청은 제1차 갑오개혁 이전에 설치되었다. ⑤ 흥선 대원군은 임오군란(1882)을 계기로 재집권하였으나 1개월 만에 실각하였다.

07 밑줄 친 '개혁'은 을미사변 이후 추진된 제3차 갑오개혁(을미개혁)이다. 제3차 갑오개혁 때 조선 정부는 '건양' 연호 사용, 중앙에 친위대·지방에 진위대 설치, 태양력 사용, 종두법과 단발령 실시 등의 개혁을 추진하였다.
바로 알기 ① 경무청은 제1차 갑오개혁 때 설치되었다.

08 (가) 전쟁은 청일 전쟁(1894~1895)이다. 청일 전쟁 발발 직후 조선은 군국기무처를 설치하여 제1차 갑오개혁을 시작하였다. 이때 8아문제를 실시하고 조세 항목을 지세와 호세로 통합하였다. 청일 전쟁에서 승기를 잡은 일본이 조선의 내정에 간섭하자 동학 농민군은 제2차 봉기를 일으켰으며, 일본군은 관군과 연합하여 공주 우금치 등에서 농민군을 공격하였다. 이후 전봉준 등 농민군 지도자를 체포하면서 동학 농민 운동을 진압하였다. 청일 전쟁은 제2차 갑오개혁이 진행되었던 1895년 3월에 청과 일본이 시모노세키 조약을 맺으면서 마무리되었다.
바로 알기 ① 소학교는 제3차 갑오개혁(을미개혁) 때 설립되었다.

극비 노트 동학 농민 운동과 갑오개혁의 진행

1894년	• 1월: 고부 농민 봉기 발발 • 3월: 동학 농민군의 제1차 봉기 발발 • 4월: 황토현 전투 → 황룡촌 전투 → 전주성 점령 • 5월: 청군·일본군이 조선에 상륙 → 전주 화약 체결, 집강소 설치 • 6월: 정부의 교정청 설치 → 일본군의 경복궁 점령 → 청일 전쟁 발발 → 군국기무처 설치, 제1차 갑오개혁 시작 • 9월: 동학 농민군의 제2차 봉기 발발 • 11월: 우금치 전투 • 12월: 홍범 14조 제정, 제2차 갑오개혁 시작
1895년	• 3월: 시모노세키 조약 체결(청일 전쟁 종료) → 삼국 간섭 • 8월: 을미사변 → 제3차 갑오개혁(을미개혁) 시작

09 (가) 단체는 독립 협회이다. 독립 협회는 만민 공동회를 열고 러시아의 이권 침탈을 규탄하는 자주 국권 운동을 전개하여 러시아의 절영도 조차 요구를 저지하였다. 또한 정부 대신들까지 참석하는 관민 공동회를 개최하여 헌의 6조를 결의하였다.
바로 알기 ㄴ. 황국 협회는 고종 황제의 측근 세력이 결성한 조직으로, 황제의 명을 받아 만민 공동회를 습격하였다. ㄹ. 서재필이 개화 관료 및 지식인들과 함께 독립 협회를 창립하였다.

10 제시된 건의안은 헌의 6조이다. 독립 협회는 정부 관리들이 참여한 관민 공동회에서 헌의 6조를 채택하였다. 헌의 6조에는 황제의 권한 제한, 민권 신장과 관련된 조항이 포함되었다.

바로알기 ①은 갑신정변의 개혁 정강, ②는 홍범 14조에 대한 설명이다. ③ 신분제 폐지는 제1차 갑오개혁 때 이루어졌다. ⑤ 헌의 6조에는 토지 제도에 대한 개혁 내용이 없다.

11 밑줄 친 '자료'는 대한국 국제이다. 대한국 국제에서는 황제가 군통수권(제3조), 입법·사법·행정권(제6조) 등 모든 권한을 갖는다고 규정하였다.

바로알기 ①은 위정척사 운동에 대한 설명이다. ②는 갑오개혁에 대한 설명이다. ③은 독립 협회에 대한 설명이다. ⑤는 경복궁 중건 등 흥선 대원군의 개혁 정책에 대한 설명이다.

12 대한 제국은 원수부를 설치하여 군사권을 황제에게 집중시키고, 무관 학교를 설립하는 등 군사 제도를 개혁하였다. 또한 전환국을 황제 직속으로 바꾸어 백동화를 발행하였다. 실업 학교와 각종 기술 교육 기관을 세우는 등 상공업 진흥에도 관심을 가졌으며, 대한국 국제를 근간으로 청과 대등한 입장에서 대한국·대청국 통상 조약도 체결하였다. 금융 정책으로는 중앙은행을 설립하여 금본위 지폐 발행을 시도하였다.

바로알기 ② 사간원 등의 언론 기관은 제1차 갑오개혁 때 폐지되었다.

13 대한 제국 정부는 양전 사업을 추진하여 토지를 측량하고 토지 소유권을 입증하는 지계를 발급하였다. 이를 통해 토지 소유권을 국가가 파악하여 조세 수입을 증대하려 하였다.

3단계 등급 올리기

본문 69쪽

01 ③   **02** ③   **03** ⑤   **04** (1) 독립 협회
(2) 해설 참조

01 제시된 연극 대본은 전봉준의 재판 기록을 바탕으로 재구성한 것이다. 전주 화약 이후 일본군이 조선 정부의 철수 요구에도 불구하고 경복궁을 점령한 후 내정에 간섭하였다. 이에 농민들은 반침략의 기치를 내걸고 재봉기하였다(제2차 봉기).

바로알기 ①은 을미사변, ②는 거문도 사건, ④는 을미개혁, ⑤는 운요호 사건과 관련이 있다.

02 과거제 폐지, 과부의 재가 허용은 제1차 갑오개혁의 내용이다. 일본군은 경복궁을 점령하고 아산만에 있던 청의 군대를 기습하여 청일 전쟁을 일으켰다. 청일 전쟁 직후에 군국기무처가 설치되어 제1차 갑오개혁이 시작되었다.

바로알기 전주 화약 체결은 1894년 5월, 교정청 설치는 1894년 6월 11일, 청일 전쟁 발발은 1894년 6월 23일, 삼국 간섭은 1895년 3월, 을미사변은 1895년 8월, 아관 파천은 1896년의 일이다.

03 밑줄 친 '이곳'은 러시아 공사관이다. 고종은 1896년에 러시아 공사관으로 피신하는 아관 파천을 단행하였다. 아관 파천 당시 고종은 소학교 설립 등 당시 진행되고 있었던 제3차 갑오개혁의 정책 중 단발령을 철회하였다. 한편 이 시기에 서재필이 미국에서 귀국하여 독립신문을 창간하였으며, 개화파 관료들과 함께 독립 협회를 설립하였다. 이러한 상황에서 고종의 환궁을 요구하는 상소가 계속되자 고종은 1897년에 경운궁(덕수궁)으로 처소를 옮겼다.

바로알기 ⑤ 경운궁으로 환궁한 고종은 이후 연호를 '광무'로 바꾸고 환구단에서 황제로 즉위한 뒤 나라 이름을 '대한 제국'으로 선포하였다.

극비노트 **대한 제국의 수립과 독립 협회의 활동**

1896년	• 2월: 아관 파천 → 김홍집 내각 붕괴(제3차 갑오개혁 중단) • 4월: 서재필의 독립신문 창간 • 7월: 독립 협회 창립
1897년	• 2월: 고종이 러시아 공사관에서 경운궁(덕수궁)으로 환궁 • 10월: 고종이 환구단에서 대한 제국 선포
1898년	• 3월: 독립 협회가 종로에서 만민 공동회 시작 • 10월: 관민 공동회 개최 → 헌의 6조 채택 • 12월: 고종이 독립 협회를 강제로 해산
1899년	8월: 고종의 대한국 국제 반포

서술형 문제

04 (2) **예시답안** 독립 협회는 토론회에서 중추원의 개편과 민권 의식 성장을 강조하였다. 이는 독립 협회가 국민이 정치에 참여하는 정치 운영 방식을 지향하고 있음을 보여 준다.

채점 기준	배점
독립 협회가 지향한 정치의 특징을 토론회의 주요 내용을 바탕으로 추론하여 서술한 경우	상
독립 협회가 지향한 정치의 특징만 서술한 경우	하

4 일본의 침략 확대와 국권 수호 운동

1단계 개념 짚어 보기
본문 71쪽

01 ㄴ - ㄹ - ㄱ - ㄷ 02 헤이그 03 ㉠ 단발령 ㉡ 신돌석
㉢ 고종 04 스티븐스 05 (1) ㄴ (2) ㄱ (3) ㄷ 06 독도

2단계 내신 다지기
본문 72~74쪽

01 ④	02 ③	03 을사늑약	04 ③	05 ③
06 ⑤	07 ③	08 ④	09 ③	10 ③
11 ③	12 ⑤	13 ③	14 ①	15 ⑤

01 밑줄 친 '이 조약'은 한일 의정서이다. 일본은 1904년 러일 전쟁을 일으킨 후 대한 제국 정부에 한일 의정서 체결을 강요하였다. 이로써 일본은 전쟁에 필요한 군사적 요충지를 명목으로 한국 영토를 임의로 사용할 수 있는 권리를 확보하였다.
바로 알기 ① 1906년에 체결된 을사늑약에 따라 일본이 한국의 외교권을 강탈하였다. ②, ⑤ 한일 신협약과 부속 각서에 따라 일본인 차관이 한국 정부의 각 부에 임명되었으며, 대한 제국의 군대가 해산되었다. ③ 1904년에 체결된 제1차 한일 협약에 따라 일제는 한국에 재정 고문으로 메가타를, 외교 고문으로 스티븐스를 파견하였다.

02 (가) 시기는 러일 전쟁(1904. 2.~1905. 9.) 기간이다. 러일 전쟁 중 일본은 한국을 보호국으로 만들 계획을 가지고 한국에 제1차 한일 협약 체결을 강요하였다. 그리고 영국과 제2차 영일 동맹을, 미국과 가쓰라·태프트 밀약을 체결하여 열강으로부터 한국 지배를 승인받았다.
바로 알기 ㄱ. 러일 전쟁이 일어나기 이전인 1902년에 일본은 영국과 제1차 영일 동맹을 체결하였다. ㄹ. 러일 전쟁이 끝난 후 일본은 한국에 을사늑약 체결을 강요하여 외교권을 강탈하였으며, 한국의 외교권을 관리할 기관으로 통감부를 설치하였다.

03 한국 정부가 독자적으로 조약 체결을 하지 말 것을 규정한 내용을 통해 제시된 자료는 을사늑약임을 알 수 있다. 일제는 을사늑약에 따라 한국의 외교권을 빼앗고 통감부를 설치하였다.

04 제시된 자료는 정미7조약(한일 신협약)이다. 일제는 1907년에 헤이그 특사 파견을 빌미로 고종을 강제로 퇴위시키고 이후 정미7조약을 체결하였다.
바로 알기 ㄱ은 1910년, ㄹ은 1909년의 사실이다.

05 정미7조약이 체결되면서 통감은 법령 제정·고등 관리 임면 등 한국의 내정에 대한 권한이 강화되었으며, 부속 각서를 체결하면서 차관을 비롯한 주요 관직에 일본인을 임명하고 대한 제국의 군대를 해산하였다. 이는 통감이 한국의 내정을 장악하였음을 보여 준다.

바로 알기 ①, ④, ⑤는 을사늑약에 대한 설명이다. ② 일본은 러일 전쟁을 빌미로 한국에 한일 의정서 체결을 강요하였다.

06 일본은 1904년 제1차 한일 협약을 체결하여 한국에 외국인 고문을 파견하였다. 1905년에는 을사늑약을 체결하여 한국의 외교권을 박탈하였다. 1907년에는 정미7조약을 체결하여 일본인 차관을 각 부의 주요 관직에 배치함으로써 한국의 행정권을 장악하였다. 1910년 6월에는 한국의 경찰권을 강탈하였고, 8월에는 한국 병합 조약을 통해 국권을 빼앗았다.
바로 알기 ① 통감부는 1905년 을사 늑약의 체결 이후 설치되었다. ②는 1895년, ③, ④는 1904년의 일이다.

07 (가)는 을미의병을 일으킨 유인석, (나)는 을사의병을 일으킨 최익현의 격문이다. 을사늑약이 체결되자 전직 관료인 민종식, 최익현 등이 을사의병을 일으켰다.
바로 알기 ①, ④는 정미의병에 대한 설명이다. ②는 을사의병에 대한 설명이다. ⑤는 을미의병에 대한 설명이다.

08 제시된 자료는 정미의병 시기에 일어난 서울 진공 작전의 상황을 보여 주고 있다. ㄴ. 정미의병은 양반과 전직 관료 이외에도 농민, 상인, 포수 등 다양한 신분이 참여한 형태로 발전하였다. ㄹ. 정미의병 시기에는 해산된 군인이 의병에 합류하면서 의병의 전투력이 크게 강화되었다.
바로 알기 ㄱ은 을미의병, ㄷ은 을사의병에 대한 설명이다.

09 서울 진공 작전이 실패한 이후에도 전국 각지에서 의병 투쟁이 지속되었다. 특히 호남 지역 의병들이 지속적으로 항쟁하자 일제는 1909년부터 이른바 '남한 대토벌' 작전으로 의병 부대의 근거지가 될 만한 지역을 초토화하였다. 일본의 대공세로 국내 의병 활동이 어려워지자 살아남은 의병들은 만주와 연해주 등지로 이동하여 무장 독립 투쟁을 이어 나갔다.
바로 알기 ① 단발령 철회는 을미의병(1895)이 내세웠던 구호이다. ② 흥선 대원군 집권기(1863~1873)에 서원 철폐 정책이 이루어졌다. ④ 갑신정변(1884)의 주도 세력이 내세웠던 주장이다. ⑤ 아관 파천(1896~1897) 시기에 독립 협회 등이 내세웠던 구호이다.

10 안중근은 『동양 평화론』을 저술하여 일본의 침략을 비판하였다. 연해주에서 의병 투쟁을 벌이던 그는 1909년 만주 하얼빈에 온 이토 히로부미를 처단하였다.
바로 알기 ①은 민영환, 조병세 등에 대한 설명이다. ②는 이재명의 활동이다. ④ 1908년 전명운과 장인환은 일본의 한국 침략이 정당하다고 주장한 외교 고문 스티븐스를 미국 샌프란시스코에서 저격하였다. ⑤ 나철(나인영)·오기호 등은 을사5적을 처단하기 위한 암살단인 자신회를 조직하였다.

11 러일 전쟁 중 일본은 한국에 황무지 개간권을 요구하였다. 이에 보안회는 일제의 황무지 개간권 요구를 반대하는 집회를 열어 일제의 요구를 철회시키는 성과를 올렸다.
바로 알기 ①은 동학 농민군, ②는 독립 협회, ④, ⑤는 신민회에 대한 설명이다.

12 제시된 자료는 대한 자강회 취지문이다. 대한 자강회는 1907년 일제가 고종을 강제 퇴위시키자 이에 반대하는 운동을 주도하다가 통감부의 탄압을 받아 해산되었다.

바로 알기 ①은 독립 협회, ②, ③, ④는 신민회에 대한 설명이다.

13 공화 정체의 독립국을 수립하는 것을 목표로 한 점을 통해 밑줄 친 '이 단체'는 신민회임을 알 수 있다. ㄴ. 신민회는 만주에 독립운동 기지를 건설하는 등 국외에서 무장 투쟁을 준비하였다. ㄷ. 신민회의 국내 조직은 1911년 일제가 조작한 105인 사건으로 와해되었다.

바로 알기 ㄱ, ㄹ은 대한 자강회에 대한 설명이다. 헌정 연구회를 계승한 대한 자강회는 전국에 지회를 설치하고 월보를 발행하여 민중을 계몽하였다.

극비 노트 **신민회와 다른 애국 계몽 운동 단체의 공통점과 차이점**

공통점	• 목표: 민족의 실력 양성을 통한 국권 수호 • 활동: 학교 설립, 회사 설립, 민중 계몽 등
차이점	• 이념: 신민회는 공화정 체제의 근대 국민 국가 수립 추구 • 수단: 신민회는 국외 무장 투쟁 노선도 채택

---

14 「대한 제국 칙령 제41조」에는 독도를 '석도'로 표기하고 있다. 독도는 삼국 시대부터 우리 고유의 영토로 인식되어 왔다. 조선 시대에는 안용복이 일본으로 직접 건너가 독도가 조선의 영토임을 확인받았으며, 대한 제국 시기에는 정부가 독도를 울도군(울릉도)의 행정 구역으로 편입하여 관리하였다. 그러나 일본은 러일 전쟁 중 불법적으로 독도를 자국의 영토에 편입시켰다.

바로 알기 ① 대한 제국은 1902년 이범윤을 간도에 파견하였으며, 이듬해에는 그를 간도 관리사로 임명하였다.

극비 노트 **독도를 한국의 영토로 기록한 자료**

국내	• 문헌: 『삼국사기』, 『고려사』, 『세종실록지리지』, 『숙종실록』, 『동국문헌비고』, 「대한 제국 칙령 제41조」 등 • 지도: 팔도총도, 대한신지자부지도 등
미국	• 문헌: 연합국 최고 사령관 각서 제677호, 제1033호 • 지도: 연합국 최고 사령관 각서 제677호의 부속 지도
일본	• 문헌: 『은주시청합기』, 「원록구병자년조선주착안일권지각서」, 「죽도 도해 금지령」, 「조선국 교제시말 내탐서」, 「태정관 지령」 • 지도: 삼국접양지도, 개정 일본여지노정전도, 기죽도약도, 신찬지지, 실측 일청한군용전도, 일본 영역 참고도
기타	• 지도: 조선왕국전도(프랑스), 조선동해안도(러시아)

---

15 밑줄 친 '이 지역'은 간도이다. 19세기 말에 간도 지역의 영유권을 둘러싸고 청과 조선이 대립하였다. 그러나 을사늑약으로 대한 제국의 외교권을 강탈한 일본은 1909년 간도 협약을 체결하여 만주의 철도 부설권, 탄광 개발권 등을 얻는 조건으로 간도를 청의 영토로 인정하였다.

바로 알기 ①은 강화도, ②는 베트남, ③은 연해주, ④는 독도에 대한 설명이다.

3단계 등급 올리기 본문 75쪽

01 ③　　02 ④　　03 ①　　04 (1) 간도 협약
(2) 해설 참조

01 첫 번째 사건에서 한일 의정서는 1904년 러일 전쟁 중에 체결되었고, 두 번째 사건에서 서울 진공 작전은 1908년에 전개되었다. 러일 전쟁에서 승기를 잡은 일본은 열강에게 대한 제국의 지배를 인정받고 대한 제국을 보호국으로 만드는 작업을 추진하였다. 러일 전쟁이 끝난 1905년 11월 일본은 을사늑약을 강압적으로 체결하여 대한 제국의 외교권을 빼앗고 통감부를 설치하였다.

바로 알기 ①은 1896년, ②는 1911년, ④는 1894년의 일이다. ⑤ 러일 전쟁 직전 대한 제국 정부는 전시 국외 중립을 선언하였다.

02 대한 제국 정규군의 구식 제복을 입고 있었다는 내용을 통해 신문에서 다루는 의병이 정미의병임을 알 수 있다. 1907년에 일제가 정미7조약을 체결하면서 그 부속 각서에 따라 대한 제국 군대를 강제로 해산하였다. 이에 해산된 군인이 의병에 합류하면서 전투력이 크게 강화되었다. 이들은 13도 창의군을 조직하고 각국 영사관에 격문을 보내 의병을 국제법상의 교전 단체로 인정해 줄 것을 요구하였다.

바로 알기 ㄱ은 을미의병에 대한 설명이다. ㄷ. 신민회는 만주에 신흥 강습소를 세웠다.

03 안창호, 이회영 등이 비밀리에 활동하는 점, 오산 학교를 운영하는 점을 통해 밑줄 친 '이 단체'는 신민회임을 알 수 있다. 1907년 안창호, 신채호, 양기탁 등은 비밀 결사로 신민회를 조직하였다. 신민회는 민족의 실력 양성을 강조하고 공화정에 바탕을 둔 근대 국민 국가 건설을 지향하였다. 신민회는 이를 실현하기 위해 평양에 대성 학교, 정주에 오산 학교를 세워 인재를 길렀으며, 자기 회사·태극 서관을 설립·운영하여 민족 산업의 육성에 힘썼다.

바로 알기 ② 백두산정계비는 1712년에 조선과 청이 세웠다. ③은 13도 창의군에 대한 설명이다. ④ 을사5적의 처단을 시도한 단체로는 자신회 등이 있다. ⑤는 헌정 연구회, 대한 자강회 등에 대한 설명이다.

서술형 문제

04 (2) 예시 답안 일본은 을사늑약으로 대한 제국의 외교권을 박탈한 후 청과 간도 협약을 체결하여 만주의 철도 부설권과 탄광 개발권을 얻는 대가로 간도 지역을 청의 영토로 인정하였다. 그 결과 간도는 우리 민족의 의사와는 무관하게 청의 영토로 귀속되었다.

채점 기준	배점
간도 협약의 체결 과정과 결과 모두 서술한 경우	상
간도 협약의 체결 과정과 결과 중 한 가지만 서술한 경우	하

5 개항 이후 경제적 변화

1단계 개념 짚어 보기

본문 77쪽

01 (1) ㄹ (2) ㄴ (3) ㄱ (4) ㄷ **02** 10리 **03** 최혜국 대우
04 화폐 정리 사업 **05** (1) ○ (2) ○ (3) × **06** 방곡령
07 국채 보상 운동

2단계 내신 다지기

본문 78~80쪽

01 ③	**02** ⑤	**03** ④	**04** ④	**05** ②
06 ③	**07** ⑤	**08** 상회사	**09** ①	**10** ⑤
11 ②	**12** ④	**13** ③		

01 제시된 자료는 개항 초기 거류지 무역의 전개 과정을 나타내고 있다. ㄴ. 거류지 무역이 활발하였던 시기에 일본 상인은 영국산 면직물을 싸게 사서 조선에 들여와 비싼 가격에 팔았다. ㄷ. 거류지 무역의 영향으로 외국 상인과 국내 상인의 중개 무역이 활발해져 이를 담당하는 객주와 여각이 성장하였다.
바로알기 ㄱ. 개항 이후에는 조선의 곡물이 일본에 다량 수출되면서 국내 곡물 가격이 폭등하여 많은 사람들이 높은 물가에 시달렸다. ㄹ. 개항 초기에는 외국 상인이 조선의 내륙 시장에 진출할 수 없었기 때문에 거류지 무역이 발달하였다.

02 (가)는 조일 통상 장정, (나)는 조청 상민 수륙 무역 장정이다. 두 조약의 체결로 청과 일본의 상인이 개항장 밖에서 활동할 수 있어 청일 상인 간의 상권 경쟁이 치열해졌다.
바로알기 ①은 조일 수호 조규 부록, ②는 강화도 조약에 대한 설명이다. ③ 조청 상민 수륙 무역 장정은 임오군란을 계기로 체결되었다. ④는 조미 수호 통상 조약에 대한 설명이다.

03 제시된 자료는 일본과 청의 상인이 조선의 내륙 시장으로 진출하였음을 보여 준다. 청은 조청 상민 수륙 무역 장정 체결 이후 개항장 밖에서도 활동할 수 있었으며, 일본은 조일 통상 장정을 통해 인정받은 최혜국 대우를 내세워 동일한 권리를 얻었다.
바로알기 ㄱ은 조일 수호 조규 부록에 대한 설명이다. ㄷ. 갑신정변 이후 청과 일본은 톈진 조약을 체결하여 조선에서 양국 군대를 철수하되, 조선에 군대를 보낼 때 상대국에게 미리 알리도록 하였다.

극비노트 조일 무역 규칙(1876)과 조일 통상 장정(1883)

구분	조일 무역 규칙(1876)	조일 통상 장정(1883)
관세 규정	관세 규정 미비(항세만 규정)→ 추가 회담에서 무관세 허용	관세 규정 포함
곡물 수출	곡물 수출입 허용	방곡령 규정(1개월 전 통고)
최혜국 대우	일본에 최혜국 대우 불인정	일본에 최혜국 대우 인정

---

04 아관 파천 이후 러시아는 조선에 정치적 영향력을 강화하면서 조선의 각종 이권을 획득하였다. 이에 미국, 독일 등의 열강도 최혜국 대우 규정으로 조선에 기회균등을 요구하며 이권을 요구하였다. 고종은 열강들이 왕실을 보호해 줄 것을 기대하며 이들에게 각종 이권을 넘겨주었다. 열강들은 철도 부설권, 광산 채굴권, 삼림 채벌권 등의 이권을 가져갔는데, 이중 침략과 자원 수탈의 수단이 되는 철도 부설권 획득에 특히 관심을 기울였다.
바로알기 ④ 한성에 점포를 개설할 권리는 아관 파천 이전에 체결된 조청 상민 수륙 무역 장정(1882)에 규정된 권리이다. 청 상인에게만 보장되었던 이 권리는 이후 최혜국 대우를 인정받은 다른 나라 상인들에게도 동일하게 보장되었다.

05 제시된 자료는 화폐 정리 사업(1905)을 추진하는 방법을 규정한 탁지부령 제1호이다. 제1차 한일 협약으로 한국의 재정 고문이 된 메가타는 상평통보와 백동화 등을 일본 제일 은행에서 발행하는 새 화폐로 바꾸는 화폐 정리 사업을 실시하였다. 화폐 정리 사업의 결과 한국의 상인들은 큰 타격을 입었다. 또한 사업에 필요한 자금을 한국 정부가 일본 차관으로 조달받으면서 거액의 국채를 떠안게 되었다.
바로알기 ② 전환국은 1883년에 설치된 화폐 제조 기관으로 백동화 등을 발행하였다. 재정 고문으로 한국에 파견된 메가타는 전환국을 폐쇄하였다.

06 사진은 1908년에 세워진 동양 척식 주식회사이다. 일본인들은 개항장 밖으로 상권이 확대되면서 고리대금 등의 방법으로 한국의 토지를 매입하였다. 일본 정부는 이를 권장하여 일본인의 한국 이주를 돕기 위해 이민법을 개정하기도 하였다. 러일 전쟁 이후 일본 정부는 철도 부지와 군용지 확보를 빌미로 토지를 수탈하였다. 1908년에는 경성에 동양 척식 주식회사를 세워 국유화한 황실 소유의 토지를 일본인들에게 싼값으로 불하하기도 하였다.
바로알기 ③ 일본은 러일 전쟁 중 한국에 황무지 개간권을 요구하였다. 이에 1904년 보안회 등이 반대 운동을 전개하여 일본은 황무지 개간권 요구를 철회하였다.

07 개항 이후 외국의 경제 침탈이 심화되자 조선의 상인들은 상회사를 설립하거나 시민들과 함께 동맹 철시 투쟁을 전개하였으며, 시전 상인들은 황국 중앙 총상회를 조직하여 상권을 수호하고자 노력하였다. 또한 근대적 자본을 육성하기 위해 대한 천일 은행 등 은행을 설립·운영하고, 해운과 철도 분야에서 회사를 세우는 데 참여하였다.
바로알기 ⑤ 선대제는 수공업 생산 방식 중 하나로 조선 후기 국내 상업의 발달과 관련이 있다.

08 개항 이후 조선 상인들은 상회사를 세워 외국 상인의 상권 침탈에 대응하였다. 상회사는 관허 방식의 회사로, 정부에 영업세를 납부하는 대신 비합법적인 상업세 수탈로부터 보호받았다.

09 1896년에 관료 자본이 중심이 되어 최초의 근대식 은행인 조선은행이 설립되었다. 조선은행은 정부의 허가를 얻어 1897년부터 영업을 시작하였다.

바로 알기 ② 한성은행은 1897년 서울에 설립된 민간 은행이다. ③, ⑤ 대한 천일 은행은 고종의 지원 아래 1899년 설립되었고, 국권 피탈 이후에 일제의 강요로 조선 상업 은행으로 개칭되었다. ④ 일본 제일 은행은 화폐 정리 사업을 담당하였던 은행이다.

10 ㈎는 방곡령이다. 일본으로의 쌀 유출이 계속되어 국내 쌀 가격이 폭등하고 흉년이 겹치자, 지도에 표시된 지역의 지방관들은 방곡령을 선포하여 곡물의 유출을 막고자 하였다.
바로 알기 ① 서울의 시전 상인은 철시 운동, 황국 중앙 총상회 조직 등의 상권 수호 운동을 전개하였다. ② 한강 유역을 중심으로 활동한 경강상인은 세곡 운반을 독점하는 일본 상인과 경쟁하기 위해 증기선을 구입하였다. ③ 1890년대 중반 이후에는 상인층과 전·현직 관료들이 근대적 기업을 세워 열강의 경제 침략에 대항하였다. ④는 국채 보상 운동에 대한 설명이다.

11 제시된 자료는 조일 통상 장정 중 방곡령 시행 규정이다. 이 규정에는 방곡령 실시 1개월 전에 일본 상인에게 통고해야 한다고 명시되어 있다. 일본은 이 규정을 근거로 함경도와 황해도에서 실시한 방곡령이 통고를 받은 날로부터 수출 금지까지 1개월이 지나지 않았다고 주장하여 조선에 방곡령 취소를 요구하였다.
바로 알기 ① 일제는 식민지 지배를 위한 기반을 마련하기 위해 화폐 정리 사업, 각종 시설 공사 등의 명목으로 조선에 막대한 차관을 도입하도록 강요하였다. ③ 조일 무역 규칙 체결 이후 조선은 일본과 수년간 일본 상품에 관세를 부과하지 않기로 합의하였다. 이후 무관세 무역의 문제점을 인식한 조선은 조일 통상 장정에 일본 상품에 관세를 부과하는 규정을 넣었다. ④ 일본 상인은 조일 통상 장정의 최혜국 대우 규정을 근거로 개항장을 벗어나 내륙 시장으로 진출하여 조선의 상권을 장악할 수 있었다. ⑤ 일본인은 강화도 조약에 규정된 영사 재판권을 근거로 조선에서 불법 행위를 저질러도 조선 관리의 처벌을 피할 수 있었다.

12 제시된 자료는 국채 보상 운동 취지서이다. 국채 보상 운동은 일본이 한국에 강요한 차관을 갚기 위해 1907년 대구에서 시작되었다. 서울의 국채 보상 기성회를 비롯하여 여러 국채 보상 운동 단체들이 설립되었으며, 대한매일신보 등의 언론을 통해 전국으로 확산되었다. 비록 일본의 방해와 탄압으로 중단되었지만, 국채 보상 운동은 경제적 주권을 지키기 위한 전국적인 구국 운동이었다.
바로 알기 ④ 독립신문을 운영하고 만민 공동회를 주도한 단체는 독립 협회이다. 독립 협회는 1898년에 해체되었다.

13 서상돈 씨가 발의하였고, 모금 운동을 전개한 것을 통해 제시된 자료는 국채 보상 운동과 관련이 있음을 알 수 있다. 국채 보상 운동은 지식인·상인·여성 등 각계각층이 참여한 전 국민적인 모금 운동이었다. 이들은 일본에 진 국채를 국민의 힘으로 갚자고 주장하였으며 전국에 모금 운동 단체를 만들었다. 남자들은 금연과 음주 절제, 여자는 비녀와 반지 등을 팔아 성금을 냈다. 지식인들은 언론을 통해 모금 운동을 전국적으로 홍보하였다.
바로 알기 ③은 통감부가 국채 보상 운동을 탄압한 내용이다. 통감부는 국채 보상 운동을 주도하였던 대한매일신보의 양기탁을 성금 횡령이라는 누명을 씌워 구속하는 등 탄압을 가하였다.

3단계 등급 올리기   본문 81쪽

01 ③   **02** ①   **03** ①   **04** 해설 참조

01 제시된 삽화는 청 상인의 내륙 진출에 대한 대화이다. 1882년 조청 상민 수륙 무역 장정을 체결하면서 청 상인이 조선의 내륙 시장에 진출할 수 있었다.
바로 알기 ①, ② 청군은 갑신정변을 진압하고 일본과 톈진 조약을 체결하여 조선에서 양국 군대를 철수하되 앞으로 군대를 보낼 때는 상대국에 미리 알리도록 합의하였다. ④ 대한 제국은 청과 대등한 입장에서 대한국·대청국 통상 조약을 체결하였다. ⑤ 청은 조선에 대한 종주권을 확인하고 러시아와 일본을 견제하기 위해 조선과 미국의 통상 조약 체결을 알선하였다. 그 결과 조미 수호 통상 조약이 체결되었다.

02 ㄱ. 개항 이후 쌀이 일본으로 대량 유출되고, 흉년까지 겹쳐 식량 사정이 악화되자 일부 지방관들은 조일 통상 장정의 방곡령 규정을 이용하여 쌀 유출을 금지하였다. ㄴ. 독립 협회는 만민 공동회에서 이권 수호 운동을 전개하여 러시아의 절영도 조차를 철회하고 한러 은행을 폐쇄하는 성과를 올렸다.
바로 알기 ㄷ. 대동 상회, 장통 상회는 1880년대에 설립된 상회사이다. 황국 중앙 총상회는 1898년에 결성되었다. ㄹ. 보안회는 1904년 황무지 개간권 반대 운동을 성공한 후 일제에 의해 곧바로 해산되었다. 국채 보상 운동은 1907년부터 전개되었다.

03 국채를 앞세운 일제의 경제적인 침략에 맞서 전 국민이 전개한 기부 운동을 자세히 기록하였다는 부분을 통해 ㈎는 국채 보상 운동임을 알 수 있다. 국채 보상 운동은 대구에서 시작하였으며 대한매일신보를 비롯한 언론을 통해 전국으로 확대되었다.
바로 알기 ② 농광 회사는 황무지 개간권 저지 운동에 참여하였다. ③ 화폐 정리 사업의 결과 한국 상인들이 타격을 받았다. ④는 방곡령 실시, ⑤는 시전 상인의 상권 수호 운동에 대한 설명이다.

서술형 문제

04 **예시 답안** 조청 상민 수륙 무역 장정 체결 이후 청 상인이 개항장 밖에서 무역 행위를 할 수 있게 되자 외국 상인들도 최혜국 대우를 통해 조선의 내륙으로 진출하게 되었다. 이러한 외국 상인들의 상권 침탈에 대응하기 위해 조선 상인들은 대동 상회, 장통 상회 등의 상회사를 설립하였다.

채점 기준	배점
조청 상민 수륙 무역 장정을 통한 청 상인의 내륙 진출, 최혜국 대우를 통한 외국 상인들의 내륙 진출을 정확히 서술한 경우	상
외국 상인들이 내륙으로 진출하게 되었다고만 서술한 경우	하

6 개항 이후 사회·문화적 변화

1단계 개념 짚어 보기
본문 83쪽

01 한성 전기 회사 **02** (1) × (2) ○ (3) ○ **03** (1) ㄱ (2) ㄴ
(3) ㄷ **04** 천도교 **05** (1) – ㉠ (2) – ㉡ (3) – ㉢ **06** 신채호

2단계 내신 다지기
본문 84~86쪽

01 ⑤	02 ①	03 ④	04 ②	05 ⑤
06 ④	07 원산 학사	08 ①	09 ②	10 ⑤
11 ④	12 ③	13 ④		

01 조선 정부는 1884년 우정총국을 설립하여 근대적 우편 제도를 실시하려고 했으나 갑신정변 이후 중단되었다. 우편 사업은 1895년 정부가 우체사를 설립하면서 다시 시작되었으며, 1900년부터는 국제 우편 업무도 실시되었다. 이 무렵 한성 전기 회사를 설립하여 미국인 콜브란에게 운영을 맡겼는데, 한성 전기 회사에서는 전차 운행, 가로등 설치 등의 전기 사업을 진행하였다.

바로 알기 ⑤는 철도에 대한 설명이다. 전기 사업은 주로 미국의 도움으로 이루어졌다.

02 (가)에 들어갈 병원은 광혜원이다. 광혜원은 이후 제중원으로 개칭하였으며, 정부가 제중원 운영을 미국 선교사에게 맡긴 뒤에는 세브란스 병원으로 이름을 바꾸었다.

바로 알기 ②, ③은 광제원에 대한 설명이다. ④ 한국에서 전화를 도입하여 가장 먼저 설치한 곳은 경운궁(덕수궁)이었다. 광혜원의 건물로 처음 사용된 곳은 궁궐 밖 홍영식의 집이었다. ⑤는 자혜 의원에 대한 설명이다.

03 개항 이후 근대 문물이 들어오면서 의식주와 같은 일상생활에도 변화가 나타났다. 의복의 경우, 갑오개혁 이후 조선 정부가 양복을 입어도 좋다는 법령을 공포하여 정부 관리들이 서양식 예복이나 제복을 착용하기 시작하였다. 외국인의 왕래가 많아지면서 음식에도 변화가 생겼는데, 관리들이 서양식 만찬에 참석하면서 서양 음식에 익숙해지기 시작하였다. 또한 중국의 호떡·찐빵, 일본의 우동·어묵·초밥 등이 소개되었다. 주거에서는 서울과 개항장을 중심으로 서양식 건축물이 세워졌는데, 명동 성당과 정동 교회가 대표적인 건축물이다.

바로 알기 ④ 개항 이후 전통 복장에 변화가 나타나면서 개량 한복이 등장하였고, 여성들의 외출 복장이었던 장옷과 쓰개치마가 점차 사라졌다.

04 우리나라 최초의 철도인 경인선이 개통된 시기는 1899년이다. 같은 해에 한성에서 서대문~청량리 간의 전차 노선도 부설되어 전차 운행이 시작되었다.

바로 알기 ① 하와이 이민은 1903년부터 시작되었다. ③ 우정총국은 1884년에 설립되었다가 갑신정변 이후 얼마 가지 않아 폐쇄되었다. ④ 육영 공원은 1886년에 개교하였다. ⑤ 대한매일신보는 1904년에 창간되었다.

극비 노트 근대 문물의 수용

1880년대	• 우정총국 설립, 나가사키~부산 사이 해저 전신 개통(1884) • 인천~서울~의주 사이의 전신 개통, 광혜원·제중원 설립(1885) • 경복궁에 최초로 전등 설치(1887)
1890년대	• 우편 사무 재개(1895) • 한성 전기 회사 설립(1898) • 서대문~청량리 사이에 전차 부설, 경인선 개통(1899)
1900년대	• 국제 우편 업무 실시, 내부 병원이 광제원으로 개칭(1900) • 제중원이 세브란스 병원으로 개칭(1904) • 경부선 개통(1905) • 경의선 개통(1906) • 광제원이 대한 의원으로 확대 개편(1907) • 자혜 의원 설립(1909)

05 밑줄 친 '이 지역'은 미주이다. 미주로의 이민은 1903년 하와이 사탕수수 농장의 노동자로 이주하면서 시작되었다. 하와이 이민은 최초의 합법적 이민으로, 1905년까지 약 7천 명의 노동자가 하와이 사탕수수 농장으로 이주하였다.

바로 알기 (가)는 만주, (나)는 연해주, (다)는 중국, (라)는 일본이다.

06 동학의 간부 이용구 등이 일진회를 만들자 손병희는 이들을 몰아내고 1905년 동학을 천도교로 개칭하였다. 1909년 나철·오기호 등은 단군 신앙을 기반으로 대종교를 창시하였고, 국권 피탈 이후에는 교단을 만주 지역으로 옮겨 포교를 확대하였다. 박은식은 유교구신론을 통해 새로운 시대에 유교를 전승·보급하기 위해서는 교화 활동과 실천적인 유교 정신이 중요하다고 주장하였다. 한용운은 일본 불교가 한국 불교를 예속시키려는 움직임이 나타나자 『조선불교유신론』을 써서 개혁을 주장하였다.

바로 알기 ④ 병인박해(1866)는 조선의 개항(1876) 이전에 일어났다.

07 1883년 함경도 덕원에서는 개화파 관료와 주민들이 원산 학사를 세워 외국어와 법률, 만국 공법, 지리 등의 근대 학문을 가르쳤다. 원산 학사는 우리나라 최초의 근대식 사립 교육 기관이다.

08 제시된 자료는 고종이 1895년에 발표한 교육입국 조서이다. 고종은 교육입국 조서를 발표하고 근대 학교 법규를 제정하여 소학교, 한성 중학교, 한성 사범 학교 등 관립 학교를 설립하였다.

바로 알기 ② 원산 학사(1883)는 함경도 덕원에 세운 사립 학교이다. ③ 이화 학당은 1886년에 미국 선교사가 여학생을 가르치기 위해 세운 학교이다. ④ 배재 학당(1885), 이화 학당(1886) 등 기독교 계통의 학교는 개신교 선교사들이 세웠다. ⑤ 육영 공원(1886)은 교육입국 조서 발표 이전에 설립되었다.

09 우리나라 최초의 신문은 한성순보이다. 박문국에서 순 한문으로 발행한 한성순보는 한성주보와 함께 국제 정세와 서구의 문물, 제도, 역사 등을 소개하는 관보의 역할을 하였다.

바로 알기 ①은 독립신문, ③은 황성신문 등, ④는 제국신문, ⑤는 대한매일신보에 대한 내용이다.

10 제시된 자료는 주시경의 주장으로, 국어 교육과 연구의 필요성을 주장하고 있다. 갑오개혁 이후 국문 사용이 확대되면서 국어 연구의 필요성이 제기되었다. 이에 따라 대한 제국 정부는 1907년 국문 연구소를 설립하여 우리말과 글을 정리하였으며, 이는 「국문 연구 의정안」으로 결실을 맺었다.
바로 알기 ① 신소설은 신교육과 문명개화 등을 주제로 하였으나, 국학보다는 서구 학문을 익힐 것을 강조하였다. ②, ④는 국사 교육의 일환으로 이루어졌다. ③ 「시일야방성대곡」은 을사늑약의 부당성을 비판한 논설이다.

11 제시된 자료는 신채호의 『독사신론』이다. 신채호는 1908년 대한매일신보에서 『독사신론』을 연재하였는데, 이 글을 통해 민족을 역사 전개의 주체로 강조하면서 민족주의 역사 서술의 기본 틀을 제시하였다.
바로 알기 ①은 지석영에 대한 설명이다. ② 주시경은 『국어문법』을 저술하여 한국어 사용법을 통일하여 나갔다. ③ 대종교는 나철·오기호 등이 창시하였다. ⑤ 박은식은 을사늑약 이후 고구려를 높이 평가하는 『동명왕실기』, 『천개소문전』 등을 저술하였다.

12 갑오개혁 때 갑신정변, 동학 농민 운동의 요구를 반영하여 법적으로 신분제가 폐지되는 등 제도적 변화가 일어났다. 이를 통해 사회의식이 변화하여 민권 의식이 점차 성장하였다. 독립 협회는 만민 공동회를 개최하고 신체의 자유와 재산권 보장 등을 요구하는 자유 민권 운동을 전개하여 민권 의식이 성장하는 데 기여하였다. 또한 관민 공동회에서는 시민 대표로 백정 출신의 박성춘이 연설하기도 하였다. 독립 협회의 이와 같은 활동은 이후 헌정 연구회, 대한 자강회 등 애국 계몽 운동 단체로 계승되었다.
바로 알기 ③ 대한국 국제에는 황제의 무한한 권리를 강조하였으며, 민권을 구체적으로 규정한 조항이 없다.

13 제시된 자료는 1898년 한성의 부인들이 발표한 「여권통문」이다. 「여권통문」에서는 여성의 교육권을 실현하기 위해 여학교를 설립할 것을 주장하였다. 이에 따라 우리나라 최초의 여성 운동 단체인 찬양회가 조직되어 여성 교육을 위한 학교를 설립하는 운동이 전개되었다.
바로 알기 ㄱ. 1907년 국채 보상 부인회는 국채 보상 운동에 적극적으로 참여하였다. ㄷ. 조혼 제도의 폐지는 1894년 제1차 갑오개혁 때 이루어졌다.

극비 노트 개항 이후 여성의 사회 활동

선언문	「여권통문」, 대구 남일동 부인회의 국채 보상 운동 선언문 등
여성 단체	찬양회(최초), 여자 교육회, 진명 부인회, 국채 보상 부인회 등
대표 인물	박에스더(최초의 여의사), 윤희순(의병 활동) 등

3단계 등급 올리기 본문 87쪽

| 01 ⑤ | 02 ② | 03 ⑤ | 04 해설 참조 |

01 밑줄 친 '최초의 철도'는 1899년에 개통한 경인선이다. 갑신정변은 1884년, 청일 전쟁 발발은 1894년, 삼국 간섭과 을미사변은 1895년, 대한 제국 선포는 1897년, 러일 전쟁 발발은 1904년이다.

02 (개)는 대한매일신보이다. 국채 보상 운동은 대한매일신보, 황성신문 등의 언론을 통해 전국으로 확산되었다.
바로 알기 ①은 한성순보에 대한 설명이다. ③ 독립 협회는 러시아의 절영도 조차 반대, 한러 은행 폐쇄 등의 이권 수호 운동을 전개하였는데, 독립신문은 이를 지지하는 논설을 수록하였다. ④는 제국신문에 대한 설명이다. ⑤ 「여권통문」은 대한매일신보 창간 이전인 1898년에 발표되었으며, 황성신문 등에 게재되었다.

03 나라에서 반상의 구분을 없앴다고 하는 대사에서 제시된 역할극 대본의 배경이 갑오개혁 이후라는 것을 알 수 있다. 이 시기에는 근대 문물이 수용되면서 의식주에서 서양식 문화가 보급되기 시작하였다. 특히 의복에서는 양복과 양산을 이용하기 시작하였으며, 마고자·조끼 등이 유행하였다. 이와 같은 일상생활의 변화는 근대 의식의 형성에도 영향을 주었다. 독립 협회가 개최한 만민 공동회에서는 각계각층의 사람들이 참여하여 자유 민권 운동을 전개하기도 하였다. 1885년에 설립된 광혜원은 이후 제중원, 세브란스 병원으로 개칭하면서 갑오개혁 이후에도 외과 수술과 같은 근대 의료 기술을 보급하였다.
바로 알기 ⑤ 동문학은 육영공원과 함께 1880년대에 설립된 관립 교육 기관이다.

서술형 문제

04 **예시 답안** 개항 이후 일본을 비롯한 열강의 침략이 심화되면서 애국심을 고취하기 위해 국사 연구가 활발하게 일어났다.

채점 기준	배점
시대적 배경(일본을 비롯한 열강의 침략 심화)과 목적(애국심 고취를 위한 국사 연구 활발)을 모두 서술한 경우	상
시대적 배경이나 목적 중 하나만 서술한 경우	하

01 일제의 식민지 지배 정책

1단계 개념 짚어 보기
본문 89쪽

01 민족 자결주의 02 (1) 헌병 경찰 (2) 고등 교육 (3) 중추원
03 ㉠ 지세 ㉡ 신고주의 ㉢ 경작권 04 회사령 05 (1) ×
(2) × (3) ○ 06 산미 증식 계획

2단계 내신 다지기
본문 90~92쪽

01 ②	02 ③	03 ⑤	04 ④	05 ③
06 ④	07 ①	08 ⑤	09 ①	10 ⑤
11 ⑤	12 치안 유지법		13 ④	14 ③

01 밑줄 친 '이 전쟁'은 제1차 세계 대전이다. 서부 전선이 교착 상태에 빠졌으나, 독일의 무제한 잠수함 작전을 계기로 미국이 전쟁에 참가하면서 전세는 연합국 측으로 기울었다. 이후 동맹국 측 국가들이 차례로 항복하였고, 독일이 항복하면서 제1차 세계 대전은 종결되었다. 제1차 세계 대전은 기관총, 탱크, 독가스 등 새로운 무기가 전쟁에 투입되면서 엄청난 피해를 발생시켰다.
바로 알기 ② 제1차 세계 대전의 결과 미국과 일본은 국력이 크게 성장하고 경제 호황을 누리면서 국제 사회에서 영향력이 커졌다.

02 제시된 자료는 윌슨의 평화 원칙 14개조로 제1차 세계 대전의 전후 문제를 처리하기 위해 열린 파리 강화 회의(1919)에서 채택되었다. 그 중 5조의 민족 자결주의 원칙은 아시아·아프리카 지역의 민족 운동에 영향을 주었다.
바로 알기 ① 3국 협상의 결성은 제1차 세계 대전의 배경이 되었다. ②, ⑤는 워싱턴 회의에 대한 설명이다. ④는 1919년에 코민테른에서 선언한 내용이다.

03 러시아에서는 1917년에 노동자와 군인들이 3월 혁명을 일으켜 제정을 무너뜨리고 임시 정부를 세웠다. 그러나 임시 정부가 개혁을 미루고 전쟁을 계속하자 레닌을 비롯한 사회주의자들이 11월 혁명을 일으켜 임시 정부를 무너뜨리고 혁명 정부를 세웠다. 새 정부는 독일과 강화 조약을 체결하여 전쟁을 중지하였고, 각종 사회 개혁을 추진하였다. 이후 반혁명파 세력과의 내전에서 승리한 후 1922년 소비에트 사회주의 공화국 연방(소련)을 수립하였다.
바로 알기 ①은 1920년, ②는 1921년, ③은 1919년, ④는 1918년에 일어난 일이다.

04 밑줄 친 '헌병 경관'은 1910년대의 헌병 경찰을 가리킨다. 헌병 경찰은 일반 경찰 업무뿐만 아니라 세금 징수, 검열, 언론 지도, 위생 점검 등 일반 행정 업무까지 맡았다. 또한 경찰범 처벌 규칙에 따라 이를 위반하는 자에게 구류, 태형, 과료 등을 부과하여 한국인의 일상생활을 통제하였다. 그리고 일부 범죄에 대해 정식 재판을 거치지 않고 즉결 심판할 수 있는 권한도 부여받았다.
바로 알기 ④ 치안 유지법은 1920년대에 제정한 법률이다.

05 자료는 조선 태형령(1912)으로 3·1 운동 이후 폐지되었다. 1910년대에 무단 통치를 실시한 일제는 헌병 경찰 제도를 시행하여 헌병 경찰이 일반 행정 업무까지 관여하게 하였다. 또한 일반 관리는 물론 학교 교원들까지 제복을 입히고 칼을 차게 하여 위압적인 분위기를 조성하였고, 한국인의 언론·출판·집회·결사의 자유를 박탈하여 한국인이 발행하는 거의 모든 신문을 폐간하였다. 그리고 지세 확보와 토지 장악을 위해 토지 조사 사업을 실시하였다.
바로 알기 ③ 한국과 일본 간 관세 폐지는 1923년의 일이다.

06 토지 조사 사업의 시행 결과 조선 총독부의 지세 수입이 증가하였다. 그리고 토지 조사 사업의 과정에서 일제는 지주의 소유권만 인정하고 농민의 관습적인 경작권을 부정하였다. 이에 땅을 소유하지 못한 농민들은 지주와 농지 임대 기한을 정해 계약해야 하는 기한부 소작농으로 전락하였다.
바로 알기 ㄱ, ㄷ은 산미 증식 계획의 실시 결과에 해당한다.

07 제시된 자료는 회사령(1910)이다. 회사령의 실시 결과 한국인의 기업 설립이 억제되어 한국인 기업은 주로 소규모 제조업, 매매업 등에 한정되었다.
바로 알기 ②, ④는 토지 조사 사업의 결과이다. ③ 제1차 조선 교육령에 따라 한국인에게는 고등 교육의 기회를 거의 주지 않았고, 주로 보통 교육과 실업 교육을 실시하였다. ⑤ 일제는 어업령, 삼림령, 조선 광업령 등을 공포하여 한국의 각종 자원을 독점하고 식민지 지배의 토대를 마련하였다.

08 한국의 국권 강탈 이후 일제는 주요 도시와 항구를 연결하는 철도망을 건설·정비하였으며, 부산·인천 등 주요 항구의 항만 시설을 확충하였다. 일제는 이처럼 구축한 기간 시설을 이용하여 한국에서 생산되는 농산물이나 각종 자원을 일본으로 들여오고, 일본에서 만든 상품을 한국 시장에 판매할 수 있었다.
바로 알기 ①은 회사령 실시, ②는 회사령 폐지의 목적이다. ③ 일제는 이른바 '문화 통치'를 내세우면서 교육 기회의 확대를 표방하였다. ④ 일제는 한국인을 정치에 참여시킨다는 명분으로 중추원을 조선 총독부의 자문 기관으로 개편하였다.

09 제시된 자료는 3·1 운동 이후 조선 총독으로 부임한 사이토 마코토가 이른바 '문화 통치'를 표방하기 위해 발표한 시정 방침 훈시이다. 1919년에 일어난 3·1 운동을 계기로 일제는 강압적인 무단 통치의 한계를 깨달았다. 이에 식민 통치 방식을 전환하여 한국인의 반발을 무마하고자 하였다.
바로 알기 ②는 1925년, ③은 1914년, ④는 1907년, ⑤는 1922년에 일어났다.

10 (가)는 일제의 검열로 기사가 삭제된 신문이며, (나)는 1920년에 경찰 인원의 증가를 보여 주는 그래프이다. 3·1 운동 이후 일제는 이른바 '문화 통치'를 표방하며 조선일보·동아일보 등 한국인이 운영하는 신문의 발행을 허가하였고, 헌병 경찰제를 보통 경찰제로 바꾸었다. 그러나 일제는 신문에 대한 검열을 강화하여 (가)와 같이 기사를 삭제하거나 신문을 압수·정간하기도 하였다. 그리고 경찰 기관·인원 등을 늘려 경찰력을 강화하였다. 따라서 두 자료는 '문화 통치'의 기만성을 보여 주고 있다.

① 3·1 운동 이후 헌병 경찰제는 보통 경찰제로 바뀌었다. ②는 무단 통치 시기에 해당하는 대화 내용이다. ③ (나)의 경찰 인원 증가는 3·1 운동의 영향으로 이루어졌다. ④ 치안 유지법은 1925년에 제정되었다.

11 제시된 자료는 1920년에 발표된 사이토 마코토 총독의 「조선 민족 운동에 대한 대책」으로, 친일파를 육성하는 방법을 제시하고 있다. 이 시기 일제는 헌병 경찰제를 보통 경찰제로 바꾸고 태형 제도와 관리·교원의 제복 착용을 폐지하였다. 또한 언론·출판·집회·결사의 자유를 일부 허용하여 조선일보, 동아일보와 같은 한국인이 운영하는 신문의 발행을 허용하였다. 교육 기회의 확대도 표방하여 보통학교의 교육 연한을 4년에서 6년으로 연장하였다.
⑤는 회사령에 대한 설명이다. 일제는 1920년에 회사령을 폐지하여 회사 설립을 허가제에서 신고제로 변경하였다.

12 일제는 1925년 제정한 치안 유지법을 이용하여 항일 민족 운동에 대한 감시와 탄압을 더욱 강화하였다.

13 산미 증식 계획으로 토지 회사와 지주들은 일본으로 쌀을 팔아 막대한 부를 축적하였다. 그러나 농민들은 수리 조합비·비료 대금 등 쌀 증산에 드는 비용을 부담하게 되어 생활이 더욱 어려워졌다.
① 일제는 1928년 신은행령을 발표하고 한국인 소유의 은행을 합병하는 등 한국의 금융 지배를 강화하였다. ②, ⑤는 토지 조사 사업 실시, ③은 회사령 폐지의 결과이다.

14 일제는 한국인의 기업 설립을 제한하고 경제를 침탈할 목적으로 1910년에 회사령을 제정하였다. 그리고 일본 기업이 자유롭게 한국으로 진출하게 하기 위하여 1920년에 회사령을 폐지하여 회사 설립을 신고제로 전환하였다.
국권 피탈은 1910년, 토지 조사령 공포는 1912년, 3·1 운동 시작은 1919년, 한일 관세 폐지는 1923년, 치안 유지법 제정은 1925년, 신은행령 발표는 1928년에 해당한다.

3단계 등급 올리기
본문 93쪽

| 01 ⑤ | 02 ② | 03 ④ | 04 해설 참조 |

01 제시된 자료의 학습 주제는 토지 조사 사업의 실시 결과이다. 토지 조사 사업의 결과 일제는 지세 수입이 증가하여 식민 통치에 필요한 재정을 확충할 수 있었다. 경작권을 인정받지 못한 농민들은 소작농으로 전락하였다.
①, ②는 산미 증식 계획의 결과이다. ③은 회사령 실시에 따른 결과이다. ④ 지계는 대한 제국의 양전 사업을 실시하였을 때 발급한 문서이다.

02 (가)는 '문화 통치'이다. '문화 통치'를 표방하였던 시기에 일제는 헌병 경찰제를 보통 경찰제로 전환하였지만, 경찰 관서와 인원·비용 등을 증가시키고 고등 경찰제를 실시하였다.
①, ③, ④, ⑤는 무단 통치 시기에 일어난 일이다.

03 일본은 공업화로 쌀의 수요가 급증하였으나 농업 생산력이 이에 미치지 못하였다. 결국 쌀값이 크게 올라 폭동이 일어나기도 하였다. 일제는 부족한 쌀을 한국에서 충당하기 위해 산미 증식 계획을 실시하였다. 일제는 품종 개량, 수리 조합 조직 등으로 쌀 증산을 시도하였으나 쌀의 증산량보다 일본으로의 이출량이 많아 만주에서 잡곡을 수입하기도 하였다. 또한 농민은 수리 조합비 등을 떠맡게 되어 생활이 더욱 어려워졌다.
④는 1910년대의 일이다. 헌병 경찰은 태형을 즉결 처분권으로 행사하였다.

서술형 문제

04 **예시답안** 한국인 공장 수는 일본인 공장 수와 비슷하나 생산액은 일본인 공장이 훨씬 크다. 이는 일본인 기업이 대부분 회사령이 폐지된 이후 한국에 진출한 대기업인 반면, 한국인 기업은 대부분 유통이나 제조업 분야의 소규모 기업이었기 때문이다.

채점 기준	배점
그래프에 제시된 공장 수와 생산액을 비교하고 차이가 나게 된 원인을 명확히 서술한 경우	상
그래프에 제시된 공장 수와 생산액만 비교하여 서술한 경우	하

2 3·1 운동과 대한민국 임시 정부

1단계 개념 짚어 보기

본문 95쪽

01 독립 의군부　**02** (1) ㄴ　(2) ㄷ　(3) ㄱ　**03** 신한청년당
04 2·8 독립 선언　**05** 상하이　**06** (1) − ⓒ　(2) − ⓛ　(3) − ⑦
07 국민대표 회의

2단계 내신 다지기

본문 96~98쪽

01 ②	**02** 복벽주의	**03** ①	**04** ②	**05** ⑤
06 ③	**07** ⑤	**08** ④	**09** ①	**10** ③
11 ③	**12** ①	**13** ⑤		

01 제시된 자료는 대한 광복회의 강령이다. 1915년 박상진 등은 공화정 수립을 목표로 대구에서 대한 광복회를 조직하였다. 대한 광복회는 군대식 조직을 갖추었으며, 친일파를 처단하고 만주에 무관 학교를 설립하기 위해 군자금을 모으는 등의 활동을 펼쳤다.
바로 알기 ① 박용만은 하와이에서 대조선 국민군단을 조직하여 무장 투쟁을 준비하였다. ③, ⑤는 신민회에 대한 설명이다. ④ 국내에서 마지막 의병장이라 불린 채응언이 1915년까지 평안도와 황해도 등지에서 의병 활동을 전개하였다.

02 1910년대의 독립 운동 단체는 정치적 성격에 따라 군주제를 지향하는 복벽주의와 공화제를 지향하는 공화주의를 추구하였다. 임병찬 등이 조직한 독립 의군부는 복벽주의 이념에 따라 고종의 복위를 목표로 활동하였다.

03 명문가였던 이회영 집안 6형제는 국권 피탈 이후 독립운동을 위해 많은 재산을 처분하고 만주로 떠났다. 이들은 신민회의 이상룡 등과 함께 남만주 삼원보에서 경학사를 조직하고 신흥 강습소를 세워 독립군을 양성하였다.
바로 알기 ②, ⑤는 연해주, ③은 국내, ④는 미주에서 활동한 독립운동 단체이다.

04 (가)는 상하이, (나)는 서간도(남만주), (다)는 북간도, (라)는 연해주, (마)는 미주 지역이다. 상하이에서는 신규식 등이 1917년에 대동단결 선언을 발표하여 공화주의를 바탕으로 임시 정부가 수립되어야 한다고 주장하였다. 국권 피탈 이후 대종교가 북간도로 거점을 옮기자, 신자 중 일부가 무장 독립 단체인 중광단을 만들었다. 연해주에서는 1914년에 이상설과 이동휘를 정부통령으로 하는 대한 광복군 정부가 조직되었다. 미주 지역에서는 한인 단체들이 통합하여 대한인 국민회가 결성되었다. 대한인 국민회는 미국 본토와 하와이 등지에 지부를 설치하고, 독립운동 자금을 모아 만주와 연해주 독립운동을 지원하였다.
바로 알기 ②는 북간도 지역의 독립운동이다. 북간도에서는 이상설, 김약연 등이 서전서숙과 명동 학교를 세웠다.

05 신한청년당에서 파리 강화 회의에 민족 대표로 김규식을 파견한 것, 일본에서 유학생들을 중심으로 2·8 독립 선언서가 발표된 것은 3·1 운동이 일어나는 주요한 계기가 되었다.
바로 알기 ㄱ. 중국에서 일어난 5·4 운동은 3·1 운동의 영향을 받았다. ㄴ. 대한민국 임시 정부는 3·1 운동 이후 수립되었다.

06 제시된 선언문은 3·1 운동 때 발표된 기미 독립 선언서이다. 3·1 운동은 경성 등 주요 도시를 중심으로 전국으로 확산되었으며, 국내뿐만 아니라 만주, 연해주, 미주, 일본 등지에서도 전개되었다.
바로 알기 ① 3·1 운동은 천도교·불교 등 종교계 지도자들과 학생 대표들이 계획하였으며, 독립 선언서 발표 후에는 학생·시민들이 시위를 전개하였다. 신민회는 1911년 105인 사건으로 해체되었다. ②는 정미의병, ④는 동학 농민 운동에 대한 설명이다. ⑤ 국민대표 회의는 연통제와 교통국의 마비, 독립운동의 노선을 둘러싼 투쟁, 이승만의 위임 통치 청원서 제출 사건 등이 계기가 되어 1923년에 상하이에서 개최되었다.

07 제시된 그래프에 나타난 직업별 구성을 보면 농민이 50% 이상을 차지하고, 그 밖에 학생과 지식인, 상공업자, 노동자 등도 상당 비율을 차지하고 있다. 이를 통해 3·1 운동을 계기로 민족 운동의 주체가 학생, 농민, 노동자 등 다양한 계층으로 확대되었음을 알 수 있다.
바로 알기 ①, ②는 갑신정변 등에 대한 설명이다. ③, ④는 1907년에 시작된 국채 보상 운동과 관련된 설명이다.

08 (가)는 3·1 운동이다. 1919년 3·1 운동 당시 일제는 화성 제암리를 비롯한 전국 각지에서 학살을 자행하였다. 3·1 운동은 일제의 식민 통치 방식에 영향을 주어 폭력적인 무단 통치에서 이른바 '문화 통치'로 바꾸는 계기가 되었다. 또한 중국의 5·4 운동 등 아시아 각국의 반제국주의 운동에도 영향을 주었다.
바로 알기 ㄱ. 독립 의군부는 3·1 운동 이전인 1912년에 결성되었다. ㄷ. 1918년 윌슨이 제시한 민족 자결주의 원칙은 3·1 운동이 일어나는 배경이 되었다.

자료 노트 제암리 학살 사건

3·1 운동 때 만세 시위가 일어났던 경기 화성 제암리와 고주리에서는 1919년 4월 15일에 일본군이 마을 주민들을 학살한 사건이 일어났다. 당시 선교사로 한국에 왔던 스코필드는 일제가 자행한 학살 현장을 사진과 기록으로 담아 미국 언론에 보냈다. 이를 통해 일제의 만행이 세상에 알려졌다. 광복 이후 제암리 입구에는 일제가 학살한 사람들을 기리는 순국 기념탑이 세워졌고, 1982년부터는 학살 현장의 유골 발굴과 조사가 시작되었다. 발굴된 유골은 제암리에 마련된 합동 묘지에 안장되었다.

---

09 (가)는 대한 국민 의회, (나)는 한성 정부, (다)는 상하이 임시 정부이다. 대한 국민 의회는 손병희를 대통령, 이승만을 국무총리로 하였고, 한성 정부는 이승만을 집정관 총재, 이동휘를 국무총리 총재로 하였다. 상하이에서는 신한청년당을 중심으로 여러 독립운동 세력이 모여 임시 정부가 수립되었다. 상하이 임시 정부의 임시 의정원은 대한민국 임시 헌장을 선포하였다.
바로 알기 ① 상하이 임시 정부에서 임시 의정원을 만들었다.

10 제시된 자료는 대한민국 임시 정부가 선포한 대한민국 임시 헌법(1919. 9.)이다. 이 자료에서는 대한민국 임시 정부의 체제를 살펴볼 수 있는데 1조와 2조에서는 민주 공화제를, 3조에서는 삼권 분립을 규정하였다. 대한민국 임시 정부는 우리나라 역사상 최초의 민주 공화제 정부였으며, 외교 활동에 유리한 중국 상하이에서 출범하였다. 임시 정부는 독립운동 자금을 모으고 국내 항일 세력들과 연락하기 위해 연통제와 교통국을 조직하였고, 임시 사료 편찬 위원회를 두어 『한일 관계 사료집』을 간행하였다. **바로 알기** ③ 대한민국 임시 정부는 3·1 운동을 계기로 여러 지역에서 수립된 임시 정부를 통합하여 1919년 9월에 출범하였다.

11 대한민국 임시 정부는 직할 부대로 서간도에 광복군 사령부와 광복군 총영을 두고 무장 투쟁을 지원하였다. 임시 정부는 서로 군정서와 북로 군정서 등 만주 지역의 독립군 단체를 군무부 산하로 편제하였다. 또한 독립운동 자금을 마련하기 위해 독립 공채를 발행하거나 의연금을 모금하였다. 특히 임시 정부는 외교 활동에 주력하였는데, 미국에 구미 위원부를 설치하여 한국의 독립 문제를 국제 여론화하는 데 힘썼다. **바로 알기** ③ 독립 의군부는 조선 총독부와 일본 정부에 국권 반환 요구서를 보내려고 계획하였으나 사전에 발각되어 실패하였다.

12 자료는 국민대표 회의 선언서(1923)이다. 국민대표 회의는 임시 정부를 해체하고 새로운 정부를 수립하자는 창조파와 임시 정부의 조직만 바꾸자는 개조파의 대립으로 결렬되었다. **바로 알기** ② 국민대표 회의가 결렬된 후 대한민국 임시 정부는 이승만을 탄핵하고 박은식을 대통령으로 추대하였다. ③은 개조파, ④는 창조파의 주장이다. ⑤ 박은식을 대통령으로 추대한 후 대한민국 임시 정부는 1925년에 헌법을 고쳐 국무령 중심의 내각 책임제로 바꾸었다.

13 1923년에 국민대표 회의가 결렬된 이후 대한민국 임시 정부는 이승만을 탄핵하고 박은식을 제2대 대통령에 선출하였다. 곧이어 헌법을 고쳐 대통령제를 국무령 중심의 내각 책임제로 개편하였다. **바로 알기** ① 대한민국 임시 정부는 1919년 파리 강화 회의에 파견된 김규식을 전권 대사로 임명하여 독립 청원서를 제출하였다. ② 각지의 임시 정부가 통합하여 헌법을 개정하면서 삼권 분립의 원칙에 따라 정부 조직을 임시 의정원(입법), 국무원(행정), 법원(사법)으로 구성하였다. ③ 이승만이 미국 대통령에게 위임 통치 청원서를 제출한 것은 국민대표 회의 개최의 배경이 되었다. ④ 임시 정부는 1921년 워싱턴 회의에 독립 요구서를 제출하였으나 받아들여지지 않았다.

극비 노트 대한민국 임시 정부의 활동(1920년대)

수립	3개의 임시 정부를 통합하여 중국 상하이에서 출범(1919. 9.) → 대한민국 임시 헌법 공포(민주 공화제, 삼권 분립 규정)
활동	연통제·교통국 조직, 독립 공채 발행, 의연금 모금, 독립신문 발행, 『한일 관계 사료집』 발간, 외교 활동 전개 등
변화	국민대표 회의 결렬(1923) → 국무령 중심의 내각 책임제로 헌법 개정(1925) → 국무위원 중심의 집단 지도 체제로 헌법 개정(1927)

01 밑줄 친 '이 지역'은 연해주이다. 1911년 연해주 블라디보스토크에서 한인 집단 거주지인 신한촌이 만들어졌다. 연해주에서는 한인 단체를 망라한 전로 한족회 중앙 총회가 결성되었는데, 3·1 운동(1919) 이후 이 단체는 대한 국민 의회로 개편되었다. **바로 알기** ①은 미주(멕시코), ②는 상하이, ④는 북간도, ⑤는 서간도(남만주)에서 일어난 일이다.

02 일제는 1910년대에 헌병 경찰 제도와 같은 강압적인 무단 통치와 토지 조사 사업, 회사령 등의 식민지 경제 정책을 실시하였다. 이와 같은 식민 통치 정책에 시달렸던 농민들은 3·1 운동이 농촌 지역으로 확산되면서 적극적으로 시위에 참여하였다. **바로 알기** ㄷ. 치안 유지법은 3·1 운동 이후인 1925년에 제정되었다. ㄹ. 산미 증식 계획은 1920~1934년에 실시되었다.

03 (가)는 대한민국 임시 정부이다. 대한민국 임시 정부는 기관지로 독립신문을 발행하였다. 대한민국 임시 정부는 군사 활동에도 힘을 기울여 육군 주만 참의부 등을 직할로 두었다. **바로 알기** ① 1883년에 함경도 덕원에서 개화파 관료와 주민들이 원산 학사를 설립하여 근대 학문을 가르쳤다. ② 1894년에 고종은 국정 개혁의 기본 강령인 홍범 14조를 반포하였다. ③ 1918년 이동휘는 연해주에서 한인 사회당을 결성하였다. ④ 북간도로 이주한 동포들은 동포 사회를 운영하기 위해 간민회 등의 자치 단체를 만들었다.

서술형 문제

04 **예시 답안** 대동단결의 선언은 대한 제국의 주권이 국민에게 계승되었음을 주장하였다.

채점 기준	배점
대한 제국의 주권이 국민에게 계승되었음을 정확하게 서술한 경우	상
대한 제국의 주권이 국민에게 계승되었음을 미흡하게 서술한 경우	하

3 다양한 민족 운동의 전개

본문 101쪽

1단계 개념 짚어 보기

01 ㄱ - ㄴ - ㄹ - ㄷ **02** 군정 조직 **03** 혁신 의회 **04** (1) ○
(2) ○ (3) × **05** (1) - ㉡ (2) - ㉠ (3) - ㉢ **06** 신간회

2단계 내신 다지기

본문 102~104쪽

01 ②	**02** ⑤	**03** ②	**04** ③	**05** ③
06 미쓰야 협정		**07** ⑤	**08** ③	**09** ④
10 ①	**11** ④	**12** ④	**13** ①	**14** ⑤
15 ②	**16** ⑤			

01 (가) 전투는 봉오동 전투(1920)이다. 홍범도가 이끄는 대한 독립군은 최진동의 군무 도독부군, 안무의 국민회군 등과 함께 봉오동 전투에서 일본군을 크게 무찔렀다.
바로알기 ① 서울 진공 작전(1908)은 정미의병이 주도하였다. ③ 미쓰야 협정은 1925년에 체결되었다. ④ 채응언은 1910년대 국내에서 활동한 의병장이다. ⑤ 자유시 참변(1921) 이후에 자유시에서 돌아온 독립군 부대들은 전열을 재정비하여 3부를 조직하였다.

02 (가) 지역에서 일어난 전투는 청산리 대첩(1920)이다. 봉오동 전투에서 패배한 일본군은 훈춘 사건을 조작하고 만주에 대규모 병력을 파견하였다. 그러나 홍범도의 대한 독립군과 김좌진의 북로 군정서 등은 백운평, 어랑촌, 고동하 등지에서 일본군과 10여 차례 전투를 벌여 큰 승리를 거두었다.
바로알기 ㄱ은 봉오동 전투에 대한 설명이다. ㄴ. 제암리 사건은 일제가 3·1 운동이 일어났을 때 저지른 만행이다.

03 제시된 자료에 나타난 사건은 간도 참변(1920)이다. 청산리 대첩에서 패한 일본군은 독립군의 근거지를 무너뜨리기 위해 간도에 살고 있는 한인 마을을 불태우고 한국인들을 학살하는 간도 참변을 일으켰다.
바로알기 ① 이른바 '남한 대토벌' 작전은 1909년에 일어났다. ③은 자유시 참변에 대한 내용이다. ④ 혁신 의회는 1920년대 후반에 민족 유일당 운동의 과정에서 성립되었다. ⑤ 일제가 만주 군벌과 체결한 협정은 미쓰야 협정(1925)이다.

04 첫 번째 사건은 훈춘 사건(1920), 두 번째 사건은 자유시 참변(1921)이다. 일제는 훈춘 사건을 조작하여 만주에 일본군을 투입하였으나, 청산리 대첩에서 독립군에 크게 패하였다. 일제는 이에 대한 보복으로 간도 참변을 일으켰다. 이후 만주 지역의 각 독립군 부대는 북만주의 미산(밀산)에 집결한 후 러시아로 이동하였으나 자유시 참변으로 희생되었다.
바로알기 ①, ②, ④는 자유시 참변 이후의 일이다. ⑤는 훈춘 사건 이전에 전개되었던 봉오동 전투에 대한 설명이다.

05 제시된 자료는 3부 통합 운동의 전개를 보여 준다. 1920년대 후반 만주에서 3부의 통합 운동이 전개된 결과 남만주에서 국민부, 북만주에서 혁신 의회가 조직되었다.

극비노트	1920년대 독립군의 활동
독립군의 승리	봉오동 전투·청산리 대첩(1920)에서 승리
독립군의 시련	간도 참변(1920), 자유시 참변(1921)
독립군의 재정비	3부 성립 → 3부 통합 운동 → 국민부·혁신 의회로 재편

06 제시된 자료는 1925년에 조선 총독부 경무국장 미쓰야와 만주 군벌이 맺은 미쓰야 협정이다. 미쓰야 협정이 체결되면서 만주의 중국 관리들은 독립운동가를 체포하여 일본군에게 넘겨주면 포상금을 받을 수 있었다. 이 때문에 중국 관리들이 만주 일대에서 활동하던 한국인 독립운동가를 탄압하였다.

07 (가) 단체는 의열단이다. 의열단의 단원인 나석주는 1926년에 동양 척식 주식회사와 조선 식산 은행에 폭탄을 투척하는 의거를 일으켰다.
바로알기 ①, ③ 일제 강점기에는 의열단의 활동 이외에도 의열 투쟁이 여러 차례 일어났다. 조명하는 타이완에서 일본 왕자를 죽이는 의거를 일으켰으며, 강우규는 국내에서 조선 총독 사이토 마코토의 저격을 시도하였다. ② 안중근은 1909년에 만주에서 이토 히로부미를 저격하는 의거를 일으켰다. ④ 이재명은 1909년에 명동 성당 앞에서 이완용을 습격하여 중상을 입혔다.

08 「조선 혁명 선언」을 활동 지침으로 삼은 단체는 의열단이다. 의열단은 민족 혁명당 결성(1935)을 주도하였다.
바로알기 ① 복벽주의를 지향한 단체로는 독립 의군부 등이 있다. ② 한국 독립당은 한국 독립군을 조직하여 일제에 맞섰다. ④는 신민회, ⑤는 3부에 대한 설명이다.

09 제시된 자료는 조선 물산 장려회 궐기문으로 물산 장려 운동과 관련이 있다. 1920년대 초 한국과 일본 사이의 관세가 철폐된다는 소식으로 한국인 자본가들의 위기의식이 높아졌다. 그러자 1920년 평양에서 조선 물산 장려회가 조직되어 민족 기업의 육성을 위한 물산 장려 운동이 시작되었고, 이는 점차 전국으로 확산되었다.
바로알기 ①은 민립 대학 설립 운동의 배경이다. ②는 1910년대의 일이다. ③ 일제는 한국의 자원을 독점하기 위해 1910년대에 어업령, 삼림령, 조선 광업령 등을 제정하였다. ⑤ 치안 유지법은 1925년에 제정되었다.

10 밑줄 친 '이 운동'은 민립 대학 설립 운동이다. 민립 대학 설립 운동은 한국인의 힘으로 고등 교육 기관을 설립하려는 실력 양성 운동이다.
바로알기 ②, ④, ⑤는 문맹 퇴치 운동, ③은 물산 장려 운동에 대한 설명이다.

11 왼쪽은 조선일보의 문자 보급 운동 교재인 『한글 원본』, 오른쪽은 동아일보에서 주도한 브나로드 운동의 포스터이다. 1920년대 후반부터 조선일보, 동아일보 등의 언론 기관이 중심이 되어 문맹 퇴치 운동이 전개되었다.

바로알기 ① 3·1 운동은 1919년에 일어났다. ②, ③ 실력 양성 운동이 큰 성과를 거두지 못하자 일부 민족주의 계열의 지식인, 지주, 자본가들이 자치 운동이나 참정권 운동을 전개하였다. ⑤ 1924년 중국에서 제1차 국공 합작이 성사되자 국내외 독립운동가들은 이념과 노선을 초월한 민족 유일당 운동을 전개하였다.

12 제시된 자료는 이광수의 「민족적 경륜」(1924)이다. 실력 양성 운동이 큰 성과를 거두지 못하는 가운데 최린, 이광수 등 일부 민족주의 계열 인사들은 일제에 맞서기보다 일제의 지배를 인정하고 자치를 인정받자는 자치 운동을 전개하였다. 이는 민족주의 세력의 분열을 초래하였다.

바로알기 ㄱ, ㄷ. 비타협적 민족주의자들은 자치 운동 등에 반대하여 사회주의자들과 민족 유일당 운동을 전개하였다. 그 결과 신간회가 창립되었다(1927).

13 제시된 자료는 정우회 선언이다. 사회주의자들은 1926년 정우회 선언을 발표하여 비타협적 민족주의 세력과의 협력을 주장하였다. 그 결과 1927년에 비타협적 민족주의자들과 사회주의자들이 연대하여 신간회를 창립하였다.

바로알기 ② 3·1 운동 이후 사회주의 사상이 확산되었고, 사회주의 단체 대표들이 모여 1925년에 조선 공산당을 결성하였다. ③ 1920년 회사령 폐지 등을 배경으로 하여 물산 장려 운동이 시작되었다. ④ 제1차 국공 합작은 1924년의 일이다. ⑤ 1920년대 초반부터 조선 민립 대학 기성회가 민립 대학 설립 운동을 전개하였다.

14 제시된 자료는 신간회의 강령이다. 1927년 비타협적 민족주의자들과 사회주의자들의 연합으로 결성된 신간회는 1929년에 광주 학생 항일 운동이 일어나자 광주에 진상 조사단을 파견하고 일제의 학생 운동 탄압에 항의하였다.

바로알기 ① 조선 공산당은 1925년에 결성되었다. ②는 참의부, ③은 의열단, ④는 신민회에 대한 설명이다.

15 (가) 단체는 신간회이다. 신간회는 합법적인 공간을 활용하여 한국인 본위의 교육 실시, 타협적 정치 운동 반대 등을 주장하며 각종 정치 활동을 펼쳤다. 강연단을 만들어 전국을 순회하면서 민중을 계몽하였으며, 노동 운동·농민 운동·여성 운동 등 사회 운동을 적극적으로 지원하였다. 그리고 1929년에 일어난 원산 총파업을 지원하고 갑산군 화전민 사건 등에 개입하여 사건의 진상을 규명하기 위해 노력하였다.

바로알기 ② 신간회는 비타협적 민족주의 세력과 사회주의 세력이 연합하여 결성된 단체로, 타협적 정치 운동의 반대를 주장하였다.

16 제시된 자료는 사회주의 세력이 신간회 해소를 주장하는 내용이다. 신간회 해소는 1931년에 결정되었다.

바로알기 3·1 운동은 1919년, 간도 참변은 1920년, 경성 제국 대학 설립은 1924년, 정우회 선언 발표는 1926년, 광주 학생 항일 운동은 1929년, 민족 혁명당 결성은 1935년이다.

3단계 등급 올리기

본문 105쪽

01 ⑤　　02 ②　　03 ④　　04 (1) 의열단
(2) 해설 참조

01 봉오동 골짜기에서 홍범도의 지휘 아래 승리를 한 내용을 통해 제시된 자료는 봉오동 전투(1920)에 대한 것임을 알 수 있다. 봉오동 전투는 청산리 대첩과 함께 국외에서 전개된 대표적인 무장 독립 투쟁이다.

바로알기 ① 의열 투쟁은 일제의 식민 통치 기관을 파괴하거나 주요 인물들을 암살하는 방식으로 동포들의 애국심을 고취하는 독립운동이었다. ② 신간회는 국내에서 민족 유일당을 설립하려는 운동의 결과 1927년에 결성된 단체이다. ③ 사회주의 사상은 3·1 운동 이후 국내에 들어와 청년, 지식인층을 중심으로 빠르게 퍼져 나갔다. ④ 실력 양성 운동은 교육과 산업을 발전시켜 민족의 실력을 키워서 독립을 위한 토대를 마련하는 방식의 독립운동이다.

02 전 인구의 대부분이 문자를 이해하지 못하는 현실에서 학교에 가지 못하는 아동에게 문자를 보급할 것을 주장하는 내용을 통해 활동지의 자료가 문맹 퇴치 운동 중 문자 보급 운동과 관련이 있음을 알 수 있다. 조선일보는 1929년부터 문자 보급 운동을 전개하면서 한글 교재를 발간하여 농촌에 보급하였다.

바로알기 ① 사회주의 세력은 농민과 노동자를 단결시켜 일제를 타도하려고 하였다. ③은 1898년에 발표된 「여권통문」의 주장이다. ④는 국어 연구의 중요성을 강조한 주장으로 주시경, 지석영 등의 학자들과 관련이 있다. ⑤는 민립 대학 설립 운동의 주장이다.

03 (가)는 사회주의 계열, (나)는 타협적 민족주의 계열이다. 사회주의 계열은 물산 장려 운동이 자본가와 중산 계급의 이익만을 추구하는 이기적 운동이라고 비판하였다. 1925년에 일제는 치안 유지법이 제정하여 사회주의 세력을 탄압하였다. 타협적 민족주의 계열은 일제의 식민 지배를 인정하였고 자치 운동, 참정권 운동을 전개하였다. 그러나 이러한 운동은 민족주의 계열의 분열을 초래하였고, 일제의 민족 분열 정책에 이용당하였다.

바로알기 ④ 비타협적 민족주의 계열이 일부 사회주의 계열과 함께 1926년 조선 민흥회를 결성하였다.

서술형 문제

04 (2) 예시답안 의열단원을 중국의 황푸 군관 학교에 입학시켜 체계적인 군사 훈련을 받게 하였고, 1930년대에는 조선 혁명 군사 정치 간부 학교를 설립하고 군사 훈련을 실시하여 조직적인 항일 무장 투쟁을 준비하였다.

채점 기준	배점
1920년대 후반 의열단의 활동(의열단원의 중국의 군관 학교 입학, 조선 혁명 군사 정치 간부 학교 설립하여 군사 훈련 실시)을 모두 서술한 경우	상
1920년대 후반 의열단의 활동 중 한 가지만 서술한 경우	하

04~05 사회·문화의 변화와 사회 운동 / 전시 동원 체제와 민중의 삶

1단계 개념 짚어 보기
본문 108쪽

01 토막민 **02** (1) × (2) ○ (3) ○ **03** 6·10 만세 운동
04 형평 운동 **05** 가갸날 **06** (1) – ㉠ (2) – ㉢ (3) – ㉡
07 (1) 학도 지원병제 (2) 국가 총동원법 (3) 창씨개명

2단계 내신 다지기
본문 108~111쪽

01 ④	**02** ②	**03** ②	**04** ④	**05** ⑤
06 ④	**07** ⑤	**08** ②	**09** ②	**10** ①
11 ④	**12** ⑤	**13** ⑤	**14** ⑤	**15** ④
16 ③	**17** ③	**18** 국민학교		

01 식민지 공업화로 도시가 성장하면서 한국에서는 경성 남촌의 상가와 같이 화려한 시가지가 형성되었다. 반면에 도시 변두리에는 일자리를 찾아 농촌에서 도시로 온 농민들이 빈민촌을 형성하였고, 이들은 초라한 움막을 짓고 생활하여 토막민이라고 불렸다. 이처럼 식민지 시기에 이루어진 도시화는 양면성을 가지고 있었다.
(바로 알기) ① 신은행령(1928)은 금융 분야에서 일본 자본의 지배를 강화하기 위해 발표되었다. ② 민족 분열 통치의 결과 일부 지식인들 사이에서 자치론, 참정권론 등을 주장하며 민족 운동의 분열이 초래되었다. 이는 일제 강점기의 사회·경제적 변화와는 직접적인 관련이 없다. ③ 제시된 자료에서는 일제 강점기에 부설된 철도의 모습을 확인할 수 없다. ⑤ 제시된 자료로는 식생활의 변화를 살펴볼 수 없다.

02 제시된 자료는 일제 강점기 도시의 모습을 보여 주고 있다. 일제는 식민 통치의 효율성을 높이기 위해 한국에 근대 문화와 제도를 정착시켰다. 이에 따라 의식주 생활이 변화하였으며, 근대 교육을 받은 신여성이 등장하였다. 이 시기에 X 자형 철도망이 완성되자 사람들은 운행 시간이 규칙적이고 정확한 철도를 이용하면서 근대적 시간관념에 익숙해졌다. 대부분의 도시에서는 일본인 거주 지역과 한국인 거주 지역이 구분되었으며, 도시로 몰려든 농민들은 대부분 도시 외곽에 빈민층을 형성하였다.
(바로 알기) ② 거류지 무역은 19세기 조선의 개항 초기에 이루어진 무역 형태이다.

03 일제는 1930년대 초 농촌 문제를 해결하기 위해 농촌 진흥 운동을 추진하였다. 그러나 일제는 소작료 인하, 자영농 육성 등의 근본적인 문제를 외면하였기에 농촌 문제를 해결하지 못하였다.
(바로 알기) ①은 토지 조사 사업에 대한 설명이다. ③ 문맹 퇴치 운동은 조선일보, 동아일보 등의 언론 기관이 실력 양성 운동의 하나로 전개하였다. ④ 산미 증식 계획은 쌀 생산량 증대를 목표로 한 정책이기 때문에 농촌 경제의 안정화와는 관련이 없다. ⑤ 암태도 소작 쟁의는 1923년에 일어났다.

04 제시된 자료는 일제 강점기에 단발머리의 유행에 따라 나타난 반응을 보여 준다. 일제 강점기 경성에서 주로 단발머리와 양장, 양복 차림으로 다니던 신식 여성과 남성을 모던 걸, 모던 보이라 불렀다. 이 시기에는 근대 문물이 유입되면서 의식주 생활에 변화가 나타났다. 의생활에서는 고무신, 운동화, 구두, 양복 등 서양식 복장이 점차 보편화되었다. 주생활에서는 도시를 중심으로 개량 한옥과 문화 주택이 보급되었다. 식생활에서는 커피, 빵, 아이스크림 등 서양 식품이 소비되었다. 그러나 이와 같은 근대 문물의 혜택은 일본인과 일부 부유한 한국인만이 누릴 수 있었다. 농민의 경우 일제의 농업 정책으로 경작지를 잃으면서 화전민이 되거나 도시 빈민으로 전락하였다.
(바로 알기) ④ 단발령은 을미개혁 시기인 1895년에 실시되었다.

05 밑줄 친 '이 단체'는 조선 농민 총동맹이다. 1924년 전국의 농민·노동 단체를 포괄하는 조직으로 만들어진 조선 노농 총동맹은 농민 운동과 노동 운동을 분리해야 한다는 주장이 확산되어 1927년에 조선 농민 총동맹과 조선 노동 총동맹으로 분리되었다.
(바로 알기) ① 조선 형평사는 형평 운동, ② 천도교 소년회는 소년 운동을 주도하였던 단체이다.

06 제시된 자료는 1929년에 일어난 원산 총파업에 대한 것이다. 원산 총파업은 노동자들이 단결하여 벌인 항일 투쟁이자 일제 강점기 최대 규모의 노동 운동이었다. 1920년대에는 회사령 폐지로 공장과 기업의 설립이 늘어나 노동자의 수도 점차 증가하였다. 그러나 한국인 노동자들은 일본인에 비해 낮은 임금을 받고 열악한 노동 환경에 처해 있었다. 이에 따라 노동 조건 개선과 임금 인상을 요구하는 노동 쟁의가 전개되었다. 사회주의자들이 노동 운동에 적극 개입하면서 1930년대의 노동 쟁의는 생존권 투쟁에서 일제의 식민 통치에 반대하는 정치적 성격을 띠게 되었다.
(바로 알기) ① 형평 운동은 백정에 대한 평등한 대우를 요구하였던 사회 운동이다. ② 1926년에 조선 공산당과 천도교 세력, 학생 단체가 6·10 만세 운동을 계획하였다. ③ 회사령은 1920년에 폐지되었다. ⑤는 농민 운동에 대한 탐구 주제이다.

07 학생 독립운동 기념일로 지정된 점, 1929년에 일어난 점을 통해 ㈎는 광주 학생 항일 운동임을 알 수 있다. 광주 학생 항일 운동은 광주에서 나주로 가는 통학 기차에서 한국 학생과 일본 학생이 충돌한 사건을 계기로 시작되었다.
(바로 알기) ①, ④는 6·10 만세 운동, ②는 민립 대학 설립 운동, ③은 3·1 운동 등에 대한 설명이다.

08 제시된 자료는 근우회의 창립 취지문(1927)이다. 근우회는 신간회의 자매단체로서 민족주의 계열과 사회주의 계열의 여성 인사들이 참여하여 창립되었다.
(바로 알기) ① 천도교 소년회는 소년 운동의 하나로 잡지 『어린이』를 발행하였다. ③은 조선어 학회에 대한 설명이다. 조선어 학회는 1942년 조선어 학회 사건으로 강제 해산 당하였다. ④ 1920년 평양에서 만들어진 조선 물산 장려회가 물산 장려 운동을 시작하였다. ⑤ 일제는 중일 전쟁 이후 국민정신 총동원 운동을 전개하여 애국반·반상회 등을 운영하였다.

09 밑줄 친 '이 단체'는 조선어 학회이다. 조선어 학회는 문자 보급 교재를 만들어 문맹 퇴치 운동을 지원하였으며, 한글 맞춤법 통일안과 표준어·외래어 표기법을 제정하였다. 이와 함께 『우리말 큰사전』 편찬을 시도하였으나 일제의 탄압으로 중단되었다.
바로알기 ② 1909년 국문 연구소에서 국어 맞춤법을 제정하기 위해 국어의 음운과 철자법을 연구하여 「국문 연구 의정안」을 마련하였다.

10 (가)는 박은식이다. 민족주의 사학자인 박은식은 국혼을 강조하였으며, 『한국통사』, 『한국독립운동지혈사』를 저술하여 일제의 침략과 한국 독립운동의 역사를 정리하였다.
바로알기 ②는 백남운 등 사회 경제 사학자들의 연구 방법이다. ③ 조선사 편수회는 일제가 설립한 단체로, 『조선사』를 만들어 식민 사관을 퍼뜨리려 하였다. ④는 신채호에 대한 설명이다. ⑤는 이병도 등 실증 사학자들에 대한 설명이다.

11 제시된 대화 내용에 따르면 (나)는 조선학 운동과 관련 있는 인물임을 알 수 있다. 박은식과 신채호 등이 발전시킨 민족주의 사학은 1930년대에 이르러 정인보, 안재홍, 문일평 등으로 계승되었다. 이들은 우리 민족의 전통 사상과 문화를 연구 대상으로 삼은 조선학 운동을 전개하였다.

자료노트 조선학 운동

조선학 운동은 정약용의 저서를 모은 『여유당 전서』를 간행한 것을 계기로 시작되었다. 우리 민족의 전통 사상과 문화 속에서 민족의 고유한 특색을 찾아내 문화적으로 민족의 주체성을 유지하려는 민족 운동으로, 특히 조선 후기 성리학에 대한 비판적인 움직임을 '실학'으로 해석하여 조선 사회에서도 사상적인 변화와 발전이 있었음을 밝혔다.

---

12 (가)는 대종교이다. 국권 피탈 이후 대종교 신자 중 일부는 만주에서 중광단을 조직하여 항일 무장 투쟁을 전개하였다.
바로알기 ①은 불교, ②는 개신교, ③은 원불교, ④는 천주교에 대한 설명이다.

13 나운규가 1926년에 발표한 영화 「아리랑」은 나라를 잃은 민중의 울분과 설움을 담아 큰 호응을 받았다. 1920년대에는 국어학자들이 조선어 연구회를 조직하여 가갸날을 제정하고 기관지 『한글』을 발행하여 한글의 연구와 보급에 힘썼다.
바로알기 ①, ②는 1934년, ③은 1936년에 일어난 일이다. ④ 이인직의 『혈의 누』는 국권 피탈 이전인 1906년에 발표되었다.

14 독일의 폴란드 침공은 1939년, 태평양 전쟁 발발은 1941년, 일본의 항복은 1945년이다. 일본은 1944년 징병제를 실시하여 한국인을 침략 전쟁에 동원하였다.
바로알기 ①은 1939년, ②는 1929년의 일이다. ③ 일본은 1931년 만주 사변을 일으키고 이듬해에 만주국을 세웠다. ④ 중일 전쟁은 1937년에 일어났다.

15 일제는 1931년 만주 사변을 일으켜 대륙 침략을 감행하였고, 이후 만주를 농업·원료 지대로, 한국을 중화학 공업 지대로 설정하여 조선(식민지) 공업화 정책을 실시하였다. 이에 따라 자원이 풍부한 한반도 북부 지방에 발전소를 세우고 군수 산업 중심으로 중화학 공업을 육성하였다. 또한 일제는 일본에 필요한 공업 제품의 원료를 생산하기 위해 한반도 남부 지방에는 면화 재배를, 북부 지방에는 양 사육을 강요하는 남면북양 정책을 실시하였다. 1937년 중일 전쟁 이후에 일제는 한국에서 대륙 침략에 필요한 물자와 인력을 공급하기 위해 병참 기지화 정책을 추진하였다.
바로알기 ④ 한반도에 부설된 X 자형 간선 철도망은 일제의 대륙 침략 감행 이전인 1920년대에 완성되었다.

16 제시된 자료는 1938년에 제정된 국가 총동원법이다. 1937년 중일 전쟁을 일으킨 일제는 국가 총동원법을 만들어 인력과 물자의 수탈을 더욱 강화하였다. 농기구, 놋그릇 등의 금속 제품에 대한 공출 제도를 시행하였으며, 군량 마련을 위해 산미 증식 계획을 재개하였다. 또한 국민정신 총동원 운동을 실시하여 침략 전쟁에 한국인을 강제로 동원하였으며, 1944년에는 여자 정신 근로령을 제정하여 젊은 여성들을 군수 공장에서 일하게 하였다.
바로알기 ③ 경찰범 처벌 규칙은 1912년에 제정되었다.

17 제시된 자료는 황국 신민 서사를 암송하고 있는 모습이다. 이 시기에는 일제가 황국 신민화 정책을 강화하여 한국인에게 성씨를 일본식으로 바꿀 것과 신사 참배, 궁성 요배 등을 강요하였다. 한편, 일제는 젊은 여성들을 전쟁 지역으로 끌고 가 일본군 '위안부'라는 이름으로 끔찍한 삶을 강요하였다.
바로알기 ③ 암태도 소작 쟁의는 1923~1924년에 일어났다.

18 일제는 1941년 소학교의 명칭을 '황국 신민의 학교'를 뜻하는 국민학교로 바꾸었다. 이 용어는 광복 이후에도 계속 사용하였다. 1995년 교육부에서 광복 50주년을 기념하기 위해 명칭을 변경하기로 발표하였으며, 이듬해에 국민학교를 초등학교로 바꾸었다.

3단계 등급 올리기 본문 112~113쪽

| 01 ② | 02 ③ | 03 ④ | 04 ④ | 05 ③ |
| 06 ② | 07 (1) 정체성론 (2) 해설 참조 | | 08 해설 참조 | |

01 제시된 자료의 그래프는 일제 강점기 산업 구조의 변화를 보여 준다. 일제는 1920년에 회사령을 폐지하여 일본 자본이 한국에 진출할 수 있도록 하였다. 이에 따라 한국에서 공장의 수가 점차 늘어났다. 1930년대에 들어서면서 일제의 식민지 공업화 정책으로 농림·어업 등 1차 산업의 비중이 줄고 광공업과 서비스 산업의 비중이 증가하였다. 중일 전쟁(1937) 이후에는 군수 공업과 관련된 중화학 공업이 발달하였다.
바로알기 ② 1920년대에 한국은 방직 공업이나 식료품 공업 등 경공업 중심으로 공업이 발달하였다.

02 (가) 사건은 6·10 만세 운동이다. 6·10 만세 운동의 준비 과정에서 사회주의 계열 단체와 천도교 세력, 학생 단체 등이 연합하였고, 이는 민족 유일당을 결성할 수 있는 토대가 되었다. 이후 1927년에 민족 협동 전선으로 신간회가 창립되었다.

바로 알기 ① 6·10 만세 운동은 항일 무장 투쟁으로 이어지지 않았다. ② 6·10 만세 운동은 학생들이 주도하였다. ④는 광주 학생 항일 운동(1929), ⑤는 원산 총파업(1929)에 대한 설명이다.

03 (가)는 백정이다. 일제 강점기에 사회적 차별과 편견에 시달리던 백정들은 조선 형평사를 조직하고 평등한 대우를 요구하는 형평 운동을 전개하였다. 조선 형평사는 다른 분야의 단체들과 협력하면서 사회 운동의 활성화에 영향을 끼쳤다. 이를 통해 형평 운동은 신분 해방 운동을 넘어 항일 민족 운동의 성격까지 띠게 되었다.

바로 알기 ① 법제상 신분제는 갑오개혁 때 이미 폐지되었다. ②는 소년 운동, ③은 물산 장려 운동에 대한 설명이다. ⑤는 여성 운동을 전개한 근우회의 활동이다.

04 밑줄 친 '이 종교'는 천도교이다. 일제 강점기에 천도교는 청년·여성·소년 운동 등 각종 대중 운동을 전개하였다. 방정환을 중심으로 1921년에 조직된 천도교 소년회는 5월 1일을 어린이날로 정하고 잡지 『어린이』를 발간하는 등의 활동을 전개하였다.

바로 알기 ①, ⑤는 불교, ②는 개신교, ③은 천주교에 대한 설명이다.

05 제시된 자료는 일제 강점기의 대표적인 저항 문인인 윤동주의 「서시」이다. 일제 강점기에는 심훈, 이육사, 윤동주 등이 일제에 대한 저항 의식을 담은 문학을 발표하였다.

바로 알기 ① 1920년대에는 『창조』, 『폐허』 등 동인지를 중심으로 낭만주의, 자연주의, 사실주의 문학이 유행하였다. ②는 친일 문학, ④는 신경향파 문학에 해당하는 설명이다. ⑤ 1910년대에는 이광수, 최남선 등의 주도로 계몽적 성격의 문학이 유행하였다.

극비 노트 **민족 문화 수호 운동**

한글	• 조선어 연구회: 1921년 창립, 가갸날 제정(1926), 『한글』 발행 • 조선어 학회: 1931년 창립, 한글 맞춤법 통일안 제정, 표준어 및 외래어 표기법 제정, 『우리말 큰사전』 편찬 시도
한국사	• 민족주의 사학: 박은식(『한국통사』, 『한국독립운동지혈사』 등 저술), 신채호(『조선상고사』, 『조선사연구초』 등 저술) 등 • 사회 경제 사학: 백남운(『조선사회경제사』 등 저술) 등 • 실증 사학: 이병도 등이 진단 학회 조직(1934)
종교	대종교(중광단 조직), 천도교(각종 대중 운동 전개), 천주교(의민단 조직), 개신교(신사 참배 거부 운동 전개), 불교(사찰령 폐지 운동 전개), 원불교(새 생활 운동 전개)
문예	• 영화: 나운규의 「아리랑」 발표(1926) • 문학: 신경향파 문학과 저항 문학 등장

---

06 밑줄 친 '시기'는 일제가 국가 총동원법을 제정한 1938년 이후에 해당한다. 이 시기에 일제는 농가마다 목표량을 정해 미곡 공출제와 식량 배급제를 실시하였다.

바로 알기 ①은 1920년, ③, ④는 1910년대, ⑤는 1920년대에 일제가 실시한 정책이다.

서술형 문제

07 (2) 예시 답안 백남운은 한국사가 세계사의 보편적인 발전 과정을 걸어왔음을 주장하여 식민 사관의 정체성론을 반박하였다.

채점 기준	배점
백남운이 식민 사관의 정체성론을 반박하여 한국사도 세계사의 보편적 발전 과정을 거쳤다고 주장한 것을 정확히 서술한 경우	상
백남운이 식민 사관의 정체성론을 반박한 주장을 서술하였으나 미흡한 경우	하

08 예시 답안 일제는 우리 민족정신을 말살하고 일본 국왕에 대한 숭배 사상을 주입시켜 일제가 일으킨 침략 전쟁에 한국인을 쉽게 동원하기 위해 황국 신민화 정책을 추진하였다.

채점 기준	배점
민족정신 말살, 일본 국왕 숭배 사상 주입을 통해 한국인을 침략 전쟁에 동원하려는 목적을 서술한 경우	상
침략 전쟁에 동원하기 위해서였다고만 서술한 경우	하

01 (1) × (2) × (3) ○　02 조국 광복회　03 윤봉길　04 (1) 화북
(2) 민족 혁명당 (3) 연해주　05 삼균주의　06 (1) ㄴ (2) ㄱ

01 ③	02 ④	03 ①	04 ①	05 ④
06 ⑤	07 ⑤	08 ②	09 ⑤	10 ④
11 ⑤	12 ③	13 카이로 회담		

01 (가)는 조선 혁명군, (나)는 한국 독립군이다. 조선 혁명군과 한국 독립군은 만주 사변(1931) 이후 한중 연합 작전을 전개하였다. 조선 혁명군은 중국 의용군과 연합하여 영릉가, 흥경성에서 일본군을 격퇴하였고 한국 독립군은 중국 호로군과 연합하여 쌍성보, 대전자령 등지에서 일본군에게 승리를 거두었다.
바로 알기 ㄱ은 의열단, ㄹ은 동북 항일 연군에 대한 설명이다.

02 (가) 단체는 동북 항일 연군이다. 동북 인민 혁명군(1933)은 모든 반일 세력을 받아들인다는 원칙에 따라 동북 항일 연군으로 확대 개편되었다(1936). 동북 항일 연군 내의 한인 유격대는 조국 광복회를 결성하였으며, 이들은 함경남도 보천보의 식민 통치 기관을 공격하였다(1937).
바로 알기 ①은 조선 혁명군, ②는 민족 혁명당, ③은 북로 군정서에 대한 설명이다. ⑤는 1920년에 청산리 대첩에 참가한 북로 군정서, 대한 독립군 등에 대한 설명이다.

03 국민대표 회의가 성과 없이 끝난 후 대한민국 임시 정부는 활동이 크게 위축되었다. 또한 1931년 만주에서 만보산 사건이 일어나자 한국인에 대한 중국인들의 감정이 악화되면서 중국 내에서의 독립운동이 어려워졌다. 그러던 중 김구는 침체된 임시 정부에 활기를 불어넣을 목적으로 1931년 한인 애국단을 조직하였다.
바로 알기 ㄷ은 이봉창 의거 이후에 일어난 상하이 사변에 대한 설명이다. ㄹ. 윤봉길 의거를 계기로 중국 국민당 정부는 대한민국 임시 정부를 적극 지원하게 되었다.

04 1930년대 중국 관내에서는 항일 전선을 통합하려는 노력이 나타났다. 그 결과 1935년 한국 독립당과 의열단, 조선 혁명당 등이 참여하여 민족 혁명당이 조직되었다.
바로 알기 ② 조국 광복회는 1936년 만주에서 결성되었다. ③ 국내에서 민족 유일당 운동으로 결성된 신간회는 지도부의 우경화, 코민테른의 노선 변경 등으로 1931년에 해소되었다. ④ 1920년대 후반 만주에서 전개된 3부 통합 운동의 결과 국민부와 혁신 의회가 조직되었다. ⑤ 대한민국 임시 정부는 1940년 충칭에 정착하였다.

05 (가)는 조선 의용대이다. 민족 혁명당을 계승한 조선 민족 전선 연맹은 중국 국민당 정부의 지원을 받아 1938년에 산하 군사 조직으로 조선 의용대를 창설하였다. 이후 중국 국민당의 소극적인 항일 투쟁에 반대한 조선 의용대의 일부는 보다 적극적인 항일 투쟁을 위해 화북 지역으로 이동하였다.
바로 알기 ㄱ은 동북 인민 혁명군, ㄷ은 조선 혁명군에 대한 설명이다.

06 (가) 지역은 연해주이다. 소련 당국은 일본과의 전쟁이 발발하면 한인들이 일본을 지원할 것이라는 명분을 내세워 연해주 지역의 한인들을 중앙아시아로 강제 이주시켰다(1937). 이에 따라 한인 10만 명 이상이 우즈베키스탄 등지로 강제 이주 당하였다.
바로 알기 ①은 만주 지역, ②, ③은 일본으로 이주한 동포들에 대한 설명이다. ④ 재미 한족 연합 위원회는 1941년 미주에서 결성된 한인 단체이다.

07 자료에서 지도는 대한민국 임시 정부의 이동 경로를 보여 준다. 1941년 일제가 태평양 전쟁을 일으키자, 대한민국 임시 정부는 일본에 선전 포고를 하고 한국 광복군을 연합군의 일원으로 참전시켰다.
바로 알기 ①은 조선 독립 동맹, ②는 재미 한족 연합 위원회, ③은 신간회, ④는 민족 혁명당에 대한 내용이다.

08 제시된 자료는 1941년 대한민국 임시 정부에서 발표한 대한민국 건국 강령이다. 대한민국 임시 정부가 발표한 건국 강령은 조소앙의 삼균주의에 기초하였으며, 보통 선거의 실시, 민주 공화정의 수립 등의 내용을 담았다.
바로 알기 ㄴ. 조선 건국 동맹의 건국 강령은 1944년에 작성되었다. ㄹ. 「조선 혁명 선언」에는 폭력 투쟁을 통한 민중의 직접 혁명을 추구하는 의열단의 기본 정신이 나타나 있다.

09 (가) 부대는 한국 광복군이다. 한국 광복군은 설립 초기에 중국 군사 위원회의 간섭을 받았다. 1943년에는 영국군과 함께 인도·미얀마에서 활약하였다. 1944년부터는 대한민국 임시 정부가 한국 광복군의 지휘권을 가지면서 독립적인 군사 활동을 할 수 있게 되었다.
바로 알기 ㄱ, ㄴ은 조선 의용대에 대한 설명이다.

10 조선인 학도병이 나오는 것으로 보아 자료의 시기는 1943년 이후이며, 자신들을 '의용군'이라 칭하는 것으로 보아 밑줄 친 '의용군'은 조선 의용군임을 알 수 있다. 조선 독립 동맹의 군사 조직인 조선 의용군은 중국 공산당의 팔로군과 연합하여 대일 항전을 전개하였다.
바로 알기 ①은 조선 혁명군, ②는 대조선 국민군단, ③은 한인 국방 경비대, ⑤는 동북 인민 혁명군에 대한 설명이다.

11 (가)는 조선 독립 동맹, (나)는 조선 건국 동맹, (다)는 대한민국 임시 정부이다. 조선 독립 동맹과 대한민국 임시 정부는 건국 강령에서 보통 선거를 통한 민주 공화국 수립을 제시하였다.
바로 알기 ①은 조선 건국 동맹에 대한 설명이다. ② 조선 민족 전선 연맹의 군사 조직인 조선 의용대의 일부가 대한민국 임시 정부 산

하의 한국 광복군에 편입되었다. ③은 조선 독립 동맹에 대한 설명이다. ④ 미국과 협력하여 국내 진공 작전을 계획한 단체는 대한민국 임시 정부이다.

12 제시된 자료는 조선 건국 동맹의 건국 강령이다. 조선 건국 동맹은 여운형을 중심으로 한 국내의 민족 지도자들이 1944년에 비밀리에 결성한 단체이다. 조선 건국 동맹은 전국에 조직망을 설치하여 그 아래에 노동자, 농민, 청년 등 각계각층을 대상으로 하는 다양한 조직을 만들어 운영하였다. 그중 농민 동맹은 일제의 징용, 징병, 식량 공출 등을 방해하는 활동을 하였다. 조선 건국 동맹을 일본군의 후방 교란과 무장 봉기를 목적으로 하는 군사 위원회를 만들었으며, 조선 독립 동맹, 대한민국 임시 정부와 같은 국외 독립 운동 세력과의 연계를 모색하였다.
바로 알기 ③은 1940년 충칭에 자리 잡은 후의 대한민국 임시 정부에 대한 설명이다.

13 제2차 세계 대전에서 연합군이 승기를 잡자 1943년 11월 미국, 영국, 중국의 대표들은 카이로 회담에서 상호 협력과 전후 처리를 논의하였다. 이 회담에서 각국 대표들은 한국을 적당한 시기에 독립시킬 것 등을 내용으로 하는 카이로 선언을 발표하였다.

3단계 등급 올리기
본문 119쪽

| 01 ② | 02 ① | 03 ③ | 04 해설 참조 |

01 영릉가, 양세봉 사령관 등을 통해 밑줄 친 '전사들'이 조선 혁명군 소속임을 알 수 있다. 1930년대 조선 혁명군은 남만주에서 중국 의용군과 연합하여 영릉가 전투, 흥경성 전투에서 일본군을 격파하였다.
바로 알기 ①은 의열단, ③은 한국 독립군과 관련 있다. ④ 만주 지역의 사회주의자들이 중심이 되어 조직한 항일 유격대가 중국 공산당의 지원을 받았다. ⑤는 한국 광복군과 관련이 있다.

02 김원봉의 의열단은 만주 사변 이후 중국 관내의 독립운동 세력을 통합하기 위해 1935년 민족 혁명당을 결성하였다.
바로 알기 ②는 '의열단을 결성하다.'에 해당하는 활동이다. 김원봉은 1925년 신채호에게 「조선 혁명 선언」 작성을 요청하였다. ③은 '임시 정부에 합류하다'에 해당하는 활동이다. 김원봉이 이끄는 조선 의용대는 1942년 대한민국 임시 정부에 합류하였다. ④는 '개별 투쟁에 한계를 느끼다.'에 해당하는 활동이다. 의열단은 1920년대 후반부터 개별 투쟁에 한계를 느끼고 조직적인 항일 무장 투쟁으로 노선을 바꾸었다. 이에 김원봉을 비롯한 단원들은 중국의 황푸 군관 학교에 입교하여 정규 군사 교육을 받았다. ⑤는 '조선 의용대를 창설하다.'와 '임시 정부에 합류하다.'에 해당하는 활동이다. 조선 의용대와 한국 광복군은 중국 국민당 정부의 대일 전선에 배치하여 정보 수집, 포로 심문, 후방 교란 등 중국군을 지원하는 군사 작전을 전개하였다.

03 1940년 충칭에 자리 잡은 대한민국 임시 정부는 1941년에 대한민국 건국 강령을 발표하였다.
바로 알기 ① 1919년 대한민국 임시 정부는 국내의 비밀 행정 조직인 연통제를 조직하였다. ② 국민대표 회의는 1923년 개최되었다. ④ 대한민국 임시 정부는 1919년 9월에 대한민국 임시 헌법을 선포하였다. ⑤ 대한민국 임시 정부는 1919년에 열린 파리 강화 회의에 독립 청원서를 제출하였다.

극비 노트 충칭 시기 대한민국 임시 정부의 활동

1940년	주석 중심의 단일 지도 체제 마련(주석: 김구), 한국 광복군 창설(사령관: 지청천)
1941년	대한민국 건국 강령 발표(조소앙의 삼균주의), 대일 선전 포고 후 한국 광복군이 연합군과 합동 작전 전개
1942년	김원봉이 이끄는 조선 의용대가 한국 광복군에 합류
1943년	영국군의 요청으로 한국 광복군을 미얀마·인도 전선에 파견
1944년	주석·부주석제 마련(주석: 김구, 부주석: 김규식), 중국으로부터 한국 광복군의 지휘권 확보, 대한민국 임시 헌장 개정·발표
1945년	미국과 협력하여 국내 진공 작전(독수리 작전) 계획

서술형 문제

04 **예시 답안** 한국 광복군은 주로 중국군 부대에 배치되어 비정규전에 참여하였으며, 영국군의 요청에 따라 미얀마·인도 전선에 참여하기도 하였다. 그리고 미국과 협력하여 국내 진공 작전을 계획하였다.

채점 기준	배점
한국 광복군의 군사 작전(중국군 부대에서 비정규전 참여, 영국군 요청으로 미얀마·인도 전선 참여, 미국과 협력하여 국내 진공 작전 전개) 중 두 가지를 서술한 경우	상
한국 광복군의 군사 작전 중 한 가지만 서술한 경우	하

01 8·15 광복과 통일 정부 수립을 위한 노력

1단계 개념 짚어 보기
본문 121쪽

01 냉전 **02** (1) ○ (2) × (3) × (4) ○ **03** 조선 인민 공화국
04 (1) – ㉡ (2) – ㉠ **05** (1) ㄱ (2) ㄷ **06** 제주 4·3 사건

2단계 내신 다지기
본문 122~124쪽

01 ⑤ **02** 샌프란시스코 강화 조약 **03** ① **04** ⑤
05 ① **06** ③ **07** ③ **08** ⑤ **09** ③
10 ② **11** ① **12** ② **13** ⑤ **14** ④
15 ④

01 제시된 글은 국제 연합(UN) 헌장이다. 국제 사회는 제2차 세계 대전 이후 전쟁을 방지하고 세계 평화를 유지하기 위한 국제기구의 필요성에 공감하여 국제 연합(UN)을 창설하였다. 국제 연합(UN)은 안전 보장 이사회의 5개 상임 이사국이 안건에 대한 거부권을 가지게 하여 한 국가의 독주를 견제하도록 하였다.
바로 알기 ① 국제 연합에는 소련, 중국 등 사회주의 국가들이 참여하였다. ②, ③은 국제 연맹에 대한 설명이다. ④ 북대서양 조약 기구(NATO)는 미국과 서유럽 국가들이 창설하였다.

02 1951년 미국의 중재로 연합국과 일본 사이에 샌프란시스코 강화 조약이 체결되었다.

03 ②, ④ 냉전이 세계적으로 확산되면서 아시아의 한국과 베트남에서 각각 6·25 전쟁과 베트남 전쟁이 일어났다. ③ 동베를린을 점령하고 있던 소련이 서베를린으로 통하는 철도와 도로, 수로 등을 봉쇄하면서 독일이 분단되었고, 냉전이 더욱 심화되었다. ⑤ 냉전 체제를 주도한 미국과 소련은 핵무기 경쟁을 벌였는데, 그 과정에서 쿠바 미사일 위기가 발생하였다.
바로 알기 ① 냉전 체제는 1990년 소련이 해체될 때까지 40여 년간 지속되었다. 소련 해체는 냉전 체제의 종결을 의미한다.

04 미국은 군정청을 설치하고 남한 지역에 대한 직접 통치에 나섰다. 또한 통치의 편의를 위해 조선 총독부에서 일하였던 관료와 경찰 조직 등 기존의 행정 체제를 활용하였다.
바로 알기 ①, ③, ④ 미 군정은 조선 인민 공화국, 대한민국 임시 정부 등 모든 정치 조직을 인정하지 않았다. ② 한반도에 미군과 소련군이 함께 주둔함으로써 남북 분단의 가능성이 높아졌다.

05 제시된 자료는 조선 건국 준비 위원회의 강령이다. 여운형은 안재홍 등과 함께 조선 건국 동맹을 중심으로 조선 건국 준비 위원회를 조직하였다. 조선 건국 준비 위원회는 전국에 지부와 치안대를 결성하여 질서를 유지하였다. 미군이 9월에 한반도에 진주한다는 소식이 알려지자, 조선 건국 준비 위원회는 미군과의 협상에서 유리한 입장을 확보하기 위해 조선 인민 공화국의 수립을 선포하였다.

바로 알기 ① 좌우 합작 7원칙은 좌우 합작 위원회가 발표하였다.

06 제시된 글은 모스크바 3국 외상 회의의 결정 사항이다. 1945년 12월에 열린 모스크바 3국 외상 회의에서는 민주주의 임시 정부의 수립과 이를 돕기 위한 미소 공동 위원회 개최, 최고 5년간의 신탁 통치 실시 등이 결정되었다. 이러한 회의 결과가 국내에 알려지고 좌익과 우익 간의 입장 차이가 나타나면서 좌익과 우익 정치 단체 간의 대립과 충돌은 더욱 격화되었다.
바로 알기 ①은 1919년의 일이다. ②, ④는 1945년 광복 직후의 일이다. ⑤ 미국, 영국, 소련 외무 장관이 모스크바에서 개최한 모스크바 3국 외상 회의에서 자료의 내용이 정해졌다.

07 미국과 소련은 모스크바 3국 외상 회의의 결정 사항을 이행하기 위해 제1차 미소 공동 위원회를 개최하였다. 그러나 미국과 소련은 미소 공동 위원회와 민주주의 임시 정부 수립에 관한 협의에 참여할 단체의 범위를 놓고 대립하였다. 소련은 모스크바 3국 외상 회의의 결정을 반대하는 세력은 참여시킬 수 없다고 주장한 반면, 미국은 신탁 통치에 반대하더라도 참여를 원하는 단체는 모두 협의의 대상으로 해야 한다고 주장하였다.
바로 알기 ㄱ. 좌우 합작 위원회는 여운형의 암살로 활동이 중지되었다. ㄹ. 한반도 내 선거 가능 지역에서의 총선거 실시는 국제 연합(UN) 소총회에서 결정된 내용이다.

08 우리 민족은 1945년 8월 15일 광복을 맞이하였으며, 제1차 미소 공동 위원회는 1946년 3월에 개최되었다. 광복 이후 미국은 군정청을 설치하여 남한을 직접 통치하였고, 소련은 각지의 인민 위원회에 행정권을 이양하여 북한을 간접 통치하였다. 김구를 비롯한 임시 정부 요인과 이승만 등이 귀국하여 활동하였으나 미 군정은 한국인이 만든 모든 정치 조직을 인정하지 않았으며, 조선 총독부의 관료와 경찰 조직을 그대로 활용하였다.
바로 알기 ⑤ 미 군정이 남조선 과도 입법 의원을 출범시킨 것은 제1차 미소 공동 위원회 결렬 이후이다.

09 송진우와 김성수를 중심으로 결성된 한국 민주당은 대한민국 임시 정부 지지를 선언하였으며, 미 군정청과 긴밀한 관계를 유지하였다.
바로 알기 ①, ⑤는 광복 이전에 결성되었다. ②는 김구를 중심으로 한 대한민국 임시 정부의 핵심 정당이다. ④ 박헌영 등이 재건한 조선 공산당은 이후 남조선 노동당으로 개편되었다.

10 (가)는 좌우 합작 위원회이다. 여운형과 김규식을 비롯한 중도 세력은 미 군정의 지원 속에서 좌우 합작 위원회를 구성하고, 좌우 합작 7원칙을 발표하였다.
바로 알기 ① 제주 4·3 사건으로 제주도 3개의 선거구 중 2개의 선거구에서 5·10 총선거를 치르지 못하였고, 사건의 진압 과정에서 수만 명의 제주 도민이 희생되었다. ③ 북한의 토지 개혁은 무상 몰수·무상 분배의 방식으로 추진되었다. ④ 제헌 헌법은 삼권 분립과 대통령 중심제를 채택하고, 국회에서 대통령을 선출하도록 하였다. ⑤ 제헌 국회는 국민의 여망에 따라 반민족 행위 처벌법(1948)을 제정하고, 반민족 행위 특별 조사 위원회(반민 특위)를 설치하였다.

11 '민주주의 임시 정부 수립', '토지 개혁', '친일파 처단' 등의 내용을 통해 제시된 자료가 좌우 합작 위원회가 발표한 좌우 합작 7원칙임을 알 수 있다. 좌우 합작 위원회는 좌익 세력의 주장과 우익 세력의 주장을 절충하여 좌우 합작 7원칙을 만들었으며, 한반도에 민주주의 임시 정부의 수립을 최우선 과제로 삼았다. 좌우 합작 7원칙 중 신탁 통치, 토지 개혁, 친일파 처벌 문제 등에서 좌익과 우익의 의견이 충돌하였다.

바로 알기 ① 조소앙의 삼균주의에 기초하여 작성된 것은 대한민국 임시 정부가 1941년에 발표한 건국 강령이다.

12 1946년 3월 제1차 미소 공동 위원회가 결렬되자 곧이어 6월에 이승만이 남한만의 단독 정부 수립을 주장하였다(정읍 발언). 이에 좌우 정치 세력의 협력을 목표로 여운형과 김규식이 좌우 합작 위원회를 조직하였고, 1946년 10월에는 좌우 합작 7원칙이 발표되었다.

바로 알기 ㄴ. 남북 지도자 회의는 1948년 4월 평양에서 개최되었다. ㄹ. 유엔 소총회의 남한만의 총선거 실시 결정 이후 단독 선거 실시와 단독 정부 수립에 반발한 군대 내의 좌익 세력이 여수와 순천 지역을 일시 점령한 사건이 1948년에 벌어졌다.

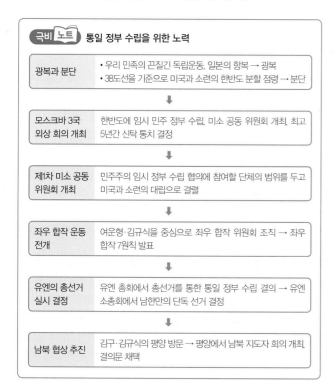

극비 노트 통일 정부 수립을 위한 노력

광복과 분단	• 우리 민족의 끈질긴 독립운동, 일본의 항복 → 광복 • 38도선을 기준으로 미국과 소련의 한반도 분할 점령 → 분단
모스크바 3국 외상 회의 개최	한반도에 임시 민주 정부 수립, 미소 공동 위원회 개최, 최고 5년간 신탁 통치 결정
제1차 미소 공동 위원회 개최	민주주의 임시 정부 수립 협의에 참여할 단체의 범위를 두고 미국과 소련의 대립으로 결렬
좌우 합작 운동 전개	여운형·김규식을 중심으로 좌우 합작 위원회 조직 → 좌우 합작 7원칙 발표
유엔의 총선거 실시 결정	유엔 총회에서 총선거를 통한 통일 정부 수립 결의 → 유엔 소총회에서 남한만의 단독 선거 결정
남북 협상 추진	김구·김규식의 평양 방문 → 평양에서 남북 지도자 회의 개최, 결의문 채택

13 제시된 자료는 김구가 남북한 통일 정부 수립에 대한 의지를 밝힌 '3천만 동포에게 눈물로 고함'의 내용이다. 김구는 남한만의 총선거 실시가 결정되자 김규식 등과 함께 통일 정부 수립을 위한 남북 협상을 전개하였다.

바로 알기 ①은 신채호, ②는 여운형과 김규식, ③은 송진우와 김성수, ④는 안창호에 대한 설명이다.

14 제시된 내용은 남북 협상 공동 성명서이다. 제2차 미소 공동 위원회가 결렬되고 남한만의 단독 선거가 결정되자, 김구와 김규식 등은 남북한 주요 정치 단체 지도자들과 남북 지도자 회의를

개최하였다(남북 협상). 여기에서 외국 군대 철수, 임시 정부 수립, 남한 단독 선거 반대 등의 내용을 담은 공동 성명서를 발표하였다.

15 제시된 내용은 제주 4·3 사건에 대한 설명이다. 유엔 소총회에서 남한만의 단독 선거를 결정하자 1948년 4월 3일 제주도에서는 좌익 세력과 일부 주민이 단독 정부 수립 반대와 통일 정부 수립을 주장하며 무장봉기하였다.

바로 알기 ①은 1946년 6월, ②는 1948년 4월, ③은 1945년 12월, ⑤는 1945년 광복 직후에 일어난 사실이다.

3단계 등급 올리기
본문 125쪽

01 ⑤　　**02** ⑤　　**03** ③　　**04** (1) 이승만
(2) 해설 참조

01 동유럽에서 소련의 지원을 받은 공산 정권이 수립되고 그리스와 터키에까지 공산주의의 영향력이 확대되자, 미국은 공산주의의 확대를 막기 위해 트루먼 독트린을 발표하였다.

바로 알기 ①, ②, ③, ④는 트루먼 독트린 발표 이후의 일들이다.

02 모스크바 3국 외상 회의의 결정 사항이 국내에 전해지면서 주로 신탁 통치 문제가 부각되었다. 김구, 이승만, 한국 민주당 등 우익 세력은 즉각 신탁 통치 반대 운동을 전개하였다. 좌익 세력도 처음에는 신탁 통치에 반대하다가 민주주의 임시 정부 수립을 핵심으로 파악하고 회의 결정 사항을 총체적으로 지지하였다.

바로 알기 ①, ④는 대한민국 정부 수립 이후 제헌 국회의 활동과 관련 있다. ② 5·10 총선거의 실시로 제헌 국회가 구성되었다. ③ 1920년대 후반 만주에서 3부 통합 운동이 전개되었다.

03 '광복 이후 통일 정부 수립을 위한 노력', '파리 강화 회의에 파견', '대한민국 임시 정부 부주석', '김구와 함께 남북 협상에 참가' 등을 통해 제시된 자료는 김규식에 대한 역사 인물 보고서임을 알 수 있다. 김규식은 여운형과 함께 좌우 합작 운동에 앞장섰다.

바로 알기 ① 김옥균, 박영효, 홍영식 등 급진 개화파는 갑신정변을 주도하였다. ② 신채호는 김원봉의 요청으로 조선 혁명 선언을 작성하였다. ④ 윤봉길은 중국 상하이 홍커우 공원에서 의거를 일으켰다. ⑤ 이승만은 1948년 대한민국 초대 대통령으로 선출되었다.

서술형 문제

04 (2) **예시 답안** 미국과 소련이 미소 공동 위원회와 민주주의 임시 정부 수립에 관한 협의에 참여할 단체의 범위를 놓고 이견을 좁히지 못하여 대립하였기 때문이다.

채점 기준	배점
미국과 소련이 민주주의 임시 정부 수립에 관한 협의 참여 단체에 대한 이견을 좁히지 못하여 대립하였다고 정확히 서술한 경우	상
미국과 소련이 대립하였다고만 서술한 경우	하

1단계 개념 짚어 보기
본문 128쪽

01 ㉠ 이승만 ㉡ 이시영 **02** (1) × (2) × (3) ○ **03** (1) – ㉡ (2) – ㉠ **04** ㄷ – ㄹ – ㄱ – ㄴ **05** 한미 상호 방위 **06** ㉠ 발췌 개헌 ㉡ 사사오입 개헌

2단계 내신 다지기
본문 128~131쪽

01 ②	**02** ①	**03** ①	**04** ②	**05** ⑤
06 ③	**07** ①	**08** ①	**09** ④	**10** ③
11 ⑤	**12** ①	**13** ⑤	**14** ①	**15** ③
16 삼백 산업	**17** ③			

01 밑줄 친 '총선거'는 5·10 총선거이다. 5·10 총선거는 유엔 한국 임시 위원단의 감시 아래 치러졌으며, 21세 이상 모든 국민에게 투표권을 부여한 우리나라 최초의 민주주의 선거였다. 그러나 김구, 김규식 등 남북 협상 참가 세력과 좌익 세력은 단독 선거에 반대하며 선거에 참여하지 않았다.

바로알기 ② 5·10 총선거를 통해 임기 2년의 제헌 국회 의원 198명이 선출되었다.

02 5·10 총선거로 구성된 제헌 국회는 국호를 '대한민국'으로 정하고 국민 대다수의 지지 속에서 반민족 행위 처벌법과 농지 개혁법 등을 제정하였다.

바로알기 ㄷ은 1952년 발췌 개헌과 관련 있다. ㄹ. 1948년 김구와 김규식은 남한만의 단독 정부 수립에 반대하며 북측에 남북한 정치 지도자 회담을 제안하였다.

03 제시된 헌법 조항은 1948년에 제정된 제헌 헌법에 해당한다. 제헌 헌법은 대한민국 정부가 대한민국 임시 정부의 법통을 계승한 민주 공화국임을 밝혔다. 또한 삼권 분립과 대통령 중심제를 채택하였고, 평등과 공공복리를 강조하였다.

바로알기 ① 제헌 헌법에는 국회에서 대통령과 부통령을 선출하도록 하는 대통령 간선제가 명시되어 있다.

극비노트 **대한민국 정부 수립 과정**

5·10 총선거 실시	• 제헌 국회 구성 임기 2년의 제헌 국회 의원 선출 • 의의: 우리나라 최초의 보통 선거 실시

↓

제헌 헌법 공포	민주 공화국 명시, 삼권 분립·대통령 중심제 채택, 대통령 간선제 규정

↓

대한민국 정부 수립	이승만 대통령의 대한민국 정부 수립 선포(1948. 8. 15.)

---

04 1946년 2월 소련의 후원을 받는 김일성을 위원장으로 북조선 임시 인민 위원회가 출범하였다. 북조선 임시 인민 위원회는 무상 몰수·무상 분배 방식의 토지 개혁을 실시하고, 주요 산업과 지하자원을 국유화하는 등 사회주의 체제의 기초를 만들었다. 이후 남한에 대한민국 정부가 세워지자 1948년 9월 조선 민주주의 인민 공화국의 수립을 선포하였다.

바로알기 ㄴ. 북한은 1956년부터는 천리마운동을 벌여 노동력을 최대한 동원해 생산력을 높이고자 하였으며, 1957년부터 경제 개발 5개년 계획을 실시하였다. ㄹ. 6·25 전쟁 기간에 김일성은 박헌영 등 남조선 노동당 출신의 주요 인물을 제거해 나가며 자신의 권력 기반을 강화하였다.

05 제시된 법령은 반민족 행위 처벌법(1948)이다. 광복 이후 친일파를 처벌하여 사회 정의를 바로 세우자는 여론이 거세게 일어나면서 제헌 국회는 반민족 행위 처벌법을 제정하고 반민족 행위 특별 조사 위원회(반민 특위)를 설치하였다. 그러나 반민족 행위자 처벌보다 반공을 우선시 한 이승만 정부는 반민 특위의 활동에 비협조적이었다.

바로알기 ⑤ 국회 프락치 사건, 일부 경찰의 반민 특위 사무실 습격 사건 등이 일어나면서 반민 특위에 체포된 인사들은 감형되거나 석방되었다. 결국 광복 이후 친일파 청산은 제대로 이루어지지 못하였다.

06 1949년에 제정된 농지 개혁법은 일부 개정을 거쳐 1950년 3월에 국회를 통과하여 시행되었다. 이승만 정부는 농지 개혁을 통해 한 가구당 농지 소유 상한을 3정보(약 3만㎡)로 제한하였으며, 유상 매입·유상 분배의 원칙을 적용하였다. 6·25 전쟁 등으로 농지 개혁이 한동안 중단되면서 지주들이 미리 토지를 팔아 농지 개혁 대상의 토지가 감소하였지만, 농지 개혁에 따라 지주·소작제가 사라지고, 경자유전의 원칙(농사짓는 사람이 땅을 소유하는 원칙)이 확립될 수 있었다.

바로알기 ③ 광무개혁 때 토지 소유권을 인정하는 지계가 발급되었다.

07 1950년 1월에 미국 국무 장관 애치슨은 태평양 방위선을 '알류샨 열도 – 일본과 오키나와 – 필리핀 군도'로 이어지는 선으로 발표하였다. 애치슨 선언은 한국과 타이완을 미국의 극동 방위선에서 제외함을 의미하였고, 6·25 전쟁이 일어나는 데 영향을 주었다.

바로알기 ② 1947년 북한에서 북조선 임시 인민 위원회가 수립되었다. ③ 1945년 8월 미국이 군정청을 설치하여 남한 지역을 직접 통치하였다. ④ 1948년 4월 김구와 김규식이 남북한 정치 지도자 회담을 제안하였다. ⑤ 1946년 6월 이승만이 남한만의 단독 정부 수립을 주장하였다.

08 (가) 선언은 1950년 6월에 결의된 유엔 안보리 결의 82호, (나) 선언은 1953년 7월에 체결된 정전 협정문이다. ① 1950년 9월 국군과 유엔군은 인천 상륙 작전에 성공하여 서울을 되찾고 수도 탈환식을 개최하였다.

바로알기 ② 농지 개혁법은 1949년에 제정되었다. ③ 조봉암은 1958년 간첩 혐의로 재판을 받았다. ④ 애치슨 선언은 1950년 1월에 발표되었다. ⑤ 김일성과 스탈린의 비밀 회담은 1950년 3월에 있었다.

09 (가)는 6·25 전쟁 중인 1950년 9월 초 북한군이 최대로 남침한 상황이고, (나)는 1950년 11월 말 국군과 유엔군이 최대로 북진한 상황에 해당한다. 1950년 9월 15일에 전개된 인천 상륙 작전으로 국군과 유엔군은 전세를 역전시켜 서울을 수복하고, 압록강 유역까지 진출할 수 있었다.

바로알기 ① 1950년 1월 애치슨 선언이 발표되었다. ② 1953년 6월 이승만 정부가 반공 포로를 석방하였다. ③ 1951년 1월 중국군의 공세에 밀려 서울이 다시 함락되었다. ⑤ 1951년 7월 유엔군과 북한군 사이에 정전 회담이 시작되었다.

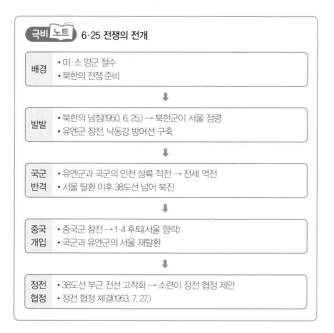

극비노트 6·25 전쟁의 전개

배경	• 미·소 양군 철수 • 북한의 전쟁 준비
발발	• 북한의 남침(1950. 6. 25.) → 북한군이 서울 점령 • 유엔군 참전, 낙동강 방어선 구축
국군 반격	• 유엔군과 국군의 인천 상륙 작전 → 전세 역전 • 서울 탈환 이후 38도선 넘어 북진
중국 개입	• 중국군 참전 → 1·4 후퇴(서울 함락) • 국군과 유엔군의 서울 재탈환
정전 협정	• 38도선 부근 전선 고착화 → 소련이 정전 협정 제안 • 정전 협정 체결(1953. 7. 27.)

10 제시된 조약은 한미 상호 방위 조약이다. 6·25 전쟁이 끝난 직후 한국의 요청으로 한미 상호 방위 조약이 체결되었다. 이에 따라 미군이 한국에 계속 주둔하였고 한국과 동아시아에서 미국의 영향력이 강화되었다.

바로알기 ①, ④는 6·25 전쟁 중에 있었던 일이다. ② 애치슨 선언 발표는 6·25 전쟁 발발 이전에 있었던 일이다. ⑤ 6·25 전쟁 중 북한에 군대를 지원한 중국의 정치적 영향력이 커졌다.

11 6·25 전쟁으로 수많은 이산가족과 전쟁고아가 생겼으며, 생산 시설과 도로와 주택 등 사회 간접 시설이 대부분 파괴되었다. 전쟁이 끝난 이후 남한과 북한 간의 적대감은 심화되었다. 남북의 지도자 이승만과 김일성은 이를 독재 권력 강화에 이용하였고, 분단 체제는 고착화되었다.

바로알기 ⑤ 유엔 소총회의 결정으로 남한에서 총선거가 실시된 것은 1948년의 일로, 6·25 전쟁 이전이다.

12 제시된 그래프를 통해 제2대 국회 의원 선거의 결과 무소속 후보가 다수 당선되었음을 알 수 있다. 무소속 후보 다수가 당선되자 이승만과 여당인 자유당은 국회에서 대통령을 선출하는 간선제로는 이승만 대통령의 재선이 어렵다고 판단하고 개헌을 시도하였다. 1952년 정부와 여당은 개헌에 반대하는 야당 의원들을 폭력 조직과 헌병을 동원하여 협박하고 대통령 직선제 개헌안(발췌 개헌안)을 통과시켰다.

바로알기 ②, ④는 제정 헌법의 내용이다. ③ 사사오입 개헌으로 초대 대통령의 연임 횟수 제한이 철폐되었다. ⑤는 사사오입 개헌에 대한 설명이다.

13 밑줄 친 '개헌안'은 사사오입 개헌안이다. 여당인 자유당은 1954년 개헌 당시 대통령(이승만)에 한해서 연임 횟수 제한을 없앤다는 내용의 개헌안을 제출하였다가 1표 차로 부결되자, 이후 사사오입(반올림)의 논리를 내세워 개헌안을 통과시켰다.

14 이승만 정부는 정권 연장을 위해 6·25 전쟁 중인 1952년 발췌 개헌을 단행하였고, 1954년에는 사사오입 개헌을 강행하였다. 두 차례의 무리한 개헌으로 여론이 악화된 가운데, 독재 체제 강화를 위해 진보당 사건을 일으켰고, 정부에 비판적이었던 경향신문을 폐간하는 등 언론을 억압하였다.

바로알기 ㄷ. 1956년 연안파가 김일성의 권력 독점과 사회주의 건설 정책을 비판하는 사건이 일어났다. 김일성은 이를 기회로 삼아 반대파에 대한 대대적인 숙청 작업을 진행하였다(8월 종파 사건). 이후 김일성 중심의 독재 체제를 더욱 강화하였다. ㄹ. 정전을 반대하는 이승만 정부는 북한으로 돌아가지 않겠다는 반공 포로를 일방적으로 석방하였다.

15 그래프는 1950년대 후반 국내 쌀 부족량과 외국에서 들어온 쌀 도입량의 추이를 나타낸다. 이 시기에는 미국에서 대량의 농산물이 들어와 식량 문제는 다소 해결되었으나, 국내 농산물 가격이 폭락하였다.

바로알기 ① 농지 개혁법은 1949년에 제정되었다. ② 농촌 진흥 운동은 일제가 1932년부터 1940년까지 전개하였다. ④ 북한은 전후 복구 3개년 계획을 1954년부터 1957년까지 전개하였다. ⑤ 식량 배급제는 중일 전쟁 이후 일제가 침략 전쟁을 전개하는 과정에서 실시하였다.

16 전후 복구 사업에서 미국의 경제 원조는 큰 역할을 하였다. 한국 정부는 철강과 기계 등 생산재 지원을 희망했으나, 미국의 원조 물자는 대개 밀, 사탕수수, 면화 등 소비재 산업의 원료에 집중되었다. 이로 인해 제분업, 제당업, 면방직 공업 등 이른바 삼백 산업이 발달하였다.

17 (가)는 전후 복구 시기이다. 북한은 1956년부터는 천리마운동을 전개하여 노동력을 최대한 동원해 생산력을 높이고자 하였다. 천리마운동은 하루에 천 리를 달리는 천리마의 속도로 사회주의 경제를 건설하자는 의미이다.

바로알기 ① 북한은 중공업 우선 정책을 추진하여 농업과 공업 간 불균형이 심화되었다. ② 북한은 전후 복구 과정에서 개인 상공업과 부분적인 사유제가 폐지되었다. ④, ⑤ 북한은 '토지를 밭갈이 하는 농민에게'라는 구호 아래 1946년 3월 무상 몰수·무상 분배 방식의 토지 개혁을 실시하였다. 이어 공장, 광산, 철도를 비롯한 주요 산업 및 지하자원, 산림 등을 국유화하였다.

01 ④　　02 ⑤　　03 ①　　04 ②　　05 ②
06 ①　　07 (1) 반민족 행위 처벌법 (2) 해설 참조
08 (1) 천리마운동 (2) 해설 참조

01 장면 #1은 1948년 2월 유엔 소총회에서 남한만의 총선거를 결정하는 모습이고, 장면 #3은 1948년 8월 대한민국 정부 수립을 선포하는 모습이다. ④ 제헌 헌법은 1948년 7월 17일에 공포되었다.
바로알기 ①, ②, ③은 1948년 8월 이후, ⑤는 1948년 이전에 볼 수 있었던 모습이다.

02 밑줄 친 '이 헌법'은 5·10 총선거로 구성된 제헌 국회에서 제정한 제헌 헌법이다. 제헌 헌법은 삼권 분립과 대통령 중심제를 채택하였다.
바로알기 ㄱ은 사사오입 개헌안에 대한 설명이다. ㄴ. 제헌 헌법은 국회에서 대통령과 부통령을 선출하게 하였다.

03 (가)는 반민족 행위 처벌법(1948), (나)는 1949년 제정되어 이듬해 시행된 농지 개혁법이다. 반민족 행위 처벌법은 친일파를 처벌하여 민족정기를 세우려는 목적으로 제정되었다. 이 법령을 토대로 한 반민 특위의 친일파 처벌 활동은 이승만 정부의 소극적 태도로 목적을 이루지 못하였다. 농지 개혁법은 경작 농민 중심의 토지 소유를 확립하려는 목적으로 실시되었는데, 농지 개혁의 실시가 지연되면서 지주들이 미리 토지를 팔아 버려 농지 개혁 대상의 토지가 줄기도 하였다. 두 법령 모두 제헌 국회에서 제정되었다.
바로알기 ①은 농지 개혁법과 관련이 있다.

04 1949년 제헌 국회가 농지 개혁법을 제정하였고 이듬해 3월부터 이승만 정부가 유상 매수·유상 분배 방식을 원칙으로 하는 농지 개혁을 시행하였다. 농지 개혁은 지주·소작제의 소멸과 농민 중심의 토지 소유를 확립하는 데 기여하였다.
바로알기 ① 일제는 1910년에 임시 토지 조사국을 설치하고 1912년에 토지 조사령을 공포하여 본격적으로 토지 조사 사업을 실시하였다. ③ 북한은 1946년 3월 무상 몰수·무상 분배 방식의 토지 개혁을 실시하였다. ④ 3년여 동안 이어진 6·25 전쟁으로 남한은 생산 시설의 절반 가까이가 파괴되었다. ⑤ 전후 한국 경제는 미국의 원조를 토대로 재건되었다. 미국의 원조 물자는 대개 잉여 농산물에 집중되어 이에 잉여 농산물을 가공하는 삼백 산업이 발달하였다.

05 (가)는 북한군이 남침하여 낙동강까지 진출한 시기와 중국군의 개입에 따른 1·4 후퇴 사이에 해당한다. 국군과 유엔군은 1950년 9월 중순부터 전개한 인천 상륙 작전에 성공하여 전세를 역전하였고, 다시 서울을 되찾았다.
바로알기 ① 제주 4·3 사건은 1948년 시작되어 1954년까지 진행되었다. ③ 5·10 총선거와 제헌 국회 구성은 1948년의 일이다. ④ 강화도 조약은 1876년에 체결되었다. ⑤ 반민족 행위 특별 조사 위원회는 1948년에 조직되었다.

06 (가) 개헌안은 대통령 직선제 추진으로 1952년에 개정된 발췌 개헌, (나) 개헌안은 초대 대통령의 중임 제한 철폐 추진으로 1954년에 개정된 사사오입 개헌이다. 이 사이 시기인 1954년 치러진 총선거에서 자유당이 압승을 거두고 제1당이 되었다.
바로알기 ② 1958년 조봉암과 진보당 간부들에게 간첩 혐의를 씌워 탄압하였다. ③ 1956년 선거에서 민주당의 장면이 부통령에 당선되었다. ④ 1958년 진보당 사건 이후 1959년 정부에 비판적인 경향신문이 폐간되었다. ⑤ 1950년 북한의 남침으로 6·25 전쟁이 발발하였다.

서술형 문제

07 (2) 예시답안 이승만 정부가 반민 특위 활동에 비협조적이었다. 반민 특위 소속 국회 의원 일부가 공산당과 접촉하였다는 구실로 체포되었다. 일부 친일파 경찰이 반민 특위 사무실을 습격하였다.

채점 기준	배점
친일파 청산 노력이 실패한 배경 세 가지를 정확히 서술한 경우	상
친일파 청산 노력이 실패한 배경 중 두 가지를 서술한 경우	중
친일파 청산 노력이 실패한 배경 중 한 가지만 서술한 경우	하

08 (2) 예시답안 천리마운동은 노동력을 최대한 동원하여 생산력을 높이기 위해 추진되었다. 그러나 대중의 노동력에 의존하고, 기술 혁신과 물질적인 뒷받침이 없어 점차 한계를 드러냈다.

채점 기준	배점
천리마운동의 목적과 한계를 모두 정확히 서술한 경우	상
천리마운동의 목적과 한계 중 한 가지만 서술한 경우	하

04 4·19 혁명과 민주화를 위한 노력

1단계 개념 짚어 보기
본문 135쪽

01 (1) × (2) ○   02 ㉠ 양원제 ㉡ 내각 책임제   03 (1) 일본
(2) 국가 재건 최고 회의 (3) 미국   04 통일 주체 국민 회의   05
ㄴ - ㄱ - ㄷ - ㄹ   06 12·12 사태

2단계 내신 다지기
본문 136~138쪽

01 ②	02 ⑤	03 ④	04 ①
05 혁명 공약	06 ②	07 ③	08 ④	09 ③
10 ①	11 ②	12 ⑤	13 ⑤	14 ④
15 ⑤	16 ①	17 ④	18 ①	

01 제시된 자료는 내무부 장관 최인규의 3·15 부정 선거 지시 사항이다. 이 부정 선거로 인해 일어난 민주화 운동은 4·19 혁명이다. 4·19 혁명의 결과 이승만 정부가 붕괴되고 과도 정부가 수립되어 내각 책임제로 헌법이 개정되었다.
바로 알기 ①은 6월 민주 항쟁에 대한 설명이다. ③ 1964년 굴욕적인 한일 회담에 반대하여 6·3 시위가 일어났다. ④ 이승만 정부는 1959년 독재 체제를 강화하기 위해 국가 보안법을 개정하였다. ⑤는 5·18 민주화 운동에 대한 설명이다.

02 제시된 자료는 4·19 혁명 당시 대학교수단이 발표한 시국 선언문이다. 3·15 부정 선거를 규탄하는 시위가 확산되자 이승만 정부는 전국 대도시에 계엄령을 선포하였다. 그러나 4월 25일 대학교수 200여 명이 시국 선언문을 발표하고 시민과 학생들을 지지하는 시위를 벌이자 이승만은 대통령직에서 물러났다.
바로 알기 ① 남북 협상은 1948년에 개최되었다. ② 천리마운동은 북한이 1956년부터 생산력을 향상시키기 위해 실시한 것이다. ③ 5·16 군사 정변은 장면 정부 때인 1961년에 일어났다. ④는 1954년에 단행된 사사오입 개헌의 결과이다.

03 3·15 부정 선거를 규탄하는 4·19 혁명이 전개된 이후에 이승만이 하야하고 허정이 이끄는 과도 정부가 수립되었다. 과도 정부는 내각 책임제 실시와 양원제 국회 구성을 핵심으로 하는 헌법을 개정하였다. 새 헌법에 따라 실시된 총선거에서 민주당이 승리하였고, 이후 국회에서 장면이 국무총리로 지명되어 장면 내각이 출범하였다.

04 제시된 자료는 장면 내각 당시 전개된 평화 통일 운동에 대한 내용이다. 장면 내각은 집권 초부터 여당인 민주당이 장면 중심의 신파와 윤보선 중심의 구파로 분열하여 안정적인 정국 운영이 어려웠다. 게다가 시민들의 다양한 민주화 요구와 통일 논의를 제대로 수용하지 못하였다.
바로 알기 ② 국가 보위 비상 대책 위원회는 1980년에 설치되었다.

05 1961년 5월 16일 군사 정변을 일으킨 박정희를 비롯한 일부 군인들은 반공을 국시로 내건 '혁명 공약'을 발표하고 전국에 비상계엄을 선포하였다.

06 5·16 군사 정변은 1961년, 한일 국교 정상화는 1965년에 일어났다. ㄱ. 5·16 군사 정변 세력들은 박정희를 의장으로 한 국가 재건 최고 회의를 구성하였다. ㄷ. 이후 군사 정부는 대통령 중심제, 단원제 국회 구성을 골자로 하는 헌법 개정안을 국민 투표로 확정하여 공포하였다.
바로 알기 ㄴ. 3·1 민주 구국 선언은 유신 체제 시기인 1976년에 발표되었다. ㄹ. 조봉암이 사형된 것은 이승만 정부 시기의 일이다.

07 5·16 군사 정변 이후 군사 정부는 반공 체제를 강화하고 경제 개발과 사회 안정을 내세웠다. 이에 따라 중앙정보부를 설치하고 부패 공직자와 폭력배를 처벌하였다. 또한 농가 부채를 줄여 주고 농산물 가격을 안정화시키는 정책도 추진하였다.

08 밑줄 친 '협정'은 한일 협정(1965)이다. 박정희 정부는 한일 협정을 통해 일본으로부터 경제 개발에 필요한 자금을 일부 얻었다. 그러나 식민 지배에 대한 사과, 일본군 '위안부'와 원폭 피해자 등에 대한 배상, 독도 문제 등은 제대로 해결하지 못하였다.
바로 알기 ① 미국이 한일 국교 정상화를 요구하였다. ② 독도 문제 등을 해결하지 못하였다. ③ 일본으로부터 식민 지배에 대한 사과를 받지 못하였다. ⑤ 이승만 정부 시기에 정부에 비판적인 기사를 게재한 경향신문이 폐간되었다.

09 제시된 자료는 1966년 미국과 체결한 브라운 각서의 내용이다. 1965년 한국의 국군 1개 전투 사단이 베트남에 파견된 후에도 미국은 한국에 추가 파병을 요청하였다. 박정희 정부는 미국과 브라운 각서를 체결하여 베트남에 추가 병력을 파견하는 대가로 미국으로부터 기술과 차관 제공 등을 약속받았다.
바로 알기 ① 1972년, ② 1965년, ④ 1950년, ⑤ 1961년에 일어난 일이다.

10 박정희 정부는 위기 상황을 극복하고 지속적인 경제 성장을 추진한다는 명분을 내세워 3선 개헌을 추진하였다. 이에 야당 의원들과 학생들을 중심으로 3선 개헌을 반대하는 시위가 이어졌다. ① 3선 개헌을 추진하던 1969년 당시에 우리나라는 베트남 전쟁에 전투 부대를 파견하였다.
바로 알기 ②는 1964년, ③은 1969년, ④는 1952년, ⑤는 1976년에 볼 수 있는 모습이다.

11 제시된 자료는 박정희 정부가 제정한 유신 헌법의 내용이다. 대통령을 통일 주체 국민 회의에서 투표로 선거한다는 내용을 통해 유신 헌법이 대통령 간선제를 규정하고 있음을 알 수 있다.
바로 알기 ① 허정 과도 정부가 1960년에 단행한 개헌에서 내각 책임제를 명시하였다. ③은 대한민국 임시 정부가 발표한 건국 강령에 대한 설명이다. ④ 4·19 혁명은 이승만 정부의 부정부패와

3·15 부정 선거를 배경으로 일어났다. ⑤ 유신 헌법에서 대통령의 임기는 6년이고, 중임 제한은 없었다.

12 유신 체제 시기 대통령은 국민의 자유와 권리를 잠정적으로 정지할 수 있는 긴급 조치권을 행사할 수 있었다. 입법, 사법, 행정의 권한을 대통령이 장악하게 한 유신 헌법은 박정희 대통령의 영구 집권과 독재 체제를 뒷받침하였다.
바로알기 ①, ④는 이승만 대통령, ②는 장면 내각, ③은 전두환 대통령과 관련된 탐구 활동이다.

13 제시된 자료는 1976년에 유신 체제를 비판하며 발표된 3·1 민주 구국 선언이다. 유신 체제가 지속되자 개헌 청원 1백만인 서명 운동 등 유신 반대 운동이 일어났다. 그러나 박정희 정부는 긴급 조치를 잇달아 발표하여 정부에 대한 비판을 막으려 하였다.
바로알기 ㄱ. 서울의 봄은 1980년에 일어났다. ㄴ. 유신 체제 시기 대통령은 임기 6년에 중임이 가능하였다.

14 첫 번째 사건은 1972년에 일어난 10월 유신, 두 번째 사건은 1979년에 일어난 10·26 사태와 관련된 내용이다. 박정희 정부는 긴급 조치를 발동하여 유신 체제에 대한 비판을 막으려 하였고, 제2차 인민 혁명당 사건 등을 조작하여 관련자들을 처벌하였다. 그러나 YH 무역 사건, 부마 민주 항쟁 등으로 흔들린 유신 체제는 10·26 사태로 사실상 막을 내렸다.
바로알기 ④ 6·3 시위는 1964년에 굴욕적인 한일 회담에 반대하며 일어났다.

15 박정희 중심의 군인 세력은 5·16 군사 정변을 통해 집권한 후 국가 재건 최고 회의를 만들어 군정을 실시하였다. 전두환 중심의 군인 세력은 12·12 사태를 통해 군사권을 장악하고 국가 보위 비상 대책 위원회를 설치하여 국정을 장악하였다.

16 제시된 자료는 5·18 민주화 운동 당시 발표된 광주 시민 궐기문(1980. 5. 25.)이다. 1980년 전라남도 광주의 학생과 시민들은 신군부의 비상계엄 전국 확대를 비판하며 시위를 전개하였다. 이들은 신군부의 퇴진과 계엄령 철회를 요구하였다. 전두환 등 신군부는 공수 부대를 동원하여 무력으로 시위를 진압하였고, 학생과 시민들은 시민군을 결성하여 이에 저항하였다.
바로알기 ②는 5·18 민주화 운동 이후의 상황이다. ③ 제2차 인혁당 사건은 유신 체제에 대한 저항과 관련 있다. ④는 부마 민주 항쟁에 대한 설명이다. ⑤는 6월 민주 항쟁(1987)이 일어나는 계기가 되었다.

17 5·18 민주화 운동 이후 7년 단임의 대통령 간선제 개헌이 이루어졌고, 대통령 선거인단에 의해 전두환이 대통령으로 선출되어 전두환 정부가 출범하였다.

18 전두환 정부는 대입 본고사 폐지와 과외 금지, 중고생 두발과 교복 자율화, 해외여행 자유화 등의 유화 정책을 추진하는 한편, 언론사 통폐합, 민주화 요구 탄압 등 강압 정책을 폈다.
바로알기 ① 전두환 정부는 야간 통행금지를 해제하였다.

01 ③ **02** ③ **03** ④ **04** (1) 통일 주체 국민 회의
(2) 해설 참조

01 제시된 자료는 1960년에 일어난 4·19 혁명의 배경과 원인, 전개 과정 등을 정리한 것이다. 3·15 부정 선거에 저항해 일어난 4·19 혁명으로 이승만 대통령이 하야하였다.
바로알기 ① 유신 헌법은 박정희가 영구 집권을 위해 1972년에 제정하였다. ② 제주 4·3 사건은 1948년에 남한만의 단독 선거 반대와 통일 정부 수립 등을 내세우며 일어났다. ④ 인천 상륙 작전은 1950년 6·25 전쟁 중에 있었던 사실이다. ⑤ 미국의 요청으로 박정희 정부 시기에 베트남 파병이 이루어졌다.

02 제시된 자료는 박정희 정부의 유신 체제 기간에 시행된 긴급 조치 9호(1975. 5. 13.)이다. 1972년 제정된 유신 헌법에서는 국가의 안전 보장과 관련된 중대한 사태가 발생하였을 때 대통령이 긴급 조치를 발동할 수 있게 하였다. ③ 1976년 재야인사들은 명동 성당에 모여 유신 체제를 비판하는 3·1 민주 구국 선언을 발표하였다.
바로알기 ①, ②, ⑤는 이승만 정부 시기에 볼 수 있었던 모습이다. ④는 전두환 정부 시기에 볼 수 있었던 모습이다.

03 전두환 중심의 신군부 세력은 국가 보위 비상 대책 위원회를 설치하여 국정을 장악하였다. 이들은 최규하 대통령을 물러나게 하고 통일 주체 국민 회의를 통해 전두환을 대통령으로 선출하였다. 이후 유신 헌법을 폐지하고 7년 단임의 대통령을 대통령 선거인단에 의해 간접 선출하는 새로운 헌법을 마련한 후, 다시 전두환을 대통령으로 선출하였다. 전두환 정부는 교복 자율화, 야간 통행금지 해제, 해외여행 자유화 등 유화 정책을 실시하였다. 한편, 민주화 요구는 철저히 탄압하였고, 언론 기관을 통폐합하는 등 언론을 억압하였다.
바로알기 ④ 노태우 정부 때인 1988년에 서울 올림픽 대회가 개최되었다.

서술형 문제

04 (2) **예시답안** 유신 헌법에 따라 대통령은 국회 의원의 3분의 1의 추천권, 국회 해산권, 대법원장과 법관의 인사권, 긴급 조치권 등을 행사할 수 있다.

채점 기준	배점
국회 의원의 3분의 1의 추천권, 국회 해산권, 대법원장과 법관의 인사권, 긴급 조치권 중 대통령의 권한 세 가지를 정확히 서술한 경우	상
국회 의원의 3분의 1의 추천권, 국회 해산권, 대법원장과 법관의 인사권, 긴급 조치권 중 대통령의 권한 두 가지를 서술한 경우	중
국회 의원의 3분의 1의 추천권, 국회 해산권, 대법원장과 법관의 인사권, 긴급 조치권 중 대통령의 권한 한 가지만 서술한 경우	하

1단계 개념 짚어 보기

본문 142쪽

01 (1) × (2) × (3) ○ **02** (1) 저임금 (2) 직선제 **03** ㄱ - ㄷ - ㄹ - ㄴ **04** (1) ㄹ (2) ㄷ (3) ㄱ **05** 촛불 집회

2단계 내신 다지기

본문 142~145쪽

01 ③	**02** ④	**03** ⑤	**04** ③	**05** ⑤
06 광주 대단지 사건	**07** ②	**08** ③	**09** ①
10 ②	**11** ④	**12** ①	**13** ⑤	**14** ①
15 ④	**16** ①	**17** ①		

01 제1차 경제 개발 5개년 계획은 1962년부터 1966년까지, 제2차 경제 개발 5개년 계획은 1967년부터 1971년까지 추진되었다. 이 시기에는 노동 집약적 경공업을 육성하고 수출을 늘리는 데 힘썼다.

바로 알기 ③ 수출액 100억 달러를 돌파한 것은 1977년이다.

02 포항 종합 제철이 준공된 것은 1973년의 일이다. 이 시기에 박정희 정부는 중화학 공업을 집중 육성하기 위해 포항에 제철소를 건설하였으며, 울산과 거제 등지에 대규모 조선소를 설립하였다.

바로 알기 ①은 1949년, ②는 제1, 2차 경제 개발 계획 시기, ③은 1962년, ⑤는 1980년대 중반에 해당한다.

극비 노트 경제 개발 5개년 계획의 추진

구분	제 1, 2차 경제 개발 계획	제 3, 4차 경제 개발 계획
특징	노동 집약적 경공업 육성	중화학 공업 집중 육성
결과	사회 간접 자본 확충, 수출 증가, 베트남 특수로 경제 성장	수출액 100억 달러 돌파, 고도성장 이룩, 두 차례 석유 파동으로 경제 위기

03 (가)는 박정희 정부가 제3, 4차 경제 개발 5개년 계획을 추진하였던 시기이다. 1972년부터 시작된 제3차 경제 개발 5개년 계획에서는 철강, 화학, 비철 금속, 기계, 조선, 전자 등을 전략 업종으로 선정하여 중화학 공업을 집중 육성하였다. 1973년에 발생한 제1차 석유 파동은 중동 건설 사업에 진출하여 외화를 획득함으로써 극복하였다.

바로 알기 ㄱ. 미국의 경제 원조에 의존한 것은 6·25 전쟁 이후인 이승만 정부 시기이다. ㄴ. 우리나라는 1980년대 1인당 국민 소득이 5천 달러를 넘어섰다.

04 박정희 정부는 장면 내각이 수립한 경제 개발 계획을 수정·보완하여 국가 주도의 경제 성장 정책을 적극적으로 추진하였다.

바로 알기 ③ 1980년 중반 이후 우리나라 경제는 저유가, 저달러, 저금리 상황을 배경으로 3저 호황을 맞아 위기를 극복하였다.

05 우리나라는 1960~1970년대 높은 경제 성장률을 보이며 고도성장을 이룩하였다. 정부가 경제 성장 정책을 추진해 가는 과정에서 정부와 대기업 간의 정경 유착이 지속되었다. 한편, 정부는 공업 중심 경제 개발 추진에 따라 수출 상품의 가격을 낮게 유지하기 위해 저임금·저곡가 정책을 추진하였다. 이로 인해 노동자와 농민들의 경제적 어려움이 더욱 커졌고, 도시와 농촌 사이에 소득의 격차가 발생하였다.

바로 알기 ⑤ 재벌은 경제 성장 과정에서 정부의 산업 육성 및 수출 정책에 적극 협조하였다. 이는 정경 유착과 재벌의 무리한 사업 확장이라는 부작용을 가져왔다.

06 도시화가 진행되면서 정부는 주택난을 해결하고자 서울 인근에 대규모 아파트 단지를 세우는 등 도시를 정비하였는데, 그 과정에서 광주 대단지 사건이 일어났다.

07 산업화가 진행되어 농촌의 인구가 대도시로 몰려들면서 농촌의 인구는 줄고, 도시에서 교통, 주택 문제, 도시 빈민 문제 등이 발생하였다.

바로 알기 ② 산업화로 도시에 일자리가 늘어나 많은 사람들이 농촌을 떠나 도시로 몰려들면서 농업의 비중이 줄고 제조업과 서비스 산업의 비중이 커졌다.

08 (가)는 새마을 운동이다. 1960년대 이후 추진된 정부의 공업화 정책과 저곡가 정책으로 도시와 농촌의 소득 격차가 커지자 박정희 정부는 1970년부터 새마을 운동을 시작하였다. 새마을 운동은 주택 개량, 도로와 전기 시설 확충 등 농촌의 생활 환경 개선을 위하여 노력하였다. 새마을 운동은 점차 도시로 확대되면서 국민 의식 개혁 운동으로 이어지면서 유신 체제 유지에 이용되기도 하였다.

바로 알기 ③ 새마을 운동은 정부 주도로 추진되었다.

09 제시된 자료는 1969년 전태일이 작성한 탄원서이다. 전태일은 노동자들의 열악한 노동 환경 실태를 조사하여 노동청에 제출하는 등 노동 환경을 개선하기 위해 노력하였다. 하지만 성과가 없자 근로 기준법 준수를 요구하며 분신하였다.

바로 알기 ② 광주 대단지 사건은 도시 빈민이 생존권을 위협받아 집단으로 반발한 대표적 사례에 해당한다. ③ 정부는 농촌의 환경 개선과 균형 발전을 도모하고자 새마을 운동을 추진하였다. ④ 1970년대 후반 함평 농민들은 3년여 동안 투쟁을 전개하여 고구마 피해를 보상받았다. ⑤ 제2차 석유 파동에 따른 유가 폭등과 수출 저조 등으로 우리 경제의 위기가 심화되었다.

10 우리나라의 높은 교육열은 경제 성장과 사회 변화의 원동력이었지만 입시 경쟁과 사교육비 증가 등의 문제를 가져왔다. 이를 해결하기 위해 정부는 1969년부터 중학교 무시험 진학 제도를 실시하였으며, 1970년대에는 고교 평준화 제도를 시행하였다. 1981년에는 과외 전면 금지와 대학 졸업 정원제를 시행하여 높은 교육열에 따른 부작용을 줄이고자 하였다.

바로알기 ② 국민 교육 헌장은 박정희 정부 때의 국가주의 교육 강조와 관련이 있다.

11 유신 체제 성립 이후에 박정희 정부는 비판적 언론인들을 구속·해직하고 기자 등록제인 프레스 카드제를 실시하여 정부에 대해 비판적인 기자의 활동을 제한하였다. 이러한 언론 통제에 대항하여 동아일보 기자들이 자유 언론 실천 선언을 발표하면서 언론 자유 운동이 확산되었다.

바로알기 ① 1959년 이승만 정부의 언론 탄압 정책에 의해 경향신문이 폐간되었다. ② 5·18 민주화 운동은 1980년에 전개되었다. ③ 신문에 대한 발행 허가제가 폐지된 것은 4·19 혁명 직후이다. ⑤ 전두환 정부가 보도 지침을 통해 기사 검열을 강화한 것은 1980년대이다.

12 제시된 내용은 1970년대 박정희 정부 시기의 상황이다. 박정희 정부는 문화, 예술에 대한 검열과 통제를 강화하여 장발과 미니스커트 길이를 단속하였고, 극장에서는 영화 관람 전에 정부 홍보용 '대한 뉴스'를 상영하였다. 또한 국가주의 교육을 강조하여 국민 교육 헌장을 제정하였고, 언론 통제를 강화하여 프레스 카드제를 실시하였다.

바로알기 ① 프로 야구는 전두환 정부 시기인 1982년에 개막되었다.

13 제시된 선언문은 1987년 6월 민주 항쟁 때 발표된 것이다. 전두환 대통령이 4·13 호헌 조치를 발표하자 이에 저항하는 시위가 일어났다. 대학생 이한열이 시위 도중 경찰이 쏜 최루탄에 맞아 쓰러지자 분노한 시민들은 6월 10일 전국 주요 도시에 모여 호헌 철폐와 독재 타도를 외쳤다.

바로알기 ①은 유신 체제 반대 시위, ②는 한일 회담 반대 시위, ③은 5·18 민주화 운동, ④는 4·19 혁명 당시 제기되었던 구호이다.

14 제시된 자료는 6·29 민주화 선언이다. 전두환 정부는 국민의 민주화 요구에 굴복하여 여당 대통령 후보인 노태우를 통해 대통령 직선제 개헌 등을 수용하는 6·29 민주화 선언을 발표하였다. 이에 따라 5년 단임의 대통령 직선제를 핵심으로 하는 헌법 개정이 이루어졌다.

바로알기 ㄷ, ㄹ은 유신 헌법에 대한 설명이다.

15 김영삼 정부는 공직자 윤리법을 개정하여 고위 공무원의 재산 등록을 의무화하였으며, 탈세와 불법 자금 유통을 막기 위해 금융 실명제를 실시하였다. 또한 지방 자치 단체장 선거를 실시하여 전면적인 지방 자치 시대를 열었다. '역사 바로 세우기'를 진행하여 전두환, 노태우를 비롯한 12·12 사태 관련자와 5·18 민주화 운동 진압 관련자를 처벌하였다.

바로알기 ①은 전두환 정부, ②는 김대중 정부와 노무현 정부, ③은 이명박 정부, ⑤는 노무현 정부 시기의 일이다.

16 (나) 김영삼 정부는 불법 자금 유통을 막기 위해 금융 실명제를 실시하였다. (다) 김대중 정부는 외환 위기를 극복하여 국제 통화 기금(IMF)의 관리 체제에서 벗어났다. (라) 노무현 정부는 과거사 정리 사업 등을 추진하고, 권위주의 청산을 위해 노력하였다.

(마) 이명박 정부는 실용주의를 앞세워 자유 무역 협정(FTA) 체결을 확대하고 기업 활동의 규제 완화 정책을 추진하였다.

바로알기 ① 공직자 윤리법을 개정하여 고위 공무원의 재산 등록을 의무화한 것은 김영삼 정부이다.

17 민주화의 진전과 더불어 누구나 인간다운 삶을 누릴 수 있도록 국민 생활의 안정을 보장하기 위한 복지 정책도 추진되었다. 1977년 의료 보험 제도 시행, 1989년 전 국민 의료 보험 실시, 1999년 국민연금 제도 확대 적용, 1999년 국민 기초 생활법 보장 등 사회 보장 제도가 확충되었다.

바로알기 ① 총선 연대의 낙선 운동은 시민의 정치 참여 확대를 보여 준다.

3단계 등급 올리기
본문 146~147쪽

01 ② 　　02 ⑤ 　　03 ⑤ 　　04 ① 　　05 ⑤
06 ③ 　　07 해설 참조 　08 해설 참조
09 (1) 6월 민주 항쟁 (2) 해설 참조

01 1973년 아랍·이스라엘 전쟁으로 일어난 석유 파동인 것을 통해 제1차 석유 파동임을 알 수 있다. 우리나라는 중동 건설 사업에서 외화를 벌어들여 제1차 석유 파동을 극복할 수 있었다.

바로알기 ①은 1965년, ③은 1980년대 중반, ④는 1962년, ⑤는 1980년대 후반 이후에 일어난 일이다.

02 (가)는 1970년 경부 고속 국도 준공, (나)는 1977년 수출 100억 달러 달성을 보여 주는 사진이다. ⑤ 1972년부터 1976년까지 제3차 경제 개발 5개년 계획이 추진되었다.

바로알기 ①, ③은 1980년대, ②는 1980년, ④는 1997년에 일어난 일이다.

03 우리나라는 원자재, 시설, 자본, 기술 등이 부족한 상황에서 경제 개발을 시작하였기 때문에 외국에 대한 경제 의존도가 높아졌다. 또한 외자 도입에 따라 외채가 증가하여 외채 상환 시기에 경제 위기가 발생하기도 하였다.

바로알기 ① 정부가 수출품의 가격 경쟁력을 유지하기 위해 저임금·저곡가 정책을 추진하였다. ② 6·25 전쟁 이후 미국의 원조 물자가 소비재 산업의 원료로 집중되면서 삼백 산업이 발달하였다. ③ (가) 시기에 정부는 성장 위주의 경제 정책을 추진하였다. ④ 정부의 대기업 중심의 지원 정책이 추진되면서 재벌 중심의 산업 구조가 형성되었다.

04 이한열 군 사망 사건, 호헌 철폐, 독재 타도 등을 통해 밑줄 친 '이 운동'은 1987년의 6월 민주 항쟁임을 알 수 있다. ① 6월 민주 항쟁의 결과 대통령 직선제 개헌 요구를 수용한 6·29 민주화 선언이 발표되었으며, 이후 5년 단임의 대통령을 직선제로 선출하는 것을 주요 내용으로 하는 개헌이 이루어졌다.

바로알기 ② 3·15 부정 선거가 원인이 되어 일어난 운동은 4·19 혁명이다. ③ 모스크바 3국 외상 회의의 결정 사항을 이행하기 위해 미소 공동 위원회가 개최되었다. ④ 일본과의 국교 정상화에 반대하여 6·3 시위가 일어났다. ⑤ 반민족 행위 처벌법이 제정되어 반민족 행위 특별 조사 위원회가 설치되었다.

05 왼쪽은 1990년 노태우 정부가 김영삼과 김종필이 이끄는 두 야당과 통합하여 민주 자유당을 창당한 3당 합당과 관련된 내용이고, 오른쪽은 1998년 헌정 사상 최초로 여야 간 평화적 정권 교체를 이룬 김대중 대통령이 취임한 내용이다. 이 사이 시기에 3당 합당으로 여당에 합류한 김영삼 후보가 제14대 대통령에 당선되었고, 김영삼 정부는 '역사 바로 세우기'를 진행하여 전두환, 노태우를 비롯한 12·12 사태 관련자와 5·18 민주화 운동 진압 관련자를 처벌하였다.
바로알기 ①은 김대중 정부, ②는 1965년 박정희 정부, ③은 1988년 노태우 정부, ④는 2007년 노무현 정부와 관련된 내용이다.

06 2000년 450여 개의 사회 단체가 모여 출범한 총선 연대의 활동, 2000년대 이후 시민들이 사회의 다양한 사안에 의견을 표출한 평화적 시위인 촛불 집회 개최 등은 시민들이 정치 참여에 적극적으로 나서고 있는 모습이다.

서술형 문제

07 **예시답안** (가) 시기에는 제1, 2차 경제 개발 5개년 계획을 추진하여 경공업을 육성하였으며, (나) 시기에는 제3, 4차 경제 개발 5개년 계획을 실시하여 중화학 공업을 전략 산업으로 육성하였다.

채점 기준	배점
(가) 시기는 경공업 위주, (나) 시기는 중화학 공업 위주로 경제 개발 계획이 추진되었다고 정확히 비교하여 서술한 경우	상
(가), (나) 시기 경제 개발 계획의 특징 중 한 가지만 서술한 경우	하

08 **예시답안** 새마을 운동. 새마을 운동은 주택 개량, 도로와 전기 시설 확충 등 농촌 환경 개선을 추진하여 농어촌 근대화에 기여하였다. 그러나 새마을 운동은 유신 체제를 정당화하는 데 이용되기도 하였다.

채점 기준	배점
새마을 운동이라고 쓰고 그 성과와 한계를 모두 정확히 서술한 경우	상
새마을 운동이라고 썼으나 그 성과와 한계 중 한 가지만 서술한 경우	중
새마을 운동이라고만 쓴 경우	하

09 (2) **예시답안** 6·29 민주화 선언이 발표되었고, 이에 따라 5년 단임의 대통령 직선제를 핵심으로 하는 헌법 개정이 이루어졌다.

채점 기준	배점
6·29 민주화 선언이 발표되어 5년 단임의 대통령 직선제를 핵심으로 하는 헌법 개정이 이루어졌다고 정확히 서술한 경우	상
5년 단임의 대통령 직선제를 핵심으로 하는 헌법 개정이 이루어졌다고 서술한 경우	중
대통령 직선제로 헌법 개정이 이루어졌다고만 서술한 경우	하

07 외환 위기와 사회·경제적 변화
~08 남북 화해와 동아시아 평화를 위한 노력

1단계 개념 짚어 보기
본문 150쪽

01 (1) 세계 무역 기구 (2) 외환 위기 **02** (1) × (2) ○ **03** (1) 선군 (2) 합영법(합작 회사 경영법) (3) 김정은 **04** (1) – ⓒ (2) – ㉠ (3) – ⓒ **05** (1) ㄱ (2) ㄴ **06** 동북공정

2단계 내신 다지기
본문 150~153쪽

01 ③	02 국제 통화 기금(IMF)	03 ⑤	04 ②
05 ①	06 ⑤	07 ③	08 ⑤	09 ③
10 ①	11 ④	12 ④	13 ②	14 ④
15 ⑤	16 ⑤	17 ⑤	18 ④	

01 1990년대 정부는 세계화를 내세우며 정부의 지나친 시장 개입을 줄이고 민간의 자유로운 경제 활동을 옹호하는 신자유주의 정책을 펼쳤다. 신자유주의는 금융 규제 완화, 복지 축소, 공기업 민영화 등을 내세웠다.
바로알기 ① 일본과 국교를 정상화하여 일본 자본을 유치한 것은 1965년이다. ② 브라운 각서를 체결하여 미국으로부터 차관을 제공받은 것은 1966년이다. ④ 노동 집약적 경공업 중심의 제1, 2차 경제 개발 5개년 계획을 실시한 것은 1962년~1971년이다. ⑤ 정부는 1960년대 중반 이후 공업 중심으로 경제 개발을 추진하면서 수출 상품의 가격을 낮게 유지하기 위해 저임금·저곡가 정책을 추진하였다.

02 제시된 자료는 1997년 외환 위기가 일어나 국제 통화 기금(IMF)과 체결한 양해 각서안이다. 김영삼 정부는 국제 통화 기금(IMF)에 구제 금융을 요청하여 긴급 자금을 지원받았다.

03 1997년 동남아시아에서 시작된 외환 및 금융 불안이 한국 경제에도 영향을 미쳐 외국 투자자들이 대출을 대거 회수하였고, 이에 외환 보유고가 고갈되면서 기업들의 연쇄 부도로 이어졌다. 결국 김영삼 정부는 1997년 말 국제 통화 기금(IMF)에 구제 금융을 요청하여 긴급 자금을 지원받았다.
바로알기 ①은 1978년, ②는 1972년, ③은 2004년, ④는 1996년의 일이다.

04 그래프의 (가)는 외환 위기 시기이다. 김대중 정부는 외환 위기를 극복하기 위해 강도 높은 구조 조정을 실시하고 외국 자본 유치에 힘썼다. 부실기업과 은행을 통폐합하거나 외국에 매각하였고, 노사정 위원회를 통해 정리 해고제와 근로자 파견제를 도입하였다.
바로알기 ㄴ은 1950년대, ㄹ은 2000년대의 일이다.

05 외환 위기 극복 이후 한국 경제는 무역 규모와 흑자가 크게

늘어났다. 그러나 농산물 시장 개방, 대기업의 사업 영역 확대, 고용 안정성 저하 등에 따른 문제가 발생하고 기업·지역·계층 간 격차가 커지고 있다.

바로 알기 ① 가속화되는 세계화로 한국 경제의 대외 무역 의존도는 더욱 높아졌다.

06 그래프에서 2000년대 이후 소득 계층별 교육비 지출의 격차가 커지고 있는 것을 알 수 있다. 외환 위기 이후 실업이 늘어나고 소득 격차가 벌어지면서 소득의 양극화가 심화되었다. 소득에 따른 교육비 지출의 격차도 크게 벌어져 소득 격차에 따른 실질적인 교육 기회의 불평등 문제가 나타나고 있다.

바로 알기 ①, ②, ③, ④는 모두 현대 사회의 변화에 해당하는 내용이지만, 제시된 그래프와는 관련이 없다.

07 그래프는 우리나라가 점차 다문화 사회로 변화하고 있음을 보여 준다. 우리나라는 외국인 근로자, 국제결혼 이민자, 유학생, 북한 이탈 주민 등이 증가하면서 빠르게 다문화 사회로 진입하고 있다. 여러 문화적 배경을 가진 사람들과 어울려 살기 위해서는 다른 문화를 이해하고 존중하며 소통하는 자세가 필요하다.

바로 알기 ③ 외국인 근로자들은 저출산·고령화에 따른 노동력 부족 현상을 해소하는 데 기여하였다.

08 민주화의 진전으로 사고와 표현의 다양성을 존중받게 되면서 문화 예술 분야가 발달하였고 세계화·정보화 속에서 한국 문화가 세계에 널리 알려지고 있다.

바로 알기 ⑤ 1970년대 우리나라의 대중문화와 관련된 내용이다.

09 밑줄 친 '이 헌법'은 1972년에 제정된 사회주의 헌법이다. 남한에서 유신 체제가 성립될 무렵 북한에서도 사회주의 헌법이 제정되어 김일성의 1인 독재 체제가 강화되었다.

10 (가)는 김일성에 이어 권력을 세습한 김정일이다. 1994년 권력을 계승한 김정일은 1998년 헌법을 개정하여 주석직을 폐지하였고, 국방 위원장 자격으로 북한을 통치하였다. 2009년에는 헌법을 개정하여 군대가 사회를 이끈다는 선군 정치를 새로운 통치 방식으로 내세웠다.

바로 알기 ① 사회주의 헌법은 김정일의 아버지인 김일성이 집권기에 제정되었다.

11 북한은 1970년대 들어 6개년 계획(1971~1976)을 수립하였다. 그러나 중공업 치중에 따른 소비재의 부진, 자립 경제 주장으로 인한 대외 교역의 한계 등으로 경제는 점차 어려워졌다. 이후 북한은 1984년 합작 회사 경영법(합영법)을 제정하여 외국 자본과의 합작 및 투자를 적극 추진하였다. 그러나 1990년대 초반 소련과 동유럽 사회주의 국가들의 몰락 이후 국제적인 교류가 급격히 줄어들고 자연재해가 지속적으로 겹치면서 북한 경제는 심각한 어려움을 겪었다.

바로 알기 ①은 1956년, ②는 1958년, ③은 2000년대, ⑤는 1990년대 말의 일이다.

12 전두환 정부 시기인 1984년에 서울에서 수해가 발생하자 북한이 원조 물자를 보내왔고, 이후 남북 경제 회담, 적십자 회담 등이 성사되며 1985년 이산가족 상봉과 예술 공연단 교환 방문이 이루어졌다.

바로 알기 ①은 김대중 정부, ②, ⑤는 노태우 정부, ③은 노무현 정부 때의 통일을 위한 노력이다.

13 박정희 정부는 '선 건설, 후 통일'을 내세우며 강력한 반공 정책을 추진하였다. 그러나 1969년 닉슨 독트린 이후 냉전 체제가 완화되면서 남과 북의 관계도 개선되었다. 1971년 남북 적십자 회담에서 이산가족 상봉이 논의되었다. 이어서 1972년 자주·평화·민족 대단결의 통일 원칙을 담은 7·4 남북 공동 성명이 서울과 평양에서 동시에 발표되었다.

바로 알기 ①은 2018년 문재인 정부 시기의 일이다. ③, ④, ⑤ 김대중 정부는 대북 화해 협력 정책인 햇볕 정책을 추진하였다. 1998년에 정주영이 소 떼를 이끌고 방북한 것을 계기로 금강산 관광 등 남북 경제 협력이 본격화되었다. 이어 2000년에는 김대중 대통령이 평양을 방문하여 최초의 남북 정상 회담이 개최되었다.

14 제시된 합의서는 남북 기본 합의서(1991)이다. 노태우 정부 시기인 1991년에는 남북 정부 간에 최초의 공식 합의서인 남북 기본 합의서(남북 사이의 화해와 불가침 및 교류·협력에 관한 합의서)가 채택되었다. 이는 서로의 체제를 인정하고 상호 불가침에 합의하였다는 점에서 의의를 지닌다.

바로 알기 ①, ③, ⑤는 7·4 남북 공동 성명, ②는 6·15 남북 공동 선언에 대한 설명이다.

15 제시된 선언은 6·15 남북 공동 선언이다. 2000년에 평양에서 최초의 남북 정상 회담이 개최되었다. 정상 회담의 결과 발표된 6·15 남북 공동 선언에 따라 이산가족 방문과 서신 교환, 경의선 철도 복구, 개성 공단 건설 등 남북한의 경제 협력 및 사회·문화 교류 사업이 진행되었다.

바로 알기 ①, ② 1991년 남북한이 유엔에 동시 가입하였다. 또한 한반도 비핵화 공동 선언을 발표하였다. ③ 1993년 북한이 핵 확산 금지 조약(NPT)을 탈퇴하였다. ④ 1985년 분단 이후 최초로 이산가족 상봉이 이루어졌다.

극비 노트 통일을 위한 남북한의 합의

7·4 남북 공동 성명 (1972)	• 배경: 닉슨 독트린으로 인한 냉전의 완화 • 의의: 자주·평화·민족 대단결의 통일 3대 원칙에 합의 • 결과: 남북 조절 위원회 설치

↓

남북 기본 합의서 (1991)	• 배경: 노태우 정부의 북방 외교 정책 → 남북한 유엔 동시 가입 • 내용: 남북한이 서로의 체제를 인정하고, 불가침에 합의 • 의의: 남북한 정부 간에 이루어진 최초의 공식 합의서

↓

6·15 남북 공동 선언 (2000)	• 배경: 김대중 정부의 햇볕 정책 → 남북 정상 회담 개최 • 결과: 이산가족 상봉 재개, 남북 철도 연결 사업, 개성 공단 건설 등 남북 간의 교류와 협력 확대

16 일본의 독도 영유권 주장을 반박할 수 있는 근거로는 연합국 최고 사령관 각서 제677호와 샌프란시스코 강화 조약, 이승만 정부의 '인접 해양에 대한 주권에 관한 대통령 선언' 등이 있다.

바로알기 ㄱ, ㄴ. 간도 협약과 백두산정계비 비문은 간도와 관련이 있다.

17 밑줄 친 '이 국가'는 일본이다. 제2차 세계 대전 당시 침략 전쟁을 일으킨 일본의 일부 우익 세력은 아직까지도 주변국에 대한 식민 지배를 정당화하고 있으며, 침략 전쟁 당시에 자행한 비인도적인 행위를 반성하지 않고 있다. 이와 같은 일본의 잘못된 역사 인식은 일본군 '위안부'에 대한 사과 및 배상 거부, 독도 영유권 주장, 일본 정치가의 야스쿠니 신사 참배 등으로 나타나고 있다.

바로알기 ⑤ 고조선, 고구려, 발해 등의 역사를 자국의 역사라고 주장하고 있는 국가는 중국이다.

18 동아시아의 갈등을 해결하고 화해와 협력을 이루기 위해 동아시아 3국 시민 사회는 동아시아의 공통된 역사 인식을 형성하기 위해 한·중·일 공동 역사 교재를 편찬하고, 민간 차원의 학술 교류 확대와 동아시아 청소년 역사 캠프를 개최하는 등의 활동을 펴고 있다.

바로알기 ㄱ, ㄷ. 일본 정치인들의 야스쿠니 신사 참배와 중국의 동북공정 사업은 동아시아 주변 국가들과의 갈등으로 이어지고 있다.

연합, 통일 국가 완성으로 이어지는 한민족 공동체 건설을 위한 3단계 통일 방안이 제시되었다.

03 밑줄 친 '선언'은 6·15 남북 공동 선언이다. 김대중 정부 시기인 2000년에 분단 이후 최초의 남북 정상 회담이 개최되었고, 그 결과 6·15 남북 공동 선언이 발표되었다. 이에 따라 이산가족 방문이 이루어졌고, 경의선 철도 복구, 개성 공단 건설 등의 경제 협력과 사회·문화 교류도 전개되었다.

바로알기 ①, ②는 노태우 정부 시기의 일이다. ③은 2018년 문재인 정부 시기의 일이다. ⑤는 1972년 박정희 정부 시기의 일이다.

서술형 문제

04 (2) 예시답안 중국은 국내의 많은 소수 민족을 하나의 중화 민족으로 통합시킬 수 있는 논리가 필요해졌다. 이에 따라 '통일적 다민족 국가론'을 내세워 현재 중국 내에 있는 56개 민족의 역사와 중국 영토 안에서 벌어졌던 사실을 모두 중국의 역사라고 주장하고 있다.

채점 기준	배점
중국이 역사 왜곡을 추진하는 배경을 제시된 단어를 모두 사용하여 정확히 서술한 경우	상
중국이 역사 왜곡을 추진하는 배경을 제시된 단어 중 한 가지만 사용하여 서술한 경우	하

3단계 등급 올리기
본문 154쪽

01 ⑤ **02** ① **03** ④ **04** (1) 동북공정
(2) 해설 참조

01 그래프에서 무역 수지가 마이너스를 기록한 (가) 시기인 1997년 말 한국은 국제 통화 기금(IMF)에 긴급 구제 금융을 요청하였다. ㄷ. 외환 위기를 극복하기 위해 정부는 부실 기업과 은행을 통폐합하거나 외국에 매각하였고, 공적 자금을 투입하여 부실 금융 기관을 정상화하였다. ㄹ. 1990년대 중반 대기업과 금융 기관들의 무분별한 사업 확장, 외국 투자자들의 대출 회수 등으로 국내의 외환 보유고가 고갈되면서 외환 위기를 맞았다.

바로알기 ㄱ. 1973년에 발생한 제1차 석유 파동을 오일 달러로 극복하였다. ㄴ. 1980년대 중후반 저유가, 저달러, 저금리 상황을 배경으로 3저 호황을 맞아 수출이 증가하였다.

02 첫 번째 글은 7·4 남북 공동 성명(1972), 두 번째 글은 남북 기본 합의서(1991)이다. 남북한은 1991년 유엔에 동시 가입하였고, 이후 남북 기본 합의서와 한반도 비핵화 공동 선언을 채택하여 발표하였다.

바로알기 ②, ⑤ 2000년에 분단 이후 최초의 남북 정상 회담 결과 발표된 6·15 남북 공동 선언에 따라 개성 공단 건설 사업이 추진되었다. ③ 2007년 평양에서 개최된 제2차 남북 정상 회담 이후에 10·4 남북 공동 선언이 발표되었다. ④ 1994년 화해와 협력, 남북

I 전근대 한국사의 이해 　156~158쪽

01 ③	02 ⑤	03 ③	04 ②	05 ④
06 ①	07 ①	08 ④	09 ⑤	10 ②
11 ⑤	12 ④	13 ①	14 ④	

15 비변사　16 (1) (가) 의천 (나) 지눌 (2) 해설 참조

01 제시된 문화유산은 청동기 시대의 비파형 동검이다. 청동기 시대에는 우리 민족 최초의 국가인 고조선이 성립하였다.
(바로알기) ①은 철기 시대에 해당한다. ②, ④는 신석기 시대에 해당한다. ⑤는 청동기 시대 이전에 해당한다.

02 (가) 국가는 부여이다. 부여는 쑹화강 유역에서 출현하였고, 1세기 초 왕호를 사용하였다. 부여에서는 마가·우가·구가·저가 등 제가가 사출도를 다스렸다.
(바로알기) ①, ③은 삼한에 대한 설명이다. ②는 옥저에 대한 설명이다. ④는 백제에 대한 설명이다.

03 자료의 관등제를 실시한 나라는 백제이다. 백제는 무령왕 시기 22담로에 왕족을 파견하여 지방 통제를 강화하였다.
(바로알기) ①, ②는 신라에 대한 설명이다. ④, ⑤는 고구려에 대한 설명이다.

04 제시된 자료는 김춘추와 당 태종 간에 나당 동맹(648)이 결성되고 있음을 보여 준다. 이는 살수 대첩(612)이후부터 백제 멸망(660) 사이의 시기에 일어난 사실이다.

05 밑줄 친 '이 시기'는 신라 말기에 해당하며, 혜공왕 사후부터 신라 멸망까지의 시기이다. 신라 말기에는 지방에서 호족이 성장하여 신라 중앙 정부에 반기를 들었다.
(바로알기) ①, ⑤ 김흠돌의 난과 국학 설립은 신문왕 시기에 해당한다. ② 우산국 정복은 지증왕 시기에 해당한다. ③ 4개의 순수비가 건립된 것은 진흥왕 시기의 사실이다.

06 (가)에 들어갈 종교는 선종으로, 자료는 신라 말 선종의 영향으로 건립된 화순 쌍봉사 철감 선사 탑이다. 선종은 신라 말에 유입되어 호족 세력의 후원을 받으며 크게 유행하였다.
(바로알기) ②는 도교에 대한 설명이다. ③은 풍수지리설에 대한 설명이다. ④는 천신 신앙에 대한 설명이다. ⑤는 유학에 대한 설명이다.

07 자료는 3성 6부 체제를 갖춘 발해의 중앙 정치 기구이다. 발해는 9세기 선왕 시기 이후 전성기를 누렸다. 이 무렵 발해는 주변 국들로부터 '해동성국'이라고 불렸다.
(바로알기) ②는 신라의 신분제인 골품제에 대한 설명이다. ③은 백제에 대한 설명이다. ④는 연맹 왕국 단계에서 멸망한 가야에 대한 설명이다. ⑤는 고구려에 대한 설명이다.

08 지도의 행정 구역을 갖춘 나라는 고려이다. 고려는 5도 양계의 지방 행정 조직을 갖추고 있었고, 5도에 안찰사를 파견하였다.

고려의 태조 왕건은 사심관 제도를 시행하였으며, 광종은 노비안검법을 실시하였다. 고려에서는 양인 신분 이상이면 과거에 응시할수 있었다.
(바로알기) ④ 3년마다 촌주가 촌락 문서를 작성하도록 한 것은 통일 신라 때의 사실이다.

09 (가)는 11세기 초 거란의 3차 침입을 막아 낸 강감찬의 귀주 대첩과 13세기 몽골의 침입 사이의 시기에 해당한다. 윤관이 별무반을 이끌고 여진을 정벌한 것은 12세기 초의 사실이므로 (가)에 해당한다.
(바로알기) ① 삼별초의 항쟁은 고려가 몽골에게 항복한 이후에 일어났다. ② 서희가 강동 6주를 확보한 것은 거란의 1차 침입 시기이다. ③, ④ 원이 공녀와 환관을 뽑아 간 것과 일본 원정을 위해 정동행성을 설치한 것은 원 간섭기의 사실이다.

10 지도의 중앙 정치 조직을 갖춘 나라는 조선이다. 조선은 모든 군현에 수령을 파견하였고, 세종 때 4군 6진을 개척하였다. 유학 교육 기관으로 성균관을 두었으며, 사헌부·사간원·홍문관은 3사라고 불리며 언론 기능을 담당하였다.
(바로알기) ② 전민변정도감을 설치한 것은 고려 공민왕 때의 사실이다.

11 밑줄 친 세력은 사림이다. 사림은 선조 때 척신 정치 청산과 이조 전랑 임명 문제를 놓고 동인과 서인으로 나뉘어 붕당을 형성하였고, 공론에 따른 정치를 하였다.
(바로알기) ①은 고려 말 권문세족에 대한 설명이다. ②는 조선의 상민 신분에 대한 설명이다. ③ 조선 후기 부를 축적해 양반으로 신분 상승을 한 부농층에 대한 설명이다. ④는 훈구 세력에 대한 설명이다.

12 (가)는 광해군의 중립 외교, (나)는 효종의 북벌 운동 추진을 가리킨다. 두 시기 사이에는 병자호란이 일어나 인조가 남한산성으로 피신하여 항전하였다.
(바로알기) ① 고려 말 공민왕은 쌍성총관부를 무력으로 수복하였다. ② 묘청의 서경 천도 운동은 고려 무신 정변 이전의 사실이다. ③ 최우가 정방을 설치하여 인사권을 장악한 것은 고려 무신 정변 이후의 사실이다. ⑤ 이순신의 수군이 일본군을 격퇴한 것은 광해군의 즉위 이전인 임진왜란 때의 사실이다.

13 (가) 왕은 영조이다. 영조는 탕평비를 건립하고 서원을 정리하였으며, 『속대전』을 편찬하여 법전을 정비하였다.
(바로알기) ②는 세종 시기의 사실이다. ③은 정조 시기의 사실이다. ④는 태종 시기의 사실이다. ⑤는 연산군 시기의 사실이다.

14 제시된 자료는 홍경래의 난 당시에 발표된 격문이다. 홍경래의 난은 정부가 평안도민을 차별하고 상공업 활동을 통제하며 과도한 세금을 부과한 것에 대한 불만으로 일어났다.
(바로알기) ①은 임술 농민 봉기에 대한 설명이다. ②는 조선 후기에 유입된 천주교에 대한 설명이다. ③은 고려 시기 묘청의 서경 천도 운동과 관련이 있다. ⑤는 조선 후기의 동학에 대한 설명이다.

15 비변사는 왜구와 여진의 침입에 대비하기 위한 임시 회의 기구였으나 양난을 거치며 군사 문제뿐만 아니라 외교, 재정, 인사 등 모든 업무를 총괄하였다. 이에 따라 의정부와 6조 중심의 행정 체계가 유명무실해졌고, 왕권도 약화되었다.

16 (2) **예시답안** 의천은 이론의 연마와 실천의 수행을 아울러 강조한 교관겸수를 주장하였다. 지눌은 깨달은 뒤에도 꾸준히 수행할 것을 강조한 돈오점수를 제시하고, 깨달음을 얻기 위해 참선을 하되 교리 공부를 함께 할 것을 주장하는 정혜쌍수를 내세웠다.

채점 기준	배점
의천과 지눌의 수행법을 모두 제시한 경우	상
의천과 지눌의 수행법 중 한 가지만 제시한 경우	하

II 근대 국민 국가 수립 운동 159~161쪽

01 ②	02 ①	03 ③	04 ③	05 ④
06 ②	07 ①	08 ⑤	09 ①	10 ①
11 ①	12 ⑤	13 ⑤	14 ④	
15 통리기무아문		16 해설 참조		

01 흥선 대원군은 경복궁 중건 비용을 마련하기 위해 원납전이라는 기부금을 강제로 징수하고 고액 화폐인 당백전을 발행하였다. 도성문을 통과하는 물건에 통행세를 부과하기도 하였으며, 궁궐의 토목 공사에 백성들을 동원하였다. 또한 부족한 목재를 채우기 위해 양반의 묘지림을 벌목하기도 하였다. **바로알기** ① 흥선 대원군은 환곡을 개혁하기 위해 사창제를 실시하였다. ③ 흥선 대원군은 『대전회통』, 『육전조례』 등의 법전을 편찬하여 통치 체제를 재정비하였다. ④ 흥선 대원군은 왕권을 강화하기 위해 세도 정권의 핵심 기구인 비변사를 사실상 폐지하고, 의정부와 삼군부의 기능을 부활시켰다. ⑤ 흥선 대원군은 민생을 안정시키기 위해 서원을 전국에 47개소만 남기고 모두 철폐시켰다.

02 평양에 온 이양선이 사람들을 살해하자 배를 불태웠다는 내용을 통해 제너럴셔먼호 사건에 대한 것임을 알 수 있다. 제너럴셔먼호 사건은 미군이 강화도를 공격한 신미양요의 배경이 되었다. **바로알기** ②, ④, ⑤는 병인양요, ③은 오페르트의 남연군 묘 도굴 미수 사건에 대한 설명이다.

03 밑줄 친 '이 조약'은 강화도 조약(1876)이다. 강화도 조약은 일본에 유리한 불평등 조약이었다. 강화도 조약에서는 조선이 자주국임을 명시하였으며, 조선은 부산을 포함한 3개의 항구 개항, 일본의 조선의 연안에 대한 측량권을 인정하였다. **바로알기** ③은 조미 수호 통상 조약에 대한 설명이다.

04 1880년대 들어 『조선책략』이 국내에 퍼지자, 유생들은 만인소를 올려 정부의 개화 정책 및 미국과의 수교에 반대하였다. 이와 같은 국내의 개화 정책 반대 여론을 의식한 조선 정부는 1881년 일본에 박정양, 어윤중, 홍영식 등의 관료들을 비밀리에 조사 시찰단으로 파견하였다. **바로알기** ①은 개항 이전에 일어난 병인양요(1866), 신미양요(1871) 등에 대한 설명이다. ②는 운요호 사건(1875)에 대한 설명이다. ④ 갑신정변(1884) 이후 청의 내정 간섭이 심해지자 조선 정부는 청을 견제하기 위해 러시아와 비밀 협약을 추진하였다. 그러자 러시아와 대립하고 있던 영국은 러시아의 남하를 막는다는 구실로 거문도를 불법으로 점령하는 거문도 사건을 일으켰다(1885). ⑤ 임오군란은 1882년에 일어났다.

05 제시된 자료는 임오군란(1882)의 배경에 대한 설명이다. 구식 군대의 군인들은 임오군란을 일으켜 정부 고관의 집, 일본 공사관, 궁궐 등을 공격하였다. 민씨 세력이 피신한 상황에서 고종이 군란의 수습을 흥선 대원군에게 맡기면서 흥선 대원군이 일시적으로 재집권하였다. 그러나 민씨 세력의 요청으로 청군이 개입하면서 흥선 대원군은 군란의 책임자로 지목되어 청에 끌려갔다. 청은 군란을 진압한 후 조선 정부에 조청 상민 수륙 무역 장정의 체결을 강요하였다. **바로알기** ④는 갑신정변(1884)에 대한 설명이다. 급진 개화파는 갑신정변을 일으키기 전에 일본의 군사적 지원을 약속받았다.

06 제시된 자료는 동학 농민군이 발표한 폐정 개혁안이다. ㄱ. 일본의 경복궁 점령 이후 재봉기한 동학 농민군은 공주 우금치에서 일본군을 상대로 전투를 벌였다. ㄷ. 전주 화약 이후 동학 농민군은 자치 기구인 집강소를 설치하여 폐정 개혁을 실천해 나갔다. **바로알기** ㄴ, ㄹ은 독립 협회에 대한 설명이다.

07 제시된 표는 제1차 갑오개혁의 내용을 정리한 것이다. 정치 분야에서는 중국의 연호 대신 개국 기년을 사용하였으며, 기존의 6조를 8아문으로 개편하였다. 왕실과 정부의 사무를 분리하였으며, 사간원을 비롯한 언론 기관을 폐지하였다. **바로알기** ① 내장원은 광무개혁 때 설치되었다.

08 제시된 사진은 독립 협회가 세운 독립문이다. 독립 협회는 독립관에서 토론회·강연회를 개최하고 종로에서 만민 공동회를 열어 자주 국권 운동, 정치 개혁 운동 등을 전개하였다. **바로알기** ① 을미사변은 독립 협회 창립 이전에 발생하였다. ② 과거제는 제1차 갑오개혁 때 폐지되었다. ③, ④ 보은 집회와 황토현 전투는 동학 농민 운동 과정에서 전개된 사건이다.

09 (가)는 광무개혁이다. 고종은 원수부를 설치하여 군사권을 직접 장악하였다. **바로알기** ②, ⑤는 제2차 갑오개혁, ③, ④는 제3차 갑오개혁의 내용이다.

10 제시된 자료는 1908년에 일어난 전명운·장인환 의거에 대한 설명이다. 1909년 이재명은 명동 성당 앞에서 이완용을 습격하여 중상을 입혔다.

바로알기 ②는 1905년에 일어난 을사의병에 대한 설명이다. ③ 국채 보상 운동은 1907년에 시작되었다. ④ 일본은 1905년에 독도를 시마네현 소속으로 고시하였다. ⑤ 1904년 제1차 한일 협약에 따라 일본은 한국에 재정 고문으로 메가타를 파견하였다.

11 밑줄 친 '이 단체'는 신민회이다. 신민회는 교육과 산업의 진흥을 목적으로 태극 서관과 자기 회사를 세워 운영하였다. 일제의 한국 강제 병합 직후 신민회는 일제가 날조한 105인 사건(1911)으로 와해되었다.
바로알기 ㄷ은 대한 자강회에 대한 설명이다. ㄹ. 입헌 군주제의 도입을 목표로 활동한 애국 계몽 운동 단체는 헌정 연구회, 대한 자강회 등이 있다. 신민회는 공화정 체제의 근대 국민 국가 건설을 목표로 하였다.

12 밑줄 친 '이 나라'는 일본이다. 일본은 화폐 정리 사업에 필요한 자금을 한국에 차관으로 조달하였다.
바로알기 ① 한성 전기 회사는 미국인 콜브란이 운영하였다. ②는 영국, ③은 청, ④는 러시아에 대한 설명이다.

13 제시된 자료는 대구 남일동 부인회가 발표한 국채 보상 운동 취지서이다. 1907년에 대구에서 시작된 국채 보상 운동은 대한매일신보를 비롯한 언론을 통해 전국으로 확산되었다.
바로알기 ①은 1904년 보안회의 활동이다. ② 1883년 조일 통상 장정의 규정에 따라 조선의 지방관은 방곡령을 선포하여 곡물 수출을 금지하고자 하였다. ③, ④는 1898년에 전개된 일이다.

14 『혈의 누』는 대한 제국 말에 등장한 신소설이다. 이 시기에는 서양 화풍의 영향을 받아 서양식 유화가 그려졌으며, 서양식 곡에 우리말 가사를 붙인 창가가 유행하였다. 또한 현대식 극장인 원각사에서 '은세계' 등이 공연되었으며, 『을지문덕전』 등 외적을 물리친 위인들의 전기가 출판되었다.
바로알기 ⑤ 『제왕운기』는 고려 후기 이승휴가 저술하였다.

주관식+서술형 문제

15 제시된 내용은 통리기무아문에 대한 설명이다. 통리기무아문은 개항 초기 조선 정부가 개화 정책을 총괄하기 위해 설치한 기구로, 실무를 담당하는 12사를 두었다.

16 예시답안 (가)에서는 을사늑약의 체결 과정에서 일본이 군대를 동원하여 조선을 위협하였음을 알 수 있다. (나)에서는 을사늑약이 고종의 위임과 비준을 받지 않았음을 알 수 있다. 이를 통해 을사늑약은 무력을 동원하여 강압적으로 체결되었으며, 위임과 비준 등 국제법상의 기준을 충족하지 못하였기 때문에 절차상, 내용상으로 부당한 조약이다.

채점 기준	배점
을사늑약 체결의 부당성(일본이 군대 동원하여 강압적으로 체결, 조약에 고종의 비준이 없음)을 모두 서술한 경우	상
을사늑약 체결의 부당성을 서술하였으나 미흡한 경우	하

01 ③	02 ③	03 ⑤	04 ②	05 ②
06 ⑤	07 ⑤	08 ⑤	09 ②	10 ④
11 ①	12 ⑤	13 ①	14 ④	

15 (가) 연해주 (나) 상하이   16 해설 참조

01 제시된 자료는 1910년대에 해당하는 사진이다. 일제는 국권 강탈 직후 중추원을 조선 총독부의 자문 기관으로 만들었다.
바로알기 ①, ②는 1930년대 이후, ④, ⑤는 1920년대의 식민 통치 정책이다.

02 제시된 자료는 1925년에 제정된 치안 유지법이다. 이 시기에 일제는 한국인에게 신문 발간을 허용하였으나 검열을 통해 기사를 삭제하는 경우가 많았다.
바로알기 ①, ②는 1930년대 이후, ④는 1910년대에 볼 수 있는 모습이다. ⑤ 관민 공동회는 1898년에 개최되었다.

03 (가) 지역은 북간도이다. 국권피탈 이후 대종교는 북간도로 거점을 옮겼고, 신자 중 일부가 중광단을 만들었다.
바로알기 ①은 국내, ②는 상하이, ③은 미주, ④는 연해주 지역에서 일어난 독립운동이다.

04 1919년 3월 독립 만세 운동을 한 내용으로 보아, 밑줄 친 인물이 참여한 시위는 3·1 운동임을 알 수 있다. 3·1 운동은 우리 역사상 최대 규모의 민족 운동으로 국내뿐만 아니라 만주, 연해주, 미주에서도 전개되었다. 또한 3·1 운동은 중국의 5·4 운동 등 아시아의 반제국주의 민족 운동이 일어나는 데 영향을 주었다.
바로알기 ㄴ은 광주 학생 항일 운동, ㄹ은 6·10 만세 운동에 대한 설명이다.

05 밑줄 친 '비밀 정부'는 대한민국 임시 정부이다. 대한민국 임시 정부는 기관지로 독립신문을 발행하여 국내외 소식과 독립운동 관련 내용을 실었다. 또한 파리 강화 회의에 독립 청원서를 제출하기도 하였으며, 미국에 구미 위원부를 설치하였다. 한편, 임시 정부는 만주 지역의 독립군 단체를 정부의 산하로 편재하였다.
바로알기 ②는 의열단에 대한 설명이다.

06 참의부, 정의부, 신민부는 3부에 해당한다. 3부는 일종의 공화주의적 자치 정부의 성격을 띠었으며, 1920년대 후반 국민부와 혁신 의회로 각각 재편되었다.
바로알기 ㄱ. 실력 양성 운동은 3·1 운동 이후 국내 민족주의 계열 지식인들을 중심으로 전개되었다. ㄴ. 중국군과의 연합 작전은 1931년에 만주 사변 이후에 이루어졌다.

07 (가)는 의열단, (나)는 한인 애국단이다. 두 단체는 일제의 통치 기관을 파괴하고 친일파 세력을 처단하는 의열 투쟁을 전개하였다.
바로알기 ①은 한인 애국단, ②는 신간회, ③은 의열단에 대한 설명이다. ④는 조명하의 의거에 대한 설명이다.

08 제시된 자료는 1920년대 물산 장려 운동이 전개되면서 한국인 자본가들이 만든 신문 광고이다. 이 시기에는 도시화가 진행되고 근대 문물이 확산되면서 여성들 사이에 단발머리가 유행하였다. 반면 도시로 몰려든 농민들이 도시 외곽에 토막집을 짓고 살면서 빈민층으로 전락하였다. 농촌에서는 농민들이 소작농으로 전락하면서 고액의 소작료를 부담하였다. 또한 한국인 노동자들은 일본인보다 더 적은 임금을 받고 장시간 노동에 시달렸다.
바로 알기 ⑤ 1920년 회사령이 철폐되면서 회사 설립이 허가제에서 신고제로 바뀌었다.

09 밑줄 친 '본사'는 형평 운동을 주도한 조선 형평사이고, 자료는 조선 형평사 설립 취지문이다. 조선 형평사는 백정에 대한 차별 개선을 요구하는 형평 운동을 전개하였다.
바로 알기 ① 민립 대학 설립 운동은 조선 민립 대학 기성회에서 전개하였다. ③ 천도교 계열의 지식인은 사립 학교를 세워 민족 교육을 행하였다. ④ 방정환은 아동을 인격체로서 대하자는 의미에서 어린이라는 용어 사용을 제안하였다. ⑤는 문자 보급 운동에 대한 설명이다.

10 『조선상고사』는 신채호가 저술하였다. 신채호는 1907년에 대한매일신보에서 『독사신론』을 연재하였으며, 국권 피탈 이후에는 고대사 연구에 주력하여 『조선사연구초』 등을 집필하였다. 1923년 국민대표 회의에 참여하여 대한민국 임시 정부를 해체하고 새 정부를 만들자는 창조파와 주장을 같이 하였으며, 1925년에는 김원봉의 부탁으로 의열단의 활동 지침인 「조선 혁명 선언」을 작성하였다.
바로 알기 ④ 대한민국 임시 정부의 대통령은 이승만, 박은식이다.

11 제시된 자료에서 지원병, 양곡 배급을 통해 지원병제, 식량 배급제와 같은 정책이 시행되고 있음을 알 수 있다. 일본은 만주 사변(1931) 이후 침략 전쟁을 확대하였고, 지원병제 등으로 한국인을 침략 전쟁에 동원하였다. 또한 침략 전쟁으로 물자가 부족해지자 식량 배급 제도를 실시하여 식량을 통제하였다.
바로 알기 ②는 일제가 이른바 '문화 통치'를 표방하는 배경이 되었다. ③은 일제가 치안 유지법을 제정하는 배경이 되었다. ④ 일본은 침략 전쟁을 확대하는 가운데 제2차 세계 대전에 참여하였다. ⑤는 일본이 1920년대에 산미 증식 계획을 실시하는 배경이 되었다.

12 (가) 정책은 1930년대부터 실시한 황국 신민화 정책이다. 일제는 황국 신민화 정책의 하나로 한국인의 성과 이름을 일본식으로 바꾸도록 강요하였다. 또한 조선 교육령을 개정하여 학교에서 한국어 사용을 금지시켰으며, 모든 수업이 일본어로 진행하게 하였다.
바로 알기 ㄱ, ㄴ은 1910년대 일제가 시행한 정책이다.

13 밑줄 친 '제2 지대'가 속한 군사 조직은 한국 광복군이다. 한국 광복군은 제2차 세계 대전에 연합군으로 참전하였으며, 영국군의 요청으로 1943년에는 미얀마·인도 전선에 파견되기도 하였다.
바로 알기 ②는 조선 의용군, ③은 조선 의용대, ④는 한국 독립군, ⑤는 북로 군정서에 대한 설명이다.

14 만주 사변 발발은 1931년, 중일 전쟁 발발은 1937년, 태평양 전쟁 발발은 1941년, 일본의 항복은 1945년이다. 중일 전쟁 발발 이후인 1940년에 대한민국 임시 정부가 충칭에 정착하였다.
바로 알기 ①은 1944년, ②는 1935년, ③은 1923년, ⑤는 1942년의 일이다.

주관식+서술형 문제

15 (가)는 연해주, (나)는 상하이이다. 연해주는 한국과 국경을 접하고 있어 무장 독립 투쟁을 지도하는 데 유리하였다. 상하이는 중국의 조계지로 다양한 외국 영사관이 밀집해 있었기 때문에 외교 활동에 유리하였다.

16 **예시 답안** 도표에서 북한 지역은 금속·화학·가스 전기업의 생산액 비율이 남한 지역보다 높다. 이는 일제가 한반도 북부 지역에 중화학 공업을 편중시키는 공업화 정책을 추진하였기 때문이다. 따라서 일제의 병참 기지화 정책은 한국 공업 구조의 지역 간·산업 간 불균형을 초래하였다.

채점 기준	배점
그래프를 통해 병참 기지화 정책의 특징(한반도 북부 지역에 중화학 공업 집중)을 추론하여 그 영향(공업 구조의 지역별·산업별 불균형)을 서술한 경우	상
제시된 그래프를 분석한 내용만 서술하거나 병참 기지화 정책의 영향만 서술한 경우	하

Ⅳ 대한민국의 발전   165~167쪽

01 ③	02 ④	03 ②	04 ③	05 ②
06 ②	07 ⑤	08 ④	09 ①	10 ③
11 ③	12 ①	13 ③	14 ④	

15 제주 4·3 사건   **16** (1) 6·15 남북 공동 선언 (2) 해설 참조

---

01 제시된 자료는 모스크바 3국 외상 회의의 결정 사항이다. ③ 모스크바 3국 외상 회의의 회의 결과가 국내에 알려지자 '신탁 통치 절대 반대'를 주장하는 우익 세력과 '모스크바 3국 외상 회의 결정 절대 지지'를 주장하는 좌익 세력이 격렬하게 대립하였다.
바로 알기 ①은 카이로, 얄타, 포츠담 회담, ②는 좌우 합작 위원회, ④는 카이로 회담, ⑤는 미소 공동 위원회와 관련이 있다.

02 제시된 내용은 남한만의 총선거 실시로 단독 정부를 세우는데 협력하지 않겠다는 결의를 보인 김구의 발언이다. ④ 김구는 남한만의 단독 선거가 결정되자 분단을 막기 위해 김규식과 함께 남북 협상을 추진하였다.
바로 알기 ①은 박상진, ②는 이상설, 이준, 이위종, ③은 여운형, 김규식, ⑤는 이승만과 관련된 내용이다.

03 1948년 5월 10일 남한만의 총선거를 통해 제헌 국회가 구성되었다. 제헌 국회는 대통령 중심제를 채택하고 대통령에 이승만, 부통령에 이시영을 선출하였다. 또한 일제 강점기의 반민족 행위자 처벌 및 재산 몰수 등의 조항이 담긴 반민족 행위 처벌법과 유상 매수, 유상 분배 방식을 원칙으로 하는 농지 개혁법을 제정하였다.
바로알기 ② 제2대 국회 의원 선거 이후 이승만 정부와 자유당이 발췌 개헌안을 통과시켰다.

04 (가)는 1950년 9월 인천 상륙 작전 당시의 모습, (나)는 1953년 7월 정전 협정 체결 당시의 모습이다. 인천 상륙 작전의 성공으로 국군과 유엔군은 평양과 원산을 점령하고 압록강 유역까지 도달하였다. 이에 중국이 대규모 군대를 보내 북한을 지원하였고, 그 결과 1951년 1월에는 서울이 다시 함락되었다(1·4 후퇴). 이후 38도선 근처에서 전선이 교착 상태에 빠지자 소련의 제의로 1951년 7월부터 당사국들 사이에 정전이 모색되었다. 그러나 정전 협상은 군사 분계선 설정 등에서 이견을 좁히지 못한 채 계속되었고, 정전을 반대하는 이승만 정부는 일방적으로 반공 포로를 석방하였다.
바로알기 ③ 유엔 안전 보장 이사회의 긴급 소집으로 남한에 유엔군 파병이 결정되었다. 따라서 이는 인천 상륙 작전 이전의 사실이다.

05 제시된 내용은 4·19 혁명의 배경이 되었던 3·15 부정 선거에 대한 설명이다. 4·19 혁명의 결과 이승만 정부가 붕괴되고 과도 정부가 수립되어 내각 책임제로 헌법이 개정되었다.
바로알기 ①은 6월 민주 항쟁에 대한 설명이다. ③ 이승만 정부는 1959년 독재 체제를 강화하기 위해 국가 보안법을 개정하였다. ④는 부마 민주 항쟁, ⑤는 5·18 민주화 운동에 대한 설명이다.

06 제시된 자료는 한일 협정(1965)의 내용이다. 한일 협정은 박정희 정부 시기에 체결되었다. ② 박정희 정부는 베트남에 국군을 파병하여 미국으로부터 차관을 제공받았다.
바로알기 ①은 김영삼 정부, ③은 장면 내각, ④는 김대중 정부, ⑤는 전두환 정부 시기에 일어난 사실이다.

07 첫 번째 사건은 1972년에 일어난 10월 유신, 두 번째 사건은 1979년에 일어난 10·26 사태와 관련된 내용이다. ⑤ 1976년 재야 인사들이 유신 체제를 비판하는 3·1 민주 구국 선언을 발표하였다.
바로알기 ①은 1964년, ②는 1980년, ③은 1960년, ④는 1987년에 일어난 사실이다.

08 제시된 자료에서 12·12 사태, 신군부의 비상계엄 전국 확대 등의 내용을 통해 1979년 말~1980년의 상황임을 알 수 있다. 1980년 신군부가 비상계엄을 전국으로 확대한 것에 반발해 광주에서 5·18 민주화 운동이 일어났다.
바로알기 ① 1966년 미국과 체결한 브라운 각서를 계기로 베트남에 한국군을 추가로 파병하였다. ② 박정희를 비롯한 일부 군인들이 장면 내각의 무능을 구실로 삼아 5·16 군사 정변을 일으켰다. ③ 인천 상륙 작전은 1950년에 전개되었다. ⑤ 반민족 행위 특별 조사 위원회는 1949년 1월부터 활동하여 친일 혐의자를 조사하였다.

09 제3차 경제 개발 5개년 계획은 1972년부터 시작되었다. 수출액 100억 달러를 돌파한 것은 1977년이다. ① 1974년 시작된 동아일보 백지 광고 사태는 1975년까지 지속되었다.

바로알기 ② 근면·자조·협동을 강조한 새마을 운동은 1970년에 시작되었다. ③ 전태일은 1970년 근로 기준법 준수 등 노동 문제 개선을 요구하며 분신하였다. ④ 우리나라는 1996년에 경제 협력 개발 기구(OECD)에 가입하였다. ⑤ 1979년 신민당사에서 농성 중인 YH 무역의 여성 노동자가 강제 진압 과정에서 사망하였다.

10 제시된 자료에서 호헌 철폐, 독재 타도 등을 통해 (가)는 6월 민주 항쟁임을 알 수 있다. ③ 학생과 시민들은 전두환 정부의 4·13 호헌 조치에 맞서 대통령 직선제로의 개헌을 요구하였다.
바로알기 ① 1972년 유신 헌법 제정 이후 유신 헌법 폐지를 주장하는 민주화 운동이 전개되었다. ②, ④는 4·19 혁명(1960년), ⑤는 5·18 민주화 운동(1980년)에 대한 설명이다.

11 제시된 취임사를 발표한 정부는 김대중 정부이다. 제15대 대통령 선거에서는 야당의 김대중 후보가 대통령에 당선되어 헌정 사상 최초로 여야 간 평화적 정권 교체가 이루어졌다. ③ 김대중 대통령은 2000년에 평양을 방문하여 최초로 남북 정상 회담을 성사시켰다.
바로알기 ①, ④는 김영삼 정부, ②는 노무현 정부, ⑤는 노태우 정부에 대한 설명이다.

12 1997년 11월 우리나라에서 외환 위기가 발생하였다. 외환 위기를 극복하고자 많은 국민들이 자발적으로 금 모으기 운동에 동참하였다.
바로알기 ②는 1950년대 말, ③은 2004년, ④는 1972년, ⑤는 1978년에 일어난 사실이다.

13 북한은 경기 침체를 극복하기 위해 외국 자본과의 합작을 공식적으로 법제화한 합영법을 공포(1984)하였고, 경제특구를 만들어 외국 자본과 기술 유치에 힘썼다.
바로알기 ①은 2011년, ②는 1993년, ④는 1990년대 말, ⑤는 1972년의 사실이다.

14 밑줄 친 '성명'은 7·4 남북 공동 성명이다. 1972년 남북한이 분단 이후 최초로 자주·평화·민족 대단결의 3대 통일 원칙에 합의하여 7·4 남북 공동 성명을 발표하였다.
바로알기 ①은 한반도의 평화와 번영, 통일을 위한 판문점 선언(2018), ②, ⑤는 6·15 남북 공동 선언(2000), ③은 남북 기본 합의서(1991)에 대한 설명이다.

주관식+서술형 문제

15 제주 4·3 사건은 1948년 남한만의 단독 선거 결정에 반대하여 일어났다.

16 (2) **예시답안** 6·15 남북 공동 선언 이후 이산가족 방문과 서신 교환 등이 이루어졌고, 경의선 복구 사업과 개성 공단 건설 등 경제 협력이 추진되었다.

채점 기준	배점
6·15 남북 공동 선언 결과 나타난 남북 관계의 변화 두 가지를 정확히 서술한 경우	상
6·15 남북 공동 선언 결과 나타난 남북 관계의 변화를 한 가지만 서술한 경우	하

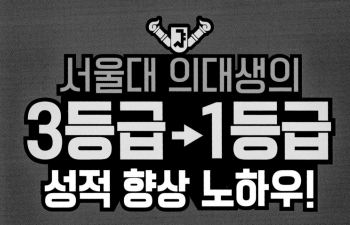

내·공·의·힘·시·리·즈 단기간에 핵심만 빠르게, 내신 만점을 위한 공부법을 제시합니다.

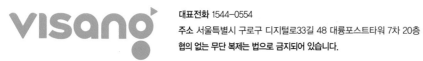

대표전화 1544-0554
주소 서울특별시 구로구 디지털로33길 48 대륭포스트타워 7차 20층